LeYa

HISTÓRIAS DA GENTE BRASILEIRA

VOLUME 3

REPÚBLICA

MEMÓRIAS (1889-1950)

Preparação
Vera Cristina Rodrigues Feitosa

Revisão
Bárbara Anaissi

Projeto gráfico e tratamento de imagens
Victor Burton

Diagramação
Adriana Moreno e Anderson Junqueira

Pesquisa iconográfica
Renato Venancio

Pesquisa documental
Carlos Milhono

Cip -Brasil. Catalogação na publicação
Sindicato Nacional dos Editores de Livros, RJ

P954h
Del Priore, Mary, 1952-
Histórias da gente brasileira, Volume 3: República – Memórias (1889-1950) / Mary del Priore. — Rio de Janeiro: LeYa, 2017.
il. (Histórias da gente brasileira ; 3)

Inclui bibliografia
ISBN: 978-85-441-0551-1
1. Brasil – História. 2. Brasil – Civilização. I. Título. II. Série.
17-43522 CDD 981
CDU 94(81)

20/07/2017 24/07/2017

Todos os direitos reservados à
EDITORA CASA DA PALAVRA
Avenida Calógeras, 6 – sala 701
20030-070 – Rio de Janeiro – RJ
www.leya.com.br

Aos amigos que generosamente me indicaram memorialistas:
Antonio Carlos Secchin, José Mario Pereira, José Murilo de Carvalho, Fernando Abreu, Lizir Arcanjo, Marly Vianna, Mauricio Ferreira de Macedo, Natania Nogueira, Rodrigo Falconi e Vasco Mariz.
Aos colegas e alunos da Universidade Salgado de Oliveira.

SUMÁRIO

A movimentação no Centro da cidade no início do século XX.

The leading Ave. of Rio de Janeiro.
Rio de Janeiro, 1909.
LIBRARY OF CONGRESS
[NATIONAL PHOTO COMPANY].

PREFÁCIO

Eu me lembro...

Bom dia. Pode entrar. Tome assento e venha conversar. Reunidos aqui, se encontram vários escritores brasileiros. Escritores, mas, sobretudo, memorialistas. Você os conhece: seus rostos estão em tantas capas de livros... São tão diversos: há os irônicos, os proseadores, os vaidosos, os tristes e os alegres. Mas, de muitos, os retratos foram apagados, assim como sua obra. Daí a importância desta conversa. Ela é cheia de vozes distantes. De sotaques diferentes. Erico Verissimo e José Lins do Rego, Wilson Martins ou Zélia Gattai, e muitos outros, trazem na forma de escrever o

Detalhe: luz elétrica na avenida Rio Branco.

[*Ruas, prédios e monumentos da cidade do Rio de Janeiro*]. 1906.
ARQUIVO NACIONAL [DOSSIÊ].

PÁGINAS 12 E 13

Avenida Central, atual Rio Branco, Rio de Janeiro, 1906.

MALTA, Augusto. *Av. Central, atual Rio Branco – um ano após a inauguração da instalação de iluminação incandescente*. 1906.
INSTITUTO MOREIRA SALLES.

som das palavras nas diferentes regiões do país. Trazem junto com o verbo, hábitos, gestos, vivências. A conversa nesta sala é sobre memórias, lembranças e história.

A verdade da memória é singular, não é? Contar o passado significa remontar longe nos anos, atravessar fronteiras, deixar-se guiar pelo fluxo das imagens, das associações livres, dos vazios e das reentrâncias esculpidas pelo tempo. A memória seleciona, elimina, exagera, minimiza, glorifica, denigre. Modela sua própria versão dos fatos, libera sua própria realidade. Heterogênea, mas coerente. Imperfeita, mas sincera.

Pode uma vida contar a História? Quem recorda suas pequenas histórias conta também a grande História? E nas que são relembradas, encontramos as marcas do passado, os fenômenos que se repetem, a permanência dos hábitos ou as rupturas com a tradição, assuntos deste livro? O poeta diria que a memória é como a corrente, forte e maciça, que puxa do fundo do poço o balde cheio de lembranças. Vidas passadas, memórias e histórias estão misturadas nessa matéria a que recorremos quando queremos recordar. E "recordar é viver", diz o ditado. A memória é uma janela que se abre para ver o mundo daquele que lembra. E uma janela que nos permite, também, alargar o nosso. Águas passadas? Nada disso. Um arquivo de crenças, de valores coletivos que persistiram na forma de hábitos e costumes.

Antes, porém, algumas questões de metodologia. Sabemos que a memória é a capacidade humana de reter os elementos do passado. Porém, há alguns anos, e para alguns historiadores, o termo tomou um sentido restrito. Sentido que, segundo eles, oporia memória à história. A primeira resultaria de lembranças que um indivíduo tem de seu passado individual. Enquanto a história seria um discurso impessoal, frio, ignorante dos destinos humanos, mais preocupada com os destinos coletivos. Conclusão? A narrativa subjetiva se contraporia ao discurso objetivo. E, a história, seria o único caminho para a verdade.

Nas últimas décadas, a publicação de memórias narrando a vida cotidiana, as experiências individuais – mais do que os grandes fatos históricos – causaram tanto impacto junto à opinião pública, que os historiadores se sentiram na obrigação de examinar a questão mais de perto. Ora, muitas e muitas vezes, os próprios historiadores recorreram a testemunhos orais

Malta
Avenida Central
Rio 7-10-06

– existe mesmo uma abordagem intitulada História Oral – mas só lhes dando confiança, quando confirmados. Historiadores também escreveram *Ensaios de ego-História*: maneira de contar ou de lembrar suas trajetórias e falar de suas escolhas metodológicas, fazendo-se, enfim, historiadores deles mesmos. E graças... À memória.

A memória não é o rebotalho da História, nem um material bruto que só podemos usar depois de passar pela peneira da grande História. É preciso, sim, confrontá-la com outros testemunhos, da mesma forma como fazemos com documentos escritos, imagens ou objetos. Por outro lado, a memória acolhe experiências psíquicas e espirituais que nos convidam a compreender a complexidade dos comportamentos, atos e fatos. Além disso, é instrumento de luta contra discriminações e desigualdades.

Este livro demonstra que a oposição entre uma e outra não pode ser absoluta. As memórias narradas e escritas são um segmento importante da experiência vivida. Sobretudo quando o que foi retido tem a ver com o mundo material – mundo da terra, do trabalho, da casa, dos objetos, do consumo e do corpo. Assim como tem a ver com as marcas que os eventos externos deixam nas pessoas – alegrias de um nascimento, paixões amorosas, medo da violência, tristezas da morte. A evocação dos detalhes nas experiências individuais, somada às reações psicológicas e tensões, confirma a veracidade dos fatos. As emoções mostram formas de sentir e pensar que ajudaram nossos antepassados a enfrentar uma época em que o barulho das patas de cavalo ou das rodas do carro de boi foi substituído pelo silêncio dos pneus ou pelo som das lagartas dos tanques de guerra.

Neste volume III de *Histórias da gente brasileira*, optamos por conversar com autores da nossa literatura. Suas memórias permitiram agrupar lembranças num álbum de retratos do que para eles importou, na primeira metade do século XX. Fonte histórica rica, pois é a voz direta dos atores de um tempo, que nos contam o que viram, ouviram e viveram. Não é o estilo que importa, mas o testemunho, o modo de vida de uma geração que assistiu passar a História da República Velha e do Estado Novo. Para muitos, e em diferentes partes do país, as mudanças no cotidiano trouxeram maior impacto do que as revoluções ou a vida política. Um exemplo é o advento da radiola, ou do Ford Bigode: ambos repercutiram mais do que a vitória de Getúlio em 1930 ou a Revolução Constitucionalista de 1932.

A República chegou em 1889, mas as modificações que vieram com ela atingiram diferentemente a gente brasileira. Nem todos se beneficiaram com as novidades da telegrafia, da eletricidade, da água encanada. Regiões adormecidas conviviam com outras, onde a fuligem das fábricas e o brilho da fada-eletricidade não deixavam repousar.

O amazonense Thiago de Mello, à beira-rio, filosofava: "[Esse] antes de tudo, era um tempo de tempo. Um tempo em que o tempo dava. Dava e ainda sobrava para o que desse e viesse." Ou seja, um bom tempo... Diferente de Humberto de Campos que, em 1930, morando na capital do país, assim resumia seu sentimento sobre o que via e vivia: "A história do Brasil na República pode ser resumida num álbum de retratos. Figuras, figuras, figuras. Nenhum programa, nenhuma ideia." Um mau tempo.

Na nova bandeira do Brasil, sob o lema Ordem e Progresso, uma constelação de estrelas. Estrelas de intensidade e brilho diverso, assim como diversos eram os estados da nação. O país era feito de vários Brasis. E de Brasis em tempos diferentes. Entre os memorialistas que expressam essas diversas temporalidades, não se veem conceitos caros aos estudiosos como "cidadania", "classes", "modernização", "elite", pois seus apontamentos não querem explicar. Apenas descrever: "era assim."

Suas descrições, instantâneos preciosos, sobreviveram. Suas vozes nos convidam a percorrer o passado e aproximam a literatura da história. E quaisquer que sejam as histórias que tais memorialistas nos contam, eles contam também a nossa. Por isso vale a pena conhecê-los ou relê-los. Aceite o convite: sente-se para ouvi-los...

PARTE 1

POLÍTICA, TERRA E TRABALHO

1. TEMPOS DE MUDANÇAS E MEDO

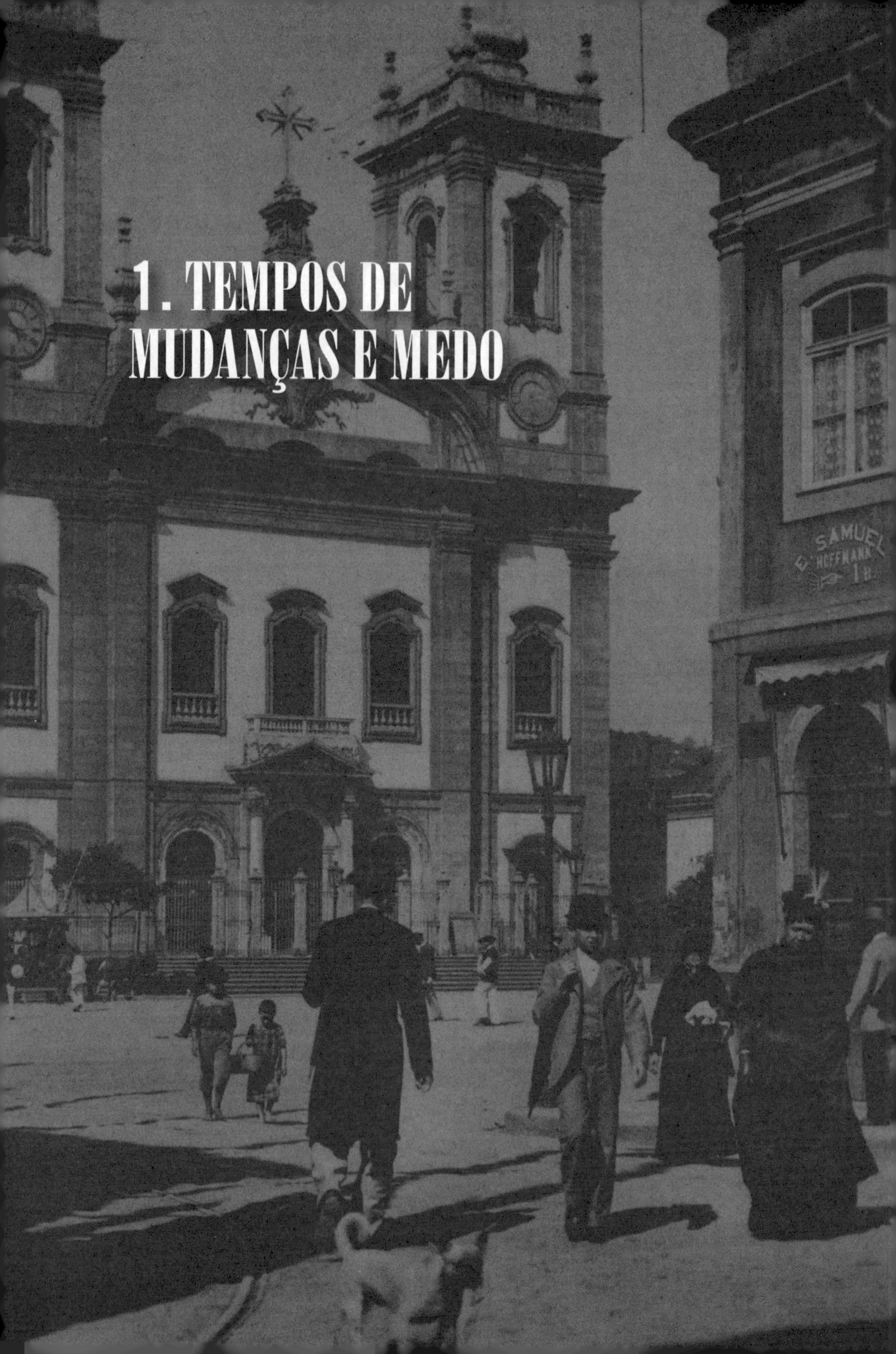

Nos primeiros anos da República, o Brasil sofreu uma desorganização econômica financeira resultante da desordem da lavoura, com o regime de trabalho livre. A crise aumentou com o Decreto 164, de Rui Barbosa, baixado a 17 de janeiro de 1890, permitindo que companhias ou sociedades anônimas se estabelecessem sem autorização do Governo. Iniciou-se assim um período de jogatina desenfreada na Bolsa, com projetos de riqueza imediata sem base de produção, período que durou vários anos, nos quais se criaram e se destruíram fortunas inteiras. Lançavam-se cada dia ações de novas companhias. Pleiteavam-se concessões. Enquanto de um lado se levantavam empresas, de outro se abriam falências. Quase todos os bancos soçobraram. Tudo isso ficou marcado em minha infância apenas pelo vocábulo "encilhamento". As palavras que não entendemos são, às vezes, as que mais fascinam. Hoje, sei que esta foi originalmente sugerida pelo frenesi das apostas e palpites no elegante azar dos hipódromos, nas cocheiras onde se encilhavam os animais de corrida.

A impressão é de um momento difícil, desarranjado. E quem o descreve é Maria Carolina Nabuco de Araújo, filha de Joaquim Nabuco. Jovem de elite, bem-educada, falando línguas estrangeiras e dotada de muita perspicácia, Carolina soube resumir bem os acontecimentos que distinguiram a passagem do regime monárquico para a República. Trabalho livre, Bolsa de Valores, militares, Canudos são episódios marcantes de sua juventude. Da janela, Carolina viu passar bondes e os Ford Bigode, viu desfilar batalhões, ouviu troarem canhões e chegar o som da radiola. Nos salões, observou

Rio de Janeiro, 1900.

[Ruas, praias, praças, prédios e monumentos da cidade do Rio de Janeiro]. [1890-1900].

ARQUIVO NACIONAL [DOSSIÊ].

PÁGINAS 16 E 17

Usinas de açúcar: a mecanização da produção agrícola.

Usina Brazileira, Atalaia-Maceio: Appareils de cuite & d'évaporation. Rio de Janeiro: Courrier & Billiter, [1916?].

BIBLIOTECA NACIONAL [ICONOGRAFIA].

o andar dos políticos, reconhecíveis por suas fardas e fraques, bigodes e cabelos impregnados de gomalina, garras e dentes afiados na direção de um único endereço, centro do poder político: o Palácio do Catete, que se tornou conhecido como Palácio das Águias por conta das harpias de sua fachada. No ar, a jovem sentiu também o cheiro de sangue das muitas quarteladas e revoltas que marcaram essas décadas.

No período sobre o qual Carolina escreveu, o tempo voava. Seu pai, monarquista convicto, ficou condenado ao ostracismo até compreender a impossibilidade da restauração da monarquia. Aí se converteu e passou a fazer parte dos chamados republicanos do 16 de novembro. Os próximos anos foram difíceis, não só porque revoltas sociais e tensões políticas tornavam o céu cinzento, mas, sobretudo, porque problemas econômicos se abateram como tempestade sobre muita gente. Além dos arruinados pela jogatina da Bolsa, dos comerciantes endividados, das riquezas construídas e destruídas pelo Encilhamento, havia também ex-fazendeiros falidos que, em leilões, esvaziavam os salões de suas casas. Nascia a "pobreza envergonhada" da decadente elite do Vale do Paraíba. Valia o ditado popular: "Pai rico, filho nobre, neto pobre." Crescia, também, depois do 13 de Maio, a população citadina com escravos libertados, que passavam a integrar a classe de pobres sem escolaridade – a que já pertenciam imigrantes atraídos pela indústria e pelo comércio que se desenvolviam nas áreas urbanas.

Em várias capitais, o espaço urbano colonial, fruto de uma experiência secular de adaptação da arquitetura portuguesa aos trópicos, cedeu lugar a projetos de reurbanização orientados pela abertura de largas avenidas e pela imitação de prédios europeus. A decisão levada a cabo pelos poderes públicos implicava desalojar milhares de famílias pobres, expulsando-as de áreas centrais, onde estavam os cortiços, para locais de difícil edificação. Resultado: a mesma cidade que se embelezava era também a que inventava a favela, termo que nasceu na época, aliás, ao mesmo tempo que a expressão *pivete* – designação em francês, a língua da moda, significando erva daninha para descrever a "criança de rua" – explica o historiador Renato Venancio.

Existia um sentimento geral de que políticas públicas voltadas para o "saneamento" da sociedade poderiam colocar o país na rota do sucesso. Ou do progresso. Bastava europeizar-se e adotar métodos científicos nas escolas, cidades, prisões. Nenhuma das intenções reformistas impediu, porém, a violência que ensanguentou o país. Massacres, lutas entre facções políticas ou por ideais traziam insistentemente para as ruas o estrondo das botas e das armas de fogo.

A República lançou-se ao combate de tradições culturais de origem africana, apesar de ter elegido um presidente mulato, Nilo Peçanha, e um vice-presidente também mulato, Fernando de Melo Viana. Além disso, circulavam na cena cultural, inúmeros intelectuais negros e mulatos como Machado de Assis, Raul Astolfo Marques, Arlindo Veiga dos Santos, Trajano Margarido, Alfredo Casimiro da Rocha, Ildefonso Juvenal, Abdon Batista, Antonieta de Barros, Oracy Nogueira, Manuel Querino, Nina Rodrigues, Mário de Andrade, entre tantos outros políticos, escritores, médicos, jornalistas e professores. A capoeira e várias formas de religiosidade se tornaram, segundo o Código Penal de 1890, práticas criminosas, enquanto a culinária dos antigos escravos sofria severa condenação médica. O prometido progresso significava, entre outros aspectos, branquear o país.

Nem mesmo as festas escaparam ao furor antiafricano. Em plena Salvador, os batuques, afoxés e candomblés foram colocados na ilegalidade. Enquanto isso, em diversas outras cidades, nas festas de Momo, o Entrudo – comemoração pública na qual os negros participavam como coadjuvantes ou na condição de alvo das brincadeiras com água de cheiro – começava a perder adeptos entre a elite, que passou a frequentar carnavais em bailes de salão, com serpentina e confete, à moda veneziana.

Se a ideia de alguns era "europeizar ou civilizar", explica Venancio, nada ficou sem resposta, mesmo que de forma não violenta, como a reação diante da proibição das festas negras. Mudanças promovidas pela elite, que objetivavam desafricanizar o Carnaval – pelo menos em algumas cidades brasileiras – acabaram assimiladas pelas camadas populares. À época, nessa festa, os elementos mais distintos e ricos da sociedade desfilavam em bondes e carros alegóricos – os corsos –, competindo no brilho e no luxo das fantasias. Os corsos foram sendo substituídos por ranchos até que, na década de 1920, surgiu a hoje tão famosa Escola de Samba Estação Primeira de Mangueira, liderada por sambistas e passistas de origem humilde. Assim, o corso da elite foi dando lugar ao desfile popular de escolas de samba, organizado nas favelas e bairros periféricos do Rio de Janeiro.

Os olhos da jovem Carolina não se cansavam de registrar mudanças.

> A primeira década do século foi aquela em que vimos desaparecer a tração animal e nos acostumamos aos motores que lhe tomaram o lugar [...]. O quadriênio da presidência de Rodrigues Alves foi um período de renovação com Rio Branco na Pasta do Exterior garantindo nossa dignidade entre as nações e alargando, com a negociação do Acre, as fronteiras que ele havia ganhado por arbitramento; com Oswaldo Cruz abolindo a febre amarela, que fizera do Rio uma cidade de castigo. O Rio foi praticamente demolido nas mãos do prefeito Pereira Passos, para depois surgir com suntuosidade ostentando a primeira avenida de grande largura e com a cidade voltada para o mar, abrindo-se a toda a beleza da baía de Guanabara.

A comunicação internacional, graças à telegrafia, permitia seguir o que acontecia fora do país:

> Nos céus de Paris, ao abrir o século, os primeiros sinais de que um dia o transporte seria aéreo, mas, isso parecia longe, senão impossível. Santos Dumont, causando orgulho aos brasileiros teimava corajosamente em lançar balões dirigíveis, e com isso ficou anos seguidos na linha de notícias. Brilhou novamente em 1904 com o voo que ficou histórico, o primeiro avião mais pesado do que o ar [...]. A guerra russo-japonesa surgiu quando eu começava a acompanhar nos primeiros jornais as notícias mundiais. Não era de esperar que o colosso russo pudesse sofrer qualquer derrota, muito menos que a sofresse de tão pequeno adversário [...]. O mundo assistiu atônito a sensação de ver um país pequenino, insignificante como era o Japão, impor-se de repente como grande potência e ser aceito nessa classe por aclamação.

Para a moça, o que mais impressionou foram as consequências do temido Encilhamento, que arruinou tantos dos amigos de seu pai – ele, também, já arruinado. O sistema permitia – e essa era a novidade da finança – que os bancos emitissem moeda sem qualquer exigência de lastro em ouro. O objetivo não era equivocado: fazer com que as empresas pudessem pagar seus operários e, aumentando o mercado consumidor, estimular a indústria. O que aconteceu, porém, foi que a inflação disparou.

Campos Sales: republicano e aristocrático.

Retrato do presidente Campos Sales, 1898.
ARQUIVO NACIONAL [DOSSIÊ].

Ações eram livremente lançadas na Bolsa de Valores do Rio de Janeiro até por empresas fantasma, agravando ainda mais os efeitos negativos e a credibilidade do processo. Com a novidade que era "jogar na Bolsa", muitos perderam tudo o que tinham.

Se a economia encontrou problemas, o sistema político vingou. Passou da destruição de jornais que não fossem pró-republicanos à acalmia, à acomodação. Contando com o apoio da elite – os cafeicultores paulistas –, a República era politicamente moderada e socialmente conservadora: "A República do Brasil estava bem solidificada. Lembro-me da noite, em que, terminado o mandato de Prudente de Morais, fui levada de carro para ver as iluminações e o movimento nas ruas festejando a posse de Campos Sales, isto em 1898" – conta Carolina.

Carolina se referia ao fato de o Brasil ter deixado para trás a chamada República da Espada, que se seguira ao golpe militar que, no dia 15 de novembro de 1889, depôs o imperador d. Pedro II. Conta o jornalista Aristides Lobo: "O povo assistiu aquilo tudo bestializado, atônito, surpreso, sem

ACIMA
Benjamin Constant, militar e positivista.

ABAIXO
Deodoro da Fonseca, primeiro presidente da República do Brasil.

Revista Illustrada, ano 14, n. 569, p. 4, 1889.
BIBLIOTECA NACIONAL [HEMEROTECA].

conhecer o que significava. Muitos acreditaram seriamente estar vendo uma parada!"

A República da Espada era dominada por setores políticos egressos do Exército e do movimento republicano, de perfil centralizador, preocupados em evitar o retorno da Monarquia ou uma possível divisão do Brasil. À época, predominava um conjunto de novas ideias afinadas com o pensamento científico – ou, pelo menos, com o que, na época, acreditava-se ser a ciência – o Positivismo entre elas. Seus partidários previam o advento da "era positiva", em que a sociedade – a começar pela política – seria regulada, controlada e executada de maneira científica. O problema era que Auguste Comte, filósofo francês idealizador do Positivismo, não via com bons olhos a democracia, o individualismo e o liberalismo, encarando-os como invenções metafísicas: a sociedade moderna deveria ser gerida de maneira autoritária, por um conjunto de sábios voltados para o bem comum, daí a máxima positivista: a Ordem por base e o Progresso por fim – incorporada à bandeira nacional republicana. Não por acaso, esse tipo de filosofia antidemocrática – resultado de extravagante mescla de admiração pelos avanços científicos do século XIX com fórmulas políticas inspiradas no absolutismo do Antigo Regime – conquistou adeptos entre militares brasileiros.

Porém, enquanto as formulações políticas de Deodoro da Fonseca se restringiam aos ataques moralistas aos bacharéis – que humilhavam o Exército ou ameaçavam sua sobrevivência –, um grupo de militares positivistas, minoritário e vinculado a Benjamin Constant, introduziu no debate político brasileiro a ideia da ditadura republicana. Tal perspectiva política fez

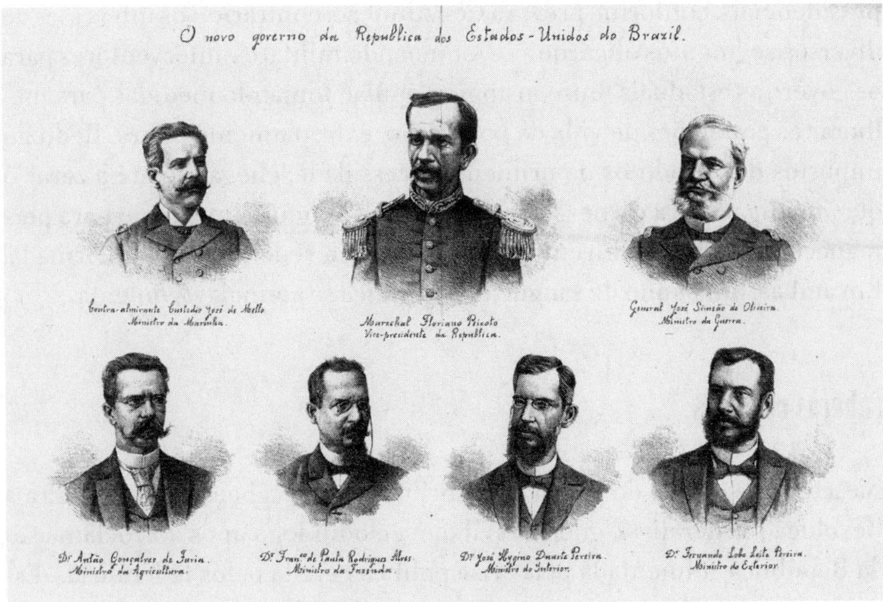

Em 1891, ministros militares eram minoritários no governo republicano.

Revista Illustrada, ano 16, n. 633, p. 4, 1891.

BIBLIOTECA NACIONAL [HEMEROTECA].

sucesso, sendo também partilhada por aqueles que não seguiam os ensinamentos comtianos. Deodoro da Fonseca, o primeiro presidente do Brasil, governou um ano e três meses no Governo Provisório e nove meses como presidente eleito pela Assembleia Nacional Constituinte, em fevereiro de 1891. Seu governo, chamado República da Espada, foi marcado pela crise econômica e por movimentos contra sua gestão autoritária.

Em 22 de agosto de 1891, o Congresso Nacional exibiu um conjunto de leis que visava à redução de poder do presidente da República. Deodoro aplicou, então, o Golpe de Três de Novembro. Seus decretos assinados nesse dia – dissolução do Legislativo e estado de sítio – foram frustrados por resistências espalhadas por todo o país. Após a pressão dos militares, que apontaram canhões para o Rio de Janeiro, o presidente renunciou ao cargo, em 23 de novembro de 1891, deixando Floriano Peixoto, vice-presidente, em seu lugar.

Floriano Peixoto, por sua vez, assumiu o poder acentuando ainda mais as tendências ditatoriais do regime. Além de não convocar novas eleições presidenciais, conforme previa a Constituição, contrariou os interesses de diversos segmentos oligárquicos, nomeando militares-interventores para os governos estaduais. Buscou apoio popular, tomando medidas para melhorar as condições de vida da população, extremamente pobre. Reduziu impostos dos produtos de primeira necessidade, chegando até a zerar o que incidia sobre a carne. No entanto, tinha pouquíssimo apoio para permanecer no poder e enfrentou duas revoltas: a Federalista e a da Armada. Em ambas, um banho de sangue. A República se anunciava violenta.

Cabeças cortadas

Nas coxilhas do Sul do Brasil, o sol brilhou sobre cabeças cortadas. Era a Revolução Federalista, guerra civil que eclodiu logo após a Proclamação da República, alimentada pela crise política gerada pelos federalistas. Estes formavam um grupo opositor que pretendia libertar o Rio Grande do Sul da governança de Júlio de Castilhos, então presidente do estado. Seus adeptos queriam também conquistar maior autonomia diante do poder da recém-proclamada República.

O conflito atingiu os três estados da região: Rio Grande do Sul, Santa Catarina e Paraná. Os federalistas, seguidores de Gaspar da Silveira Martins – gasparistas ou maragatos –, eram inimigos viscerais dos republicanos seguidores de Júlio de Castilhos, ditos castilhistas, pica-paus ou ximangos. Desencadeou-se violenta luta armada, que durou de fevereiro de 1893 a agosto de 1895, tendo por vencedores os castilhistas.

A degola dos prisioneiros não foi prática rara em ambos os lados, adquirindo caráter revanchista. Muitas vezes, era realizada em meio a zombarias e humilhações; outras, menos frequentes, antecedida de castração. A vítima, ajoelhada, tinha as pernas e mãos amarradas, a cabeça estendida para trás: a faca era passada de orelha a orelha, como na degola de uma ovelha, rotina das lides nas coxilhas. Ressentimentos acumulados e desavenças pessoais, somados ao caráter rude do homem da campanha, acostumado a sacrificar o gado, estavam na base de tais atos de selvageria. Do ponto de vista militar e logístico, a prática decorria da incapacidade das forças em combate de fazer prisioneiros, mantê-los encarcerados e alimentá-los, pois os dois lados lutavam em situação de penúria. E mais: era um meio rápido de execução, que poupava munição.

Nesse palco de brutalidade, o conflito fez pelo menos 10 mil mortos e incontáveis feridos. Embora Floriano tivesse tropas federais nos estados sulistas, somente em 1895, no governo de Prudente de Morais, seria assinado um acordo de paz na região.

Cabeças cortadas.

O Malho, ano IX, n. 389, p. 70, 26 fev. 1910.
BIBLIOTECA NACIONAL [HEMEROTECA].

A chamada Revolta da Armada, por sua vez, foi um movimento de rebelião promovido por unidades da Marinha em dois momentos. Primeiro contra Deodoro, que, em resposta aos revoltosos – apoiados pela oposição monarquista à recente instalação da República – resolvera fechar o Congresso. Na baía de Guanabara, unidades da Armada sob a liderança do almirante Custódio de Melo sublevaram-se, ameaçando bombardear o Rio de Janeiro. Resultado: a renúncia de Deodoro, que dizia querer evitar uma guerra civil.

O segundo momento começou a se delinear em março de 1892, quando 13 generais enviaram uma carta-manifesto a Floriano Peixoto, que por ser vice de Deodoro, assumira a presidência. Esse documento exigia a convocação de novas eleições presidenciais para que, cumprindo-se o dispositivo constitucional, se estabelecesse a tranquilidade interna na nação. Floriano reprimiu duramente o movimento, determinando a prisão de seus líderes.

Em 6 de setembro de 1893, um grupo de altos oficiais da Marinha exigiu a imediata convocação dos eleitores para a escolha dos governantes. Entre os revoltosos estavam os almirantes Saldanha da Gama, Eduardo Wandenkolk e Custódio de Melo, ex-ministro da Marinha e candidato declarado à sucessão de Floriano. Sua adesão refletia o descontentamento da Armada com o pequeno prestígio político da Marinha em comparação ao do Exército.

No movimento havia também jovens oficiais e muitos monarquistas. A revolta teve pouco apoio político e popular. A partir de 13 de setembro, diversas unidades encouraçadas trocaram tiros com a artilharia dos fortes, em poder do Exército. Sangrenta batalha ocorreu na Ponta da Armação, em Niterói, guarnecida por cerca de 3 mil governistas. Sem chance de

A Revolta da Armada.

FERREZ, Marc. *Forte do Castello: canhão Bamge.* Rio de Janeiro: [s.n.], 1894. BIBLIOTECA NACIONAL [ICONOGRAFIA].

vitória na baía de Guanabara, os revoltosos dirigiram-se para o sul do país. Alguns efetivos desembarcaram na cidade de Desterro, atual Florianópolis, e, em vão, tentaram articular-se com os federalistas gaúchos.

Foram tempos de sentir medo. O que seria da gente indefesa, diante da máquina de guerra? Como se proteger diante das balas de canhão? Falava-se em fuga, em êxodo de moradores desesperados. Coelho Neto, jornalista e político, registrou o bombardeio que se abateu sobre a capital, o clima de pânico e a fisionomia dos combatentes:

> E os dias corriam sempre sombrios, nublados, até que, uma tarde, espalhou-se em todo o comércio, com o mistério apavorante de um agouro, a notícia de que a esquadra bombardearia a cidade no dia seguinte.
>
> O clamor subiu em lamentação de desastre. Justamente eu chegava à rua do Ouvidor quando estrídulos toques de clarim faziam mover a multidão em ondular tumultuoso, como o oceano sob a lufada violenta de um ciclone, e começaram a passar, com estridor de ferragens, os pesados armões da artilharia [...]. Abriam-se claros, mas logo animais a trote avançavam, arrastando com fragor outras carretas, até que a bandeira, desfraldada no punho de um cavaleiro moço passou, palpitando gloriosamente, saudada pelo povo.
>
> Uma banda vinha tocando, como nos dias tranquilos de festa, mas o estrondo da artilharia mal deixava ouvir a música [...]. Os soldados marchavam curvados ao peso das mochilas [...]. Vieram, em seguida, os voluntários; todos moços, animados de entusiasmo que lhes transparecia nos olhos, que se acusava em todos os seus movimentos.
>
> Seguiam para a morte como para uma apoteose, satisfeitos, orgulhosos, sem sentir o peso das armas sobre os ombros desacostumados [...]. Ao clangor das charangas possantes o entusiasmo subia, comunicando-se ao povo que abria alas à passagem das tropas. Por último, foi um batalhão que desfilou ao rufo dos tambores, ao som vibrante das cornetas e, por muito tempo, ouviu-se o trepidar dos passos dos soldados. Olhando, então, para a rua, tive a impressão de um rio rútilo, a correr, tal era o brilho das baionetas juntas, parecendo um só corpo luminoso, espelhento, que fulgia [...]. Grosso tumulto de gente precipitava-se para os bondes, com algazarra; mulheres corriam arrastando crianças que choravam [...]. E os bondes eram invadidos; senhoras iam de pé nos estribos, agarradas aos balaústres ou entre os bancos. Pobres

> mulheres levantavam nos braços criancinhas tenras, embrulhadas em toalhas e pediam, por piedade, que lhes cedessem um lugar [...]. O povo, no seu egoísmo brutal, batalhava pela vida, surdo a gemidos.

Como acabou? Floriano Peixoto, apoiado pelo Exército e pelo Partido Republicano Paulista, conteve o movimento. Contou muito a compra, feita às pressas no exterior, por meio do empresário e banqueiro americano Charles Ranlett Flint, de alguns navios de guerra: na verdade, tratava-se da chamada "frota de papel" que reunia navios mercantes obsoletos, improvisados em navios de guerra. A baía de Guanabara viu chegarem embarcações e gente falando inglês. Adquirida nos Estados Unidos, que então renovava a sua frota, foi denominada Esquadra Flint pelos governistas e viajou do porto de Nova York até a baía de Guanabara tripulada por mercenários. De acordo com Joaquim Nabuco, as tropas contratadas para auxiliar o governo federal eram "a pior escória de flibusteiros americanos".

Apesar de sua aparente vantagem, os revoltosos tiveram, entre outras perdas, o couraçado *Sete de Setembro* afundado e o *Aquidabã* torpedeado. Em março de 1894, a rebelião estava sufocada. O rigor de Floriano Peixoto nesses movimentos lhe valeu o cognome de Marechal de Ferro. Sua sucessão pelo vencedor das eleições, Prudente de Morais, marcou o final da República da Espada.

A eleição de um civil deu início ao período conhecido como a República do "café com leite", resultado da hegemonia econômica dos estados de São Paulo e Minas Gerais. Teriam início, assim, trinta anos de domínio político de oligarquias locais.

2. O BOTA-ABAIXO E A REVOLTA DA VACINA

O quadriênio de Rodrigues Alves, responsável pelo famoso Bota-abaixo, foi considerado um sucesso. O quinto presidente do Brasil, eleito em 1902 com apoio das elites de São Paulo e de Minas Gerais, havia sido também presidente da província de São Paulo, cuja capital reurbanizara: trocou lampiões de gás por luz elétrica, abriu largas avenidas e instalou rede de esgoto. Agora, seria a vez da capital. O Rio de Janeiro de vielas imundas, ruas estreitas, e campeão de epidemias precisava se renovar. Segundo o presidente eleito: "A capital da República não pode ser apontada como sede de vida difícil, quando tem fartos elementos para constituir o mais notável centro de braços, de atividades e de capitais nesta parte do mundo."

Em 29 de fevereiro de 1904, Rodrigues Alves partiu para a ação, deflagrando uma revolução urbana cujo objetivo era a abertura da avenida Central, hoje, avenida Rio Branco. Em nove meses, 614 imóveis foram postos abaixo "sob o hino jubiloso das picaretas regeneradoras". A mudança na cidade exigia que os prédios tivessem fachadas e que os projetos fossem previamente aprovados. Remodelou-se, também, a rua do Ouvidor e a avenida Beira-Mar, revelando a beleza da orla, pouco aproveitada. O porto da cidade ganhou 52 novos armazéns, foi aberto o túnel do Leme e iniciou-se a construção da avenida Atlântica. As comunicações entre a cidade e os então subúrbios do Flamengo e de Botafogo se multiplicaram, e praças foram embelezadas. Impuseram-se normas de civilidade: tornou-se proibido cuspir no assoalho dos bondes. Proibida a circulação de vacas, porcos e cães vira-lata pela cidade. Proibida a exposição de carne na porta dos açougues. Proibido o desfile de blocos de Carnaval sem autorização. Enfim, proibidos os costumes "bárbaros e incultos".

A beleza da paisagem urbana, entre serras e mar, fez surgir no Carnaval de 1904 a marchinha: "Sem igual no mundo inteiro/ Cidade Maravilhosa/ Salve o Rio de Janeiro." A gente da capital, que desde o século

Malta
Rua da Carioca
31-1-06

XIX sonhava com a França, comia e vestia-se à francesa, agora poderia viver numa Paris à beira-mar! Civilização, enfim, entre luz, águas e granitos! A cidade emoldurava a natureza e essa, graças às renovações urbanas, se curvava ao progresso.

O poeta Olavo Bilac, ativo republicano e nacionalista, num artigo publicado na *Gazeta de Notícias*, aludindo ao "bom povo" sofrido descreve o verdadeiro êxtase que o arrebata ao ver a avenida pronta:

AO LADO, DE CIMA PARA BAIXO

Rio de Janeiro: reformas urbanas.

MALTA, Augusto. *Rua da Carioca*. Rio de Janeiro: [s.n.], 1906.

BIBLIOTECA NACIONAL [ICONOGRAFIA].

São Paulo: avenida Paulista no início do século XX.

GAENSLY, Guilherme. *Avenida Paulista*. [1902?].

BIBLIOTECA NACIONAL [ICONOGRAFIA].

> A melhor educação é a que entra pelos olhos. Bastou que, deste solo coberto de baiucas e taperas, surgissem alguns palácios, para que imediatamente nas almas mais incultas brotasse de súbito a fina flor do bom gosto: olhos, que só haviam até então contemplado betesgas, compreenderam logo o que é a arquitetura. [...] E [eu], intimamente, invejava a sorte dos que estão agora nascendo, dos que vão viver numa cidade radiante – quando eu, e os da minha geração, pela estupidez e pelo desleixo dos enfunados parlapatões que nos governaram, tivemos de viver numa imensa pocilga de dois mil quilômetros quadrados, como um bando de bácoros fuçando a imundície...
>
> O.B.

Mas não houve só entusiasmo e "milagre"! Lágrimas, também. A velha cidade que o presidente destruía vingou-se. Uma de suas habituais epidemias de febre amarela levou-lhe um filho. Novamente, o político demonstrou reação rápida. Era preciso sanear a capital e fazer o milagre de salvar vidas. Para cuidar do problema, um célebre professor do Instituto Pasteur de Paris indicou seu discípulo: Oswaldo Cruz. Com liberdade de ação, Cruz começou a trabalhar com métodos ditatoriais: criou um esquadrão que caçava ratos pela cidade, pagando por cada bicho morto trezentos réis. Criou a Polícia de Focos: convencido de que o mosquito era vetor de doenças, mandava pulverizar casas e quintais. E apresentou a lei que obrigava à vacina contra a varíola, já testada com sucesso na Europa.

Apesar das medidas acertadíssimas, o jovem sanitarista tão empenhado em combater epidemias nos grandes portos de Santos e do Rio de Janeiro teve de enfrentar a incompreensão da população. Assim que as Brigadas Sanitárias, acompanhadas da polícia, começaram a invadir as casas, obrigando os moradores a vacinar-se, a reação teve início. Comícios, incêndio de bondes, saques de estabelecimentos comerciais e destruição dos novíssimos postes *art nouveau* que iluminavam as ruas. O escritor Lima Barreto registrou:

> Durante as mazorcas de novembro de 1904, eu vi a seguinte e curiosa coisa: um grupo de agentes fazia parar os cidadãos e os revistava. O governo diz que os oposicionistas à vacina, com armas na mão, são vagabundos, gatunos, assassinos, entretanto ele se esquece que o fundo dos seus batalhões, dos seus secretas e inspetores, que mantêm a opinião dele, é da mesma gente.
>
> Essa mazorca teve grandes vantagens:
>
> 1) demonstrar que o Rio de Janeiro pode ter opinião e defendê-la com armas na mão;
>
> 2) diminuir um pouco o fetichismo da farda;
>
> 3) desmoralizar a Escola Militar.
>
> Pela vez primeira, eu vi entre nós não se ter medo de homem fardado. O povo, como os astecas ao tempo de Cortez, se convenceu de que eles também eram mortais.

As tais "mazorcas", ou tumultos, tinham a ver com a Revolta da Vacina. O levante envolvendo milhares de pessoas deixou 23 mortos e 90 feridos. Uma vez mais, apresentou características ambíguas, sendo ao mesmo tempo uma manifestação contra a pobreza urbana – o movimento ocorreu após alguns anos de crise econômica no Rio de Janeiro –, como também uma resistência aos projetos autoritários liderados por higienistas que subestimavam os temores populares diante do possível contágio de outras doenças, como a sífilis. Era reação de gente que acreditava até que a vacina fosse um meio de propagação, e não de cura, da varíola. E tudo regado a pobreza e a preconceito. Mas, também, a intolerância quanto aos avanços da ciência.

José Murilo de Carvalho explica que, para se entender a revolta, é preciso ter em mente os valores do início do século. Um dos seus líderes, o socialista Vicente de Souza, por exemplo, argumentava que era uma ofensa à honra do chefe de família ter seu domicílio invadido e sua mulher e filhas despidas para a vacinação. Despidas onde? No braço! Mas, de má-fé, os oposicionistas deslocaram a vacinação para as coxas e depois, para as virilhas. "Inocular o veneno sacrílego nas nádegas das esposas e das filhas" era argumento devastador. Lar e honra eram argumentos inegociáveis para muitos, sobretudo, para os quase 20% da população que participou da revolta, majoritariamente operários e trabalhadores de baixa renda.

No dia 14 de novembro de 1904, a Escola Militar da Praia Vermelha uniu-se à revolta, revelando-lhe outra face: a carestia, a inflação, o achatamento salarial, o aumento abusivo dos aluguéis, os projetos elitistas de remodelação da cidade incomodavam mais do que as doenças. Por trás de queixas legítimas, porém, havia o projeto político de derrubar os cafeicultores paulistas, que comandavam o país desde 1894, tão bem representados por Rodrigues Alves. Os cadetes pareciam ter saudades da República da Espada e se uniram em torno da ideia da ditadura republicana, ou seja, de "um governo de salvação nacional exercido pelo povo". Não durou... O governo reagiu com rapidez, e tropas leais sufocaram a rebelião. Um dos seus mentores, o general Silvestre Travassos, foi ferido, e o tenente-coronel Lauro Sodré, preso. Duramente atingida por bombardeios, a Escola Militar foi desativada e, posteriormente, demolida. A história parecia gostar de sangue.

O presidente aprovou no Congresso o estado de sítio por um mês. Aproveitando-se do regime de exceção, tropas invadiram cortiços e favelas, caçando os participantes do motim. Junto com eles, apreenderam desempregados e "vadios" – todos enviados ao Acre, recém-recuperado da Bolívia, numa espécie de exílio. A vacinação, então suspensa, recomeçou. Dali a poucos meses, a varíola estava erradicada do Rio de Janeiro.

Café amargo e leite azedo

O sucessor de Rodrigues Alves, Afonso Pena (1906-1909), viu acumular a dívida externa brasileira graças à especulação internacional do preço do café. Durante seu governo reuniram-se os cafeicultores de São Paulo para

Hermes da Fonseca, inspiração para a publicidade.

Marechal Hermes: fabrica Estrella do Norte premiada na Exposição Nacional de 1908. [S.l.: s.n.], [19--].

BIBLIOTECA NACIONAL [ICONOGRAFIA].

AO LADO

Nilo Peçanha: presidente de origem humilde.

REPRODUÇÃO WIKIMEDIA COMMONS/ ARQUIVO NACIONAL.

firmar o Convênio de Taubaté: um empréstimo de 15 milhões de libras para garantir, com estocagem ou queima, um preço por saca do produto. Foram favorecidos grandes produtores, casas comissárias e banqueiros. Sofreu a população que viu o valor da moeda cair e o preço dos alimentos subir. Mas o "ouro verde" ou "semente do progresso" não era a única preocupação do presidente. Afonso Pena modernizou os portos de Recife, Vitória e Rio Grande do Sul, criou parques industriais e incentivou o Marechal Rondon a conquistar o oeste do país.

Doente e sem aliados políticos, Afonso Pena morreu antes de completar o mandato, concluído por seu vice, Nilo Peçanha, nosso primeiro presidente mulato. Peçanha praticou uma política de rigorosa restrição de despesas públicas, salvando o Estado de uma crise financeira que durava há 11 anos. Atraiu o capital estrangeiro. Multiplicou ferrovias trazendo-as até os portos e reduziu fretes. Criou o Ministério da Agricultura e incentivou a agricultura familiar. Remodelou subúrbios com iluminação elétrica e meios de transporte, reduzindo o preço das passagens. E dizia: "De política, como se entende geralmente, nada vos disse, porque dela não cogitei e a ela não servi." "Serviu ao Brasil", contrapunha João do Rio.

Ao lançar sua candidatura para a sucessão de Nilo Peçanha, Hermes da Fonseca, ex-ministro da Guerra de Afonso Pena, parecia o personagem ideal para restaurar as ideias de 1889 e colocar o país nos eixos caros aos militares. Mas ele não era o único pretendente ao Catete. Reagindo contra o que chamava "militarismo iminente" e sob a bandeira

da "campanha civilista", Rui Barbosa, representante da democracia liberal, lançou-se também candidato. Foi o duelo da pena contra a espada, numa campanha jamais vista até então.

Na Bahia, por exemplo, a disputa presidencial foi sangrenta. O sistema eleitoral viciado, as forças oligárquicas divididas e as divergências entre opositores levaram ao bombardeio da cidade. O historiador Pedro Calmon guardou imagens inesquecíveis: "Conheci a política como Dante, *A comédia*: pelo inferno. Ou coisa parecida: o bombardeio da Bahia. Foi em janeiro de 1912. Vejo-me aos 9 anos de idade, içado à mansarda da casa do Genipapeiro, a contemplar a parábola dos tiros do forte São Marcelo sobre o palácio do governo. Queimando a biblioteca pública, ali guardada, a do Conde dos Arcos, eliminou um tesouro de cultura – e cuspiu as labaredas em que ardeu a tradição liberal da mais velha de nossas cidades."

O canhoneio começou às 14 horas, e os tiros foram disparados dos fortes do Mar, de São Pedro e do Barbalho. Em vinte minutos, cerca de vinte balas de canhão atingiram a sede do governo, incendiando e destruindo um prédio histórico de trezentos anos. O fogo atingiu a Biblioteca Pública que era também a sede do Arquivo Público da Bahia. Ali se guardavam documentos preciosos e livros raros, perdidos para sempre. O canhoneio do forte do Barbalho atingiu a Câmara e a esquina da Sé, provocando danos. Os tiros do forte de São Pedro, por sua vez, alcançaram o quartel da polícia militar, nos Barris. O canhoneio estrondou durante 4 horas. Travou-se, em seguida, uma verdadeira batalha campal.

A cidade submergiu em guerra. De um lado, as polícias estaduais. De outro, o Exército, que ocupou a Câmara e, com as tropas do 50º Batalhão de Caçadores, guerreava contra os homens do 6º Batalhão de Artilharia da Polícia Militar. Combates eram travados na praça Castro Alves, na Praça Municipal e defronte ao Ginásio da Bahia. Multiplicaram-se as baixas de ambos os lados, assim como entre civis que se armaram. Ninguém conhece ao certo o número de mortos, mas, inúmeros corpos vieram a dar, dias depois, nas praias do Porto da Barra e Rio Vermelho. Depois de quatro presidentes civis e da violentíssima campanha eleitoral, voltaram os militares: Hermes recebeu "quatrocentos mil votos redondos", e Pedro Calmon nunca esqueceu a que custo ele os obteve.

O novo governo teve de enfrentar duas revoltas importantes: a da Chibata e a do Contestado. Em ambas, a morte empurrou a roda dos vivos. A primeira foi um movimento militar na Marinha do Brasil, planejado por cerca de dois anos pelos marinheiros, que culminou com um motim que se estendeu de 22 até 27 de novembro de 1910, no Rio de Janeiro, sob a liderança de João Cândido Felisberto. Segundo José Murilo de Carvalho, João Cândido era "um crioulão alto, forte, durão, líder ostensivo". Na ocasião rebelaram-se cerca de 2.400 marinheiros contra os baixos salários, as péssimas condições de trabalho e alimentação e, particularmente, contra o uso de castigos físicos – as famosas chibatadas – entre outras penas disciplinares como bolos de palmatória, prisão a ferro, solitária a pão e água. O estopim foi o castigo aplicado a um deles: 250 chibatadas ao rufar de tambores.

Durante o primeiro dia do motim houve vítimas: foram mortos marinheiros infiéis ao movimento e cinco oficiais que se recusaram a sair de bordo, entre eles o comandante João Batista das Neves, do encouraçado *Minas Gerais*. Duas semanas depois de os rebeldes terem se rendido e desarmado os navios, obtendo do governo um decreto de anistia, eclodiu uma segunda revolta. Em combate, num arremedo de motim, num dos navios que não aderiram à insurreição, morreram mais um oficial e um marinheiro. Essa segunda revolta desencadeou uma série de mortes de marinheiros indefesos, ilhados, detidos em navios e em masmorras, além da expulsão de 2 mil marinheiros da instituição. Tais atos foram amparados pelo estado de sítio, que a segunda revolta levou o Congresso a aprovar.

O historiador Álvaro Pereira do Nascimento explica que, embora o castigo da chibata fosse associado à recém-abolida escravidão, o disciplinamento era comum na maioria das Forças Armadas no mundo, como Inglaterra, Estados Unidos ou Rússia. Os oficiais acreditavam que o sofrimento provocado pelo castigo corrigia o indivíduo e impunha temor à tripulação. Um médico ficava a postos para garantir que o castigado não morresse com as torturas. Porém, o que de fato havia deslanchado a revolta não teria sido a chibata, mas a chegada de dois novos navios, sobrecarregando de trabalho os marujos que, contrariamente aos oficiais, não tinham recebido aumento de salários. Outro combustível foi o racismo na Marinha, onde negros não ascendiam ao oficialato.

Impresso nas machinas rotativas de MARINONI

Correio da Manhã

Director — EDMUNDO BITTENCOURT

Impresso em papel da casa F. PRIOUX & C.

ANNO X — N. 3.419 | RIO DE JANEIRO — DOMINGO, 27 DE NOVEMBRO DE 1910 | Redacção — Rua do Ouvidor, 162

TERMINOU, DEFINITIVAMENTE, A SUBLEVAÇÃO DOS MARUJOS

O pavilhão encarnado desceu dos mastros dos possantes couraçados.

Os officiaes nomeados para commandarem os navios assumiram os seus postos.

1—João Candido, o «almirante» da esquadra revoltada. 2—O marinheiro que serviu de assistente

O "Correio da Manhã" a bordo, antes dos vasos de guerra serem restituidos ao governo.

E'cos e novas informações sobre o movimento e medidas tomadas pelo governo.

I—GRUPO TIRADO A BORDO DO "S. PAULO". O MARINHEIRO QUE TEM AO PEITO UMA MEDALHA SERVIU COMO COMMANDANTE DO GRANDE COURAÇADO

II—O CAPITÃO DE MAR E GUERRA PEREIRA LEITE FALANDO A JOÃO CANDIDO, QUE LHE ENTREGA "O MINAS"

Ainda a amnistia

Já registrámos que a attitude da maruja sublevada, juntamente com a justiça de suas queixas, lhe crearam uma atmosphera favoravel na opinião, decisiva para o voto da amnistia. A verdade é que a maruja nos poderia ter causado muitos males, muitas desgraças, como fazia crer o aspecto da revolta no primeiro momento, e no emtanto ella se houve de modo que a população nada mais soffreu do que os incommodos provenientes do panico provocado por noticias assustadoras. Imagine-se o que seria desta cidade si os sublevados, senhores daquellas formidaveis machinas de guerra, sob o impulso de instinctos baixos ou desvairados; se entregassem logo á desordenadas hostilidades, a abominaveis selvagerias, já contra a cidade directamente, já indirectamente contra as forças de terra espalhadas pelas praias. Não se póde, deante dessa consideração, deixar de reconhecer que esses homens, que começaram o movimento pelas atrocidades de que foram victimas seus superiores no cumprimento do dever, resgataram em parte esse crime execrando com a ponderação e moderação reveladas nesse momento angustioso, com o seu commedimento e incontestavel humanidade.

Accresce que elles se mostraram perfeitos no seu officio. A quantos assistiram ás manobras commandadas por simples companheiros, por simples praças de pret, surprehendeu, enchendo de admiração, a competencia que as presidia e a pericia com que eram executadas. Zelaram pelos navios, de maneira que os poucos que os visitaram, como o intrepido deputado José Carlos, vieram attestar que nunca os viram em melhores condições. São, portanto, esses marinheiros elementos que cumpre á nossa Armada guardal-os e, calados recentimentos e odios, aproveital-os, procurando educal-os na disciplina e no respeito absoluto á lei e aos superiores. Mas, para isto, se faz preciso, antes de tudo, que estes sejam os primeiros a dar exemplo de obediencia á lei e que não a transgridam, seja qual fôr a razão, por mais forte que ella pareça, sejam quaes forem os motivos que solicitem semelhante attitude. Perde o direito de se fazer respeitar, invocando a disciplina e a lei, o commandante ou o official que viola a lei fundamental da Republica, condemnatoria dos castigos corporaes, e submette homens livres ao opprobio da chibatada. E, por mais que reprovemos o levante de inferiores contra seus superiores, nos quarteis ou nos navios de guerra, não podemos calar as nossas censuras aos governos que, ouvindo ha longo tempo protestos e queixas contra castigos daquella natureza, protestos e queixas fundados, apoiados em factos que não soffriam contestação, não se moviam, e tacitamente approvavam abusos e crimes, que reduziam a marinhagem a verdadeiros escravos, tratados ainda mais ignominiosa e deshumanamente do que a grande maioria dos negros... que libertámos a 13 de maio de 1888.

E' certo que para alguns, justas embora as queixas dos revoltados, os poderes publicos deveriam ter acceitado a luta, e inicial-a logo, em vez de conceder a amnistia. Esta devia ficar reservada para depois da submissão. Ninguem, sem duvida, desconhece que a amnistia decretada não deixa de prejudicar, de algum modo, o prestigio da autoridade publica. Poucos deixarão de reconhecer as consequencias moraes desastrosas que ella póde acarretar. Mas, para ella ser posta de lado, preciso se fazia outro meio de debellar a insurreição. Havia? Não, responderam quantas competencias foram ouvidas a tal respeito pelo presidente da Republica. Foi em face dessa situação irremediavel, da impossibilidade absoluta de resistencia e da possibilidade, de toda probabilidade, da destruição de nossa bella cidade, com sacrificio de innumeras vidas humanas, que os poderes publicos resolveram a amnistia, medida extraordinaria que apparece sempre como uma necessidade publica, apoiada quasi sempre em motivos politicos, e por elles justificada. Foi uma transacção, sem duvida, mas uma transacção imposta pelas supremas exigencias de salvação publica, e sem desdouro, portanto, para os poderes que a decretaram. Os poderes nacionaes encontraram-se na situação a que a invencibilidade do inimigo arrasta o general e exercito que capitulam, cujo infortunio a historia deplora, mas cuja honra e brio ella registra.

A imprensa estrangeira que criticou a solução que demos á sublevação naval, que melhor se deveria denominar *grève* naval, não conhecia a nossa situação exactamente. Critica de longe; é por isto explicavel. Mas nós brasileiros é que não devemos concorrer, levados de um falso patriotismo, para que lá fóra nos julguem mal, injustamente. Deante de navios inexpugnaveis seria até ridiculo, além de insensato, tentar o governo a rendição e submissão da maruja que os tripulava e os movia, com o canhoneio de algumas peças de artilheria, collocadas nas praias e morros, ou por meio de abordagem. Como muito bem disse o sr. Ruy Barbosa, forças de terra não foram creadas para operar sobre as ondas, e forças de mar — esta é que é triste verdade — o governo não tinha para oppôr ás que se revoltaram. Aqui mesmo sustentámos que o governo só deveria attender ás justas reclamações e queixas dos amotinados, depois de sua submissão. Isto, porém, foi emquanto se nos afigurava possivel o ataque a elles com vantagem. Convencidos, depois, de sua impossibilidade, collocámo-nos ao lado dos que apoiaram e defenderam a amnistia. Deante da resistencia ao irresistivel, preferimos a transacção que resguardou a metropole brasileira da destruição e salvou milhares de vidas.

GIL VIDAL

O fim do movimento

Era a hora em que João Candido tinha que passar o commando ao seu substituto legal.

Entretanto, os navios continuavam com o signal de revolta e o povo procurava decifrar a attitude da esquadra.

Diziam que o "almirante" fôra destituido e que saira ferido no braço; outros affirmavam, e entre elles o mestre da barca de agua a quem o chefe da esquadra fizera provar cinco copos de agua para verificar si a agua não estava envenenada, que João Candido fugira com quarenta marinheiros para Itacurussá e que fôra substituido por Clodoaldo, "commandante" do *Bahia*.

Os boatos fervilhavam e na Marinha esperava-se que os revoltosos fizessem novas propostas.

Afinal, ás 2 horas da tarde, o commandante [illegible] Leite seguiu só, em lancha do Arsenal, para o *S. Paulo*, afim de verificar a attitude dos revoltosos.

Foi e demorou-se. Nesse tempo a esquadra fazia as mais complicadas manobras, jámais vistas na nossa bahia.

Muitas vezes, pareceu que o *Minas* ia trepar sobre o *S. Paulo*. O mastodonte de aço dava atrás incontinente e seu costado quasi que roçava com o do outro grande vaso de guerra.

Passaram-se duas horas e nada do commandante Pereira Leite. Dizia-se ter sido elle feito prisioneiro pelos revoltosos para obrigar o marechal Hermes a ir a bordo, afim de transmittir a noticia da amnistia.

A situação complicava-se. A officialidade de Marinha é impedida de sair do Arsenal de Marinha, o que motiva um pequeno escandalo entre o capitão de mar e guerra Ferreira Campello e varios officiaes.

Aquelle official não queria ficar nem á mão de Deus Padre, no Arsenal de Marinha.

Ninguem mais do que elel sabe que é o explodir de uma granada e o atropelo que elle causa.

Finalmente, a lancha do capitão de mar e guerra Pereira Leite atraca ao Arsenal de Marinha, ali desembarcando s. s., que, depois de apresentar-se ao ministro da Marinha, vae ao palacio do Cattete communicar ao marechal Hermes, que os revoltosos queriam ficar nos navios e não ser mandados para Willegagnon e que queriam vêr acatadas as disposições da amnisitia.

Voltando, o commandante foi ter novamente com os sublevados, fazendo sentir que o governo não os tiraria dos navios.

Estava terminada a revolta. O signal rubro desce, emquanto que bandeiras brancas sobem pelos mastros e a brasileira tremula.

Os navios salvam o pavilhão com 21 tiros e o capitão de mar e guerra Pereira Leite assume o commando do *Minas Geraes*, estando formada toda a guarnição.

Depois assumiram os commandos dos *dreadnought S. Paulo*, couraçado *Deodoro* e *scout Bahia*, os capitães de fragata Silvinato de Moura, Raymundo do Valle e Machado Dutra, e o cargo de immediato do *Minas Geraes* o capitão de corveta Saddock de Sá.

As guarnições tomaram postos, a officialidade invadiu os navios e João Candido e os seus valentes companheiros voltaram á realidade da vida.

Não eram sinão marinheiros sujeitos á disciplina.

Das 6 horas da tarde ás 7 da noite

Após ter saido o capitão de mar e guerra Pereira Leite, de bordo do *Minas Geraes*, afim de dar conhecimento ao presidente da Republica do resultado da sua missão, os navios começaram a trocar varios signaes, que chamou muito a attenção da multidão que estacionava pelo littoral.

Eram precisamente 6 horas da tarde.

A essa hora saiam barra fóra o vapor inglez *Corinthic* e o allemão *Tijuca*, sem terem sido incommodados pelos navios revoltosos.

Pouco depois, suspendia ferros o cruzador francez *Duguay-Trouin*, que zarpava de nosso porto, afim de proseguir o seu roteiro, tendo os quatro navios sediciados içado nos respectivos mastros, á passagem daquelle vaso de guerra, o signal de boa viagem.

A's 6 1/2, depois de outros signaes trocados com o *S. Paulo*, todos os quatro navios lançaram ferros, ficando o *Minas Geraes* fundeado proximo á ilha Fiscal, e *S. Paulo* proximo á fortaleza de Villegagnon, e o *Bahia* e o *Deodoro* entre ambos.

Momentos depois o *Minas* collocava na sua prôa o pavilhão de commandante a bordo, sendo seguido pelos demais.

A's 7 horas em ponto, o *Minas*, retirando a bandeira vermelha, que até então estava içada na verga de boreste do seu grande mastro, substituira por uma outra branca salvando com vinte e um tiros, acompanhado pelo *S. Paulo*, *Deodoro* e *Bahia*.

Era esse o signal convencionado da rendição.

Por occasião das salvas, a multidão, que estacionava no littoral, suppondo tratar-se de bombardeio, corria espavorida e atropeladamente, sendo, momentos depois, restabelecida a calma, quando verificou-se que se tratava de salvas.

Até o escurecer, o *Minas* conservava na sua ponte de commando uma grande faixa branca com os seguintes dizeres: "Ordem e liberdade" — "Viva o Congresso".

Os photographos são presos

Mal sabiam os modestos auxiliares da imprensa diaria desta cidade a surpresa que os aguardava no momento de desembarque.

Mal poseram pé em terra, foram rodeados pelas sentinellas do Arsenal, e immediatamente presos.

De nada valeu a exhibição da sua qualidade de funccionarios dos jornaes. Estavam presos e bem presos.

Era uma violencia, aquella, perfeitamente injustificada, mas, emfim, estavam presos e só aguardavam as ordens superiores. Essas ordens não se fizeram esperar: foram todos mettidos numa escolta de soldados com armas embaladas, e mandados de presente ao chefe de policia!

Era nova violencia do famoso delegado Cunha e Vasconcellos.

E eis os photographos atravessando a cidade, carregando as suas machinas, guarnecidos por soldados armados, como si constituissem uma leva de desordeiros da Saude ou da Gamboa. Zangaram-se os photographos. Afinal, elles, que aliás estavam cheios de razão, deviam rir-se daquelle apparato de força, extraordinariamente caricato... em terra.

Chegados á policia, lá foram á presença do chefe, que felizmente não os mandou para o xadrez, nem para Villegagnon, nem siquer fusilar provisoriamente. Parece que se contentou com as explicações que lhe foram dadas. Queria o dr. Belisario Tavora vêr as photographias que foram tiradas a bordo. E' claro que não seria possivel abrir os *chassis*, para que a curiosidade do chefe se satisfizesse.

Entre alguns *patera-nosters*, o dr. Belisario Tavora resolveu-se a mandar embora os empregados dos jornaes, intimando-os a que lhe levassem as provas das photographias tiradas. E' evidente que, contra gosto geral, tambem este desejo do chefe não póde ser satisfeito, pela razão simplissima de que as photographias tiradas são propriedade do *Correio da Manhã*.

O commandante do "Minas" no Cattete

O capitão de mar e guerra João Pereira Leite, commandante do couraçado *Minas Geraes*, foi, hontem, pela manhã, ao palacio do Cattete apresentar-se ao presidente da Republica.

A's 5 horas da tarde o command[...]

I—A GUARNIÇÃO DO "S. PAULO" NO MOMENTO DO RANCHO. II—JOÃO CANDIDO, MARINHEIROS QUE SERVIRAM DE OFFICIAES, MACHINISTAS DETIDOS A BORDO E REPRESENTANTES DE IMPRENSA QUE CONSEGUIRAM IR A BORDO DO "MINAS" COM OS PHOTOGRAPHOS

João Cândido foi encarcerado numa cela minúscula, na qual 17 marinheiros morreram depois que cal virgem misturada à água foi jogada dentro do cubículo. Após 18 meses numa masmorra subterrânea, duramente marcado pelo trágico episódio e a cena da agonia dos companheiros, o chamado Almirante Negro foi internado num hospício por médicos da Marinha, embora os psiquiatras do Hospital dos Alienados afirmassem que ele não era, nem estava louco. Libertado em 1914, morreu de câncer, na mais absoluta miséria numa favela do Rio, em dezembro de 1969. Outros marinheiros presos foram juntados a ladrões, desordeiros, caftens e meretrizes e enviados, no navio *Satélite*, ao exílio preferido pelas autoridades: o Acre. Alguns incorporaram-se à missão Rondon, que instalava linhas telegráficas na região, outros foram trabalhar nos seringais às margens do rio Madeira.

Marinheiros lutam contra os castigos físicos.

Correio da Manhã, Rio de Janeiro, ano X, n. 3.419, p. 1, 27 nov. 1910.
BIBLIOTECA NACIONAL [HEMEROTECA].

Vejamos o que nos conta Gilberto Amado sobre o espetáculo dado pelo Almirante Negro, no comando do *Minas Gerais*, "ameaçando" a cidade:

> [...] evoluía, fazia curvas complicadas, piruetava na baía, a mais ridícula e a um tempo a mais formidável ameaça que ainda apavorou uma cidade [...]. O *Minas*, o navio amado, orgulho do nosso patriotismo superficial, transmudado em navio fantasma, instrumento de mal e de horror que nunca imagináramos.
>
> Entretanto, entre o assombro, a maravilha: "Vejam como navegam os revoltosos! Que perícia magistral! É para esses marinheiros que pedimos instrutores estrangeiros!"
>
> Isto bastou para, cessada a hipótese do perigo, borbotar o fácil entusiasmo nacional. Quase chegamos a abençoar a revolta pela surpresa da revelação.
>
> Certo, o direito que animava os revoltosos era uma garantia desse entusiasmo, da alegria popular. Eles mataram o comandante Batista das Neves, o tenente Cláudio, mas tinham por si o direito da dignidade humana, o primeiro de todos os direitos, que a chibata feria.
>
> Mas não foi certamente por isto só, pela afirmação rebelde deste direito, que João Cândido e os revoltosos conquistaram a simpatia. Foi outro o motivo. Eles comoveram o nosso patriotismo. Andamos numa fase em que é tal a falta de grandeza, de ação, de vigor, que qualquer ato nutrido destas virtudes

suscita até a gratidão popular [...]. João Cândido é um marinheiro formidável. Entre nós é excepcional: um marinheiro que sabe navegar, dirigir um navio, fazer parnasianismos de manobra, quando a tradição da nossa Marinha era, segundo os jornais ultimamente demonstraram, uma tradição de abalroadora, de encalhadora, de arruinadora lamentável dos navios.

A guerra de Pelados e Peludos

A segunda, longa, sangrenta e desigual revolta no governo de Hermes da Fonseca foi a Guerra do Contestado, que opôs governo federal e seu exército aos camponeses miseráveis da região sudoeste do Paraná e noroeste de Santa Catarina, chamados "pelados". Os soldados que os perseguiriam, seriam alcunhados de "peludos". Entre 1912 e 1916, a gente pobre e faminta que ali vivia se opôs à companhia *Brazil Railway* encarregada da construção da linha que ligaria São Paulo ao Rio Grande do Sul. A firma os enxotava das terras que cultivavam, sem possuir direitos ou títulos de propriedade. A seguir, interessada nos ervais, pinheirais e na erva-mate que crescia na região, a madeireira Southern Lumber & Colonization instalou-se, oferecendo aos desalojados a possibilidade de um trabalho semiescravo.

Sem terras para plantar, sem salários, esmagados pela miséria e pela exploração, a reação dos pelados explodiu. Sua forte ascendência portuguesa abrigava a crença importada do sebastianismo lusitano. A gente cabocla, muito mística, exprimia sua crença no messianismo – também presente em Canudos, na Bahia. Lá e cá, aguardava-se um redentor, capaz de fazer justiça e trazer abundância para todos. Explicações celestes e terrestres se misturavam na busca de um novo tempo, de abastança. Os sertanejos buscavam conforto nos monges, profetas, curandeiros, pregadores e eremitas.

No ano de 1912, um deles, conhecido como José Maria, uniu-se aos revoltados. Dizendo-se escolhido por Deus para criar na terra uma "monarquia celeste", instituiu vários povoados com autoridade própria e igualdade social, ignorando, a partir de então, qualquer ordem emitida pelas autoridades. José Maria era estimado pelos seus seguidores, gente desprovida de tudo, fanáticos para as autoridades. Logo passaram a

O MALHO

UMA AMOSTRA DOS TAES FANATICOS DO CONTESTADO

Um grupo de «fanaticos» de Caraguatá, aprisionados por Salvador Carneiro (n. 1) e João Rua [n. 2] seu auxiliar. Este interessante grupo foi photographado em Curitybanos—Estado de Santa Catharina.—As espadas dos fanaticos são de páu, mas, pelo que dizem as noticias, os guerreiros são de bronze...

Jornais condenavam a rebeldia popular.

O Malho, ano XIII, n. 609, p. 14, 16 mai. 1914. BIBLIOTECA NACIONAL [HEMEROTECA].

representar risco para a ordem e segurança da região. Os peludos deviam dar fim aos povoados e obrigar os sertanejos a saírem, por bem ou por mal, dos territórios em que viviam.

Para fazer frente aos pelados, o Exército mobilizou mais de 6.500 soldados, das armas da Infantaria, Cavalaria e Artilharia, das unidades do Rio de Janeiro, Bahia, São Paulo, Paraná e Rio Grande do Sul, equipadas com fuzis, canhões, lançadores de obuses e metralhadoras. No mês de novembro de 1912, ocorreu a Batalha do Irani, na qual pereceu José Maria, substituído por Maria Rosa, de 15 anos, que virou chefe militar, e um "menino-Deus", Joaquim, de 11, tido como porta-voz de José Maria. Por meio de mensagens vindas do além, a criança comandava o exército de 5 mil sertanejos. Novas sedes foram constituídas pelos pelados, decididos a continuar lutando nos 25 mil quilômetros que ocupavam. Venceram sete expedições militares.

Implacável, o governo enviou 7 mil homens e os primeiros aviões para pôr fim à Guerra do Contestado, que durou até janeiro de 1916. Morreu muita gente que tinha as costas curvadas pela violência, como já as tiveram seus avós e como as teriam seus netos. Um observador deixou memórias sobre o sucedido: Demerval Peixoto, segundo-tenente e instrutor de tiro na Escola Militar, que passou um ano na região do Contestado:

> Na quinta-feira, a pouco mais de 300 metros de avanço pela picada, e os jagunços logo surgiram: um disparo ressoou e um vaqueano – capanga contratado – caiu atingido mortalmente. Houve um violento e rápido tiroteio na vanguarda. Os jagunços, a despeito de duas horas seguidas do ribombo dos obuses, ali estavam, silenciosos, "dormindo na pontaria", à espera dos que primeiro aparecessem na picada martírio que era o seu bom campo de tiro. Tocando a reforços e padioleiros para frente, os fabricianos foram logo secundados na ação pelo 14º de Infantaria e por uma metralhadora e depois por uma peça de montanha que entraram, todos, em vivo tiroteio [...]. Travou-se ainda um demorado diálogo de impropérios que cessou com 40 disparos da artilharia: "Peludos! Ponha os oficiais para a frente! Em Santa Maria ninguém entra! Avança para o mato, peludo!"[...]. Depois dos disparos de canhão, a esmo atirados para o mato, arrebentando as granadas nos grossos pinheirais, fez-se o silêncio.

E sobre a batalha para a reconquista de Santa Maria:

> Eram 15 horas quando começamos a entrar no formidável e terrível reduto de Santa Maria, que tanto pavor causava a grande Coluna do Sul, composta de 2.000 homens das três armas e 150 vaqueanos [...]. Depois do combate da Cova da morte, íamos encontrando pela margem da estrada grandes buracos feitos pelas balas da artilharia, muitos estilhaços e algumas granadas intactas [...] num percurso de 22 léguas nunca encontramos trincheira nenhuma artificial, nem casa nenhuma de tijolo ou de pedra que precisasse do emprego da artilharia, sendo mais do que suficiente para brigar em todo o Contestado e arrasar todos os redutos o emprego exclusivo da infantaria e metralhadoras [...]. À proporção que íamos com a máxima precaução nos apossando das casas do afamado antro de bandidos, não se notava o menor sinal de vida, tudo em completo abandono, casas fechadas, outras abertas e assim continuávamos, com excepcional cuidado, a entrar na posse daquele reduto, sem que ao menos houvesse um protesto das aves que costumam noticiar a presença de qualquer intruso em qualquer rancho

> ou gramado no território Contestado. Mas eu, sempre desconfiado, e já conhecendo de sobra há mais de quatro meses o caráter infame e traiçoeiro dos facínoras que habitam o Contestado tomei ainda maiores precauções e, ao penetrar na praça, onde se achava a igreja, onde se reuniam aqueles degenerados, determinei: após o bivaque um rigoroso serviço de exploração em todos os sentidos, ordenando também o arrasamento completo de todas as casas do grande acampamento, tendo, ao regressar da exploração, preparado toda a minha tropa, em um grande quadrado, fortemente abrigado pelas colossais imbuias e pinheiros caídos, colocando as duas metralhadoras em ótimas posições abrigadas e nos setores que considerava mais perigoso, fiz da igreja que se achava situada no meio da praça, meu quartel [...] escolhendo a uns cem metros da igreja, uma casa isolada para hospital de sangue.

Os sons da guerra messiânica no Sul não atingiram a capital. A terra ensanguentada dissolveria os mortos: gente pobre, dita "facinorosa". Bater-se contra a lei dos poderosos, sem um salvador ou um messias, exigia abnegação absoluta. Abnegação até a morte. Sem mais condições de resistência e de sobrevivência nas matas, muitos se renderam aos militares, na esperança de obter liberdade e de serem instalados nas terras devolutas.

A perseguição dos rebeldes que restaram foi feita por capangas dos coronéis, financiados pelo Estado. "Os vaqueanos literalmente caçavam caboclos no mato, sendo pagos pelo número de orelhas que apresentavam. É uma época da guerra chamada de 'Açougue'", diz o historiador Paulo Machado. Os números, muito imprecisos, variam de 3 mil a 30 mil mortos. "Em combate, não chegariam a mil. Mas a fome matou famílias inteiras nos redutos, seguramente mais de 10 mil pessoas", estima o historiador.

Enquanto o Sul afogava em sangue, Carolina Nabuco lembra que as notícias do exterior continuavam a chegar por meio da imprensa e da telegrafia. Na capital, a guerra na Europa de onde emanavam as modas, os produtos de consumo, as ideias, parecia mais importante do que as batalhas no quintal, entre autoridades e deserdados da terra. Mergulhado em seus próprios problemas políticos e econômicos, alheio às crises internacionais, o Brasil parecia não perceber a chegada da Primeira Grande Guerra.

3. GUERRA DE PAPEL, GUERRA DE SANGUE

"Esta foi a década da Primeira Guerra Mundial. Quando nos últimos dias de julho, e nos primeiros de agosto de 1914, enquanto se sucediam as declarações de guerra, sofri uma emoção como nunca pensei experimentar em minha vida. Vi, como todos, tremer um futuro previsível... Tudo isso se prenunciou com as declarações quase simultâneas de guerra – a da Rússia à Alemanha e a desta à França e com a invasão traiçoeira da Bélgica, permitindo às hordas germânicas chegarem mais depressa à França. A violação da neutralidade belga provocou instantaneamente a declaração de guerra da Inglaterra à Alemanha. A Europa ficou, assim, toda em pé de guerra... O Brasil ficou alheio ao cataclismo europeu, esperando, porém, avidamente, as notícias que de lá chegavam. Não vinham, como viriam na Segunda Guerra, a toda hora, graças ao rádio. Só a imprensa, com seus telegramas, dava-nos as linhas gerais dos combates" – conta Carolina.

AO LADO E PÁGINAS 50 E 51
Primeira Guerra Mundial: a encrenca europeia.
PEDERNEIRAS, Raul. *A encrenca européa: mappa conflagrado.* Rio de Janeiro: Globo, 1914.
BIBLIOTECA NACIONAL [CARTOGRAFIA].

Combates dos quais o Brasil não participou. Durante três anos, os políticos tergiversaram. O ministro da Guerra, José Caetano de Faria, relutava em enviar reforços aos aliados: teríamos poucos efetivos. Mais importante era garantir a segurança contra possíveis ataques alemães em solo brasileiro assim como controlar a presença germanófila, no Sul. Em 1917, um ano antes do fim do conflito e depois de ter tido três navios mercantes bombardeados, o presidente Venceslau Brás reuniu-se com seus ministros no Palácio do Catete e proclamou o Estado de Guerra iniciado pelo império alemão contra o Brasil. O despreparo era total: canhões não podiam ser usados por faltar-lhes lunetas e menos de cem metralhadoras estavam a serviço de todo o Exército – explica o historiador Carlos Daros. No fim desse mesmo ano, atendendo a pres-

GLOBO
SOCIEDADE MUTUA DE SEGUROS E PECULIOS
DECRETO 10199
30 DE ABRIL 1913
CARTA PATENTE 75
SOCIOS FUNDADORES
PAGAMENTO DAS JOIAS
PECULIO
JOIA
TOTAL
OCEANO ATLANTICO
QUE NADA TEM DE PACIFICO
MAR DO NORTE
(OU DAS MINAS)
CHRISTIANIA
COPENHAGUE
LONDRES
HAYA
BERLIN
MANCHA (QUE LIMPA)
PARIS
BERNA
VIENNA
GOLFO DE GASCONHA
LISBOA
MADRID
GIBRALTAR
ADRIATICO
ROMA
MEDITERRANEO
RAUL 22-VIII-914

PECULIO DE 20:000$000
SIMPLES RECIPROCO
JOIA 300$000 400$000
APOLICE, SELLOS 12$700 14$900
2 OBITOS A 14$000 28$000 28$000
TOTAL 340$700 442$900
PECULIO DE 30:000$000
SIMPLES RECIPROCO
JOIA 450$000 600$000
APOLICE, SELLOS 16$000 19$300
2 OBITOS A 20$000 40$000 40$000
TOTAL 506$000 659$300
PECULIO DE 50:000$000
SIMPLES RECIPROCO
JOIA 750$000 1:000$000
APOLICE, SELLOS 23$700 29$200
2 OBITOS A 30$000 60$000 60$000
TOTAL 833$700 1.089$200
AS PRESTAÇÕES DE JOIAS SÃO PAGAS DE 30 EM 30 DIAS, ENTRE CADA UMA.
LUGAR EM QUE JUDAS PERDEU AS BOTAS
FINLANDIA
PETROGRAD
FOI AQUI QUE MORREU O NEVES
MAR AZOFF
MAR NEGRO
BUCAREST
SOFIA
CONSTANTINOPLA
VILLA DIOGO
ATHENAS
A ENCRENCA EUROPÉA
MAPPA CONFLAGRADO
PREÇO 1$000
DO PAGAMENTO DE CONTRIBUIÇÃO POR OBITO
NA SERIE DE 10 CONTOS 7$000 | NA SERIE DE 30 CONTOS 20$000
» » 20 » 14$900 | » » » 50 » 30$000
PAGANDO-SE AS QUANTIAS ACIMA E MAIS 48 OBITOS, OBTEM-SE O TITULO DE "REMIDO".
47 RUA URUGUAYANA 47
RIO DE JANEIRO

sões internacionais, o Brasil enviou uma divisão naval, uma médica e um contingente de aviadores para a Europa.

Os primeiros abriram fogo contra um cardume de botos, julgando estar atacando submarinos alemães. O episódio entrou para a história com o título irônico de Batalha das Toninhas, e a grande luta foi mesmo contra a gripe espanhola, que atingiu a tripulação causando mais de cem mortes e procrastinando as possíveis operações. Os integrantes da divisão médica cuidaram de civis e da terrível epidemia de *influenza* no Hopital Brésilien, montado num antigo convento, cujos quinhentos leitos abrigavam feridos graves. Os aviadores mal saíram do chão: dos 13 enviados, apenas oito integraram a Royal Air Force em missões de patrulhamento antissubmarinos. Dois morreram num exercício sobre o canal da Mancha, outros passaram a integrar a cavalaria.

Pouco depois, em 10 de novembro de 1918, os brasileiros foram informados de que a Alemanha capitulara. Era o fim da guerra. De fato, não havia muita fé nas Forças Armadas brasileiras, como se vê numa conversa entre o escritor Humberto de Campos e o ex-marinheiro e deputado José Eduardo de Macedo Soares. O militar lhe afirmou com ironia: "As nossas Forças Armadas, nós todos, seríamos corridos às bofetadas pela colônia alemã de Petrópolis."

O país se dividiu entre, de um lado, a Liga pelos Aliados – que contava com nomes de intelectuais como Coelho Neto, Osório Duque-Estrada e Rui Barbosa – e, de outro, germanófilos, como o historiador Capistrano de Abreu, o diplomata Oliveira Lima e o jornalista Assis Chateaubriand. Os combates se deram nos jornais, com troca de artigos, boletins e relatórios de atividades.

A Primeira Guerra serviu, pelo menos, para que se adotasse o recrutamento obrigatório. Ajudou a formação de reservas e mudou a mentalidade de que servir ao Exército era uma punição para os mais pobres. Doravante seria um dever cívico.

No mesmo ano de 1918, a carestia, a especulação com gêneros alimentícios e as terríveis condições de trabalho fizeram eclodir, em São Paulo, três greves gerais. Manipuladas por militantes anarquistas e comunistas, as greves não significaram que os operários quisessem fazer uma revolução. Queriam, como tanta gente nas cidades que começavam a crescer, um salário e uma vida mais decente.

Seguiu-se a presidência Epitácio Pessoa, e sob ela se realizou na capital a maior exposição internacional até então vista. De 7 de setembro de 1922 a 23 de março de 1923, comemorou-se o centenário da Independência. Seu impacto na cidade foi imenso, como registrou Carolina Nabuco:

Exposições industriais, símbolo da modernidade.

MALTA, Augusto. Pavilhão da Sociedade Nacional de Agricultura. Exposição nacional, 1908.
ARQUIVO NACIONAL.

> A necessidade de modernizar a cidade no sentido de atrair estrangeiros, oferecendo-lhes instalações e diversões adequadas começou a preocupar as autoridades quando se iniciaram os projetos para uma grande Exposição Internacional, celebrando, em 1922, o centenário de nossa Independência de Portugal. Cuidou-se de construir hotéis condignos. Já existia, ao abrir-se a década de vinte, por iniciativa dos Guinle e do Barão de Saavedra, o excelente Palace Hotel, no Centro. Planejaram outros em pontos aprazíveis. O Hotel Glória, no Flamengo, foi o único que ficou pronto para a data oficial, 7 de setembro de 1922. O Copacabana Palace, na avenida Atlântica, ao qual seria depois apenso um cassino, só pode ser inaugurado no ano seguinte. [...] As nações convidadas construíram seus respectivos pavilhões de mostra, colaborando para a beleza do conjunto. O local foi o terreno que havia sido recentemente conquistado derrubando-se para o mar o histórico morro do Castelo e sacrificando-se os marcos da fundação da cidade ali existentes ainda [...]. Na imensa esplanada [...] os pavilhões de diferentes nações ficaram entremeados com parques de diversões, barracas e restaurantes de várias categorias, como é uso em exposições. Havia também um *dancing* de ambiente agradável, logo muito procurado pelos oficias da missão naval americana. Este *dancing* foi a primeira sala pública dançante a aparecer no Rio.

Enquanto uns festejavam, o clima político azedava. Hermes da Fonseca voltava da Europa nos braços de sua jovem esposa, Nair de Tefé, donzela tão apaixonante que ele se esqueceu de governar o país. Mesmo depois de seu desastroso governo, foi recebido com vivas pelos oficiais do Exército, descontentes com o comportamento "civilista" de Epitácio Pessoa. Nordestino autoritário, ele abalou as Forças Armadas ao indicar dois civis para o Ministério da Guerra e da Marinha. Era a chance da República da Espada reagir! Faltou pouco para estourar um golpe militar. Tudo regado a troca de insultos entre o candidato "café com leite", Artur Bernardes, e Hermes da Fonseca, acusado pelo opositor, em carta publicada no *Correio da Manhã*, de sargentão sem compostura.

Eleito em julho de 1922, Bernardes, mineiro e presidente do Partido Republicano, tomou posse sob a tensão da Revolta Tenentista na capital – que, um ano mais tarde, se repetiu em São Paulo. Com mão de ferro, colocou sob intervenção o Rio de Janeiro e a Bahia – estados que votaram contra ele.

Membros da campanha civilista.

Fon-Fon, ano III, n. 36, p. 22, 4 set. 1909. BIBLIOTECA NACIONAL [HEMEROTECA].

No Rio Grande do Sul, eclodiu a revolta de 1923. Na mesma época, a coluna Prestes – movimento tenentista que percorreu o país pregando mudanças políticas e sociais – se punha em marcha. A insatisfação de vários grupos se tornava tumultuada, ligeira como um rio que transborda.

Na capital, houve o fechamento do Clube Militar, sob alegação de que se tratava de "associação nociva à sociedade". Hermes da Fonseca foi preso por um dia. Uma insultante carta que caricaturava o Exército e o marechal, segundo grafólogos, havia sido escrita pelo próprio presidente Bernardes. Acusações de fraude nas eleições e de que o candidato do Exército, Nilo Peçanha, fora passado para trás acenderam os quartéis. O grito de guerra era: "A procissão vai sair." A conspiração que impediria Bernardes de assumir a presidência começou no Forte de Copacabana. Liderada pelo capitão Euclides Hermes, filho do marechal, e pelos tenentes Siqueira Campos e Eduardo Gomes. O movimento foi comandado pelos "tenentes", uma vez que a maioria da alta oficialidade se recusou a participar do levante.

A uma hora da manhã de 5 de julho de 1922, um canhão disparou. Era a senha para que os demais fortes da capital aderissem ao movimento. Decepção. As demais guarnições haviam desistido de unir-se à conspiração. Siqueira Campos sentenciou: "Fomos traídos. Perdemos a revolução. Só nos resta nos entregarmos como covardes ou sairmos lutando por aí." Bombardeados por dois encouraçados e cercados por 4 mil homens do governo, anunciou: "Não queremos levar ninguém ao suicídio. Quem quiser abandonar o forte, deve fazê-lo agora." Dos 301 homens, 273 deixaram a guarnição.

O capitão Euclides Hermes seguiu para o Catete a fim de negociar com o ministro da Guerra, Pandiá Calógeras. Foi preso ao chegar. Enquanto isso, seus companheiros dividiram a bandeira em 28 pedaços e decidiram sair à rua em caminhada na direção do palácio. Armados, caminhavam lentamente pela avenida Atlântica. Pouco tempo depois, dez tinham escapado pelas ruas transversais. Aos remanescentes, juntou-se um civil, o engenheiro gaúcho Octávio Correa. Tiros disparados pela tropa leal ao governo foram abatendo, pouco a pouco, os caminhantes. Oito mortos... Dez... Ao final, sobreviveram apenas os cabeças, tenentes Eduardo Gomes e Siqueira Campos. O movimento entrou para a história com o nome de Os Dezoito do Forte. Seria a primeira manifestação da revolta dos quartéis, mais tarde apoiada pela classe média, contra a política "café com leite" que sustentava a República.

Três meses depois, já com Bernardes no poder, outra revolução: a Libertadora. Novamente o Rio Grande do Sul, dessa vez, contra Borges de Medeiros que se elegia pela quarta vez consecutiva presidente do estado, graças a fraudes descaradas. Sob a liderança de Joaquim de Assis Brasil, estancieiro e líder da oposição a Medeiros, os rebeldes intitulados libertadores deram início à luta no dia 25 de janeiro de 1923, logo depois do anúncio da reeleição de Borges de Medeiros. No início desse mesmo mês, Cecília de Assis Brasil, filha do líder revoltoso, anotou em seu diário: "Continuavam os boatos alarmantes. É quase certa uma revolução, quando o Borges tomar posse... Fizemos uma junta para resolver o que fazer no caso da revolução. Decidimos esconder o que pudermos, sem dar nas vistas. Subi ao esconderijo, feito a propósito. Auxiliada pelas manas, lá depositei diversas pastas de papéis, com a maior economia de espaço. O seguro morreu de velho: vamos esconder os objetos de maior valor e estimação. Queira Deus que não haja perturbação alguma da ordem. De noite continuamos a esconder objetos de prata."

Os legalistas, extremamente bem armados com modernas metralhadoras, iriam enfrentar os libertadores, que empunhavam lanças e usavam lenço vermelho no pescoço. Os primeiros eram comandados por jovens caudilhos da nova geração: Flores da Cunha, Osvaldo Aranha e Getúlio Vargas. Do outro lado, Batista Luzardo e Assis Brasil foram dois heróis nessa luta, que durou dez meses. Muitos foram mortos – e de forma horrenda. Cecília Assis Brasil conta que persistia a tradição de degolar adversários: "É uma coisa brutal essa guerra civil. A gente chega a esquecer que o adversário é afinal um irmão, nascido sob o mesmo céu, criado sobre a mesma terra."

Anos mais tarde, essa foi uma luta recordada por Erico Verissimo, sem ilusões. Sobretudo, uma luta que revelou a complexidade dos protagonistas nos movimentos sociais. Não era um embate de ricos contra pobres, mas de ricos e pobres contra os políticos, donos do poder:

> E como ali em Cruz Alta tivéssemos vivido mais de vinte anos sob o jugo de um chefe atrabiliário, com fama de degolador desde a Revolução Federalista de 1893, homem sem o menor respeito pelas liberdades civis – eu chegava a pensar que a Revolução de 1923 tinha algo que lembrava a do povo russo contra o czarismo. Era um raciocínio romântico: de novo a luta do Bem contra o Mal, da Liberdade contra a Opressão, do Pobre contra o Rico. Mais tarde chamou-me atenção um fato que me permitiu fazer um juízo diferente sobre a sublevação. Não se tratava de uma revolta do povo, do "homem comum contra os donos do poder", os donos da terra. Como se explicava, então, que os mais ricos estancieiros do Rio Grande do Sul, a flor de nosso patriciado urbano, estivessem do lado dos assisistas? E não era o próprio Assis Brasil um aristocrata? No fim daquele ano, o governo federal interveio no Rio Grande do Sul na pessoa do general Setembrino de Carvalho, que conseguiu levar maragatos e republicanos a sentarem-se a uma mesa para discutir a paz [...]. Cruz Alta representou, até certo ponto, uma vitória para os revolucionários, pois graças a ele, foi instituído o voto secreto – o que significava que o governo não podia mais amedrontar funcionários públicos com sanções, caso eles não votassem sempre nos candidatos oficiais. Além disso, incluía na Constituição de 1894, a proibição ao presidente do Estado suceder-se a si mesmo.

4. A REVOLUÇÃO ESQUECIDA E A OUTRA SEMPRE LEMBRADA

A Revolução Gaúcha de 1923 mal havia completado um ano, e São Paulo também mergulhava em sangue. A Revolta Paulista de 1924, conhecida como Revolução Esquecida, foi a segunda revolta tenentista da cidade de São Paulo e o maior conflito armado ocorrido lá. Com início na madrugada de 5 de julho de 1924 e fim em 28 de julho do mesmo ano, a Revolta Esquecida foi resultado da insatisfação dos militares com a crise econômica e com a concentração de poder nas mãos de políticos paulistas e mineiros. Foi liderada pelo general reformado Isidoro Dias Lopes e teve também a participação de vários tenentes, entre eles Juarez Távora, Eduardo Gomes, Índio do Brasil e João Cabanas. A deposição do presidente Artur Bernardes era a meta primordial: desde os episódios das cartas falsas ele se tornara inimigo dos militares.

O voto secreto, a justiça gratuita e a instauração do ensino público obrigatório – pauta também dos movimentos anarquistas – estavam entre as reivindicações dos rebeldes. A revolta teve repercussão também em Sergipe e no Amazonas, mas nesses estados os movimentos foram dominados pelos governos locais.

Após sua eclosão, na capital paulista, a revolta tomou a cidade por 23 dias. Em 9 de julho, depois do bombardeio ao Palácio dos Campos Elíseos, sede do governo, o presidente do estado, Carlos de Campos, viu-se obrigado a fugir para o bairro da Penha, na Zona Leste de São Paulo. Os revoltosos, então, ocuparam quartéis e estações, mas se esqueceram de cortar as comunicaçoes. Carlos de Campos ficou instalado num vagão adaptado, na estação Guaiaúna, onde estavam as tropas federais vindas de Mogi das Cruzes. Enquanto isso, no interior do estado de São Paulo, pipocavam rebeliões em várias cidades, com tomada de prefeituras.

Ao chamado das armas, São Paulo foi bombardeada por aviões do governo federal. O Exército legalista, leal ao presidente Artur Bernardes, utilizou-se do "bombardeio terrificante", atingindo vários pontos estratégicos,

Os revolucionários de 1924.

Grupo de militares armados.
ARQUIVO PÚBLICO MINEIRO.

como bairros operários – a Mooca e o Brás – e de classe média – Perdizes. Sem contar com um poderio militar equivalente para enfrentar as tropas legalistas, sem artilharia e sem aviação, os rebeldes retiraram-se para Bauru na madrugada de 28 de julho. Ali, Isidoro Dias Lopes soube que os legalistas haviam rumado para a cidade de Três Lagoas, na divisa de São Paulo com Mato Grosso (atualmente no Mato Grosso do Sul), e resolveu literalmente ir à luta. No caminho, precisou enfrentar os "pelotões patrióticos", orquestrados por grandes ou pequenos fazendeiros e comerciantes que se voluntariaram para combater o golpe. Nesses pelotões, civis de diferentes grupos, representantes de realidades diversas confrontavam-se com os tenentes e seus ideais. Era gente que defendia o que julgava ser seu, que se acomodava aos fatos como podia, indiferente às questões ideológicas – à exceção do horror compartilhado em relação às ideias comunistas.

Carlos de Campos retornou a seu gabinete no Palácio do Governo na manhã do dia 28 de julho. Foi quando Isidoro Dias Lopes e Juarez Távora planejaram um ataque a Três Lagoas, que veio a ser a maior derrota de toda a revolta. Segundo a historiadora Ilka Cohen, um terço das tropas revoltosas morreu, feriu-se gravemente ou foi capturado.

A revolução teve impacto na economia, e alguns escritores nunca a esqueceram. O conflito paralisou as atividades editoriais da empresa Monteiro Lobato & Cia., de Monteiro Lobato, fazendo-a acumular dívidas. E mais: meses depois, ocorreu uma crise energética em São Paulo, por conta de forte seca, que reduziu muito a capacidade das máquinas de imprimir. Sem crédito bancário, restou a Lobato abrir falência. O pai de Lélia Abramo, que tinha uma serraria e uma beneficiadora de algodão na fronteira de São Paulo com Paraná, também ficou arruinado: "Com a revolução de Isidoro Dias Lopes, as comunicações rodoviárias e ferroviárias tornaram-se difíceis. O algodão já beneficiado e a madeira serrada não puderam ser entregues a tempo para comercialização e os prejuízos de meu pai foram enormes [...] a condição econômico-financeira da família havia iniciado sua queda", Lélia registrou. A escritora Zélia Gattai também não a esqueceu, pelas mesmas razões de Lélia Abramo:

> Julho de 1924. Ao chegar à escola, certa manhã, fui avisada de que não haveria aula, pois estourara uma revolução na cidade. Voltei apressada, doida para contar a novidade [...] falava-se no nome de Isidoro Dias Lopes, chefe da revolta [...]. Mamãe tomou uma decisão: apanhou a caderneta da venda – pagávamos tudo o que comprávamos ao final do mês – e saiu acompanhada dos três filhos mais velhos para ajudá-la a trazer mantimentos que ela se dispunha a armazenar. [...] Em nosso bairro não havia movimento militar. Apenas boatos, os mais desencontrados. A última notícia que corria de boca em boca, era que no Brás tinham levantado barricadas nas ruas, bombas explodiam, havendo tiroteios com mortos e feridos. As fábricas haviam fechado, o povo assaltava postos de abastecimento. [Com] as fábricas fechadas, ninguém recebia o salário, nenhum armazém vendia mais pelo sistema de cadernetas, agora só na ficha e assim mesmo estava difícil encontrar-se o que comprar [...]. Papai andava nervoso. Aquela Revolução dos Tenentes, "revolução que não conduz a nada", não o entusiasmava. Não tomou partido, aliás, tomou: era contra aquilo tudo. O boato de que os revolucionários estavam requisitando automóveis começou a circular [...]. Diante dos boatos insistentes, pelo sim e pelo não, papai achou prudente pôr os carros novos a salvo [...] os automóveis

> foram em seguida escondidos na sessão de pintura, lugar camuflado no fundo de nossa garagem. Saíram novamente às pressas, em busca dos que restavam. Chegaram à loja tarde demais! O pelotão revolucionário acabara de sair carregando os dois carros. Arrasado, papai voltou para casa.
>
> Acordamos certa madrugada com um barulho estranho. Soldados tiravam os paralelepípedos do meio da rua, construíam uma trincheira bem em frente à nossa casa. O dia nem clareara e já estávamos de pé. Pânico generalizado entre os adultos, para as crianças a maior festa. Ninguém sabia nada do que estava acontecendo, nem do que podia acontecer. Os soldados não davam nenhuma informação concreta. Recomendavam apenas que entrássemos em nossas casas [...]. Felizmente, quando menos se esperava, a revolução terminou. Isidoro derrotado, papai arruinado.

E instalou-se a crise. A menina Zélia registrou em sua memória:

> A palavra crise era a que mais se ouvia, em toda a parte. Ela conseguira me afligir. Não era por acaso a crise que andava preocupando tanto meu pai? Não fora ela quem fizera seu rosto alegre tornar-se pensativo e carregado? [...] Creio que papai estava vivendo de empréstimos – coisa que o deprimia – pois não possuía nenhuma fonte de renda e as economias já haviam voado [...]. Um dia, ao pedir a papai dinheiro para a carne e os legumes, num gesto brusco ele me entregou a carteira vazia. Deve ter sofrido muito depois com essa reação impensada, incompatível com sua maneira de ser. Saiu, voltou mais tarde e entregou-me – fez questão de entregar em minhas mãos – dez mil-réis: "Veja se dá para tentear por alguns dias..." Falava com muita humildade. Tive vontade de chorar. Em casa andávamos inteiramente sem graça, jururus.

Um inquérito feito então pelo governo do estado de São Paulo detectou inúmeros casos de vandalismo e estupros no interior do estado, especialmente sob os olhos do tenente João Cabanas. O grupo que ele comandava era denominado Coluna da Morte. Saldo final da revolução: cerca de mil mortos e de 4 mil feridos.

Vencidos, os revoltosos marcharam rumo ao sul do Brasil. Na cidade de Foz do Iguaçu, no Paraná, uniram-se aos oficiais gaúchos comandados

A paisagem urbana é alterada pelos conflitos militares.

Trens-cozinha do Exército enfileirados em via pública.
ARQUIVO PÚBLICO MINEIRO.

por Luís Carlos Prestes, no movimento tenentista que veio a ser o maior feito guerrilheiro, até então: a Coluna Prestes.

Otávio Gomes, que morava no interior, comenta assim sua experiência com a Coluna Prestes:

> O movimento rebelde de 1924 foi para nós, meninos naquela época, fonte perene de indagações e sobressaltos. Soldados chegavam e saíam da vila. Os boatos e notícias de roubos, assaltos, incêndios, depredações e outras judiarias por parte dos rebeldes corriam de boca em boca [...]. No interior do Brasil, revoltoso era sinônimo de bandido, assassino e tudo de mau e de ruim junto [...]. O vilarejo de Rio Pardo vivia pacatamente com seus destacamentos de soldados da polícia militar mineira, fiéis ao presidente da República, Artur Bernardes. As Forças Armadas regulares, com exceção da Polícia Mineira, não davam combate aos rebeldes, porque os comandantes, ex-colegas de farda, antigos companheiros, amigos e colegas de escola, evitavam o combate [...]. Viajavam dia e noite, trocando de cavalos constantemente. Era só tomar os animais e levar [...]. O povo das vilas, os comerciantes e fazendeiros viviam em sobressalto e sofriam os prejuízos e as consequências.

Mas, certo dia, os revoltosos entraram em Rio Pardo:

> Quando o dia ia clareando, disse meu pai aliviado: Não vieram até agora, não vêm mais. Dessa, nós estamos livres... Foi a conta. No mesmo instante começou o tiroteio [...]. A salvação da vila foi um rapazinho, calmo e valente [...] entrincheirou-se atrás do forno da casa do Zé Domingos [...] foi matando os atacantes que, com muita dificuldade, conseguiam passar o brejo [...] os revoltosos, numerosos, não esperavam por isso. Eles costumavam atacar de surpresa, roubavam, destruíam e desapareciam [...]. Houve casos de resistência em que os rebeldes voltaram, destruíram e incendiaram tudo. Verdadeira chacina de selvagens. Famosos líderes comunistas foram chefes, mas outros figurões que [depois] foram ministros, interventores, estavam entre os rebeldes daquela época [...]. Sabia-se que os revoltosos andavam matando e assaltando por todo o Estado. Além de se deslocarem com muita rapidez, a onda de boatos se encarregava de alarmar ainda mais.

As descrições de Otávio Gomes, membro de uma família de desbravadores da região tem razão de ser. Foi na fazenda Esperança, município de Coxim, que seu tio-avô, Filadelfo Alves da Silva, ofereceu resistência aos revoltosos. É impactante a diferença de percepção entre o interior, onde

AO LADO
A Coluna Prestes.
Grupo de revolucionários da Coluna Prestes, 1925.
ARQUIVO PÚBLICO MINEIRO.

"revoltosos" apavoravam as pequenas comunidades de agricultores, e as capitais, onde, alguns idolatravam os "heróis".

Os rebeldes ou heróis deixaram São Paulo em julho, os combatentes da retaguarda lutando ferozmente contra as forças legalistas. Descendo, em direção ao Sul, estabeleceram quartel-geral em Guaíra, no Paraná, onde enfrentaram as tropas do general Rondon. O tenente Juarez Távora prosseguiu em direção ao Rio Grande para insuflar os quartéis contra Borges de Medeiros. São Borja, Uruguaiana e Alegrete se juntaram aos combatentes que, depois da derrota para Flores da Cunha, refugiaram-se por algum tempo em terras argentinas. Apenas Luís Carlos Prestes com 3 mil soldados resistiu em São Luiz Gonzaga, no Rio Grande do Sul, pondo-se em marcha na direção do Mato Grosso. Formou-se, então, a Primeira Divisão Revolucionária, conhecida como Coluna Prestes, composta por quatro destacamentos que, durante dois anos, empreenderam a mais épica marcha da história do país.

Erico Verissimo se refere "aos sustos" que a Coluna pregava na região de Cruz Alta. Uns reagiam, outros aderiam. Segundo ele, seu tio Nestor, "inveterado leitor de romances de capa e espada [...] viveu como comandante de vanguarda da Coluna Prestes, à qual se juntou no princípio da Grande Marcha [...]. Fez todo o percurso da Coluna até o interior do estado da Bahia, onde caiu numa emboscada e foi aprisionado por soldados do 1º Batalhão da Polícia Militar baiana".

Cerca de 1.500 pessoas iriam percorrer algo como 25 mil quilômetros por vários estados do Brasil, para propagar a ideia revolucionária entre as comunidades rurais, fazendo-as sublevarem-se contra as "elites vegetais", que copiavam modelos europeus, sem senso de brasilidade.

A Coluna cruzou o rio Paraná, na direção de Mato Grosso, cruzou Minas, Goiás até o Maranhão, onde um dos cabeças, o tenente coronel Paulo Krüger, foi preso. No Ceará, outro líder, Juarez Távora, também foi preso. Um convite enviado ao rei do Cangaço, Virgulino Ferreira da Silva, o Lampião, para que se juntasse aos rebeldes foi declinado. Lampião, cuja "espingarda nunca deixava de ter clarão, tal qual um lampião", preferiu oferecer seus serviços ao governo para ajudar a combater o avanço comunista no Nordeste, como demonstrou o historiador Frederico Pernambucano de Mello.

Na Paraíba, aos pés da serra de Santo Antônio, na pequena Piancó, a Coluna encontrou ferrenha oposição, que redundou em muitas mortes, de ambos os lados. Foram 6 horas de luta sangrenta, comandada pelo padre e líder popular, Aristides Ferreira da Cruz, com o apoio de civis, inclusive do prefeito da cidade. Ao fim, os moradores abandonaram casas e comércio. Os resistentes, entre eles padre Aristides, foram massacrados com requintes de crueldade: alguns degolados e outros amarrados a cavalos até morrer e deixados aos urubus, como contou o historiador Daniel Aarão Reis.

Por essas e outras, para muitos, o Cavaleiro da Esperança, apelido poético dado a Prestes pelo escritor Jorge Amado, não era portador de boas novas: os rebeldes eram verdadeiros Cavaleiros do Apocalipse, que traziam

medo e violência, saqueando pequenos vilarejos. Apoio dos camponeses? Ilusão.

Em outubro de 1926, a Coluna estava de volta a Mato Grosso e, depois de penosa travessia do Pantanal, os remanescentes, conduzidos por Siqueira Campos, adentraram o Paraguai. Outra parte, sob a liderança de Prestes, refugiou-se na Bolívia. Todos os dirigentes, com exceção de Prestes – que se intitulava "socialista revolucionário" –, seriam anistiados e ocupariam postos de prestígio no futuro governo Vargas.

No sertão, a resistência aos militares revolucionários.

Grupo de defensores da cidade de Caicó, Rio Grande do Norte, [1925].
ARQUIVO PÚBLICO MINEIRO.

5. O SILÊNCIO DOS SERINGAIS E O VENTO SOPRANDO DO SUL

As grandes capitais do Sudeste ardiam sob os fogos da política. Tudo parecia caminhar rápido, brutalmente, em turbilhões de vertigem. As crises no Congresso se entrelaçavam às convulsões econômicas. Porém, no distante Norte, o colapso chegou de outra maneira – e quem se lembra é o poeta amazonense Thiago de Mello:

A década de 1920 se abre com as seringueiras da Malásia, filhas da nossa floresta, ali cultivadas artificialmente, depois que Henry Wickham, em 1873, daqui levou clandestinamente muitos sacos de sementes, produzindo 360 mil toneladas, enquanto a produção do Amazonas não alcançava 8 mil, pagas a preços aviltados. Era o fim do famoso ciclo da borracha.

Era também o fim da grande vida. Do dia para a noite, se foram acabando o luxo, as ostentações, os esbanjamentos e as opulências sustentadas pelo trabalho praticamente escravo do caboclo seringueiro lá nas brenhas da selva. Cessou bruscamente a construção dos grandes sobrados portugueses, dos palacetes afrancesados, dos edifícios suntuosos. Não se mandou mais buscar mármores e azulejos na Europa, ninguém acendia charutos com cédulas estrangeiras. O enxoval das moças ricas deixou de vir de Paris. Os navios ingleses, alemães e italianos começaram a escassear na entrada da barra. Muitas grandes firmas exportadoras de capital europeu pediram concordata. Das casas aviadoras (que forneciam dinheiro e mercadorias aos seringalistas do interior da floresta), as mais fracas faliram logo, algumas resistiram um pouco, mas não puderam evitar a falência. As companhias líricas de operetas italianas foram deixando de chegar para as suas temporadas exclusivas no sempre iluminado Teatro Amazonas. Os coronéis do barranco não podiam pagar com fortunas uma carícia mais quente das francesas importadas e refinadas na arte do amor comprado, as quais, por isso mesmo, foram logo tratando de dar o fora, substituídas nas pensões noturnas pelas caboclas peitudas e de cintura menos delgada. Dar o fora foi também o que fizeram os comerciantes ingleses e alemães, os navios partiam carregados deles com a família inteira [...]. Os novos ricos se apavoraram. Os ricos mais sólidos se acautelaram e trataram de abrir novos atalhos para continuar a enriquecer. O povo continuou sendo o povo. A cidade ingressou no seu largo período de declínio e estagnação.

Do que a borracha trouxe de benefício público – ao preço da miséria e da servidão de milhares de caboclos – a cidade continuou a usufruir. Bom serviço de águas e esgoto, uma excelente luz de carvão e arco voltaico, transporte urbano servido por bondes de primeira categoria. Boas casas de ensino, principalmente muito bons professores para os cursos primário, secundário e, não demorou muito, também para o ensino de direito e de odontologia. Já encontramos uma atenção médico-hospitalar, com a Beneficência Portuguesa e a Santa Casa de Misericórdia, que dava para as exigências da população naquele tempo ainda exposta às febres de sezão, nome popular da malária. E não constante a decadência econômica, a cidade era muito bem abastecida. Fartura de peixe e de carne, a tartaruga estava ali diariamente, para quem quisesse comprar, nas bancas do mercado. Muita fruta e verdura: hortaliças em abundância, cultivadas pelos portugueses, cujos tão bonitos canteiros davam alegria só de olhar. Fome mesmo ninguém passava; mesmo porque comerciante da época não queria arrancar os olhos da cara de ninguém.

A borracha se evolava como um perfume. Os seringais plantados pelos ingleses, na Ásia, com sementes amazônicas, produziam mais ba-

Manaus, 1901: a urbanização da capital.

FIDANZA, Filipe Augusto. *Album do Amazonas, 1901-1902.* p. 68.
BIBLIOTECA NACIONAL [ICONOGRAFIA].

rato e melhor, enquanto o produto nacional atingia preços proibitivos no mercado internacional. E o país, mergulhado em crise econômica, aparentava só se preocupar com o poder político: quem iria ocupar o Catete? Inquietos, os partidos se movimentavam, e, como não havia nada de novo sob o sol, veio nova revolução. E mais uma vez, foi Pedro Calmon quem registrou:

> Em 1930 estremeceu o país com a sucessão do presidente Washington. Foi uma revolução supérflua, implantada num processo inábil. Para a evolução normal, bastaria que a lógica suplantasse o interesse, e em vez de fixar-se o presidente em outro paulista, entregasse o quatriênio ao mineiro Antônio Carlos. Preferiu Júlio Prestes. Vingou-se o Andrada, lançando Getúlio Vargas, o astuto presidente do Rio Grande do Sul... Não era uma revolução necessária. Foi uma revolução lógica. Sempre que se altera a regra a que a nação se acomodou [...] baixa a prepotência, sobe a inconformidade [...]. Tramava-se, no Rio de Janeiro, o surdo entendimento das correntes conspiratórias. O presidente poderia tê-lo contornado com a solução oportuna dos casos regionais antes de que tudo se revoltasse [...]. Na madrugada de 24, inevitável rebentou o levante encabeçado pelas altas patentes. Aderiram os quartéis [...]. Concentrara-se a multidão em redor das grades do Palácio Guanabara, onde, impassível, o presidente sustentou até o fim a dignidade da função. Pusera no bolso uma pistola [...]. Ululavam as massas [...] e lá inalterável continuava Washington na atitude de desafio ao número, à violência, à realidade, ao imprevisto, de pistola na algibeira, esperando que a turba invadisse a sala, que lhe enchesse os corredores, que fosse enfrentá-

> -lo, sozinho, na sala dos despachos [...]. Em vez da patuleia entrou o cardeal d. Sebastião Leme. A Igreja poupou o drama [...] e de automóvel, ao lado do cardeal, saiu do Guanabara, entrou no Forte de Copacabana o último chefe de Estado da Velha República.

Mas o que teria acontecido para "estremecer o país"? Afinal, o governo de Washington Luís transcorrera em clima de estabilidade. Tudo indicava que as regras de transição da política seriam mantidas: o futuro presidente era indicado pelo que deixasse o poder, alternando mineiros e paulistas. Mas surpresa! Washington Luís não indicou um mineiro, mas um paulista, Júlio Prestes. Disputas sufocadas no passado ressurgiram. Washington Luís queria manter sua política econômica de proteção aos produtores de café e Júlio Prestes, líder da maioria do Congresso, com a máquina política do PRP a apoiá-lo, poderia garantir proteção ao ouro verde, cujo preço começava a amarelar. A decepção teve reações imediatas. Antônio Carlos Ribeiro de Andrade, descendente de José Bonifácio, tinha certeza de sua indicação. Ao saber-se preterido, iniciou a oposição, oferecendo apoio à candidatura gaúcha.

Com apoio mineiro, foi, então, lançada a candidatura de Getúlio Vagas, presidente do estado do Rio Grande do Sul. Na vice-presidência, João Pessoa, presidente da Paraíba, que seria assassinado, em julho de 1930, em Recife, por um inimigo político. Estava formada a Aliança Liberal, coligação de forças políticas e partidárias pró-Vargas que – unindo Minas, Rio Grande do Sul e Paraíba, além da oposição ao governo em vários estados e de militares descontentes –, preocupava-se em conquistar a simpatia das classes médias e dos setores operários.

Fatos externos também impactaram as mudanças internas, como o *crash* do mercado de ações, devastador na história dos Estados Unidos. Dando início aos 12 anos da Grande Depressão, afetou todos os países ocidentais industrializados, e o Brasil, dependente dos mercados externos, não foi exceção. Antes mesmo de 1929, o país já contava com mais de 1 milhão de desempregados. Fábricas fecharam no Rio de Janeiro e São Paulo. O preço internacional do café despencou, liquidando o programa de estabilização que o governo havia criado. O detalhe é que dos seis estados economicamente mais desenvolvidos, o Rio Grande do Sul era o mais independente: vendia arroz e charque para os brasileiros. A depressão o fortaleceu e aos seus políticos.

De início, Borges de Medeiros e seu herdeiro político, Getúlio Vargas, se comportaram com discrição. Ao mesmo tempo, a nova geração de políticos, representada por Flores da Cunha, Oswaldo Aranha e João Neves da Fontoura, conspirava, apoiada pelos mesmos tenentes que haviam combatido. A ideia que os unia era a "revolução" e a derrubada do governo de Washington Luís. Eles acenavam com reformas de base: voto secreto, reformas trabalhistas e "apoio aos desvalidos" – explicam os historiadores Marieta de Moraes Ferreira e Carlos Eduardo Sarmento.

Para os tenentistas, a revolução parecia atender a certas expectativas: ela combatia a política oligárquica, através de um governo centralizador, além de garantir a muitas vezes negada anistia aos militares que participaram das revoltas ocorridas entre 1922 e 1927. O senão veio de Luís Carlos Prestes: convertido ao "marxismo revolucionário" anunciou que não participaria de uma "revolução burguesa", cujo único propósito era "substituir uma oligarquia reacionária por outra". Prestes já tinha, então, recebido 80 mil dólares de Getúlio para comprar armas que apoiassem o golpe. Preferiu, porém, financiar a organização do partido.

Apesar do esforço dos gaúchos, a força de São Paulo à frente de mais de 17 estados era maior. As eleições realizaram-se no dia 1º de março, e o Congresso anunciou que Júlio Prestes recebera 1 milhão de votos, contra 700 mil de Vargas. A derrota só deu mais força aos ventos que sopravam do sul. Armas foram importadas da Tchecoslováquia, contatos foram feitos com os tenentes exilados na Argentina e no Uruguai e havia homens para marchar, lutar e talvez morrer, homens recrutados, como os viu Erico Verissimo:

> Em Cruz Alta, os republicanos contavam com um contingente considerável de homens bem armados. Procediam a um curioso tipo de recrutamento. Aceitavam todos os voluntários que aparecessem. Não faziam perguntas sobre os antecedentes de cada um, à maneira da lendária Legião Estrangeira. Depois, metiam-nos num uniforme de zuarte, davam-lhes botinas reiunas e às vezes até perneiras de couro, um chapéu de abas largas, e uma Comblain ou uma Mauser. Agarravam, também à força, homens entre

18 e 50 anos, que passaram a ser então conhecidos como "voluntários a maneador". Como era natural, os borgistas sinceros, homens de opinião política definida também pegaram em armas para defender o chefe supremo de seu partido ou, para usar a terminologia republicana, combater os mazorqueiros.

A revolução avançou em direção ao Rio de Janeiro. Em 24 de outubro, a cúpula do Exército depôs o presidente Washington Luís. No último dia de outubro, Vargas atingira a capital. As fotos não deixam mentir: chegava um caudilho. Vestia uniforme militar, lenço vermelho no pescoço e chapéu gaúcho de aba larga. Milicianos recrutados nas estâncias cavalgaram pelas ruas da capital e, ao atingir o Centro da cidade, amarraram seus cavalos ao pé do obelisco da avenida Rio Branco. Apesar da resistência de alguns generais, em 3 de novembro de 1930, tomou posse o novo dirigente.

Apesar das estratégias para o sucesso da conspiração, tinha havido luta e resistência por quase um mês. Em Porto Alegre, vinte mortos. Em Minas Gerais, combates por cinco dias. Os nordestinos, com exceção dos baianos, aderiram e saíram às ruas para saudar Juarez Távora, que chefiou todas as operações que, no Norte, deram a vitória à revolução. Em São Paulo, na fronteira com o Paraná, em Itararé, 6 mil soldados legalistas com canhões e aviões aguardavam, armas em punho, os 8 mil rebeldes. Ao saber que Washington Luís fora deposto, os legalistas se renderam. A aguardada batalha não aconteceu.

Depois de ter sido aclamado em Ponta Grossa, Getúlio havia passado por São Paulo, onde ficou por 24 horas e indicou um interventor para o governo do estado. Dali rumou para o Rio, para o Catete.

E quem retirou Washington Luís do palácio? Três militares: os generais Tasso Fragoso, Mena Barreto e o almirante Isaías Noronha. E não foi fácil. Durante 7 horas ele recusou-se a receber a "junta governativa". Tasso Fragoso, seu amigo, tentou convencê-lo de que a renúncia seria "para evitar mais derramamento de sangue".

"– Não renuncio. Do palácio só saio morto", retrucou Washington Luís. Uma hora mais tarde, destituído do poder, foi levado para o mesmo Forte de Copacabana, no qual, oito anos antes, um grupo tentou derrubar o governo. Dois dias depois, foi embarcado num navio em direção à Europa, onde ficou por 17 anos. Júlio Prestes também partiu para o exílio. Revolução necessária ou dispensável?

Nelson Rodrigues não escondeu o medo que os novos tempos lhe trouxeram quando irrompeu o inesperado e, depois, o insuportável. Viu serem arrastados e presos seus irmãos, Milton e Mário, denunciados por um vizinho. Ainda assistiu, chocado, ao empastelamento do jornal *Crítica*, de seu recém-falecido pai, Mário Rodrigues:

> Vinte e quatro de outubro de 1930. Naquela madrugada, eu voltara para casa às três, três e pouco. Vínhamos eu e Aldemar Baía [...]. Noite quieta, passiva; as ruas lívidas e mais longas, e, por toda a parte, um silêncio de cidade abandonada. O túnel vazio também. O táxi me deixou em casa. E o Baía, que voltou sozinho, já encontrou o túnel ocupado. O 3º Regimento saíra e, numa progressão fulminante, ocupava todas as posições. Em casa, sem desconfiar de nada, eu fazia a minha ceia solitária. E, depois, apanhei um romance e li, se tanto, umas dez páginas. Fui dormir. Comecei a sonhar, imediatamente. Ouvia gritos; mulheres alucinadas se esganiçavam nas sacadas; buzinas acordavam os galos; e o medo escorria das paredes.
>
> Acordei e continuava ouvindo. Jofre veio correndo: "Revolução!" Pulei da cama. Fomos para a janela, olhar a rua. O pânico era só de mulheres, algumas de camisola na sacada. Do lado, um vizinho punha uma trouxa de roupa no automóvel. Carros passavam em pânica velocidade. Sujeitos na calçada, berrando. Eu, Jofre, os outros irmãos, numa exaltação, numa euforia, como se a revolução fosse uma festa delirante.
>
> E não tive medo. Minha mãe acordou, minhas irmãs, e todas sem medo. Não percebemos que, aquilo, para nós, era a catástrofe. Só senti o medo, o grande medo, a solidão brutal, horas depois, quando passamos, de automóvel, pela esquina da rua do Carmo. Estavam empastelando o jornal; e, então, o medo baixou em mim. Jofre, não. Nunca o vi ter medo de nada e de ninguém. Queria saltar e brigar, sozinho, contra a multidão enlouquecida.
>
> O chofer reduzira a marcha. Vinham dois sujeitos pela calçada e um deles disse: "Olha, os filhos de Mário Rodrigues!" Berrei para o chofer: "Depressa! Depressa!" Outros jornais eram empastelados também: *A Noite*, *Jornal do Brasil* etc. etc. Eu me crispava dentro do automóvel; cerrava os dentes. E se o automóvel parasse? E se nos reconhecessem? E se eu fosse linchado? Linchado pela multidão. A meu lado, Jofre explodia em palavrões.

O grande medo. Não era a primeira vez que o sentia na carne e na alma. Meses atrás, vivera um desses momentos de pavor que ninguém esquece. Foi quando meu irmão Roberto levou um tiro e gritou. O que senti, naquele momento, e antes do amor, da compaixão, da infinita solidariedade – antes de tudo –, foi o medo. Durante anos, eu o escondi de mim mesmo; dei-lhe outro nome. Não era medo, era outra coisa. Eu me imaginava apenas solidário, apenas compassivo, e só possuído de amor. Foi muito depois, em Campos do Jordão, que eu admiti para mim mesmo a verdade. [...]

Voltamos, desta vez pelo Túnel Velho. Tudo ocupado pelo Exército. Soldados faziam parar o carro, olhavam a cara dos passageiros e davam passagem. E, então, comecei a me sentir salvo. Meu pai fizera toda a campanha de Júlio Prestes; e, depois de sua morte, a *Crítica* seguira a mesma linha. E eu não imaginava que a vitória de Getúlio Vargas era quase a destruição de minha família.

E como o golpe foi vivido no interior, nas pequenas localidades, é Verissimo quem relata:

Ao amanhecer do dia 4 de agosto de 1930, espalhou-se pela cidade a sensacional notícia. Fora deflagrada em todo o país a muito anunciada e protelada revolução contra o Presidente Washington Luís e quase todo o estado do Rio Grande do Sul já estava na mão dos rebeldes. Durante a noite, as duas unidades que compunham a guarnição militar de Cruz Alta haviam aderido ao movimento [...]. Naquelas semanas assisti ao desfile dos soldados e voluntários civis que iam derrubar o Governo Federal para instaurar no país – conforme diziam os jornais e os oradores revolucionários – uma nova era de verdadeira moralidade, em que se pudesse promover o progresso do Brasil e a felicidade de seu povo. Eu olhava para aquilo tudo com um olhar morno e cético... Talvez o "meu" ceticismo fosse apenas uma máscara com que eu procurava disfarçar minha preguiça em tomar uma posição. Havia, porém, momentos em que eu me deixava contagiar pelo entusiasmo dos revolucionários, pelos dobrados que tocavam as bandas de música militares e pelo espetáculo dos lenços vermelhos.

Na voz de uma jovem, Adalgisa Nery, com igual ceticismo e até mesmo distanciamento: "Nessa época, os jornais noticiavam um movimento revolucionário no país. Muitos se interessavam pelo acontecimento

A nova República.

O Cruzeiro, ano III, n. 8, 27 dez. 1930.

ARQUIVO O CRUZEIRO/EM/D.A PRESS.

como novidade, e poucos, como necessidade. Uns tomavam o partido do governo, outros o lado revolucionário. Discussões, previsões, apostas, pouco idealismo e bastante oportunismo transpareciam nas conversas. Onde estavam as vantagens e as desvantagens do governo e da revolução para o bem do povo?"

O povo, longe de bestializado, apoiava. Quem conta é o jornalista Carlos Heitor Cony:

> Com a vitória da Revolução de 1930, enquanto Vargas não chegava ao Rio para receber o espólio do movimento militar, o povo do Rio de Janeiro ficou assanhadíssimo. Comprou na Casa Mathias e na A Colegial fardas de brim cáqui que os escolares usavam e que, em miniatura e intenção, eram a réplica das fardas militares daquele tempo. Colocou um lenço vermelho ao pescoço, e já que não chegara a haver uma batalha que desse glória a todos, fez o que estava à mão: quebrou vidraças, botou fogo em algumas repartições do governo, empastelou a *Crítica*, de Mário Rodrigues e incendiou *O País*. A redação, na esquina da avenida Rio Branco com a rua Sete de Setembro, era encimada por uma cúpula de aço importado da Bélgica. Com o incêndio, a cúpula caiu, deixando enorme rombo no teto. Piada da época: "Enfim, um país a céu aberto!" O pai ficou sem emprego, e durante algum tempo, na clandestinidade.

Preocupados em definir o movimento como conservador, contrarrevolucionário, "nem de origem, nem de caráter comunista", os revolucionários prometiam "promover, sem violência, a extinção progressiva do latifúndio, desmontar a máquina do filhotismo parasitário e sanear o ambiente moral da pátria". Acabara-se a "república dos fazendeiros". Prometiam-se, também, novos tempos: os da presença de um Estado forte, centralizador, paternalista, patriótico e gestor da economia. Itália e Alemanha eram um exemplo.

Novos tempos claros ou sombrios? A impressão de incerteza e medo transpira no *Diário Secreto* de Humberto de Campos, que assim recapitulou as primeiras semanas depois da chegada de Vargas ao Catete:

> Um jornal de anteontem (28 outubro) foi entrevistar no Forte Copacabana, onde se acha preso, o presidente deposto:
>
> – Dr. Washington Luís... – começou o jornalista.

– Dr. Washington Luís, não; Sr. Presidente da República. Até o dia 15 de novembro, se não morrer, serei eu o presidente constitucional do Brasil.

O presidente deposto, mas não resignatário, tem dado assim uma prova de fortaleza admirável. Ficará preso até 15 de novembro, mas não renunciará.

Sexta-feira, 31 de outubro:

Leio em uma folha de São Paulo, a entrevista que lhe concedeu um meninote de 16 anos, que veio do Rio Grande do Sul combatendo ao lado das forças revolucionárias. Chama-se Armando Fernandes, e é natural de D. Pedrito.

– Seus pais não se oporiam à sua incorporação? – pergunta o jornalista.

– Não, respondeu – Era meu desejo vir também para fazer companhia aos meus irmãos, Epaminondas e Fernando.

– E você não teve medo dos tiros?

– Sempre a gente se assusta, mas, na hora, a raiva dá coragem.

É essa, na verdade, a mais flagrante definição de bravura: a coragem que vem da raiva.

Segunda-feira, 3 de novembro:

Posse de Getúlio Vargas, no cargo de Presidente da República Brasileira, como chefe da Revolução vitoriosa. Primeiras notícias sobre seu ministério, composto de gaúchos e mineiros quase que exclusivamente e que causa boa impressão. E primeira desilusão, também. Juarez Távora, figura primacial e heroica, da revolução. Que declarava há dois dias que nenhum militar deveria aceitar postos políticos, aceita ele próprio o de Ministro da Viação depois de ter investido o seu irmão no de Presidente Revolucionário do Ceará. É homem e está, como os outros, sujeito às contingências humanas. Acabará talvez, pacífico Senador da República e honrado chefe de oligarquia.

5 de novembro de 1930:

Espetáculo original e bizarro o da cidade, nesses últimos dias. Trens e vapores têm despejado no Rio, em menos de uma semana, mais de 30 mil homens vindos do Rio Grande, do Paraná, de Minas e do Nordeste, os quais, com seu fardamento de campanha, dão à capital o aspecto de um país conquistado

A MULHE
BRAS
NA
REVOLUÇÃO

EIRA
1ª Classe

> pelo inimigo [...] o sentimento que despertam é, ora de piedade, ora de tristeza, mas sempre amargo e doloroso, trajando calça e blusa cáqui geralmente em desproporção com o corpo que as veste; perneiras; chapéu mole de dois bicos da mesma fazenda da roupa; completam eles a indumentária com um lenço, ou um simples pedaço de pano, ora vermelho, ora verde e amarelo que trazem ao pescoço e que é símbolo da revolução[...]. E essa multidão está aquartelada em todos os edifícios públicos da cidade [...]. O Senado é, hoje, um simples quartel da soldadesca revolucionária!
>
> Outro julgamento da Revolução: foi preso a bordo de um navio estrangeiro, no momento em que este atracava, e levado para a Casa de Detenção, o ilustre homem de ciência, professor Carlos Chagas, diretor do Instituto de Manguinhos, que acaba de realizar conferências na Alemanha, na França e na Itália, a convite do governo desses países. Dado o alarme pela imprensa, o delegado que fez a captura, declarou ingenuamente:
>
> – Eu não sabia. Eu supus que Carlos Chagas era o ex-delegado Francisco Chagas, acusado de homicídio na pessoa do negociante Niemeyer...
>
> Esse fato e outros oferecem o metro para avaliação da mentalidade que preside à "regeneração da República". Aos homens do dia sobram boa vontade e patriotismo. Mas faltam, infelizmente, inteligência e cultura, sem as quais a obra humana terá, fatalmente, o cunho da mediocridade e do ridículo.
>
> Continuam as prisões de homens públicos mais em evidência nos governos passados [...]. Fundam-se nos Estados tribunais revolucionários para julgamento de políticos depostos. Reprodução pura da Revolução Francesa, em 1930. Os jornais vêm repletos de denúncias anônimas em que cada covarde, mergulhado na sombra, denuncia o inimigo [...].

A presidência de Getúlio Vargas parecia destinada a durar pouco. Desde os primeiros dias, o novo presidente enfrentou forte oposição paulista. Para os democratas de São Paulo, a finalidade do governo provisório de Vargas era garantir reformas políticas por meio da convocação de uma Assembleia Constituinte que, segundo eles, não vinha. Apesar das promessas, o Natal para muitos foi momento de balanço pessimista. Foi assim para Carolina Nabuco: "26 de dezembro 1930: abro pela manhã os jornais. E encontro em todos eles palavras de decepção e de censura ao governo estabelecido pela Revolução. Em São Paulo, jornais suspensos.

Com apoio de militares, Getúlio Vargas conquista o poder.

Careta, ano XXIII, n. 1168, p. 10, 8 nov. 1930.
BIBLIOTECA NACIONAL [HEMEROTECA].

PÁGINAS 80 E 81
Batalhão Feminino da Revolução de 1930.

O Cruzeiro, ano III, n. 4, p. 12, 29 nov. 1930.
ARQUIVO O CRUZEIRO/ EM/D.A PRESS.

Aqui, declaração do Chefe de Polícia de que será degredado para Fernando de Noronha todo indivíduo que espalhar notícias alarmantes. Algumas folhas clamam contra as demissões em massa. Outras, contra a nomeação de verdadeiros celerados para cargos rendosos. Por toda a parte o descontentamento e a desilusão, entre um ou outro sinal de falsa esperança."

Apoiado nos tenentistas e nos generais, Vargas deu a entender que tal convocação abria caminho para o retorno das oligarquias ao poder. Ora, as elites paulistas, as classes mais favorecidas pelo sistema que vigorou na Primeira República, queriam reaver o domínio político perdido. A demora do governo provisório de Getúlio em convocar a Assembleia Constituinte suscitava muita insatisfação.

6. SÃO PAULO LIVRE, CIVIL E PAULISTA

AO LADO E PÁGINAS 86 E 87
Revolução Constitucionalista de 1932: material didático.
RODRIGUES, J. Wasth. *Esta he a carta verdadeira da revolução q houve no Estado de São Paulo no ano de MCMXXXII*. São Paulo: [s.n.], [1932?].
BIBLIOTECA NACIONAL [CARTOGRAFIA].

No começo do ano de 1932, o Partido Republicano Paulista (PRP) e o Partido Democrático (PD) lançaram uma campanha em prol da Carta Constitucional do país e do término da interferência federal nos estados. A repercussão popular foi grande. O mote era: "São Paulo livre, civil e paulista." Disseminava-se o ideal de liberdade e a disposição de se lutar por ele. A revolução não tinha começado ainda, mas sentia-se sua aproximação. O ar que se respirava parecia pesado e cheio de ameaças. No dia 23 de maio de 1932, durante a realização de um ato político no centro da capital, a polícia conteve manifestantes à bala. Morreram quatro estudantes. Em homenagem a eles, o movimento de resistência passou a se chamar MMDC – iniciais de Martins, Miragaia, Dráusio e Camargo, os mortos –, que ganhou logo o apoio da classe média. Com o orgulho desperto, os paulistas contribuíam com alianças e outras joias de ouro para um fundo revolucionário.

Mal se fechavam as feridas de uma revolta, tinha início outra. Benedito Valadares foi testemunha de primeira hora:

> Na manhã de 9 de julho de 1932 fui surpreendido pela moça de servir, que me levava café no quarto, no Hotel Sul-Americano, em Belo Horizonte, com esta notícia:
> – O salão está cheio de oficiais do Exército, tem até general.
> – O que é que há?
> – Não sei, vi falar que é guerra.
> Aprontei-me às pressas e desci.

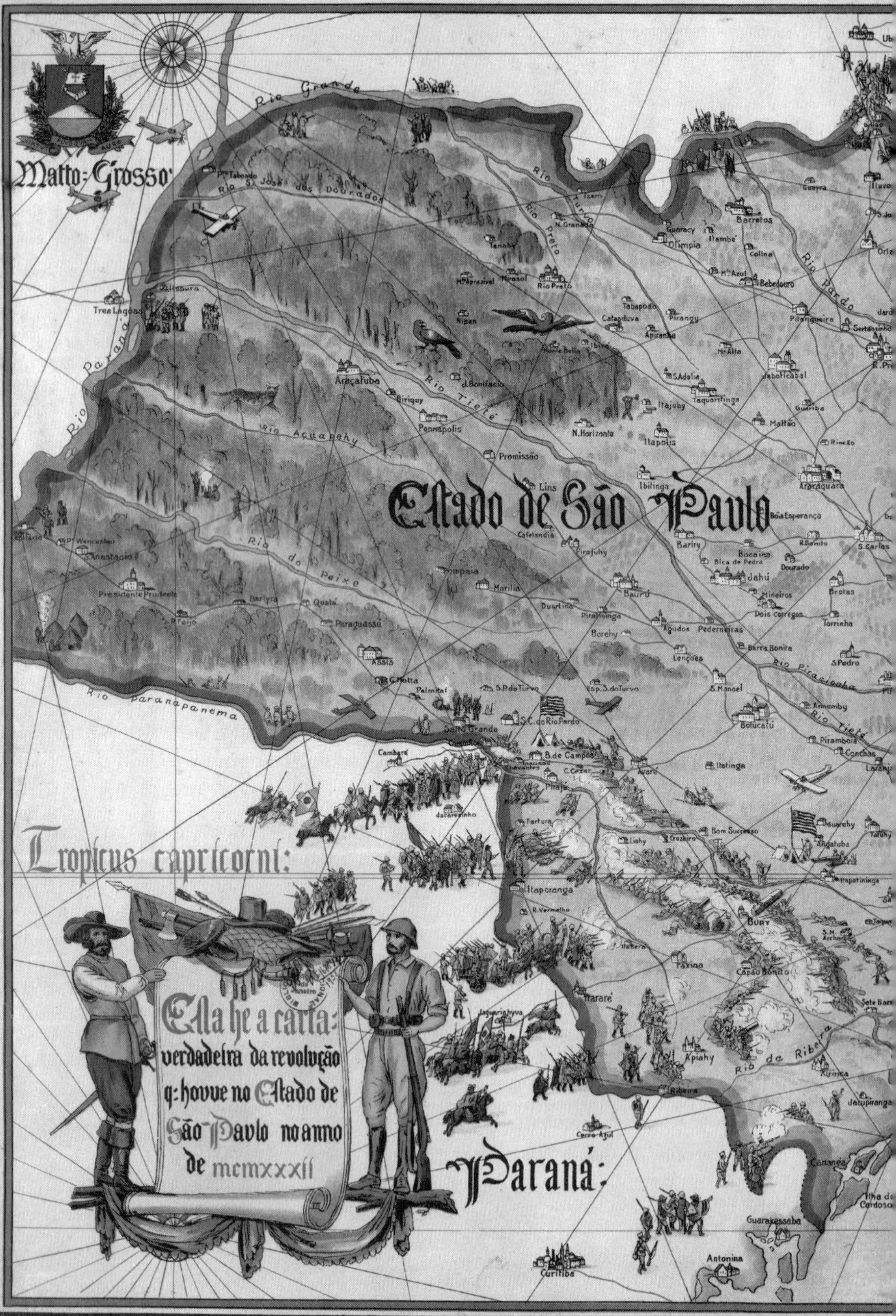

Matto-Grosso
Estado de São Paulo
Paraná
Tropicus capricorni:
Esta he a carta: verdadeira da revolução q: houve no Estado de São Paulo no anno de mcmxxxii
Rio Grande
Rio Paraná
Rio S. José dos Dourados
Rio Preto
Rio Turvo
Rio Pardo
Rio Tieté
Rio Aguapehy
Rio do Peixe
Rio Paranapanema
Rio Piracicaba
Rio da Ribeira
Tres Lagoas
Araçatuba
Biriguy
Pennapolis
Promissão
Lins
Cafelandia
Pirajuhy
Marilia
Pompeia
Bauru
Barretos
Olimpia
Bebedouro
Rio Preto
Mirasol
Catanduva
Ibitinga
Itapolis
Araraquara
S. Carlos
Jaboticabal
Botucatú
Avaré
Itapetininga
Itaporanga
Faxina
Capão Bonito
Itararé
Ribeira
Xiririca
Jacupiranga
Cananéa
Guarakessaba
Antonina
Curitiba
Presidente Prudente
Assis
Salto Grande
Ourinhos
Cambará
Jacarezinho
Jaguariahyva
Fartura
B. de Campos
Piraju
Lençoes
S. Manoel
Dois Corregos
Brotas
Bury
Ilha do Cardoso

Minas Geraes
S. PAULO
CAMPINAS
SANTOS
FIANT EXIMIA
Estado do
Rio de Janeiro
Guanabara
Districto
Federal
Rio de Janeiro
Ilha Grande
Angra
Paraty
Ubatuba
Ilha
dos Porcos
S. Sebastião
Santos
S. Vicente
Ilha de S. Amaro
Itanhaen
Peruhybe
S. Paulo
S. Amaro
Campinas
Jundiahy
Atibaia
S. Isabel
Mogy das Cruzes
Jacarehy
S.J. dos Campos
Caçapava
Taubaté
Pinda
Guará
Lorena
Cruzeiro
Resende
Paraisopolis
Amparo
Jaguary
Bragança
Caldas
Guaxupé
Mare oceanus atl
J.W.R.

Fora deflagrada a Revolução Constitucionalista. Na capital, dois dias depois, Humberto de Campos parecia desolado ao garatujar no *Diário*:

> Segunda-feira, 11 de julho de 1932:
>
> Às 11 horas, ao entrar para o almoço, meu filho Henrique traz-me um exemplar matutino de *O Globo*, em que vêm confirmados os boatos de ontem. Explodiu, efetivamente, um movimento revolucionário em São Paulo, chefiado pelo general Isidoro Lopes e com a solidariedade das guarnições federais de Mato Grosso. O Governo Provisório está concentrando forças em Barra do Piraí e Cruzeiro. Comunicados oficiais asseguram que o Rio Grande do Sul está solidário com o Governo Provisório e que a cavalaria gaúcha já partiu para a fronteira do Paraná, rumo a São Paulo. O Presidente Getúlio Vargas lançou um manifesto à nação.

E ainda no mesmo dia: "As notícias da guerra civil são tristes e desoladoras. Segundo referem os comunicados do governo, as forças do Paraná e do Rio Grande que prestigiam a ditadura quebraram a resistência dos paulistas em Itararé, havendo grande número de mortes de parte a parte. Na frente mineira, estão se verificando, também, combates sangrentos."

De fato, frentes de batalha se haviam formado. Em São Paulo, grande número de civis ingressou espontaneamente no corpo de infantaria, sendo transferidos para as três grandes frentes, nos limites com Minas Gerais, Paraná e Estado do Rio de Janeiro, no Vale do Paraíba. Era o sonho da glória em armas, a glória infinita! O Brasil se impressionou com a intervenção da mulher paulista.

"Ela trabalhou diuturnamente", registrou Cassiano Ricardo. "O imperativo maior era a faina nos postos de atendimento e costura (e funcionavam vários espalhados por São Paulo). Em grupos que eram verdadeiras colmeias, a mulher paulista organizada na mais perfeita divisão do trabalho obtinha das fábricas de tecido, das fábricas de fios, das fábricas em geral, todo o material necessário à confecção do fardamento para soldados. Cortava e costurava camisetas, tricotava meias de lã, cachecóis, suéteres; arranjava montanhas de cigarros e chocolates, pregava botões e caseava. Não tinha tempo de perguntar quem iria vestir, acaso, aquele pulôver. Nem se o uniforme que acabava de alinhar, às pressas, iria se cobrir de lama e

AO LADO

Cartazes convocavam cidadãos paulistas a aderirem à Revolução de 1932.

Cartazes de propaganda na Revolução de 1932. São Paulo, 1932.

COLEÇÃO PARTICULAR.

ABAIXO

Tropa de escoteiros da Revolução de 1932.

João Mós e escoteiros que atuaram na Revolução Constitucionalista de 1932.

FUNDAÇÃO GETULIO VARGAS.

sangue, sob o frio e a chuva, nas trincheiras, ou se o soldado que o vestisse iria assegurar mais uma vitória da causa pela qual se batia."

Um jovem estudante que virou soldado, José Amaral Palmeira, dito Joral, contou os percalços da luta. Ele deixara uma namorada para enfrentar incertezas e riscos. Contaminado pelo frenesi que tomou conta dos paulistas, foi combater cheio de idealismo. Membro do Batalhão Esportivo, nome dado ao batalhão de voluntários, se deslocou pelo interior para combater as "tropas ditatoriais":

> Nove de julho, 11 horas da noite, sábado. O "Café Acadêmico", filial da avenida São João, estava repleto de pessoas que discutiam os mais variados assuntos [...]. Tudo calmo, tudo normal. Preparava-me já para recolher-me à minha residência, quando alguém anunciou, em voz alta, o ocupamento militar dos prédios onde funcionam os Correios e Telégrafos e a Delegacia Fiscal [...]. De fato, encontrei soldados de armas embainhadas nas portas dos edifícios citados, e o movimento contínuo de autocaminhões, repletos de militares e civis [...]. Um movimento revolucionário havia se verificado! [...] São Paulo, o primeiro estado do Brasil sob todos os pontos de vista procurava, com a rebelião, quebrar as amarras a que alguns políticos vingativos queriam sujeitá-lo.

O jovem Joral atribui o motivo e o triunfo da Revolução de 1930 à ambição e ao despeito, relembrando o drama da sucessão de Washington Luís, em que Júlio Prestes, o vencedor, fora fraudulentamente preterido.

> Nesse tempo, o governo ditatorial do caricato Getúlio Vargas exonerou o governo de São Paulo, composto de políticos do Partido Democrático, para nomear o tenente João Alberto interventor do Estado. Só aí, então, foi que os paulistas compreenderam a situação: estavam sendo governados por um simples tenente, completamente leigo na matéria de administração, filho de outro Estado e estranho no ambiente onde fora colocado [...]. Novas *démarches* para que se efetuasse a mudança do secretariado e, assim, pudesse São Paulo governar-se autonomamente [...] resolvendo, então o ditador enviar para São Paulo o sr. Oswaldo Aranha "para apaziguar os ânimos". Antes que chegasse a esta capital o emissário de Getúlio Vargas, o povo paulista saiu às

> ruas e colocou no poder os homens que lhe mereciam confiança, todos eles, paulistas ilustres, capazes de elevar o nome de São Paulo... Foi esse fato consumado no memorável dia 23 de maio, quando começou a correr o sangue paulista [...] na Praça da República caíram baleados estudantes de direito, vítimas das balas assassinas dos "legionários" [...] São Paulo [...] batalhava incansavelmente pela Constituição.

Segundo o jovem soldado, o batismo de fogo veio em Mogi Mirim. "Eu não tive medo", afirma ele orgulhoso.

> O fogo era cada vez mais cerrado e exigia de nós o máximo cuidado na construção de um abrigo individual, cavado a sabre, na falta de ferramenta apropriada. Trabalhamos até o romper do dia, quando pudemos localizar o inimigo, na distância de 300 metros. Iniciamos então o tiroteio [...]. Ao cair da noite, esgotou-se a nossa munição de guerra, vi-me obrigado a sair do abrigo e ir à trincheira vizinha [...]. Trouxe cerca de mil tiros [...]. O fogo continuava e a nossa munição estava esgotada. Felizmente, quando o sol a pino anunciava meio-dia, vieram render-nos alguns rapazes do 3º Batalhão.

Do outro lado da batalha, Benedito Valadares narrou as peripécias de quem, entre o zunir de balas e do fogo cerrado das metralhadoras, defendia o governo de Getúlio: "Fomos surpreendidos por tiros de uma metralhadora instalada no cafezal, no alto do morro. Padre Kobal gritou: '– Deita!' Atirei-me ao chão e fiquei zonzo, ouvindo o zumbir das balas. Um cabo de polícia foi atingido a poucos metros de distância. Eu ria sem parar [...]. Padre Kobal disse-me ter admirado minha coragem na hora do perigo. '–Não, padre, aquilo foi nervosismo!'"

A "guerra paulista" – do estado que carregava os demais da união – teve desdobramentos em todo o país. No interior de Minas, Rubem Alves descreveu seu impacto na pequena Dores da Boa Esperança: "Os viajantes que chegavam de jardineira traziam notícias assombrosas. A revolução estava em marcha. Tinha até aviões jogando bombas nas cidades. Os paulistas, armados até os dentes, se aproximavam com toda a sua malvadeza e braveza. Não se sabia aquilo de que seriam capazes. O medo tomou conta da cidade. Muita gente se preparou para fugir para os matos."

Wilson Lins, filho de militar, jornalista e futuro político, descreveu o impacto da Revolução Constitucionalista no Nordeste, onde Nelson Xavier, ex-capitão da Revolução de 1930, arrebanhava flagelados da seca e jagunços para lutar contra São Paulo:

> Colaborando com a minha recente inclinação pela vagabundagem, o segundo semestre começou com a deflagração da Revolução Constitucionalista e, a despeito de São Paulo ficar muito longe de Juazeiro, a revolução paulista me atingiu em cheio, pois o amigo em cuja casa passei a morar era, nada mais nada menos, que o ex-capitão da Revolução de 1930, Nelson Xavier.
>
> Juazeiro fervia de boatos, e lá um dia muitas pessoas foram presas, acusadas de conspirar em favor dos paulistas. Tais prisões puseram a cidade em polvorosa [...]. Muito jovem, pois ainda cursava o quarto ano de medicina, Nelson Xavier vinha das lutas de classes no Recife, daí se comentar que suas tendências eram de esquerda; mas, inteligente, sabia amoldar seu socialismo ao conservadorismo dos coronéis, graças ao que chegaria à Assembleia Nacional Constituinte. Quando estourou a revolução paulista, e o governo convocou voluntários para a guerra no sul, as instalações da Companhia foram transformadas em alojamento para os flagelados da terrível seca, arrebanhados para a tropa a ser enviada para a guerra em São Paulo. Muitos dos voluntários não eram flagelados e sim jagunços em disponibilidade, já que o desarmamento promovido pelos revolucionários de 30 encerrara a atividade guerreira dos chefes sertanejos.

A denominada Revolta Constitucionalista, embora derrotada, alcançou parte importante de seus objetivos. Além da convocação da Assembleia Constituinte, os paulistas influenciaram a escolha do interventor local, Armando de Salles Oliveira. O mérito de Getúlio foi ter conseguido permanecer no poder. A situação, porém, o fragilizou. Na ausência de um partido político de alcance nacional que o apoiasse, foi necessário fazer concessões às oligarquias, como aconteceu por ocasião da escolha do interventor paulista.

Segundo o historiador Boris Fausto, "a guerra paulista" teve um lado voltado para o passado e outro para o futuro. Uma mesma bandeira, a de uma Assembleia Nacional Constituinte, abrigou tanto os que queriam retroceder às formas oligárquicas de poder quanto os que queriam estabelecer uma democracia liberal no país. Primeira consequência do movimento: impossível

Combatentes constitucionalistas.

Soldados. [1932].
ARQUIVO PÚBLICO DO ESTADO DE SÃO PAULO, FUNDO ÁUREO DE ALMEIDA CAMARGO.

ignorar a elite paulista. E, se o presidente teve de aceitar uma constituição de cunho liberal, que em muito restringiu a ação do Poder Executivo, os derrotados, por seu lado, entenderam que teriam de fazer concessões a Vargas.

Nesse contexto, o futuro ditador se aproximou mais e mais do Exército, que, além de abrangência nacional, tinha poder de fogo contra as oligarquias. No entanto, as Forças Armadas continuavam divididas: uma parcela dos antigos tenentes integrou-se ao Governo Provisório, outra radicalizou-se na oposição.

Em 3 de maio de 1933, 1,2 milhões de eleitores, entre eles operários e mulheres, votaram pela primeira vez, de acordo com a nova Lei Eleitoral. Estavam instituídos o voto secreto, a Justiça Eleitoral para coibir fraudes e o direito feminino de votar. Em novembro, 254 deputados começaram a trabalhar, e, menos de um ano depois, a nova Carta estabelecia uma república federalista. Um texto ambíguo admitia a descentralização, mas estabelecia, também, as bases da doutrina de "segurança nacional". Criou-se uma nova legislação trabalhista, com os sindicatos atrelados à máquina do governo. A Carta durou pouco: só três anos, até a chegada do Estado Novo.

7. A VORAGEM

REPUBLICA PORTUGUESA
PASSAPORTE DE VIAJAN
Nº 69-
SINAIS
Nos, Israel, Abrahao, ANAHORY, Consul da Republica
Faço saber aos que este passaporte virem que d'esta cidade d
America do Sul
casado
o cidadao portugues
de profissao negociante
de 40 anos de ida
filho de José Vilar
companhia sua mulher Maria Berguer
com os sinais e a
Peço portanto a todas as autoridades civis e militares, a qu
que nao ponham impedimento algum ao portador, antes lhe pre
êle possa necessitar para seguir a sua viagem.
Este passaporte é pessoal e valido por um ano e bom pa
espaço de tempo
Consulado de Portugal em Rouen aos 8 de Março
particulares
Assinatura do portador
Antonio Vilar

Foi possível acompanhar não só a evolução dos acontecimentos, mas também o estado de espírito de Humberto de Campos, graças a seu *Diário*:

Sábado, 14 de maio de 1932:
Pouco antes das quatro da tarde, antes de entrar no médico, à rua da Assembleia, vou à Leiteria e sento-me. De repente, ouve-se na rua o estalo de ferraduras no asfalto. É um esquadrão de cavalaria que se dirige para o edifício da Câmara.

– Vai acompanhando o Getúlio! Informa um freguês a outro.

Ninguém, porém, se erguera, para ir à porta ver a passagem do ditador. Desinteresse absoluto pelos homens e os fatos.

Momentos depois, o Chefe do Governo Provisório lia, na sede da antiga Câmara, o seu manifesto à nação sobre a convocação da Constituinte o qual foi publicado pelos jornais da noite. Não o li, nem encontrei quem o tivesse escutado.

Segunda-feira, 16 de julho de 1934:

Foi promulgada hoje, finalmente, a nova Constituição da República. O dia amanheceu cinzento e frio e frio e cinzento se conservou até a tarde. Retido em casa pelo meu estado de saúde, tenho notícia do que vai ocorrendo lá fora unicamente pelo rádio [...]. Correria para os lados da rua do Carmo. A polícia deu cerco e descobriu uma porção de bombas de dinamite que eram para lançar na Câmara, quando se estivesse promulgando a Constituição [...]. Casa cheia (Assembleia). Tribunas repletas de senhoras. A mesa do presidente coberta de flores. Em determinado momento Antônio Carlos se põe de pé e lê o preâmbulo da Constituição que é, na verdade, sonoro e bonito. A Assembleia escuta-a de pé. Ao terminar, as bandas militares atacam, nas galerias e corredores, o Hino Nacional. A artilharia, postada em frente à Câmara, saúda a Carta Magna com uma salva cerrada de 21 tiros. As fortalezas, na barra, fazem o mesmo, reboando o estrondo pelas montanhas. Lá dentro, a emoção é profunda. Alguns deputados paulistas, que perderam amigos e filhos na luta pela constitucionalização do país, choram. Senhoras soluçam nas tribunas [...] uma frenética explosão de palmas cobre o grito de Antônio Carlos: "– Viva a nação brasileira!"

Terça-feira, 17 de julho:

Eleição do presidente da República pela Assembleia Nacional Constituinte. Os boatos, há dias, enchendo a cidade [...] com o auxílio do meu aparelho de rádio, acompanho os discursos e, finalmente, a apuração [...]. A apuração final deu, porém 175 votos para Getúlio e 59 para Borges de Medeiros, sendo aquele proclamado presidente para o quadriênio que terminará a 3 de maio de 1938. Está encerrado, assim, no Brasil, desde ontem, o período revolucionário.

Esses teriam sido tempos em que a política modelava a vida da gente brasileira? Tudo indica que sim. A Carta abriu espaço para o aparecimento de outros partidos. Em março de 1935, nascia a Aliança Nacional Libertadora. Para "presidente honorário" foi indicado Luís Carlos Prestes. Dois meses depois, a agremiação contava com 80 mil membros.

Mas, se eram tempos em que nasciam partidos e faziam-se eleições, quem votava? Humberto de Campos se lembra de algumas histórias passadas nos rincões do Brasil, como a da velhinha eleitora, que declara seu voto em "– *Nôssinhô Jisús Cristu*" e a da cabocla que responde ao vigário, curioso sobre seu voto: "– *Seu vigáro, sou muié de sordado. E seu vigáro sabe que muié de sordado vota onde seu delegado manda!*"

Assim, enquanto uns votavam conforme ordem do delegado, na capital se preparava o que os militares denominaram como Intentona Comunista. No 13º aniversário do levante dos Dezoito do Forte, na clandestinidade, Prestes tornava público um manifesto em que desafiava o "odioso" governo Vargas, propondo abertamente a eclosão de nova revolução.

Uma bravata, pois, num contexto de radicalização política, Vargas já aprovara a Lei de Segurança Nacional. Baseado na lei que definia crimes contra a ordem política ou a segurança do Estado, o governo encerrou o partido. Prestes, que viera de Moscou na companhia de dois casais de agentes comunistas, planejou sucessivas quarteladas: em Natal, durou 80

Passaporte falso de Luís Carlos Prestes e Olga Benário.

Passaportes falsos.

ARQUIVO NACIONAL.

horas e foi mais uma festa popular do que uma rebelião; em Recife, durou poucas horas. Vargas decretou estado de sítio, mas não evitou que Prestes determinasse uma rebelião no Rio de Janeiro. Quem a conduziu foi Agildo Barata. A quartelada durou pouco e, com o quartel em chamas, os rebeldes hastearam um pano branco num cabo de vassoura. Paz, pediam! Saíram do quartel de braços dados e rindo, como atestam fotografias. A alegria, também durou pouco. Foram direto para a prisão e muitos deles foram torturados ou mortos pela polícia política de Vargas.

A prisão do dirigente do Partido Comunista do Brasil foi mais um pretexto para a decretação do Estado de Guerra, em 21 de março de 1936. Prestes se escondera numa casinha no Méier, bairro da Zona Norte da capital, junto com a companheira Olga Benário. Julgado pelo Conselho de Justiça Militar em 1937, foi condenado, passou nove anos na solitária e só seria libertado e anistiado em 1945.

Segundo a historiadora Marly Vianna, a motivação de Prestes não era comunista. O pretexto de acabar com latifúndios e promover as motivações sociais encobria um golpe dos quartéis. Em Moscou, como comprovam atas de reuniões do partido, a maioria estava contra o levante, mais interessada em infiltrar-se nos Estados Unidos. Moscou teria lavado as

Para derrubar o estado de sitio e o estado de guerra e todas as medidas reaccionarias da camorra feudal-imperialista: — ¡Greves de massas e lutas populares!

PROLETARIOS DE TODOS OS PAIZES, UNI-VOS!

A CLASSE OPERARIA

ORGÃO CENTRAL DO PARTIDO COMUNISTA (SECÇÃO BRASILEIRA DA INT COMUN)

Anno XI | Num. 196 | Rio de Janeiro, 25 de Dezembro de 1935 | Preço 100 rs.

O povo não quer leis opressoras, mas sim: Pão, Terra e Liberdade!

O governo de Getulio se desanda em tomar as medidas as mais reaccionarias possiveis contra a libertação do povo brasileiro do jugo imperialista e feudal. Getulio pensa que com estas medidas póde destruir os anseios do povo pela liberdade e por uma vida mais digna e de maior conforto.

A Lei Monstro, contra a qual se levantou grande parte do povo do Brasil, já representava um grande attentado ás liberdades populares, mas foi achada insufficiente para defender os interesses dos imperialistas e seus socios no Brasil. E Getulio, com a maioria da Camara e apoio da parte da minoria, acaba de reforçar a Lei Monstro. Não contente com isto, reforma a Constituição e estabelece a pena de morte e o estado de guerra para reprimir as lutas libertadoras.

Getulio, que imolou tantas vidas em 1930 para subir ao poder com o seu bando, que, na revolta em Pernambuco e na guerra de 32 contra S. Paulo mandou matar dezenas de milhares de brasileiros para permanecer no poder, ainda precisa de mais leis de arrocho, da liquidação de todas as liberdades democraticas, para se assegurar e a todos os interesses imperialistas e feudaes a elle ligados.

Durante quatro annos de dictadura, Getulio manda prender, espancar, deportar, fuzilar. Fez uma Constituição reaccionaria, a qual já submette a reformas as mais reaccionarias. Procura augmentar por todas as formas o terror policial, com o estado de sitio e o estado de guerra, dá o apoio mais aberto aos integralistas, que confessam abertamente, como fez Plinio Salgado, ha dias, em S. Paulo, que estão na sombra collaborando com o governo e ajudando-o no combate ao "extremismo".

Mas tudo isto não arrefece a vontade de luta do povo que, quanto mais privado da liberdade, mais aspira por libertar-se.

E' sabido que os generaes, que concentram em suas mãos as medidas reaccionarias e o apoio a Getulio, estavam dispostos, juntamente com elle, a dar um golpe de Estado, caso não obtivessem a reforma da Constituição. Outros podem ser tambem os motivos que justifiquem um plano de um golpe de Estado por generaes ou outros elementos. Mas o fim que elles pretendem, seja qual fôr a solução que apresentem, é esmagar a ferro e a fogo os anseios do povo pela sua libertação do jugo imperialista e das camorras nacionaes vendidas aos imperialistas.

Devemos vêr em tudo isto quem é o grande culpado de que maiores ameaças de terror e tyrannia pesem sobre o povo. E' Getulio que, negando as reivindicações populares, esmagando as lutas da classe mais avançada — o proletariado —, tomando todas as medidas de reacção, ata os punhos do povo na luta contra seus inimigos. E' Getulio quem prepara todas essas mashorcas e torna propicia a ameaça dos dias de maior terror. O governo de Getulio se caracteriza por desgraças e mais desgraças, oppressão cada vez mais desenfreada contra todo o povo brasileiro.

A luta contra o governo de Getulio está oitimamente ligada á luta por um Governo Popular realmente democrata, realmente anti-imperialista.

A permanencia do governo de Getulio é a maior affronta, é a maior vergonha para o nosso povo. A sua derrubada é uma necessidade vital para o Brasil e para o seu futuro. E a derrubada do governo de Getulio só pode ser feita com o Exercito e as massas populares em armas e com o proletariado todo á frente dessa luta, começando com as greves pelas reivindicações, ás greves politicas, até ás lutas armadas.

Ao par da agitação contra todas as medidas de terror de Getulio, contra o integralismo, pela liberdade dos presos, devemos preparar e desencadear lutas por esses mesmos objectivos. Porém, tanto para chegarmos a isto, como para levarmos a luta mais adeante, são decisivos a preparação e o desencadeamento de lutas, mesmo parciaes, por menores que sejam, pelas reivindicações economicas.

Com a victoria momentanea do governo, não se resolveu nenhum problema dos que affligiam antes as massas populares e, pelo contrario, estes problemas se aggravaram. Continua a carestia da vida, cada vez mais augmentada. Os salarios continuam sendo de miseria. A situação dos camponezes é ainda mais angustiosa, embora as melhorias momentaneas de alguns pontos sómente, que não chegam a diminuir a crise geral no campo. O reajustamento dos funccionarios não resolve a situação dos mesmos e traz, inclusive, diminuição de salarios para muitos. O reajustamento dos militares não se realiza. As caixas de pensões e aposentadorias, embora as declarações demagogicas do Ministro do Trabalho, não attinge os trabalhadores e sim a meia duzia de favorecidos pelas emprezas, pelo Ministerio e pela policia. E as condições miseraveis de trabalho da maioria dos operarios é tal, que é enorme o numero delles que póde ser, sendo já, ser aposentado por incapacidade physica, e bem poucos são aquelles que alcançam a idade da aposentadoria. Este problema das aposentadorias só póde ser resolvido e dirigido pelos proprios trabalhadores.

Tudo isto nos indica que todos os revolucionarios, todo o nosso Partido, devem dedicar todas as suas forças nas emprezas, a partir das mais decisivas, na luta pelos interesses do proletariado e que nesta luta deve-

(Continua na 3.ª pag.)

AS GREVES durante a luta armada

Na historica manhã do dia 27, poucas horas após ter-se declarado o heroico movimento armado nesta capital, os operarios da Fabrica de Tecidos Confiança Industrial, no bairro do Andarahy, entraram em greves por suas reivindicações economicas immediatas e em apoio ao movimento nacional-libertador. O patronato, alarmado, pediu reforços á policia politica, a qual, comparecendo á fabrica com todo um apparato militar, effectuou cerca de 200 prisões, inclusive dos dirigentes da greve. Em Deodoro, os operarios da Cia. de Tecidos Industrial, em vez de entrar para o serviço, concentraram-se nas immediações do quartel do Exercito em demonstração de solidariedade á soldadesca. Deante disso os patrões communicaram não haver serviço naquelle dia, tendo as autoridades militares ordenado que evacuassem os operarios do local. Na execução dessa medida, os soldados confraternizaram abertamente com os operarios, que se dispersaram, afinal, dispostos a fazer a greve.

Depois de varios dias de greve, os operarios da fabrica de tecidos S. Luiz Durão já haviam retomado o trabalho quando estalou a luta armada. Immediatamente, entraram em greve de apoio ao movimento nacional libertador.

Declararam-se em greve, tambem, na madrugada do dia 27, as tripulações de 3 navios da Marinha Mercante, que se achavam ancorados neste porto.

Ler e divulgar a CLASSE OPERARIA

mãos, e a iniciativa de Prestes não foi sequer ouvida pela população. O levante deu, sim, gás à repressão. Graças a ela, Vargas pode consolidar um regime de exceção. Parlamentares que vinham denunciando os abusos cometidos pela repressão foram presos. O Congresso consentiu nas prisões e cedeu às pressões para prorrogar o Estado de Guerra e para a criação de um Tribunal de Segurança Nacional.

Jornal do Partido Comunista.

Exemplar do jornal *A Classe Operária*, 1935. Processo-crime de Carlos Marighella, 31 de maio de 1937.
ARQUIVO NACIONAL, TRIBUNAL DE SEGURANÇA NACIONAL.

A historiadora, Dulce Pandolfi, concorda: com o levante, Vargas conseguiu apoio para cercear o estado de direito além de alimentar em doses cavalares o anticomunismo no país. Ele queria apoio parlamentar para a reeleição e, em novembro de 1936, discursou: "Nos períodos de crise como o que atravessamos, a democracia de partidos [...] subverte a hierarquia, ameaça a unidade da pátria e põe em perigo a existência da nação." Para afastar tal perigo, Vargas aboliu os partidos e o parlamento, prendeu adversários e baixou uma nova Constituição, baseada na constituição autoritária da Polônia. A nossa foi apelidada de "A Polaca".

Vargas proibiu também a Frente Negra Brasileira (FNB), movimento negro fundado em setembro de 1931, reconhecido como partido político em 1936, cuja plataforma era o combate ao racismo no Brasil e a promoção de melhores condições de trabalho, saúde e educação para a população negra. Explica um dos seus fundadores, Francisco Lucrécio:

> A Frente Negra foi um movimento social que ajudou muito nas lutas pelas posições do negro aqui em São Paulo. Existiam diversas entidades negras. Todas essas entidades cuidavam da parte recreativa e social, mas a Frente veio com um programa de luta para conquistar posições para o negro em todos os setores da vida brasileira. Um dos seus departamentos, inclusive, enveredou pela questão política, porque nós chegamos à conclusão de que, para conquistar o que desejávamos, teríamos de lutar no campo político, teríamos de ter um partido que verdadeiramente nos representasse. A consciência que existia na época eu acho que era muito mais forte que a que existe agora. A pressão era tão forte que muitos jornais publicavam: "Precisa-se de empregado, mas não queremos de cor." Havia alguns movimentos também no

interior, principalmente nos lugares em que os negros não passeavam nos jardins, mas na calçada. Muitas famílias não aceitavam, inclusive, empregadas domésticas negras; começaram a aceitar quando se criou a Frente Negra Brasileira. Chegou-se ao ponto de exigir que essas negras tivessem as carteirinhas da Frente.

A Frente Negra funcionava perfeitamente. Lá havia o departamento esportivo, o musical, o feminino, o educacional, o de instrução moral e cívica. Todos os departamentos tinham a sua diretoria, e o Grande Conselho supervisionava todos eles. Trabalhavam muito bem. Dessa forma, muitas entidades de negros que cuidavam de recreação filiaram-se à Frente Negra. E existiam diversas sociedades em São Paulo e pelo interior afora. Por isso, a Frente cresceu muito, cresceu de tal maneira que tinha delegação no Rio de Janeiro, na Bahia, no Rio Grande do Sul, em Minas Gerais etc.

Anauê!

O regime de Vargas intitulou-se Estado Novo e inspirou-se na ditadura instituída por Salazar em Portugal, em 1933. Mas não se tentou copiar apenas um tipo de regime autoritário. O fascismo atravessou o Atlântico na forma de uma organização: a Ação Integralista Brasileira, fundada em 1932. Com símbolos – a bandeira azul com círculo branco e o sigma no centro, sobreposto ao mapa do Brasil – e uniformes de calças e bonés verdes com gravatas pretas, os integralistas foram apelidados de "galinhas verdes". Cumprimentavam-se com a saudação em língua tupi, "Anauê", com braço esticado e mão espalmada e desfilavam com pompa em paradas militares no Rio e em São Paulo. O movimento vivia num tremendo paradoxo: contrários ao capitalismo internacional, nunca questionaram a propriedade privada. Apesar de nacionalistas, copiavam seus conceitos do fascismo italiano. Era um movimento antissocialista, antissemita e antiliberal.

Mas sem ilusões: o integralismo não foi uma cópia ordinária do fascismo nos trópicos. Hoje, graças a centenas de historiadores, sabe-se que o movimento teve reflexos específicos em todo o Brasil. No Norte, ele integrou negros e mulheres, as "blusas verdes" que atuavam em escolas, ambulatórios e creches integralistas que atendiam a população pobre por meio

Integralismo: fascismo à brasileira.

I Congresso Integralista Regional das Províncias Meridionais do Brasil, 7-8 out. 1935.

FUNDAÇÃO GETULIO VARGAS.

de entidades filantrópicas. Em São Paulo, encontrou enorme resistência entre italianos anarquistas e comunistas. No Rio Grande do Sul, teve adesão onde não havia mobilidade social e onde jovens queriam ascender ao mercado político. A ligação integralismo-nazismo, no Sul, foi menos direta do que o imaginado por décadas, pois havia inúmeras diferenças ideológicas dentro das próprias colônias alemãs. No Nordeste, foi recebido não como movimento político, mas espiritual. Teve a adesão de grandes intelectuais católicos inclusive do padre Helder Câmara, membro da Arquidiocese cearense. A valorização dos "aspectos morais" contra os males do liberalismo, do modernismo e do comunismo era o bordão que sustinha emissões de rádio, comícios e cantos nos desfiles. A ameaça e a desordem eram os grandes inimigos da pátria que "tinha que ser endireitada". Hitler e Mussolini eram praticamente desconhecidos nos grandes sertões do Brasil, lembra a historiadora Giselda Brito Silva.

Lélia Abramo enfrentou os integralistas em São Paulo: "Em 7 de outubro de 1934, na Praça da Sé todos nós engajados na luta antifascista (trotskistas, socialistas, anarquistas, stalinistas e democratas) enfrentamos, com armas na mão ou sem elas, a organização fascista-integralista comandada por Plínio Salgado. Os integralistas avançavam todos fardados,

bem armados, enquadrados e prontos para uma demonstração de força, protegidos pelas instituições político-militares getulistas e dispostos a tomar o poder. Nós, espalhados ao longo da praça e nas ruas adjacentes, esperamos pacientemente que desfilassem primeiro as crianças, também fardadas, e as mulheres integralistas. Depois disso, quando os asseclas de Plínio iniciaram seu desfile, todos nós, a um só comando, avançamos e começou a luta aberta. Não me lembro quanto durou o tiroteio."

Festa nazista em Porto Alegre, Rio Grande do Sul, na década de 1930.

O nazismo no Rio Grande do Sul. [s.d.].
FUNDAÇÃO GETULIO VARGAS.

Vargas não poupou os "galinhas verdes". Jogou a Ação Integralista na ilegalidade. Injuriados, 2 mil integralistas do Exército tentaram tirar Vargas do poder, em março de 1938. O golpe fracassou, e a repressão foi branda. Acreditando que havia espaço para nova tentativa, a 10 de maio de 1938, oitenta deles atacaram o Palácio Guanabara. Essa noite ficou na memória de Luiz Simões Lopes, chefe de gabinete de Vargas, que recebeu a notícia em meio a uma conversa com um amigo, Serafim Vargas, sobrinho do presidente:

> Na noite da Intentona Integralista, eu estava despachando com o presidente no Palácio Guanabara [...]. Terminado o despacho, pouco antes da meia-noite, usando meu carro particular – naquele tempo não havia essa orgia de carros oficiais que há hoje –, fui para o Catete.
>
> Estávamos iniciando nossas conversas, quando o telefone oficial avisou: "Estão atacando o Palácio Guanabara!" Contestei: "Impossível, estou chegando de lá e está tudo tranquilo." Ante a insistência da informação, Serafim e eu dirigimo-nos para o Guanabara. As luzes da rua Paissandu estavam apagadas, como as da entrada do palácio. Fomos até o portão e constatamos que estava sem a guarda habitual. Gritei várias vezes sem obter resposta. "Abram, é Simões Lopes que quer entrar."

Os gritos do chefe de gabinete foram respondidos com rajadas de metralhadora que atingiram as árvores da rua. O chefe de polícia, Filinto Müller, Bejo Vargas, irmão de Getúlio, e Eurico Dutra, além de homens armados, esperavam o momento de invadir o palácio, quando assistiram a um "revolucionário, subir numa árvore e atirar na janela do quarto do presidente". E Simões Lopes conta:

> Finalmente, iniciou-se o ataque. Entramos na frente, Serafim e eu, com um contingente da Polícia Militar [...]. Seriam, talvez 4 horas da manhã e, no lusco-fusco, pouco se via. Os chefes integralistas tinham fugido, inclusive o capitão Fournier, que dirigia as operações, e em breve tempo os que não fugiram e estavam na casa da guarda foram dominados ou se entregaram. Os prisioneiros feitos na casa da guarda vinham em fila indiana, quando vi o capitão que entrara no palácio agredindo os prisioneiros que passavam. Corri para ele e protestei energicamente, quando, de repente, vejo-o em posição de sentido. Olhando para trás vi o presidente Vargas se aproximando com as mãos nos bolsos – provavelmente segurando seu revólver. O capitão disse ao presidente que não se aproximasse pois tratava-se de bandidos. O presidente, contudo, aproximou-se dos prisioneiros e perguntou, mais ou menos com essas palavras: "Por que vocês se meteram nisso, rapazes?" Eles cercaram o presidente e juraram que não eram contra ele e que estavam ali enganados, e alguns, à força. Acredito que, afora alguns integralistas, a grande maioria parecia gente do mais baixo nível, sem nenhuma aparência de sectários e que lá estavam iludidos, levados pelos chefes integralistas que, covardemente, fugiram, lá deixando seus soldados.

Vargas ripostou sem clemência: muitos foram fuzilados ou presos. O mentor do movimento, o paulista, modernista e autor da Teoria do Estado Integral, Plínio Salgado, foi exilado. O episódio finalizou as atuações da Ação Integralista e deixou ressentimentos. Ariosto de Almeida Rego contou em suas memórias: "Dois dias antes da implantação do Estado Novo, estive com Plínio Salgado e a conversa que tive com ele me convenceu depois que aquele golpe foi nada mais, nada menos do que uma traição, uma fuga ao compromisso assumido, mais uma das célebres rasteiras, frequentes e ignóbeis." O que sobrou dos "galinhas verdes"? Ressentimentos.

Imundas prisões

A sensação, durante o Estado Novo, era de que a vida da gente brasileira seguia insensata e rápida como uma corrida em direção a um ponto invisível. Novidades vinham de todos os lados, mas sobre elas pairava a sombra do governo autoritário. A 10 de janeiro de 1933, foi criada a Delegacia Especial de Segurança Política e Social (DESPS) com o objetivo de vigiar e restringir comportamentos políticos suspeitos ou contrários "à ordem e à segurança pública". Diretamente subordinada à Chefia de Polícia do Distrito Federal, havia uma tropa de elite, a Polícia Especial, encarregada de examinar publicações nacionais e estrangeiras e de manter dossiês de todas as organizações políticas e de indivíduos considerados suspeitos. A DESPS serviu de modelo para a criação de delegacias estaduais, já que a Chefia de Polícia do Distrito Federal ditava as regras do controle social a ser exercido pelas polícias dos estados, ainda que estas fossem subordinadas aos governos locais.

Para essa centralização, foi decisiva a atuação de Filinto Müller, homem de confiança de Vargas e temido chefe de Polícia do Distrito Federal de 1933 a 1942. Filinto, associado ao terrorismo de Estado vigente nos governos de Vargas, comandou a repressão com poderes absolutos. Segundo informações disponibilizadas pelo CPDOC, amparado pelo Estado Novo e os acontecimentos que lhe sucederam, Müller exacerbou a tendência para criminalizar qualquer atitude contrária ao governo instituído, juntando aos perseguidos políticos comunistas, estrangeiros e até integralistas.

A família anarquista de Zélia Gattai não escapou das garras da polícia:

> Nossa vida mudava, tudo mudava em torno da família. Em frente à casa, num terreno baldio que servia de quintal foram levantados dois sobradinhos. Num deles, veio morar um casal de meia-idade, gente discreta [...]; no outro, a família Apolônio: mãe viúva, duas filhas moças e um filho casado, pai de duas crianças. Soube-se logo ser o cidadão inspetor da Polícia Política e Social. "Um tira", disse papai contrafeito. Ele nunca tivera tanta razão. Seria exatamente com nosso vizinho, Luiz Apolônio, que iria defrontar-se, alguns anos mais tarde, na implantação do Estado Novo, em

Fernando de Noronha: a ilha-prisão.

BRASIL. Diretoria de Hidrografia e Navegação. Ilhas ao largo da costa do Brasil. Ministério da Marinha, Diretoria de Navegação, Divisão de Hidrografia. Rio de Janeiro: [DHN], 1926.

BIBLIOTECA NACIONAL [CARTOGRAFIA].

1937, no cárcere, preso pela Polícia Política, acusado de "comunista perigoso". Na época do Estado Novo, bastava uma denúncia ou simples suspeita para que uma casa de família fosse cercada por enorme aparato bélico, policiais apontando metralhadoras, lares invadidos – a qualquer hora do dia ou da noite – por policiais armados, pais de família arrancados de seus leitos e arrastados para masmorras, para o porão úmido e escuro da Delegacia de Ordem Política e Social, incomunicável. Foi o que aconteceu à minha família, foi o que aconteceu a meu pai. O chefe das batidas, o perito nos interrogatórios era nosso ex-vizinho Luiz Apolônio.

Provas de acusação: armas – a velha espingarda de caça, pendurada em seu lugar de sempre, atrás da porta – farto material subversivo, constituído pelos volumes de nossa pequena e manuseada biblioteca. Livros de Victor Hugo, *Os trabalhadores do mar*, *Os Miseráveis*, *Notre-Dame de Paris*, Émile Zola, *Acuso*, *Thérèse Raquin*, *Germinal*, de Pietro Gori, os dramas anarquistas, relíquias sagradas de dona Angelina, com o agravante de serem todos os volumes encadernados em vermelho, encadernações bastante desbotadas pelo tempo, mas, na cor proibida; e o precioso arquivo de mamãe, guardado cuidadosamente, debaixo do colchão: artigos políticos, notícias ilustradas sobre prisões e expulsões do país de conhecidos e amigos, entre os quais o velho Oreste Ristori, enviado para as prisões de Mussolini, onde morreu.

Enchiam-se as prisões. Era a caça aos dissidentes. Logo no início do Estado Novo, Vargas determinou que os presos políticos fossem para o arquipélago de Fernando de Noronha. O objetivo do presidente era evitar qualquer ameaça ao seu governo. É o que mostra o decreto-lei assinado por ele em 1938: a distante prisão seria destinada a "concentração e trabalho de indivíduos reputados perigosos à ordem pública ou suspeitos de atividades extremistas". Alguns comunistas importantes passaram por lá, como Gregório Bezerra, um dos líderes da Intentona contra Vargas. Os detentos eram instalados em alojamentos de acordo com seus grupos políticos. Os comunistas ficavam no alojamento central, na Vila dos Remédios,

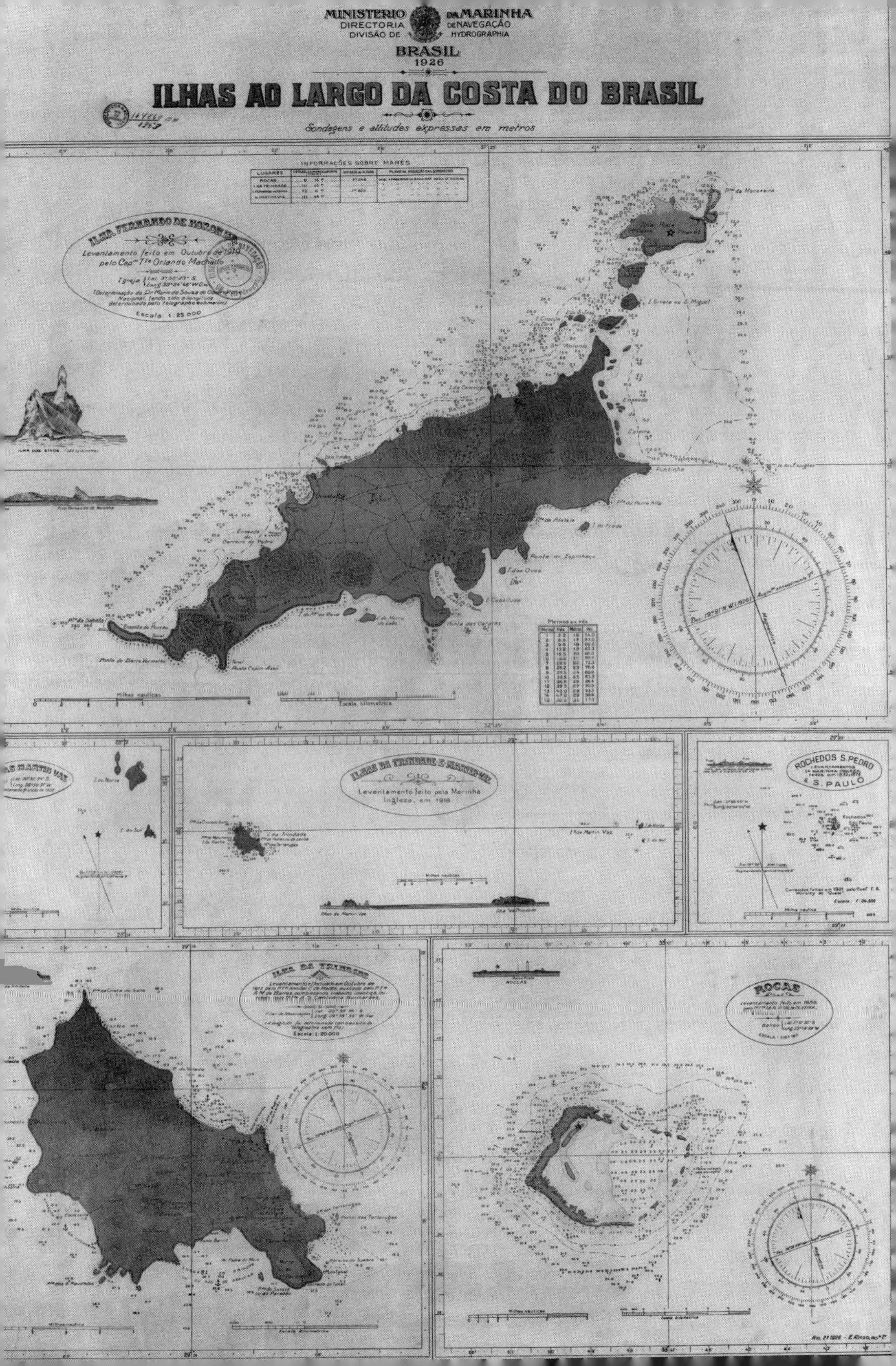

MINISTERIO DA MARINHA
DIRECTORIA DE NAVEGAÇÃO
DIVISÃO DE HYDROGRAPHIA
BRASIL
1926
ILHAS AO LARGO DA COSTA DO BRASIL
Sondagens e altitudes expressas em metros
INFORMAÇÕES SOBRE MARÉS
Levantamento feito em Outubro de 1930
pelo Capm Tte Orlando Machado
Escala: 1:25.000
Ilha dos Rapes
Pta da Macaxeira
I. Cabeludo
Ponta das Caracas
Ponta do Espinhaço
I. dos Ovos
I. do Frade
Ponta da Baixa Vermelha
Ponta Capim Assú
Enseada
Milhas nauticas
Escala kilometrica
Metros em pés
Ilha da Trindade
I. do Norte
I. do Sul
Leventamento feito pela Marinha
Ingleza, em 1918
Ilhas de Martin Vaz
Ilha da Trindade
ROCHEDOS S. PEDRO
E S. PAULO
Escala: 1:20.000
ROCAS
Milhas nauticas
Escala kilometrica

Prisioneiros políticos da ilha de Fernando de Noronha.

Panfletos, folhetos, discursos de Luiz Carlos Prestes no 59º aniversário do Partido Comunista Brasileiro (PCB) em homenagem a Gregório Bezerra, 1939.
ARQUIVO NACIONAL [DOSSIÊ].

enquanto os integralistas ficavam na horta dos Três Paus. Os presos comuns viviam num terceiro alojamento, em Quixaba, e em casas espalhadas pela ilha.

O cotidiano em Fernando de Noronha era completamente diferente daquele que Gregório Bezerra enfrentara na Casa de Detenção do Recife, onde viveu numa pequena cela, vigiado 24 horas por dia. Em suas memórias, ele conta que a saúde de vários colegas melhorou na ilha, já que podiam tomar sol e se alimentar melhor. Mas ele não deixa de relatar problemas, como a água poluída que causava disenteria nos detentos. Queixou-se, também, do incômodo da praga de ratos, lagartixas e sapos, além dos mosquitos que atrapalhavam muito na hora de dormir. No entanto, o mais difícil para Bezerra era o isolamento: "A correspondência, além de demorada, era severamente censurada e, o pior de tudo, não tínhamos direito a visitas."

Nesse clima, o "tio Nestor" de Erico Verissimo foi chamado por Vargas para uma conversa. Ele fazia parte dos tenentes que aderiram à Revolução de 1930. Eis o que se passou:

– Preciso de seus serviços.

– Pois, disponha.

– Estou informado que o presídio de Fernando de Noronha anda numa verdadeira anarquia. O senhor é o homem indicado para endireitar, moralizar aquela ilha. Aceita o convite?

– Se o senhor permitir que eu leve comigo alguns homens de minha inteira confiança, aceito.

– Quantos?

– Vinte.

– Impossível. Vinte é demais. Dou-lhe dez.

– Presidente, preciso de vinte.

– Sinto muito, coronel, só lhe posso dar dez.

Sem alterar a voz, Nestor replicou:

– Pois então não vou praquela bosta. [...]

Nestor caiu em si, vermelho. Getúlio em franca risada.

– Está bem coronel. O senhor tem os seus vinte homens.

Anos mais tarde, chamado a dirigir o presídio de Ilha Grande, recebeu a notícia de que o general José Antônio Flores da Cunha, seu adversário na Revolução de 1923, ia ser mandado para lá, na condição de preso

político. No dia da chegada do ex-interventor, Nestor mandou hastear o pavilhão nacional, formou a guarnição, e quando Flores da Cunha pôs os pés na ilha, Verissimo foi ao seu encontro, apertou-lhe a mão e disse: "General, quero lhe comunicar que o senhor não é meu prisioneiro, mas meu hóspede de honra." Deu-lhe alojamentos confortáveis, tomava com ele prolongados chimarrões em que ambos recordavam guerras e guerrilheiros do passado.

A cena é característica dos jogos políticos, com as perdas e ganhos da época. Flores da Cunha que ajudara Vargas a tomar o poder, pouco a pouco se afastou do governo. Defensor, desde sempre, do federalismo, era contrário à excessiva centralização defendida pelos militares. Em 1937, rompido com Getúlio Vargas, foi forçado a deixar o governo gaúcho. Exilou-se, então, no Uruguai e só voltou ao Brasil cinco anos depois, quando cumpriu pena de nove meses em Ilha Grande, no Rio de Janeiro. Foi libertado por Vargas em 1943.

Nestor Verissimo, ex-integrante da Coluna Prestes, e Gregório Bezerra iriam se descobrir na ilha. Bezerra era filho de família paupérrima, marcado por uma infância de fome e miséria. Comunista apaixonado, lutou toda a vida por seus ideais, militando desde as primeiras movimentações de trabalhadores influenciados pela Revolução Russa de 1917. Operário da construção civil – e analfabeto até os 25 anos –, foi preso pela primeira vez em 1917, quando participava de uma passeata no Recife. Libertado em 1922, apresentou-se ao Exército para prestar serviço militar. Transferido para Recife, já como sargento, em 1930 filiou-se ao Partido Comunista Brasileiro (PCB), participando da fundação da Aliança Nacional Libertadora, que, fechada pelo Governo Federal, passou a funcionar na clandestinidade.

Primeiramente, Bezerra foi encarregado de participar da preparação de uma insurreição militar no Recife. A seguir, o levante eclodiu em Natal, em 23 de novembro de 1935, e Bezerra recebeu ordens de Prestes para desencadear a luta na capital pernambucana no dia seguinte. Bezerra conta em suas memórias que foi abandonado pelos companheiros e se viu lutando absolutamente só. Preso, foi submetido à tortura: as chamadas "sessões espíritas", com atrozes espancamentos e constantes ameaças de morte. Em 1937, foi condenado a 27 anos e meio de prisão.

Em abril de 1939, deixou a Casa de Detenção de Recife, com mais sessenta presos, para a travessia até a ilha. Foram num barco, sem ventilação ou água, sufocados num porão, onde havia "urina, fezes e vômitos por toda a parte". Em suas memórias, recorda o dia a dia e as tensões que ali vigoravam, sob a batuta do Tio Nestor:

> Tomamos um banho de mar, enquanto o comandante da escolta conversava com o coronel Verissimo, diretor da ilha de Fernando de Noronha [...]. Fomos para o alojamento central dos presos políticos aliancistas [...] havia também um alojamento central para os presos integralistas que estavam na ilha. Ao chegarmos em Fernando de Noronha, já encontramos tudo organizado e funcionando certinho como beiço de bode. Um coletivo bem estruturado e funcionando legalmente, dirigido por uma diretoria composta de um presidente, um secretário, um tesoureiro, um "ministro do trabalho" e um "parlamentar".
>
> O pessoal se dividia em turmas: de pesca, de lavoura, de horta, de construção civil, de cozinha; havia um encarregado de esportes, arte e cultura [...]. A situação dos companheiros do Nordeste, mesmo aqueles cujo estado de saúde era precário, começou a melhorar sensivelmente, não só devido ao sol, ao ar puro, ao banho de mar, como pelo trabalho físico, que cada um executava de acordo com sua capacidade, e, graças também, à alimentação bastante melhorada, e à solidariedade dos companheiros do Rio, que tiveram todo o carinho para conosco. Éramos uma grande família [...]. Nós mesmos cozinhávamos as nossas refeições. Nas épocas de crise, não só nossa turma de pesca se desdobrava, como todo o coletivo se mobilizava para que não houvesse fome em nosso meio. Sal, por exemplo, faltava a muitas pessoas, dias e dias, mas nós tínhamos sal, porque íamos à praia do Cachorro, munidos de latas de querosene, que enchíamos de água do mar e colocávamos fogo para evaporar a água e ficar só o sal [...]. O fato é que fome mesmo nunca passamos. Organizamos festejos natalinos e juninos [...]. Tínhamos bons músicos, pistonistas, baterista, trompistas e trombonista, violinista e pandeiristas. Criamos um clube esportivo, construímos uma sede modesta, organizamos o nosso conjunto e o batizamos "Os diabos de Fernando" [...]. Construímos um excelente campo de voleibol e basquetebol e melhoramos nosso campo de futebol. Por último, construímos um teatro, no qual, nas datas nacionais mais importantes,

> fazíamos a representação de alguma peça artística. E, assim, fizemos uma política de aproximação e boa vizinhança com toda a população da ilha. Éramos estimados e acatados por todos, até pelos integralistas que passaram a ter um grande respeito por nós. Abismavam-se ao ver a nossa união: operários, soldados, marinheiros, médicos, engenheiros, oficiais, todos entrelaçados irmãmente, sem nenhum ranço de superioridade ou inferioridade.
>
> Enquanto entre eles, reinava a mais absoluta hierarquia militar em todos os escalões. Oficiais eram oficiais, sargentos eram sargentos e marinheiros eram marinheiros. O que havia de bom, era para os oficiais que não se misturavam com a massa [...]. Reinava o lema, "o que é meu, é meu; e estamos conversados". Viviam brigando entre eles, dividindo-se e subdividindo-se, mas o pior de tudo era a pederastia que existia no meio deles.

Porém, na ilha, nem tudo eram rosas. Divergências no coletivo não faltaram, sobretudo quando Getúlio resolveu construir um novo presídio, e Nestor Verissimo, dizendo-se "amigo" do coletivo, abriu voluntariado, oferecendo salários de acordo com a profissão de cada um aos que quisessem trabalhar. Embora a maioria não quisesse construir presídios para eles mesmos, houve cisão. Os apelidados "trabalhistas", "como ganhavam dinheiro, podiam comprar na cantina conservas, doces, queijos, linguiças, sardinhas etc. E quando um companheiro pedia um 'taquinho' de linguiça, de doce, uma fatia de salame ou um 'tiquinho' de qualquer coisa, eles diziam: '– Vai trabalhar vagabundo! Faz como a gente. Nós comemos conserva porque trabalhamos!'". O resultado foi a expulsão dos trabalhistas do alojamento dos comunistas. Sobre Tio Nestor, Bezerra conta: "O coronel Nestor Verissimo, que teria participado da Coluna Prestes e se dizia antifascista e nosso amigo, era na verdade um getulista a toda prova. Mas, com essa fachada de antifascista e de nosso amigo, ia nos embrulhando constantemente no fornecimento dos gêneros alimentícios, com atrasos propositais dos navios carregados de mantimentos para a ilha [...]. De fato, há muito tempo que eu não via com bons olhos a conduta do coronel Nestor Verissimo em relação ao nosso coletivo. Ele estimulava abertamente o fracionismo em nosso meio, dava todo o apoio aos elementos divisionistas... Tudo isso me enchia de revolta! [...] Resolvi organizar um plano de fuga como protesto contra o governo fascista de Vargas e o diretor da ilha."

Em meio ao Atlântico, a tentativa de fuga numa jangada naufragou. Antes de voltar a Fernando de Noronha e ser solto, em 1945, Bezerra ainda foi encerrado no presídio da rua Frei Caneca, no Rio de Janeiro, de onde aplaudiu a vitória das forças soviéticas, na batalha de Stalingrado, contra a Alemanha nazista.

Outro preso do Estado Novo que nos deixou memórias foi Graciliano Ramos. No começo de 1936, em Maceió, Graciliano estava sendo espionado, vigiado. Tudo começou quando trabalhava como diretor da Imprensa Oficial, professor e diretor da Instrução Pública do Estado. Em 1934, havia publicado o romance *São Bernardo*. Foi preso em decorrência do pânico insuflado por Getúlio Vargas após a Intentona Comunista. Vamos ouvir o que nos conta Graciliano:

> [...] misteriosos telefonemas, com veladas ameaças [...]. Desprezei as ameaças: ordinariamente o indivíduo que tenciona ofender o outro não o avisa. Mas os telefonemas continuaram [...] algum tempo depois, um amigo me procurou com a delicada tarefa de anunciar-me, gastando mil elogios e panos mornos, que a minha permanência na administração se tornara impossível. Não me surpreendi [...] saí do palácio atordoado. Eximia-me de obrigações cacetes, mas isso continuava a aperrear-me, juntavam-se as amolações domésticas e os planos vagos. Sentia desgosto e vergonha, desejava ausentar-me para muito longe, não pensar em despachos e informações. Andei pelas ruas, tomei o bonde. Transeuntes e passageiros pareciam conhecer o desagradável sucesso, ler-me no rosto a inquietação. Evitava considerar-me vítima de uma injustiça; deviam ter razão para repelir-me [...] o essencial era retirar-me de Alagoas e nunca mais voltar, esquecer tudo, coisas, fatos e pessoas [...] minha mulher vivia a atanazar-me com uma ciumeira incrível, absolutamente desarrazoada. Eu devia enganá-la e vingar-me. Se tivesse jeito para essas coisas. Agora com a demissão, as contendas iriam acirrar-se, enfurecer-me, cegar-me, inutilizar-me dias inteiros, deixar-me apático e vazio [...] a ideia da viagem continuava a perseguir-me. Havia uma penca de filhos, alguns bem miúdos. E restava-me na carteira um conto e duzentos. Apenas.

Acusado de comunista, com a vida pessoal e profissional abaladas, julgando-se vítima de "depoimentos venenosos", Graciliano Ramos afirma: "Naquele momento a ideia da prisão dava-me quase prazer: via ali um princípio de liberdade. Eximiria-me do parecer, do ofício, da estampilha, dos horríveis cumprimentos ao deputado, ao senador, iria escapar a outras maçadas, gotas espessas, amargas, corrosivas [...]. A cadeia era o único lugar que me proporcionaria o mínimo de tranquilidade necessária para corrigir o livro." Ele preparava então seu romance *Angústia*. A prisão se deu, sem acusação ou processo.

Depois de uns poucos dias preso em Recife, foi enviado para o complexo penitenciário da rua Frei Caneca e internado no Pavilhão dos Primários. Ali encontrou velhos amigos e fez novos. Começou a estudar russo, ouvia conferências feitas por colegas e, em carta à esposa, Heloísa, dizia ter alimentação regular e água, luz e ar em abundância. Sua queixa eram os percevejos. Terríveis percevejos.

Enquanto os dias passavam, sem notícias de libertação, comitês de mulheres de presos, entre as quais, sua esposa e a de Agildo Barata, moviam mundos e fundos para ter de volta seus companheiros. Levavam e traziam cartas e relatórios, estabeleciam contatos com parlamentares, personalidades, advogados, arrecadavam fundos, denunciavam maus tratos e davam apoio às famílias.

O pânico tomou conta do pavilhão dos Primários ao ser divulgada a lista dos prisioneiros que seriam transferidos para Ilha Grande. A colônia correcional era sinônimo de violência, tortura e até assassinato. Os que de lá voltavam eram "trastes": corpos em chagas, cabeça raspada. Do Rio, os presos seguiram até Mangaratiba de trem.

Como relata em *Memórias do cárcere*, o desembarque foi tumultuado. Em fila, teve início a caminhada na direção da Colônia. Os que caíam eram açoitados pelos guardas. Com uma perna operada, Graciliano arrastou-se penosamente ao longo do caminho. Ao chegar, teve a cabeça raspada e os bens confiscados. Vagou em choque pelo galpão imundo onde serviam comida. Tudo era fedor, imundície. Passou dias sem se alimentar. Acreditou que iria morrer: dores, febres, náuseas, "abandonado no inferno". Graças à ajuda de José Lins do Rego, Graciliano voltou ao presídio da rua Frei Caneca. E, soturno, punha-se a refletir: "O mundo se tornava fascista.

Num mundo assim, que futuro nos reservariam? Provavelmente não havia lugar para nós, éramos fantasmas, rolaríamos de cárcere em cárcere, findaríamos num campo de concentração. Nenhuma utilidade representávamos na ordem nova. Se nos largassem, vagaríamos tristes, inofensivos e desocupados, farrapos vivos, fantasmas prematuros; desejaríamos enlouquecer, recolhermo-nos ao hospício ou ter coragem de amarrar uma corda ao pescoço e dar o mergulho decisivo. Essas ideias, repetidas, vexavam-me; tanto me embrenhara nelas que me sentia inteiramente perdido."

Um pouco antes de entrar no trem que o levaria a Mangaratiba, Graciliano comprou um jornal em que se estampava a manchete: "Estado de Guerra prorrogado por 90 dias."

8. A COBRA VAI FUMAR!

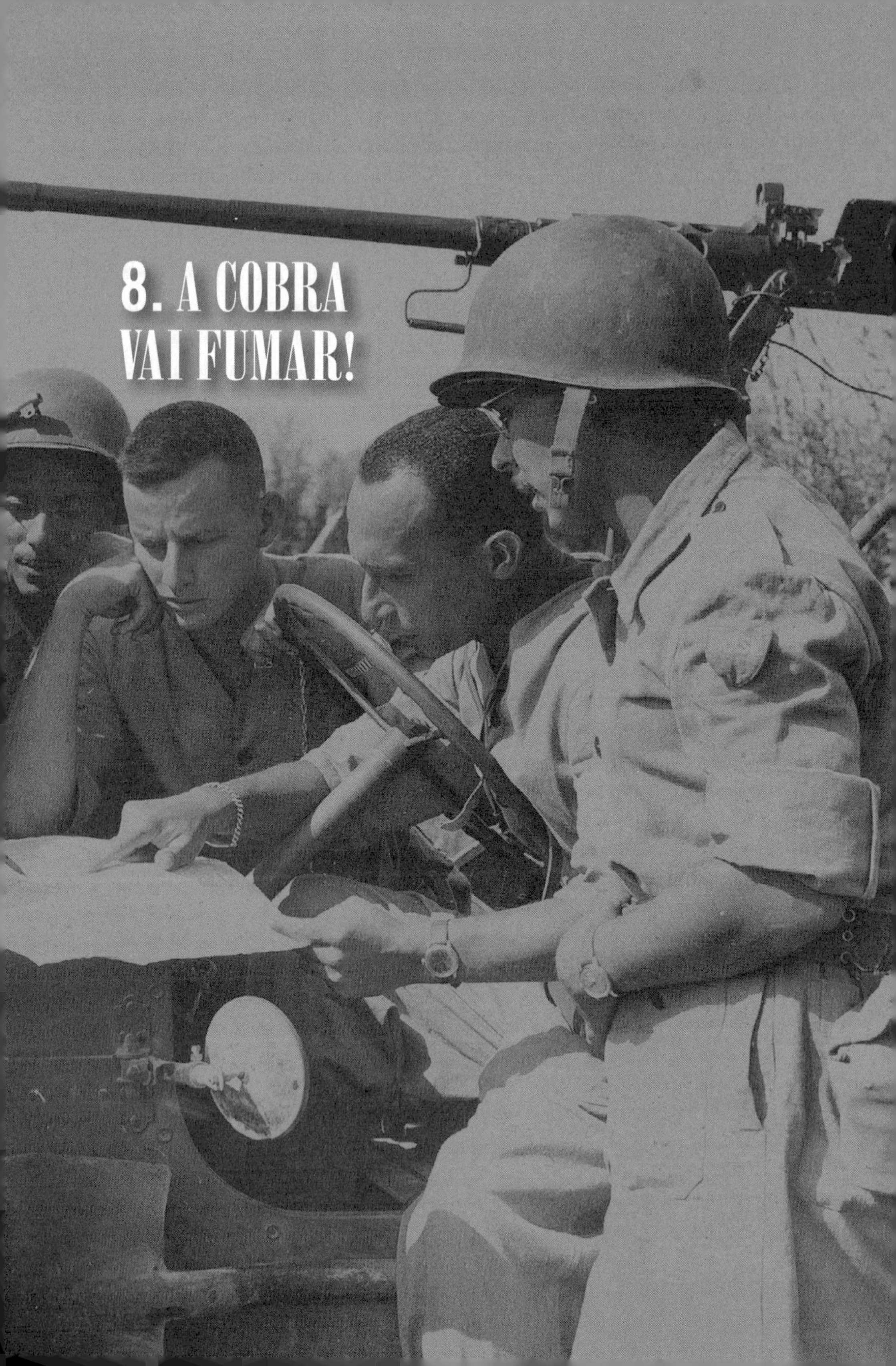

A Segunda Guerra, que estourou em 1939, espalharia, novamente, a brutalidade do outro lado do Atlântico, enquanto o país mergulhava em incertezas. E quem melhor resume esse momento é a sempre bem informada Carolina Nabuco:

> Desde os primeiros dias, a guerra, com previsão de vitória alemã, já nos parecia terminada. Com Hitler pisando na França, víamos a Inglaterra como a próxima a ser também pisada. Isso seria apenas questão de um pulo sobre o Canal da Mancha [...]. Víamos Hitler senhor do mundo. Seu aliado Mussolini, até então inativo, declarou guerra à França como uma punhalada nas costas. A Inglaterra parecia uma fruta madura nas mãos de Hitler. Hitler resolvera abrir caminho para a ilha com uma invasão de asas. Felizmente, porém, a Inglaterra também tinha asas, menos numerosas, mas invencivelmente valentes. Muita gente acompanhou hora a hora, as notícias da batalha sem tréguas que acabou com a expulsão de aviões invasores. Winston Churchill, como Primeiro-Ministro, expressou a gratidão do seu povo nesta frase que se imortalizou: "Nunca tantos deveram tanto a tão poucos." [...] A Inglaterra marchou para a continuação da guerra sem hesitar, pronta a pagar o preço da vitória; preço que, em afirmação inesquecível, o eloquente Premier anunciou que seria de "sangue, suor e lágrimas". À notícia da subjugação da França seguiu-se a de que sua administração fora entregue a um governo fantoche, estabelecido na cidade de Vichy e chefiado pelo marechal Pétain, que havia sido herói da Primeira Guerra na defesa do forte de Verdun. Essa informação não rompeu no Brasil, como qualquer notícia do estéreo. Foi sentida por todos como um desastre nacional. A emoção perante a queda da nobre nação que marcara nossa cultura durante tantas gerações não foi apenas de compaixão, mas também de apreensão para o futuro. Ver a França calcada sob os pés dos nazistas era como ver cair o muro protetor de nossa civilização. Uma tristeza verdadeiramente popular pode ser notada nas ruas do

Rio de Janeiro. Sou testemunha de que, naqueles primeiros dias, os rostos dos cariocas traziam uma sombra, seus movimentos pareciam mais lentos e até os ruídos mais controlados. A elite social carioca afastou-se marcadamente dos representantes do Brasil da França de Vichy.

O mundo de esperança e justiça, prometido depois da Grande Guerra, caiu por terra. Era a tempestade novamente. Numa pequena cidade do Rio Grande, a notícia foi recebida por Erico Verissimo com pessimismo:

> Havia muitas coisas que nos impediam de olhar o mundo com alegria naquele ano de 1940. Uma delas era a guerra. A situação dos aliados ia de mal a pior. A Linha Maginot fora contornada e a França invadida, e um dia amanhecemos para a desoladora notícia de que Paris caíra em poder das tropas nazistas. Era o fim do mundo [...] formara-se em cima do cadáver da Polônia o pacto de não agressão entre a Alemanha nazista e a Rússia soviética. Através do mundo, muitos intelectuais comunistas abandonaram, desiludidos, o partido, e tanto eles como centenas de escritores e artistas de tendências esquerdistas afastaram-se da URSS, permanecendo como almas penadas numa espécie de limbo político. Alguns deles me davam impressão de orfandade: papa Stalin morrera moralmente. Outros portavam-se exatamente como sacerdotes *défroqués*. E eram todos malvistos pelos comunistas ortodoxos que justificavam Stalin e seu "realismo político" e olhados com desconfiança tanto pela direita quanto pela esquerda [...] naquele ano de 1940, as perspectivas para os escritórios não totalitários no mundo inteiro eram negras.

Enquanto se mantinha neutro diante da guerra, o governo brasileiro sofreu fortes pressões dos Estados Unidos para permitir às tropas norte-americanas o uso de portos e aeroportos do Norte-Nordeste, considerados fundamentais para a defesa do continente. O presidente Getúlio Vargas aproveitou a ocasião para obter dos Estados Unidos a promessa de reaparelhamento das Forças Armadas brasileiras e de construção de uma grande usina siderúrgica. Diferentemente da pífia participação na Primeira Guerra, as Forças Armadas brasileiras conclamaram recrutas. Pedro Calmon disse sim. Queria ir para a guerra:

> Com que garbo vesti o uniforme aqui e apertei as pernas com a polaina preta e fui efetuar os exercícios na praia do Flamengo! Entramos na faculdade carregados de filosofia social, mas, em fila, marchando às ordens do sargento mal-humorado que nos cobrava o passo certo, sentíamo-nos inclinados à guerra: gostaríamos de fuzilar a trincheira inimiga com o patriotismo que nos espicaçava a imaginação [...] alinhamo-nos; fulguraram ao sol as dezenas de baionetas, prontas para o espetáculo magnífico; e de súbito desencadeou-se a catadupa. Partimos furiosos contra o adversário inexistente; cada um se considerou um soldado de Bonaparte, um soldado no Itororó, um praça de Moreira César, no episódio fantástico de Canudos; esgrimindo no ar, cortando o chão, sempre para a frente como se estivéssemos a desbaratar a legião odiosa, que também carregava [...]. O sargento em vez de excitar-se com nossa paixão, mirava-nos impassível [...]. Mas estourou em Pearl Harbor a guerra que temíamos. Os chanceleres da América reuniram-se no Rio de Janeiro para assegurar aos Estados Unidos a solidariedade teórica. O Brasil deu-a prática e ininterrupta, mandando à Europa seus navios. Repetiu-se a história de 1917. Submarinos alemães torpedeavam os barcos mercantes. Com o agravante de não respeitarem as águas territoriais [...]. Fui cedo à avenida Rio Branco. Topei com o comércio semicerrado, muita gente diante do *Jornal do Brasil*, cujo cartaz, em grandes letras, anunciava o afundamento de cinco vapores da linha costeira, perto das praias de Sergipe, entre eles o inesquecível *Itagiba*.

FEB foi o nome dado à força militar brasileira constituída em 9 de agosto de 1943 para lutar na Europa ao lado dos países Aliados, contra os países do Eixo. Integrada inicialmente por uma divisão de infantaria, a FEB acabou por abranger todas as tropas brasileiras envolvidas no conflito. Adotou como lema "A cobra está fumando", em resposta àqueles que consideravam ser mais fácil uma cobra fumar do que o Brasil entrar na guerra. Com o ataque japonês à base norte-americana de Pearl Harbor, no dia 7 de dezembro de 1941, o governo Roosevelt condicionou a cooperação técnica e econômica ao envolvimento direto do Brasil no conflito. O fator decisivo entrou em cena entre fevereiro e agosto de 1942, quando navios mercantes brasileiros foram torpedeados por submarinos alemães, provocando indignação generalizada: manifestações de rua animadas pela campanha movida pela União Nacional dos Estudantes (UNE) e pela Liga de Defesa Nacional passaram a exigir a declaração de guerra – explica a historiadora Regina da Luz Moreira.

E ela acrescenta: no dia 22 de agosto, caiu por terra a neutralidade do Brasil, primeiro com a declaração de rompimento das relações diplomáticas, e, em seguida, com a declaração do Estado de Guerra contra a Alemanha e a Itália, através do Decreto nº 10.358. Quando o Ministério da Aeronáutica foi criado, em 20 de janeiro de 1941, o Decreto-Lei nº 2.961 já citava a criação das Forças Aéreas Nacionais, que deveriam reunir aeronaves e militares das aviações da Marinha e do Exército Brasileiro. Em 22 de maio daquele ano, um novo Decreto-Lei, nº 3.302, mudou a denominação da armada aérea, que passaria a se chamar Força Aérea Brasileira.

A ideia de se criar uma força militar para participar do conflito surgiu no começo do ano de 1943, no encontro dos presidentes dos Estados Unidos e do Brasil, Franklin Roosevelt e Getúlio Vargas, na cidade de Natal, capital do Rio Grande do Norte. Na ocasião, Getúlio argumentou que o envio de tropas dependeria exclusivamente do reaparelhamento bélico das Forças Armadas brasileiras.

Experiências pessoais ou de amigos desejosos de integrar as Forças Armadas marcaram as memórias de Otávio Gomes. Sobre um deles, Rui Moreira Lima, que se queria aviador, escreve: "Seguirei para a Itália, dizia ele, usando o emblema do avestruz no braço, Senta a Pua! Os nazistas vão aprender que essa besteira de ariano puro é pura fantasia. Nós, os mestiços do Brasil, ou dos Aliados, vamos lhes dar uma surra de criar bicho, como diz o caboclo da minha terra."

"Senta a Pua" era símbolo do 1º Esquadrão de Caça da FAB e significava lançar-se contra o inimigo com coragem e vontade de aniquilá-lo. Era a ordem trocada pelo rádio, entre pilotos, para abater aviões alemães.

Ou sobre outro colega, certo Wilson: "O Wilson terminou o ginásio. Fomos para o Rio de Janeiro na mesma época. Inscreveu-se para o vestibular na Escola Militar do Realengo. Dois mil candidatos para duzentas vagas [...]. Terminado o curso na Escola Militar, cada um escolhia onde ia servir de acordo com as vagas. Quando chegou a sua vez, teve de ir para Belém do Pará – era a guerra. Por pouco não naufragou no *Baependi*, um dos navios afundados pelos alemães."

O Brasil na Segunda Guerra Mundial.

Getúlio Vargas e Franklin D. Roosevelt, Natal, Rio Grande do Norte, 28 jan. 1943.
FUNDAÇÃO GETULIO VARGAS.

Em 1941, nasceu a primeira base aérea em Recife. Em 1942, as de Salvador e de Natal. Por sua vez, a FAB se encarregou de dar proteção aérea à navegação costeira, de Porto Alegre até Belém, pois a guerra submarina, "perversa e implacável, prosseguia num crescente vertiginoso", como registrou Ivo Gastaldoni, piloto de patrulha da Força Aérea e veterano da Segunda Guerra.

A estruturação da FAB propriamente dita teve início com o envio de oficiais brasileiros aos Estados Unidos, para treinamento. Tratava-se de familiarizá-los com os métodos e as táticas militares empregadas pelas tropas norte-americanas, substituindo os franceses, já ultrapassados, que ainda predominavam. Esses oficiais permaneceram por três meses na Escola de Comando e Estado-Maior de Fort Leavenworth – sublinha Regina da Luz Moreira. Pilotos seguiam para o San Antonio Aviation Cadet Center e, em seguida, para a Advanced Flying School e Harding Field em Baton Rouge.

Entre eles, Fernando Corrêa Rocha, um estudante da Universidade de São Paulo que se apresentou voluntariamente ao Ministério da Aeronáutica, obtendo bolsa para treinamento em escolas de aviação americanas, de onde partiu para atuar como piloto de caça na Itália, de 1944 a 1945. As cartas escritas à família permitem acompanhar a aventura do jovem piloto de caça brasileiro.

Eagle Pass, 12 de janeiro de 1944.

Estou no fim do meu curso e recebo as asas no dia 8 de fevereiro. Por essa razão, tenho voado muitíssimo, de manhã, de tarde e de noite. E como já estamos no ponto de bala, é grande o número de coisas que temos que fazer. Acaba-se uma missão e já se vai para outra. Só tenho parado de voar nesses dias para comer e dormir. Tenho treinado muita esquadrilha de todos os tipos, muita intercepção, *rendez-vous*, *problems* etc. Essas coisas são o treinamento avançado e já dependem da inteligência e habilidade do piloto. Tenho cruzado este Texas de Norte a Sul, Leste a Oeste e conheço melhor este Texas aqui do que a própria cidade de Araraquara. [...]

Estou no fim da caminhada mais triunfante e grandiosa que eu jamais podia sonhar na vida [...]. O dia da minha graduação será o meu dia mais feliz, nem sei se terei forças para segurar alguma lágrima traidora quando eu, recebendo o *Silver wings* e o diploma de oficial de Air Corps, tiver que cumprimentar o coronel-comandante com a mão esquerda (isso é da cerimônia).

No tranquilo bairro do Bom Fim, em Porto Alegre, foi a vez do então menino Moacyr Scliar colaborar com o esforço de guerra. Esperava-se que a sociedade contribuísse de algum modo, aumentando os recursos, mas, sobretudo, elevando o moral dos soldados, para quem se angariavam até cigarros. "Isto ocorreu no dia em que passou pelo Bom Fim um caminhão que arrecadava objetos de borracha para a confecção dos pneus dos carros de combate. Sem hesitar, dei-lhes a minha bola. Assim estava ajudando os bravos soldados da FEB, cujo hino sabíamos de cor: 'Por mais terras que eu percorra/ não permita Deus que eu morra/ sem que volte para lá/ Sem que leve por divisa/ este V que simboliza/ a vitória que virá.'"

Filho de emigrantes judeus russos, fugidos de *pogroms* no Leste europeu no início do século, Scliar completou: "Sabíamos onde se lutava, sabíamos das batalhas mais importantes. Mas, detalhe melancólico: do Holocausto judaico, dos milhões de mortos, nada sabíamos. Acho que ninguém sabia. Só ao fim do conflito, a verdade foi pouco a pouco emergindo; mesmo assim, nossos pais e parentes procuravam nos poupar das terríveis revelações. Lembro deles preparando caixas com comidas e roupas destinadas a parentes que tinham ficado na Rússia. Quando perguntávamos para que era aquilo, desconversavam."

Ainda criança, Scliar certamente não sabia que Getúlio achava que os judeus não eram "adequados" para a miscigenação do Brasil, por "inassimiláveis". Os ideais seriam os suecos e os portugueses. De 1930 a 1945, intensificaram-se as políticas restritivas à imigração. Ainda assim, chegaram cerca de 9 mil judeus, pois, a partir de 1938 possibilitou-se a concessão de vistos aos parentes até segundo grau dos estabelecidos no Brasil. Alguns diplomatas brasileiros – como Luiz Martins de Souza Dantas – e também a chefe da seção de passaportes em Hamburgo, Aracy Guimarães Rosa, O Anjo de Hamburgo, tinham a boa vontade de conceder vistos, mesmo à revelia das instruções que recebiam, possibilitando a entrada no Brasil de muitos judeus.

A cobra fumou.

Distintivo da FEB, 1944.
COLEÇÃO PARTICULAR.

Brasileiros na Segunda Guerra Mundial.

Militares brasileiros estudam o plano de campanha da Força Expedicionária Brasileira, Itália, 1944.
ARQUIVO NACIONAL,
FUNDO CORREIO DA MANHÃ.

Depois do Levante Comunista, o governo Vargas intensificou o controle policial interno e determinou que a legislação relacionada à entrada de imigrantes fosse aprimorada. Pouco depois, em julho de 1944, com a chegada das tropas soviéticas a Majdanek, próximo à cidade de Lublin, na Polônia, os horrores dos "campos da morte" começaram a ser revelados. No verão de 1944, os soviéticos também invadiram os campos de extermínio de Belzec, Sobibor e Treblinka, que os alemães haviam demolido, em 1943, uma vez que a maioria dos judeus da Polônia já havia sido assassinada. Em janeiro de 1945, liberaram Auschwitz, o maior de todos os campos de concentração e de extermínio. Forças norte-americanas chegaram ao campo de concentração de Buchenwald, próximo a Weimar na Alemanha, em 11 de abril de 1945, poucos dias após os nazistas haverem iniciado sua retirada. Naquele dia, uma organização secreta de resistência, formada por prisioneiros, conseguiu atacar e controlar Buchenwald, evitando assim as atrocidades comumente cometidas pelos alemães antes de se irem. Forças norte-americanas libertaram mais de 20 mil prisioneiros em Buchenwald, e, em seguida, liberaram os campos de Dora-Mittelbau, Flossenbürg, Dachau e Mauthausen. A partir daí, as brutais imagens que contaram a história da Shoá rodaram o mundo.

"For all" ou forró!

Enquanto brasileiros treinavam nos Estados Unidos, em Natal, Rio Grande do Norte, 10 mil soldados americanos operavam, entre 1942 e 1945, as bases militares mais importantes dos Aliados no Hemisfério Sul – o Campo de Parnamirim e a Base Naval de Hidroaviões. Espécie de cotovelo entre a América e a África, o Nordeste brasileiro era considerado pelos americanos um dos pontos mais estratégicos do mundo. Os aviões militares, que partiam de Miami, nos EUA, faziam escala em Porto Rico, Trinidad e Belém – para depois partirem rumo a Senegal, Togo e Libéria e daí à Europa, levando carga ou os próprios bombardeiros, como as fortalezas voadoras B-17 e B-24. Parnamirim ficou sendo o aeroporto mais congestionado do mundo, com até oitocentos pousos e decolagens por dia. "Antes pacata e tranquila, a vida noturna de Natal alterava-se profundamente: era agora agitada e trepidante;

bares e boates surgiam da noite para o dia", escreve o jornalista Murilo Melo Filho em seu livro de memórias, *Testemunho político*. Ali se consumia Coca-Cola, fumavam-se cigarros Lucky Strike e se dançava o foxtrote. A americanização logo chegou aos trajes. Os homens abandonaram os ternos e as calças de risca de giz e passaram a vestir roupas cáqui de inspiração militar. As calças de brim azul, usadas nas horas vagas por recrutas americanos, chegaram ao Brasil via Natal – embora só fossem se espalhar pelo país na década de 1950. As moças – que antes só passeavam na companhia de pais e irmãos, vestidas com saias rodadas – agora andavam sozinhas, de calças compridas, mascando chicletes, sinais inconfundíveis da modernidade. Além dos soldados, Natal recebeu astros e estrelas do *showbiz*, enviadas pelo governo dos EUA para levantar o moral das tropas. Humphrey Bogart veio animar a estreia do filme *Casablanca* no teatro da base, em 1942. A orquestra de Glenn Miller tocou no Cine Rex. Nos prédios das bases militares, sucediam-se festas *for all*, onde os combatentes americanos se misturavam à juventude natalense. Há quem diga ser essa a origem de forró – a festa popular e a palavra –, mas, segundo nossos grandes dicionaristas, é um encurtamento de forrobodó (baile popular ou confusão), sem nada de inglês no DNA.

Seis de outubro de 1944: naquele dia, desembarcaram na Itália os 350 membros do 1º Grupo de Aviação de Caça da Força Aérea Brasileira (1º GAvCA). Até o fim da Segunda Guerra Mundial na Europa, em maio do ano seguinte, os pilotos, mecânicos e pessoal de apoio viveriam ali uma longa trajetória de combates contra forças nazifascistas. O 1º GAvCA realizou a primeira missão como unidade independente já no dia 11 de novembro de 1944. Nas asas dos caças P-47 Thunderbolt, os pilotos brasileiros participaram de 445 missões até o fim do conflito. No dia 22 de abril de 1945, um grupo de apenas 22 pilotos realizou 44 voos, com 11 esquadrilhas de quatro caças fustigando alvos entre as 8 horas e 17 horas. Em todos os ataques, os brasileiros lançavam bombas em pontos estratégicos e passavam a procurar novos alvos, como blindados e caminhões, durante retorno à base. Para tornar o esforço possível, pilotos chegaram a voar duas ou até três missões, em um só dia. "Só quem esteve em combate sabe o que é voar mais de uma missão no mesmo dia", escreveu o major-brigadeiro do ar Rui Moreira Lima, autor de *Senta a Pua!*.

Para se ter uma ideia do imenso esforço, a cada missão realizada a bordo dos caças P-47 Thunderbolt, os pilotos chegavam a perder até dois qui-

los, em razão do forte calor e do desgaste físico e psíquico. Eles enfrentavam a morte, que poderia vir dos disparos da incansável artilharia antiaérea inimiga. Por mais três dias, depois de 22 de abril, os pilotos brasileiros voaram o suficiente para colocar dez esquadrilhas no ar diariamente. No mês de abril, eles quebraram recorde de missões na campanha da Itália: 135 em apenas trinta dias, o equivalente a 31% dos seis meses anteriores.

Entre eles, Corrêa Rocha continuava escrevendo à família, contando os problemas pelos quais passavam os pilotos no cotidiano e os terríveis retratos de dor e sofrimento:

> Itália, 7 de maio de 1945.
>
> Meu querido pai e minha querida mãe.
>
> Se ultimamente não tenho escrito foi por causa da sensacional ofensiva que levamos a cabo aqui na Itália, na qual eu e meus 19 companheiros de luta tivemos uma participação gloriosa, quase sem precedentes na história dos esquadrões de caça aliados.
>
> Mas valeu o nosso sacrifício quase sobre-humano de voarmos cada um duas missões de combate por dia. Pois presenciamos e tomamos parte ativa na completa derrocada das 25 melhores divisões de Rommel, primeira rendição incondicional conseguida nos campos de batalha europeus. Dois dos nossos perderam a vida nesta luta de gigantes. [...]
>
> O coronel americano comandante do Regimento de Caça ao qual estamos ligados, numa de suas citações, disse o seguinte: "A coragem, o desprendimento e desprezo à vida do Asp. Rocha e principalmente seu frio e claro raciocínio quando no calor do combate foram a causa do sucesso de muitas de suas missões de combate. Isso reverte em crédito para ele e às Forças Armadas das Nações Unidas."
>
> Isso foi em 31 de dezembro de 1944, quando pela minha 19º missão o governo americano me concedeu o Air Medal. Depois disso fui citado na minha 36ª e outra vez na 48ª missão, o que me valeu mais duas Air Medals [...]. Até o último minuto da resistência inimiga eu não me poupei um só

bocado, para auxiliar com minha pequena contribuição a vitória final.

Quatro horas antes da rendição inimiga, e desempenhando a 75ª missão de guerra, um dos projéteis que atingiu meu Thunderbolt atravessou a cabine de lado a lado, errando a minha elegante cabeleira por um ou dois centímetros. Mas o alemão não mirou bem, pois eu consegui voltar para a base completando minha 75ª missão de guerra sem ferimento pessoal e sem nunca ter sido abatido. Horas mais tarde [...] me chegou a notícia de que os nazis tinham se rendido incondicionalmente em todo o nosso setor. Nessa noite como era de se esperar houve bebedeira na nossa roda [...]. Num desses "bafas", Pessoa foi ferido levemente nas costas e na perna, mas no dia seguinte o paraibano do diabo estava de novo no seu caça, dizendo: "Senta a pua, Rocha, vamos matar alemão!"

Símbolo e grito de guerra do 1º Grupo de Aviação de Caça da Força Aérea Brasileira, que atuou na Segunda Guerra Mundial. O desenho original é do militar Fortunato Câmara de Oliveira.

Insegna del 1° Gruppo Caccia brasiliano. s.d.
REPRODUÇÃO
WIKIMEDIA COMMONS.

E, ao chegar em solo, à Tarquinia, o choque de ver o que restou:

Passando pelas ruínas, em direção à estrada de ferro, só pude ver uma pessoa italiana. Era uma mulher de meia-idade que no meio dos escombros de uma casa, procurava desesperadamente alguma coisa. O próximo ser italiano que eu encontrei foi já na estação. Falou comigo e pediu comida e cigarros. Eu dei alguma coisa da minha ração e ele me contou uma história, com gestos e bum! bum! bum! que eu não entendi bem, mas calculei que estivesse falando sobre o bombardeio da cidade. Em seu rosto eu podia ver uma expressão de dor que [...] eu compreendia muito bem. Ele despediu-se com um *grazie* e eu, num esforço, respondi meio gaguejando, *prego*. [...]

A população de Tarquinia, composta na sua maioria de homens magros, mulheres grávidas, crianças famintas não ia além de 5 mil almas. O comércio se limitava à venda de raríssimos ovos, castanhas, nozes, figos secos e vinho abundante, mas de qualidade regular. As pessoas não trabalhavam em nada. Vagavam pelas ruas sem qualquer objetivo, parando aqui e acolá para uma prosa. O assunto era quase sempre o mesmo. Falavam da fome,

A rendição do general alemão Otto Fretter-Pico, comandante da 148ª Divisão de Infantaria, à FEB, na batalha de Monte Castelo.

German General Otto Freter Pico, Commander of the 148th Infantry Division, and General Mario Carloni surrendering to the Brazilian FEB after the battle of Fornovo di Taro. Itália. 1945.

REPRODUÇÃO WIKIMEDIA COMMONS.

da miséria e dos horrores da retirada nazista. Sem vida, sem alegrias, sem grandes barulhos, sem juventude, Tarquinia era um recanto tristíssimo, miserável e velho demais. Nunca vi uma moça bonita cruzando suas ruas, nem uma cara alegre olhando pelas janelas sem vidraça.

O Primeiro Grupo de Aviação de Caça do Brasil realizou 5% das missões de ataque dos países aliados na Itália entre 6 e 29 de abril de 1945. Foi responsável pela destruição de 15% dos veículos inimigos, por 28% das pontes atingidas e pela danificação de 36% dos depósitos de combustível e de 85% dos de munição.

A maioria dos brasileiros terminaria a guerra com mais de cinquenta missões. Destacaram-se, sem dúvida: um piloto americano voltava aos Estados Unidos após 35 missões, o que os deixava fora de combate por seis meses. Entre os brasileiros, o tenente Alberto Martins Torres – que já era veterano do combate contra submarinos no Atlântico Sul – alcançou a marca de cem missões. Como tantos soldados aliados, os brasileiros conheceram a sensação de que a cada momento, rugindo e impaciente, a morte poderia fazer sua aparição.

O Exército brasileiro sofreu com os invernos europeus e a rala ração que recebia. Houve sede, fome, frio e a angústia frente ao fogo incessante e sob a abóboda do céu cheia de fumaça e fogo. Porém, a Tomada de Monte Castelo a 21 de fevereiro de 1945, depois de 12 horas de combate, ficou na história. Ao todo, o Exército teve 465 mortos – 444 soldados, 13 oficiais do Exército e 8 oficiais da FAB – e 1.517 feridos em combate, mais 658 aciden-

Rio de Janeiro comemora o fim da Segunda Guerra Mundial.

Festa da vitória, 1945.
ARQUIVO NACIONAL, FUNDO CORREIO DA MANHÃ.

tados. A FEB capturou mais de 20 mil alemães, 80 canhões e 1.500 viaturas. No dia 18 de julho de 1945, os primeiros pracinhas retornaram ao Rio de Janeiro sendo recebidos apoteoticamente.

Wilson Lins ainda lembra o reencontro com seu amigo e homônimo, que, por pouco, escapou da carnificina:

> Lutou bravamente, mas voltou da guerra. Quando regressou, fomos visitá-lo, loucos para saber como foi a luta. Ele falou de tudo menos da guerra. Inquirido sobre o assunto, desconversava [...]. Soubemos por outros que, certa vez, quando em missão, descera de um jipe para observações, tão logo se afastou da viatura essa foi completamente destroçada por uma bomba [...]. Essa foi em Monte Castelo – cemitério de brasileiros. Passavam os batalhões inteiros constituídos de moços fortes e vibrantes. Voltavam às centenas feridos e mortos. Dias após dias, os aviões alemães despejavam fumo e fogo sobre os aliados. Os pracinhas passando para morrer. Chegou a vez de seu batalhão. Chegara a sua vez de morrer, pensara ele [...]. Os pracinhas olharam para cima e todos viram: o morro parecia uma extensa favela, um imenso varal de roupas estendidas. Eram os alemães que se rendiam.

Os que retornaram não esqueceram os rios de sangue. Aprenderam que a guerra não era uma aventura romântica, de onde se voltava ungido por uma coroa de louros, mas a barbárie. A mecanização sem alma, a tornou mais bestial e desumana. Quantos não ficaram, pelo caminho, em pedaços, sem nem mesmo ter visto o rosto do adversário?

9. A GUERRA EM CASA

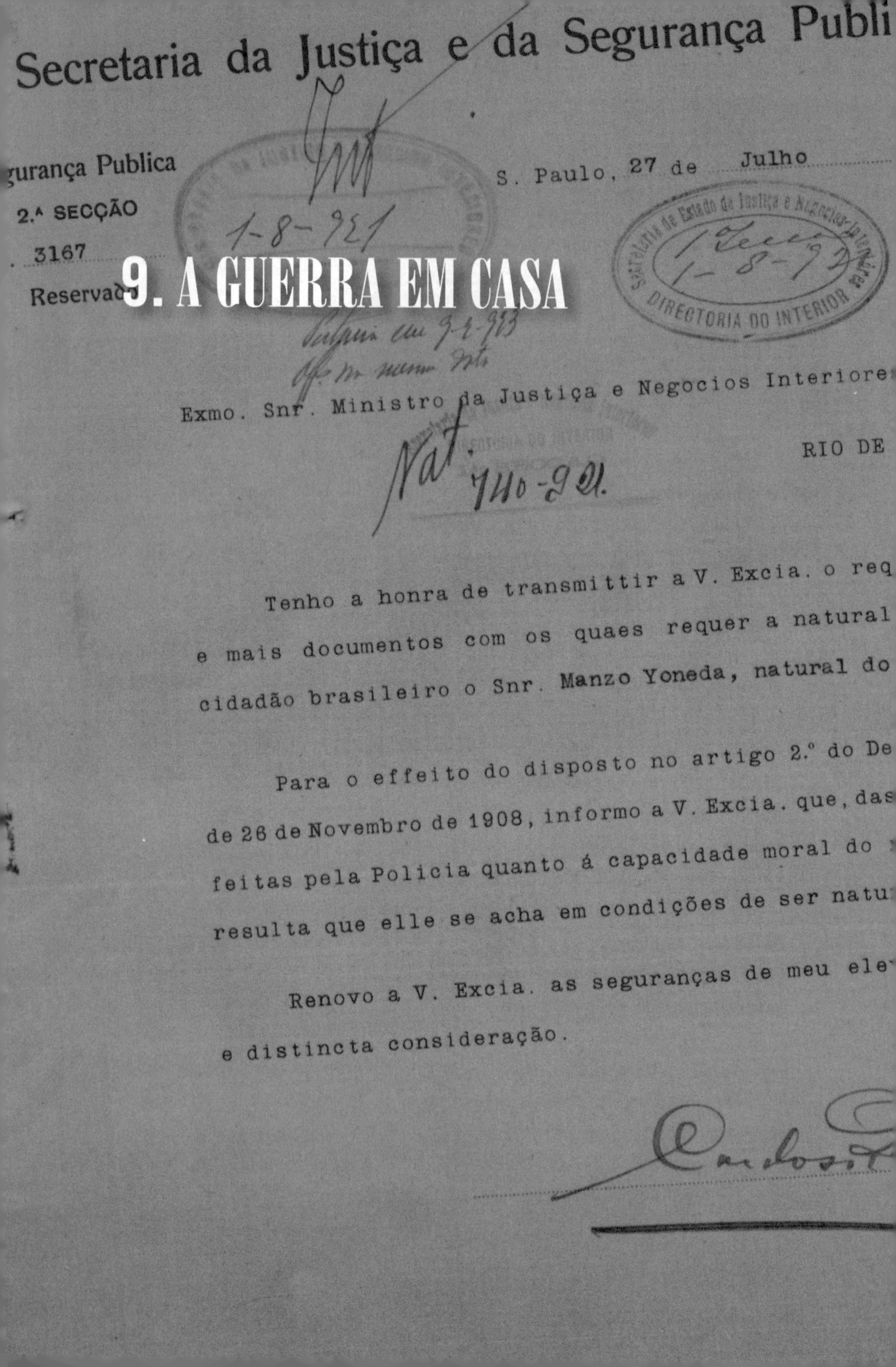
Secretaria da Justiça e da Segurança Publi

gurança Publica
2.ª SECÇÃO
. 3167
Reservado

S. Paulo, 27 de Julho

Exmo. Snr. Ministro da Justiça e Negocios Interiore

RIO DE

Tenho a honra de transmittir a V. Excia. o req
e mais documentos com os quaes requer a natural
cidadão brasileiro o Snr. Manzo Yoneda, natural do

Para o effeito do disposto no artigo 2.º do De
de 26 de Novembro de 1908, informo a V. Excia. que, das
feitas pela Policia quanto á capacidade moral do
resulta que elle se acha em condições de ser natu

Renovo a V. Excia. as seguranças de meu ele
e distincta consideração.

Japoneses no Brasil.

Pedido de naturalização do japonês Manzo Yoneda, 1921, São Paulo.

ARQUIVO NACIONAL.

Enquanto rugia a guerra na Europa, no Brasil, imigrantes alemães, japoneses, italianos e seus descendentes passaram a sofrer grande repressão do governo, da população "nacional" e da própria mídia, que fomentava a raiva e alarmava a população, taxando-os de inimigos da nação. No início da guerra, os teuto-brasileiros, não hesitaram em exibir sua simpatia pelas ideias importadas da Alemanha. A Livraria Globo de Porto Alegre apressou-se em traduzir e publicar *Mein Kampf* (*Minha luta*), da pena de Adolf Hitler, em 1935. Viam-se com frequência bandeiras com a cruz gamada em festejos e grupos de jovens imitando a Juventude Hitlerista ou a União de Moças Alemãs, sobretudo nos estados do Sul. Esses grupos mais entusiasmados promoviam passeatas e acampamentos, sem se importarem com a sensibilidade dos brasileiros. Ademais, entre as autoridades, enxergava-se na Alemanha importante parceiro comercial e militar.

Uma dúvida amedrontadora pairava no ar: todos os alemães seriam nazistas em potencial? Paulo Francis, cujo tio-avô morrera numa carga de cavalaria, na Primeira Guerra, garante que não: "É expressivo da força de Hollywood, na garotada dos anos 1940, que todos nós quiséssemos ser os 'americanos' na guerra, nós, Heilborn, descendentes de alemães. Meu avô detestava Hitler. Não havia antissemitismo em casa, exceto o 'normal', pré-genocídio, o antissemitismo cristão, em suma." Ou seja, "meio" antissemistismo...

Tudo mudou na década seguinte quando o país se alinhou com os Estados Unidos, e os bondes passaram a ser o local de todas as discussões sobre o avanço das tropas. Uma reação enérgica do governo – limitando as associações teutas e qualquer outra atividade tida como de risco para a garantia do projeto nacional do Estado Novo e da própria Segurança Nacional, pós-1942 – foi agravada com a entrada do Brasil no conflito.

Nr. 1 São Paulo, 16. März 1932 1. Jahrgang

Deutscher Morgen

AURORA ALLEM.

Schriftleiter: H. H. v. Cossel — Wochenblatt der NSDAP. für Brasilen — Gerent: Hans Luck

Schriftleitung und Verwaltung: Rua da Moóca, 38 - Telephon 9-2431 — Druck: Wenig & Cia

Sprechstunden: Montag und Freitag von 6–7 Uhr – Erscheint jeden Mittwoch – Bezugsgebühr vierteljährlich Rs. 2$500, für Deutschlan und die Weltpostvereinsländer 1 Mark

Einzelpreis 200 Reis — Einzelpreis 200 Reis

O nazismo teve o apoio de periódicos, que, apesar de editados no Brasil, destinavam-se a nazistas.

Aurora Allemã, São Paulo, n. 1, ano 1, 16 mar. 1932.

BIBLIOTECA DIGITAL DA UNESP.

Os imigrantes "Eixistas" eram patrulhados; grassava a "lógica da desconfiança" incentivada pela polícia e pelo Departamento de Ordem Política e Social (DOPS). Qualquer correspondência dirigida aos membros dessas comunidades era considerada suspeita e vasculhada.

Em Recife, educado por freiras alemãs da Academia Santa Gertrudes, que o ensinaram a ouvir a música de Brahms, Geraldo Holanda Cavalcanti juntou muito papel prateado dos chocolates Lacta que era enviado para a Alemanha para servir ao esforço de guerra. Ainda menino, foi mesmo a uma festa num navio nazista. No convés, enfeitado com suásticas, comeu um prato popular da cozinha germânica e viveu, entre adultos brasileiros e alemães, um festivo clima de confraternização. Mas isso foi antes da entrada do Brasil na guerra. Depois, para não serem expatriados, padres franciscanos nascidos na Alemanha, largaram a batina e foram trabalhar na fábrica de tecidos Lundgren. E outros alemães, mesmo judeus, como o fotógrafo Odenheim, tiveram seu comércio depredado. A forte presença alemã na cidade levou muitos, inclusive os que abandonaram a batina, aos campos de concentração. "Seriam espiões infiltrados", segundo o Governo, como conta Geraldo Cavalcanti.

Em São Paulo, enquanto as salas de cinema exibiam o filme *Perigo amarelo*, com Bela Lugosi enfrentando os "traiçoeiros agentes japoneses", o marido de Hermengarda Leme Leite Takeshita estava sob outros fogos. Ela contou nas suas memórias: "Takeshita estava em situação difícil, acusado de quinta-coluna. Eu também por ser sua esposa [...]. Era sempre preso por falar japonês. Tentou até vender batatas nas ruas numa carroça, mas ao encontrar um patrício, falava japonês e era logo preso. Eu vendia o que nos restava para pagar a carceragem e libertá-lo. O meu ordenado só dava para pagar o aluguel. Como comer?"

Lançou-se uma ofensiva contra a colonização estrangeira. Termos como espionagem, nazismo e fascismo passaram a integrar o vocabulário da polícia. Até judeus foram denunciados como "alemães". Falar em língua natal era suficiente para que o cidadão fosse enquadrado como do Eixo. A médium Clotilde, avó de Marta Novis, que psicografava em alemão inspirava também temor na família: "Um dos espíritos que ela baixava era o de Chopin, com quem travava diálogos espirituais registrados em grossos cadernos." Os cadernos foram queimados, afinal, Getúlio tinha proibido a língua!

E não faltaram campos de concentração para internar os suspeitos: foram 31 ao todo, de Belém a Santa Catarina, embora alguns presos, por razões políticas, tenham sido encaminhados para Ilha Grande ou para Ilha das Flores. A historiadora Priscila Perazzo explica que colônias penais agrícolas, asilos e hospitais foram transformados em prisões com grande variação nas instalações. A correspondência era vigiada, e a leitura de livros em língua estrangeira, proibida. No cotidiano, bastante medíocre, servia-se arroz e feijão, durante a semana e macarrão aos finais de semana. As famílias podiam enviar alimentação suplementar. Os presos podiam ainda visitar as cidades mais próximas, quando, muitas vezes, voltavam carregando as armas dos guardas que vinham bêbados – contou um ex-prisioneiro.

Propaganda nazista em inseticida.

O Cruzeiro, ano III, n. 5, p. 2, 6 dez. 1930.

ARQUIVO O CRUZEIRO/ EM/D.A PRESS.

Mas houve quem passasse sem maiores danos por esse período. Sobre o dia a dia de sua família alemã, o jornalista Paulo Francis registrou: "A guerra mal tocou os confortos da classe média brasileira [...]. Mantínhamos costumes alemães. Aos domingos, jantávamos frios, pão preto, cerveja (para os adultos) e café com leite às crianças. Estas não podiam falar à mesa exceto se solicitadas. Nos obrigavam que ficássemos de mãos cruzadas, enquanto não comíamos." Rubem Alves concordaria em parte: "A guerra não chegou à escola. Era como se não existisse." Mas acabou a gasolina: "Guardavam-se os automóveis nas garagens, suspensos sobre tocos de madeira para poupar os pneus. O açúcar acabou também. Isso, sim, foi a catástrofe. Sem gasolina, a vida continuava do mesmo jeito. Mas, como é que a vida nas Minas Gerais poderia continuar sem açúcar? As mulheres, doceiras de nascimento, ficaram sem matéria-prima [...] as refeições ficaram mais tristes sem doce de leite, doce de cidra, doce de mamão, doce de abóbora [...] e já não tinha graça enrolar o cigarro de palha sem o café ralinho adoçado com muito açúcar."

O pão de milho, o "pão de guerra", substituiu o pão de farinha de trigo. Crianças eram estimuladas a plantar a "horta da vitória". Como esclarece o historiador Roney Cytrynowicz, a guerra estava no discurso oficial, na conversa de bar e na poesia, no cinema e nas artes plásticas, nas fábricas e nas filas de ônibus. Era popular tanto nas letras de música e sambas que louvavam a coragem dos soldados quanto nas que ironizavam a mobilização do Estado Novo.

Sim, pois, enquanto brasileiros lutavam para liberar a Europa de regimes autoritários, no Brasil vivia-se uma ditadura. Vários segmentos da nação protestavam contra o governo. Em 1942 foi criada a União Nacional dos Estudantes que encheu as ruas de passeatas e protestos. O "Manifesto dos mineiros", lançado em 24 de outubro de 1943, exigia: "Queremos liberdade de pensamento, sobretudo de pensamento político." Críticas choviam sobre a censura da imprensa e a vigilância policial aos adversários do regime. Nasciam partidos: a União Democrática Nacional, UDN, formada pela antiga oposição liberal e por setores das finanças e da indústria. Seu candidato era o brigadeiro Eduardo Gomes – um dos líderes do movimento dos Dezoito do Forte. Em julho de 1945, foi a vez da fundação do PSD, Partido Social Democrata, com quadros do Estado, tendo na figura do marechal Dutra, seu candidato. Em setembro de 1945, nasceu também o Partido Trabalhista Brasileiro, unindo funcionários do Ministério do Trabalho e dos sindicatos.

As novas eleições estavam marcadas para dezembro, quando Getúlio, com o apoio dos sindicatos e da mobilização das massas urbanas, resolveu empossar seu irmão, Bejo Vargas, como chefe da polícia do Rio de Janeiro. Cresciam suspeitas de que as eleições seriam manipuladas em prol da continuidade do governo. Fazia tempo, porém, que as elites dissidentes e opositoras se precaviam contra essa possibilidade. Não por acaso, tanto a UDN quanto o PSD escolheram candidatos à presidência nas fileiras militares: no primeiro caso, o brigadeiro Eduardo Gomes e, no segundo, o general Eurico Gaspar Dutra. Em 29 de outubro de 1945, sob pressão do Exército, Vargas declarou à sociedade que renunciaria por vontade própria, preservando, com habilidade, seus direitos políticos. Enfurnou-se, então, numa espécie de autoexílio em sua fazenda em São Borja, onde recebia partidários e planejava a volta ao Catete.

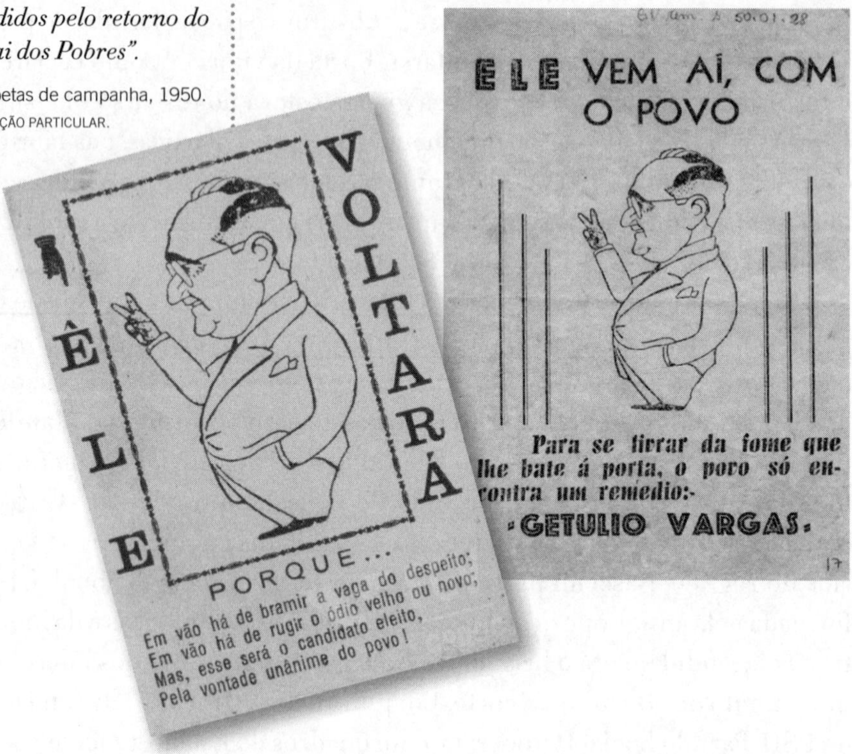

Pedidos pelo retorno do "Pai dos Pobres".

Filipetas de campanha, 1950.
COLEÇÃO PARTICULAR.

Alberto da Costa e Silva era menino, mas não esqueceu o dia seguinte à renúncia:

> Com o fuzil a pender displicentemente da mão, o soldado atravessou a rua para tomar um cafezinho no botequim da esquina. Depois, voltou para junto dos camaradas e do carro blindado. Eu insistira com minha mãe em que haveria aula e voltava – o colégio não abrira as portas – pela praça semivazia. Algumas lojas estavam fechadas; outras funcionavam como se nada tivesse acontecido.
>
> Na noite anterior, Vargas deixara de ser o Chefe da Nação. Os líderes militares, obtido o beneplácito dos quartéis, mandaram ocupar os acessos à cidade, os ministérios, as estações de rádio, os jornais, o porto e o aeroporto.
>
> Tudo se passara como água da torneira ao ralo, quase sem respingos à pia. Ninguém saiu à rua para festejos ou protesto. Se saiu, disso não houve notícias. Durante breve momento, temeu-se a revolta do que se tinha por guarda pretoriana do regime, a Polícia Especial. Os rapazes de boné verme-

lho e farda cáqui, com camisas de mangas curtas e gola aberta, não desceram, porém, do morro de Santo Antônio. Nem consta que o tenham tentado.

Esperava-se o golpe. O Estado Novo esgarçara-se com a vitória dos Aliados sobre o Eixo e, ao manobrar para permanecer no poder com a Assembleia Constituinte, Vargas estivera, na verdade, a cortar a lã, anacronicamente, uma sobrecasaca [...]. No dia seguinte, houve quem tomasse o golpe com alegria, alívio, indignação, repulsa, desgosto ou pena. Lembra-me a melancolia envergonhada de minha mãe, diante da humilhação infligida a quem se bajulara – e como! – durante anos. Os mesmos quepes. Os mesmos galões. Os mesmos talabartes. As mesmas perneiras com esporas. E, as mãos, as mesmas que batiam palmas.

Em setembro de 1946, uma nova Constituição foi promulgada. Eleito como senador por dois estados, RS e SP, Vargas, não compareceu para votá-la, mas crescia a ideia de voltar ao poder nos "braços do povo". A eleição transcorreu sem sobressaltos e quem se elegeu foi Dutra, inaugurando 16 anos de democracia.

As manobras para a sucessão de Dutra começaram antes mesmo de o marechal completar metade do mandato. Panfletos da época revelam o estranho equilíbrio de forças que tentavam ficar de pé. Num deles, divulgava-se a seguinte "oração": "Protetor nosso que estais em São Borja, honrado seja o vosso nome; venha a nós a vossa proteção, seja feita a vossa vontade, assim no Sul como no Norte; os direitos nossos de cada dia nos daí hoje; e perdoai-nos as nossas imprudências, assim como nós perdoamos aos nossos perseguidores; e não nos deixeis cair no comunismo, mas livrai-nos do capitalismo. Amém." O historiador Renato Venancio assinala que a ambiguidade do projeto político de Getúlio contribuiu tanto para seu retorno ao poder, como para seu trágico desfecho.

Nas eleições de 3 de outubro de 1950, Vargas elegeu-se sem dificuldade, batendo Eduardo Gomes pela UDN e Cristiano Machado do PDS: 48,7% dos votos. Sua plataforma: a defesa da industrialização e dos direitos dos trabalhadores. A UDN tentou impugnar a eleição, alegando que só poderia ser considerado vencedor o candidato que obtivesse a metade dos votos mais um. O Tribunal Superior Eleitoral rejeitou a exigência. Em janeiro de 1951, Vargas recebeu a faixa presidencial de Dutra.

10. O “PAI DOS POBRES”

Getúlio: um presidente popular?

AO LADO
MANZON, Jean. *As origens do fotojornalismo no Brasil.* Rio de Janeiro: IMS, 2012.
ARQUIVO O CRUZEIRO/ EM/D.A PRESS.

PÁGINAS 140 E 141
Presidente Getúlio Dornelles Vargas (1939-1945) em Minas Gerais: visita a Juiz de Fora, MG, 1945.
ARQUIVO NACIONAL [DOSSIÊ].

Ao voltar ao poder, Vargas encontrou um país diferente do que deixara. Esclarece Boris Fausto: "De um lado, não podia deixar de se preocupar com as reivindicações dos trabalhadores, atingidos pela alta do custo de vida; de outro, precisava tomar medidas impopulares para controlar a inflação." Vargas optou por alianças: um governo popular com um ministério conservador. Mas "o tigre da inflação" não sossegava. Um ano depois, 500 mil pessoas estavam nas ruas batendo "panela vazia" – nome da campanha popular. Em outubro de 1953, pressionado pelos sindicatos, Vargas se afastou dos Estados Unidos; criou a Petrobras, firmando o monopólio da exploração do petróleo; fez uma lei sobre remessa de lucros para o exterior; mudou o ministério. Emergia sua nova imagem: a do "Pai dos Pobres". Para muitos pesquisadores, a década de 1950 é um momento de consolidação de uma prática política definida como "populismo", quando se multiplicaram os políticos que apelavam para as massas urbanas, lembrando-lhes o abandono em que sempre viveram ou prometendo políticas que os tirassem da miséria. As elites deixavam de ser consideradas como portadoras de um modelo a ser seguido.

Mais: a Guerra Fria, que separava o mundo entre os comunistas e os não comunistas, acentuava o teor radical dos discursos. Para a pasta do Trabalho, Vargas convocou um estancieiro de São Borja, João Goulart. A UDN tremeu: seria o avanço de uma república sindicalista que favoreceria a "comunização" do país. Os setores da classe média e os militares reagiram: temiam uma possível aproximação com o peronismo argentino. Quando Jango propôs aumento de 100% do salário mínimo, o sinal vermelho acendeu! Em fevereiro de 1954, o "Manifesto dos coronéis", capitaneado por Sílvio Fro-

ta e Golbery do Couto e Silva, obrigou Vargas a demitir Goulart. Os oficiais aproveitaram a ocasião para denunciar a ameaça da República Sindicalista, assim como a "infiltração de perniciosas ideologias antidemocráticas". Ou então para alertar a respeito do "comunismo solerte sempre à espreita", pronto para dominar o Brasil.

Sobre a maneira como tais disputas partidárias chegavam ao interior, Rubem Alves assim descreveu: "Nas Minas Gerais dos tempos de meus pais e avós, os partidos políticos não eram conhecidos por ideologias e programas. Partidos eram como times de futebol, cada um com sua torcida. Ninguém torce por um time por razões de inteligência. Torce porque torce, sem razões."

No dia 1º de maio, porém, o presidente não só aprovou o aumento salarial como discursou aos trabalhadores: "Hoje vocês estão no governo. Amanhã, serão governo." Renato Venancio sublinha a importância de se ver o comunismo como a principal ameaça ao equilíbrio do Brasil. Razões para isso não faltavam. Por volta de 1950, o sistema comunista havia deixado de ser uma experiência isolada, sendo agora compartilhado por um número crescente de países do leste europeu, tais como Iugoslávia (1945), Bulgária (1946), Polônia (1947), Tchecoslováquia (1948), Hungria (1949) e República Democrática Alemã Oriental (1949); assim como asiáticos, Vietnã do Norte (1945), Coreia do Norte (1948) e China (1949). Quanto medo!

O quadro mundial tornara-se ainda mais delicado em razão do desenvolvimento de armas atômicas. Em 1945, os Estados Unidos, nos ataques a Hiroshima e Nagasaki, demonstraram as consequências desse poderio. Quatro anos mais tarde foi a vez da União Soviética revelar ao mundo seu arsenal atômico, em testes no deserto do Cazaquistão. Em um contexto como esse, um confronto entre Estados Unidos e União Soviética colocaria em risco a sobrevivência do planeta. Com essa situação, os conflitos foram transferidos para os países subordinados a essas duas potências.

Como seria de esperar, a nova política internacional concedia pouca autonomia às áreas de influência das grandes potências. Nas políticas nacionalistas, ora via-se uma guinada rumo ao comunismo – no caso do bloco soviético –, ora um passo em direção ao capitalismo – no caso do bloco norte-americano.

No início dos anos 1950, parte do Exército brasileiro e a UDN – que chegou a abrigar um pequeno agrupamento de socialistas, depois estabelecido em partido próprio – transitaram para posturas cada vez mais afinadas ao anticomunismo. Acusava-se Vargas de tramar novos golpes, agora com base nos setores nacionalistas e sindicais. Em junho de 1954, o congresso votou o *impeachment* de Getúlio Vargas. O pedido foi rejeitado, mas mantiveram-se fortíssimas pressões pela renúncia.

Muitos brasileiros pensavam como Pedro Calmon, que anotou: "Iludia-se Getúlio julgando que a continuação na presidência dependia do retrato. Ligava-se ao movimento das ideias. Fora polaco em 1937, conformista em 1940, americanista em 1942. Agora que caíam as ditaduras, e os pracinhas a derrubavam na Itália, para ser atual, tinha de liberalizar-se numa conversão tão mais difícil quanto mais engenhosa. Não convencia."

Ora, se a oposição – reunindo membros da UDN, do Exército e de setores conservadores da sociedade – queria derrubar Vargas, faltava apenas um pretexto. Não tardou. Em Copacabana, na madrugada de 5 de agosto de 1954, dois pistoleiros tentaram matar o jornalista Carlos Lacerda, um dos mais ruidosos opositores de Vargas e dos maiores inimigos dos comunistas, de quem já fora aliado. À frente de seu jornal *Tribuna da Imprensa*, Lacerda já vinha desferindo as piores ofensivas ao governo. Auxiliado pelo rádio e pela televisão, conclamava incessantemente as Forças Armadas para que restabelecessem a democracia no Brasil. No fatídico 5 de agosto, usando o jornal de sua propriedade declarou: "Perante Deus, acuso um só homem como responsável por esse crime. Este homem chama-se Getúlio Vargas."

No atentado de Copacabana, Lacerda ficou levemente ferido, mas o major da Aeronáutica, Rubens Vaz, que o acompanhava, foi morto. "Este tiro é uma punhalada em minhas costas" sentenciou Vargas, ao saber do atentado. À revelia do Ministério da Justiça, a Aeronáutica resolveu elucidar o crime e, em 29 horas, prendeu todos os culpados. Ficou claro que houve envolvimento de funcionários do Palácio do Catete e que o mandante do crime era Gregório Fortunato, chefe da guarda pessoal do presidente. Eis como Wilson Lins viveu esse momento:

> Minha experiência política não me permitiu alimentar dúvidas quanto às consequências do dramático episódio. Só um milagre poderia salvar Getúlio da tempestade que iria desabar sobre sua cabeça. Já ao fim da tarde daquele mesmo dia ter-se-ia a justa medida do que tinha sido o enterro do

militar assassinado. A Rádio Globo fez a cobertura completa do cortejo fúnebre, com seus locutores repetindo as frases que eram gritadas por civis e oficiais fardados, ao longo da caminhada para o cemitério. Uma delas tornar-se-ia manchete de vários jornais de norte a sul, e constituía um autêntico apelo às armas: "Brigadeiro, não deixe a democracia morrer!" O resto da semana e as semanas seguintes foram de agito e sobressalto, com a Aeronáutica chamando a si a tarefa de apurar o crime, já que a polícia não inspirava confiança. Dentro de poucos dias haveria dois governos no país: o amofinado governo de Vargas, sitiado no Catete, e a República do Galeão, em ação na Ilha do Governador. Sem apoio popular, por ser flagrante a unanimidade nacional contra o "mar de lama" [...], Getúlio procurava ganhar tempo, cedendo a todas as exigências da oficialidade enfurecida. Cada dia trazia à tona um novo escândalo arrancado das sombras pelas apurações em curso. Quando Gregório Fortunato foi preso, a presença de Getúlio à frente do governo já passara a ser considerada um escárnio à nação.

E quanto ao fato de as Forças Armadas exigirem sua renúncia, prossegue Lins: "O povo apoiava as medidas, tanto assim que a multidão postada diante do palácio presidencial vaiava cada membro da família Vargas, que chegava ou saía do palácio. Ouvidos colados aos aparelhos de rádio, todo o povo brasileiro acompanhava o drama, impaciente com a demora da queda de Getúlio."

A tensão aumentava e, com a prisão de Fortunato, muitos colaboradores de Vargas foram igualmente presos. No dia 23 de agosto, os brigadeiros se reuniram no Clube da Aeronáutica para pedir a renúncia do presidente, enquanto os generais lançavam um "Manifesto à nação". Quando Café Filho, o vice-presidente, sugeriu a Vargas que deixasse o poder, a resposta foi taxativa: "Se tentarem tomar o Catete, terão que passar sobre meu cadáver." No dia 24, às 4h e 30 da manhã, em seu quarto, Vargas preferiu morrer. Pedro Calmon guardou desses últimos dias uma imagem impressionante: "O suicídio de Getúlio repercutira na cidade. O povo começara a sublevar-se. Das ruas transversais, das ladeiras, dos

O palco do suicídio de Getúlio Vargas em 1954, na Zona Sul do Rio de Janeiro.

[*Fachada do Palácio do Catete*]. Rio de Janeiro, s.d. COLEÇÃO PARTICULAR.

Um dos muitos jornais a dar capa para o suicídio de Getúlio Vargas.

Última Hora, Rio de Janeiro, 1954. Rio de Janeiro.

BIBLIOTECA NACIONAL [HEMEROTECA].

becos, desembocavam na avenida grupos vociferantes. Invertera-se a cena. Antes eram os udenistas; sucediam-lhes os trabalhistas [...]. O enterro de Getúlio transformou-se numa apoteose. Foi uma cachoeira de gente borbulhando em torno do esquife."

Antes de disparar um tiro no peito, Vargas escreveu uma carta testamento, em que se coloca como governante, no papel de defensor, representante e libertador do povo. Com sua morte, sagrava-se mártir e consolidava seu nome no panteão político brasileiro, associando-o definitivamente à bandeira dos interesses nacionais e do trabalhismo. Revelador dessa intenção é o trecho em que se lê: "Se as aves de rapina querem o sangue de alguém, querem continuar sugando o povo brasileiro, eu ofereço em holocausto a minha vida. Escolho este meio de estar sempre convosco... Meu sacrifício vos manterá unidos e meu nome será a vossa bandeira de luta... À sanha dos meus inimigos deixo o legado de minha morte. Levo o pesar de não ter podido fazer pelos humildes tudo aquilo que eu desejava."

Lélia Abramo esteve entre os que compreenderam que os ataques a Vargas vinham dos que se opunham a sua política nacionalista, segundo ela "a parcela da burguesia ligada aos interesses internacionais". Ela foi ao velório no Palácio do Catete: "No dia seguinte voltei ao centro da cidade e pude assistir ao enorme desfile que acompanhava o esquife em direção ao aeroporto. A gigantesca manifestação do povo demonstrando seu pesar pelo ex-ditador era impressionante."

Uma última visão de Getúlio ainda vivo, numa tarde triste e incerta de agosto, teve-a Augusto Federico Schmidt. E suas famosas últimas palavras, as registrou em "A última audiência", trecho de suas memórias:

> Há um ano, precisamente 23 de agosto de 1954, comparecia eu ao Palácio do Catete, a fim de entregar ao Presidente Getúlio Vargas o relatório da missão Klein & Saks sobre o problema da alimentação no Brasil. A hora era trágica: o governo parecia prestes a naufragar, pobre barco com os mastros quebrados. A água a entrar pelos porões. Estranhei diante da convocação recebida, que me quisesse ver Getúlio Vargas, num momento tão decisivo de sua vida, quando restavam poucas esperanças, quase nenhuma, de que

"ULTIMA HORA" HAVIA ADIANTADO, ONTEM, O TRÁGICO PROPÓSITO

MATOU-SE VARGAS!

EXTRA

2 CRUZEIROS

Ultima Hora

O PRESIDENTE CUMPRIU A PALAVRA:

"SÓ MORTO SAIREI DO CATETE!"

A Mensagem Que Vargas Deixou Pouco Antes de Desfechar Contra o Peito o Tiro Fatal: "A SANHA DOS MEUS INIMIGOS DEIXO O LEGADO DE MINHA MORTE. LEVO O PEZAR DE NÃO TER PODIDO FAZER PELOS HUMILDES TUDO AQUILO QUE EU DESEJAVA."

ÀS 8,30 HS. DA MANHÃ DE HOJE O MAIOR LIDER POPULAR QUE O POVO BRASILEIRO JÁ CONHECEU ENCERROU DE MODO DRAMÁTICO SUA GRANDE VIDA

UM TIRO NO CORAÇÃO — O GENERAL CAIADO AINDA ENCONTROU COM VIDA O PRESIDENTE — DESOLAÇÃO NO CATETE

Neste nefasto Dia de São Bartolomeu, precisamente às 8,35 horas, praticou o suicídio o Presidente Getúlio Vargas, com um tiro de revólver no coração, quando se encontrava em seu quarto [illegible]

O General Caiado de Castro, Chefe do Gabinete Militar da Presidência da República, correu para os aposentos presidenciais, ao ouvir o disparo, e ainda encontrou o Presidente Vargas agonizante. Chamou às pressas a assistência pública, que dentro de cinco minutos já se encontrava no Palácio do Catete.

Mas o grande Presidente Getúlio Vargas já estava morto.

Não pode ser descrito o ambiente no Palácio Presidencial. Tudo é consternação. Membros da família do Presidente, serviçais, militares que guarnecem o Palácio choram a morte do imenso brasileiro.

O povo em massa acorre para o Palácio do Catete, estando repletas as ruas que dão acesso à casa em que se matou, vítima da ignomínia e das campanhas infamantes de adversários rasteiros, o maior estadista que o Brasil teve, neste século. Cenas de profunda dôr estão sendo assistidas na rua. Lê-se o pesar no rosto do povo. O povo brasileiro chora a perda do seu Presidente, por êle escolhido, por êle eleito e que — na crise gerada por seus inimigos — só saiu do Catete morto.

se mantivesse ele no poder. Pedi ao atual Senador Lourival Fontes, chefe da Casa Civil e meu velho amigo, que confirmasse, junto ao presidente a audiência. A resposta foi categórica: que eu não faltasse. Lembro-me de que encontrei o palácio quase vazio, nessa tarde triste e incerta de agosto. Medidas de defesa tinham sido tomadas, e o ambiente era de nervosismo contido. Além de um pequeno grupo de senhoras de uma associação de mães de família, apenas os auxiliares diretos de confiança do presidente e o pessoal do funcionalismo estavam a postos [...]. Quando chegou a minha ocasião de entrar para a audiência, pouco depois das 17 horas, e a porta se abriu, ao olhar o espaçoso salão não atinei imediatamente com Getúlio Vargas. Esperava-me ele de pé, num canto, de maneira que a própria porta o escondia. Ao saudá-lo, observei seu abatimento físico. Estava quase magro, a fisionomia cansada, mas serena. Nenhum sinal que indicasse sentir-se o presidente assustado ou nervoso.

Sem conseguir resumir o relatório referente à industrialização da pesca e o problema da alimentação, e extremamente perturbado, Schmidt interrompeu a leitura da papelada:

> Não posso ler isso, presidente. Como vai a situação?
>
> Getúlio Vargas esboçou um sorriso e afirmou-me que estava tranquilo.
>
> – Como, tranquilo! Exclamei.
>
> Então o homem que vivera a mais estranha, a mais extraordinária aventura política de todos os tempos no Brasil, que errara e acertara tantas vezes e que parecia identificado com a própria sorte do país, esse homem que era toda uma época de nossa história republicana, falou-me com uma intimidade triste:
>
> – Não me faço ilusões sobre esse momento. Conheço a gravidade de tudo, mas estou assim mesmo tranquilo. Não são os acontecimentos de fora que nos perturbam, mas o que está em nós mesmos. O difícil, o que provoca a indecisão é a necessidade de tomarmos um rumo, uma resolução. Mas quando enfim decidimos e sabemos para onde vamos e o que devemos fazer, isso nos tranquiliza. Eu sei o que devo fazer e para onde vou e é por isso que lhe digo que estou tranquilo. Vou numa direção só e para frente.

No dia 24, às 4h e 30 da manhã, sozinho no quarto, no Palácio do Catete, Vargas disparou contra o próprio peito. Sua filha, Alzira registrou: "Eu saí

Camisa de Getúlio Vargas com a marca da bala.

Exames periciais de Getúlio Vargas, 1954.
FUNDAÇÃO GETULIO VARGAS.

correndo feito uma doida e me joguei sobre o corpo dele. Ele ainda estava vivo e eu tive a impressão de que esboçava um sorriso." Vargas tomara a decisão que mudaria totalmente o rumo de sua trajetória na história do Brasil.

O fato é que, tanto como ditador quanto como presidente eleito, Vargas realizou reformas na economia e na sociedade que beneficiaram os mais pobres e os trabalhadores. Sua morte significou para essa parcela da população a ameaça a direitos sociais – como demonstra a historiadora Angela de Castro Gomes. Essa constatação, porém, não o tornou um exemplo de líder democrático nem o afastou das violências praticadas durante o Estado Novo. E tudo apesar de a propaganda oficial apresentá-lo como o "Pai dos Pobres", simples, ardiloso e matreiro, sempre disposto ao contato com o "seu povo". Era o "Gegê" das marchinhas de Carnaval e dos folhetos de cordel. O choque do desfecho trágico, a divulgação pelo rádio e a sentida reação popular à morte de Vargas suspenderam, por mais dez anos, o golpe militar em curso.

11. O APRENDIZADO DAS CIDADES

Antiga avenida Atlântica.

MALTA, Augusto. [*Praia de Copacabana vista do pátio do Copacabana Palace Hotel*]. Rio de Janeiro. [19--]. BIBLIOTECA NACIONAL [ICONOGRAFIA].

Durante mais de quinhentos anos, a legislação urbanística no Brasil baseou-se nos Códigos de Posturas de origem colonial. Somente a partir de 1920, surgiram códigos de obras e leis de zoneamento urbano, explica o arquiteto e urbanista Luiz de Pinedo Quinto Júnior. A lógica da reforma urbanística e sua relação com a legislação do início do século XX foram decorrentes da criação, pelo Estado, de leis específicas para cada projeto de reforma e saneamento das cidades portuárias. O mesmo valeu para a concessão para os serviços públicos de transporte, energia e saneamento. No século XIX, autorizações específicas para obras foram dadas a empresas privadas: Guinle e Gaffrée, por exemplo, obtiveram, por noventa anos, a concessão da Companhia Docas de Santos para administrar operações nos portos e cuidar de melhorias urbanísticas no seu entorno. Porém, as iniciativas reformadoras esbarraram na colcha de retalhos que eram as cidades: um emaranhado de ruas onde se misturavam casas de comércio e habitações luxuosas, cortiços ou casas de cômodos.

Enquanto nas capitais europeias, a agenda das autoridades se voltava para políticas públicas capazes de contemplar todos os moradores da cidade, entre nós, a divisão entre incluídos e excluídos iria se acentuar. Havia os proprietários e rentistas e os moradores de cortiço, de loteamentos clandestinos ou de favelas. Já era visível o que Lima Barreto distinguia entre "cidade europeia e indígena", e, mais tarde, o jornalista Zuenir Ventura chamaria de "Cidade Partida". Thiago de Mello descreveu as diferenças, com sensibilidade: "Adolescente, sentado sozinho no entardecer da beira do igarapé de Manaus, eu ficava cismando, olhando os catraieiros transportando para lá do lado dos Educandos os operários da serraria. Eu me perguntava por que é que havia tanta diferença na vida das pessoas. Por

ACIMA E AO LADO

Memórias do antigo morro do Castelo, um dos símbolos da fundação da cidade do Rio de Janeiro.

MALTA, Augusto. [*Morro do Castello*]. Rio de Janeiro, 1920.
BIBLIOTECA NACIONAL [ICONOGRAFIA].

ABAIXO

As fronteiras de Manaus.

Manáos: Trecho da Linha dos Bonds para Flores [*Manaus*]. Huebner & Amaral, [1909].
BIBLIOTECA NACIONAL [ICONOGRAFIA].

que havia gente tão rica, que morava em palacetes e tinha tudo, enquanto gente que trabalhava o dia inteiro vivia pobremente em casas cheias só de redes e de crianças?"

Ao longo das primeiras décadas do século XX, o êxodo rural, a industrialização e a ocupação de novos espaços por muitos ricos – como se deu em São Paulo, por exemplo, na avenida Paulista ou em Higienópolis – garantiram a tradicional divisão, pois as medidas urbanizadoras incluíram colocar abaixo as chamadas cabeças de porco, os cortiços, os solares decadentes e as estalagens. Os higienistas ansiavam por curar as cidades de suas patologias sanitárias, sociais e espaciais.

Mas, à medida que eles derrubavam sobrados velhos, nos grandes centros, os moradores subiam os morros e erguiam favelas. Uma que marcou época foi a do morro da Providência, cujas casinholas foram erguidas com paus e pedras remanescentes do famoso cortiço Cabeça de Porco, no Rio de Janeiro.

Um dado interessante é que o índice de urbanização no Brasil pouco se alterou do fim do período colonial até a virada para o século XX. Entre as décadas de 1890 e 1920, houve um crescimento de cerca de 3% apenas. Foi somente no período entre 1920 e 1940 que o Brasil triplicou sua taxa de urbanização, alcançando 31,24%. A implantação de indústrias, as mudanças na forma de vida e de consumo e a possibilidade de mobilidade social atraíam mais e mais pessoas para as cidades. Com isso, cresciam as camadas populares. Em 1901, 50 mil operários residiam no estado de São Paulo. Muitas indústrias, empresas e companhias ferroviárias seguiam o modelo inglês de criação de "cidades operárias" próximas ao trabalho. Eram habitações salubres e baratas. No Rio de Janeiro, moradores do subúrbio perfaziam 18% da população.

Como sublinha a arquiteta Ermínia Maricato, o Brasil se urbanizava de maneira e intensidade diferentes em cada cidade – o que é confirmado pelos memorialistas. Mas, *grosso modo*, as reformas urbanas ocorridas em diversas cidades brasileiras entre o fim do século XIX e o começo do século XX foram as precursoras de um urbanismo que pouco tinha de moderno: realizavam-se tímidas obras de saneamento básico para eliminação das epidemias, promovia-se o embelezamento paisagístico das áreas centrais e plantavam-se as bases de um mercado imobiliário. E empurrava-se

Populações de capitais, 1907.

Boletim Comemorativo da Exposição Nacional de 1908. Rio de Janeiro: Tip. da Estatística, 1908.

ARQUIVO NACIONAL.

a população carente para as margens, os morros e as franjas da cidade.

Coexistiam, então, dois objetivos: embelezar a cidade para atrair investimentos nacionais e estrangeiros e garantir uma qualidade de vida mínima ao operariado. As moradias dos trabalhadores passaram a ser alteradas conforme ideais de higiene e economia, e a elite passou a ter interesses em zelar pela saúde e bem-estar de trabalhadores. Afinal, as epidemias não viam distinção entre ruas pobres e avenidas ricas e as cruzavam, sem cerimônias. Junto à campanha de higienização de moradias ocorreu outra: a de moralização de seus habitantes. Era preciso lutar contra o alcoolismo, a violência doméstica, os concubinatos. A casa devia ser higienizada junto com a família!

Sim, pois, durante o Estado Novo, Vargas concedeu uma série de favores à Igreja, e um "pacto moral" selou novo acordo entre Estado e Igreja. Esta se tornaria uma grande aliada na consolidação de uma ética cristã baseada na valorização da família, do bom comportamento em grupo, do trabalho e da obediência ao Estado. A aliança se deu graças ao apoio de d. Sebastião Leme e às preocupações varguistas com as classes trabalhadoras. E o operoso bispo aproveitou para valorizar o sacramento do matrimônio entre a gente que vivia em ligações consensuais. O movimento do "Casa... Ou larga" incentivava as classes subalternas a contrair matrimônio "*in face ecclesiae*". Tinha até samba de Ataulfo Alves e Felisberto Martins reforçando o projeto:

O Estado Novo
Veio para nos orientar
No Brasil não falta nada
Mas precisa trabalhar
Tem café, petróleo e ouro
Ninguém pode duvidar
E quem for pai de quatro filhos
O presidente manda premiar
É negócio casar!

POPULAÇÃO — ANNO DE 1907
Rio de Janeiro
(Districto Federal)
811.443
S. Paulo
286.000
Porto Alegre
100.000
Curityba
57,000
Nictheroy
45,000
Florianopolis
35,000
Bello
Horisonte
17,000
CASTRO SILVA

COEFFICIENTES DE NUPCIALIDADE — ANNO DE 1907
Bello Horisonte
Florianopolis
Nictheroy
Curityba
Porto-Alegre
S. Paulo
Rio de Janeiro
(Districto Federal)
15,50
15,00
18,50
14,50
13,50
13,50
10,50

Avenida do Mangue, posteriormente integrada ao projeto da avenida Presidente Vargas, era lugar de passeios agradáveis e aprazíveis.

Cartão postal, Rio de Janeiro, s.d.

COLEÇÃO PARTICULAR.

Para a gente rica ou classe média, era mais fácil conviver com as vilas operárias do que com os cortiços. A única restrição feita pela legislação era de que elas não fossem construídas em locais nobres ou potencialmente nobres. As intenções segregacionistas que visavam mantê-las afastadas dos locais de interesse da burguesia ficam claras, por exemplo, no Código Sanitário do Estado de São Paulo, desde 1894. Apesar de as vilas serem consideradas na época modelos de "habitação higiênica", esse Código determinava que elas "seriam estabelecidas fora da aglomeração urbana". A Lei Municipal nº 413, de 1901, isentava de impostos as vilas operárias construídas "fora do perímetro central". A partir das décadas de 1940 e de 1950, em função dos grandes fluxos migratórios rumo às principais metrópoles brasileiras, as políticas públicas se voltaram para a remoção de favelas. O Rio de Janeiro deu o exemplo. Diga-se, o mau exemplo, pois não houve uma política urbanística inclusiva dos moradores expulsos. Assim, a parcela da população que recebia menos de cinco salários mínimos passou a residir em áreas de sub-habitação.

Do Norte ao Nordeste

Porém não era só nos grandes centros que transformações aconteciam, nem só no eixo Rio-São Paulo. De Norte a Sul, durante a República Velha e o Estado Novo, nas capitais e no interior, a vida ia se modificando, o que não escapou aos memorialistas. Comecemos por Leandro Tocantins, que descreve a sua Santa Maria de Belém do Grão Pará – nossa conhecida Belém –, vista de "aeroplano":

> Cidade que rescende a aromas do mato e a sortilégios de puçanga. Cidade onde o português e o índio deixaram a marca predominante de sua cultura. Cidade bem traçada, ruas amplas, caminhando por debaixo de mangueiras maternais, grandes praças, boa edificação, que dia a dia ganha novos ritmos e formas, igrejas magníficas, palácios, solares, casas antigas, trechos gostosamente lisboetas [...] mundanismo, vida comercial intensa, universidade, Academia de Letras, Biblioteca do Estado que guarda, em manuscrito, rica documentação histórica da Amazônia, imprensa modelar [...] rádio – emissoras, TV. Clima bom, embora quente. Ares renovados pelas brisas do oceano soprando os campos de Marajó e vindo satisfazer a cidade que os sorve com a boca molhada de verde.
>
> De aeroplano: surge a cidade, vista no espraiado de sua zona urbana. Ruas em bom ordenamento geométrico. Mangueiras frondosas bordam os renques das vias públicas. Extensas áreas vazias: é horta, é pomar de chácara? Manchas de verde: cultivo de hortaliças na baixada da avenida São Jerônimo, perto do Largo da Pólvora, que o paraense faz, na boa tradição lusitana. Restos de igapó ou de igarapé contido pelo desenvolvimento urbano, servindo ecologicamente à população. Capinzais extensos para as bandas da rua Conselheiro Furtado do Arsenal de Marinha, onde pastam vacas de leite. Árvores e vazios verdes. Vazios verdes e árvores.

Um filho ilustre de Belém, o escritor Osvaldo Orico, recorda o prazer que tinha, menino de 8 anos, morador do bairro do Reduto, em perambular nessas avenidas: "Constituía uma festa para meus olhos desembocar em São Jerônimo ou Nazaré que eram logradouros aristocráticos de Belém, povoados de palacetes e mansões. Estendendo a vista por aquelas artérias, tinha-se a sensação de haver entrado em um túnel vegetal, com as mangueiras cruzando as copas de lado a lado, numa explosão de seiva e num capricho de urbanismo [...]." A cidade sofreu uma transformação profunda. A administração do Intendente Antônio Lemos foi um divisor de águas que durou de 1898 e 1911. Conta-se que em 1904, ao visitar o prefeito Pereira Passos, no Rio de Janeiro, ouviu dele: "Eu começo a fazer na minha cidade o que Vossa Excelência já fez na sua."

Quando o Rio de Janeiro começava a tomar ares de progresso sob a concepção europeia em voga, Belém já havia se beneficiado com as reformas urbanísticas proclamadas por todos os seus visitantes de princípio de século, que não escondiam a surpresa, como aconteceu com Humberto de Campos: "O forasteiro não tem ideia, de longe, de tão complexo foco de cultura. Um cronista de época comparou Belém a uma pequena Paris. No bom gosto, no luxo, no movimento comercial, na intimidade com os vícios elegantes da civilização, na propensão à cultura, às belas-artes. Dizia-se: Belém é a única cidade brasileira que reúne os atrativos de uma cidade europeia."

De fato, durante a época do ciclo da borracha, até 1912, Belém passou por muitos avanços econômicos, graças à sua posição geográfica. A cidade abrigava o principal porto de escoamento da produção do látex da borracha. Tal sucesso incentivou também a adoção do ideário de renovação urbana. A cidade passou a funcionar socorrida por bondes, iluminou-se com gás e comunicou-se com o restante do Brasil graças à telegrafia e ao telefone. Ganhou mobiliário urbano, tubulações, blocos pré-fabricados, usinas e máquinas, tudo importado da Europa ou dos Estados Unidos. A autoritária administração municipal, em nome da lógica higienista, não poupou antigos logradouros, abateu velhos prédios, esmagou velhas pedras, demoliu velhas paredes. Canalizou a água da chuva que entupia bueiros ou enchia as ruas, construiu diques para o escoamento, alimentou aterros para ampliar as estruturas portuárias, eliminou praias à beira-rio. Implantou, enfim, a infraestrutura desejada nas grandes cidades do Sudeste. Ali também o importante era distanciar-se dos miasmas que traziam doenças.

Para além da paisagem de jardim ou de pomar, o já citado Osvaldo Orico enxergava o dia a dia dos que ficaram de fora da cidade "afrancesada", os pobres de Belém:

> Vê-se de longe aquela algazarra cabocla que faz do Ver-o-Peso uma feira de curicas tontas [...]. Um arraial de canoas, coloridas por velas de todas as cores, empresta a Belém do Pará uma fisionomia especial: a da pobreza alegre. Há um pedaço do Brasil em que tostões, até vinténs possuíam uma utilidade. Comprava-se com eles alguma coisa. Com esse dinheiro ainda se levava para casa um pouco de farinha, uma penca de bananas, uma coisa qualquer que chegava no interior, no bojo daquelas canoas benfazejas, ancoradas na doca. Acocorado no toldo, o caboclo entregava por qualquer preço a mercadoria que lhe enchia o fundo do barco. Comprava uma camisa de riscado, passava o resto do dia "assuntando" e velejava à noite para as ilhas e furos, de onde trazia o açaí e a bacaba para consolar o estomago do pobre.

O cenário obrigatório para a gente miúda, sem qualificação, era o mercado e o porto. Em 1900 o Mercado Municipal, construído em alvenaria de tijolos, não estava mais suportando o crescimento elevado de mercadores e mercadorias. Tantos comerciantes e clientes ali circulavam, que foi necessária uma solução, também nascida das preocupações sanitárias da época. Razão pela qual foi inaugurado, em 1901, outro edifício voltado para a comercialização de mercadorias, principalmente do peixe: o Mercado de Peixe ou Mercado de Ferro, construído bem próximo ao Mercado Municipal de Carne e moldado em ferro fundido, com quatro torres, uma em cada canto. Com as relações econômicas muito boas da Amazônia com outros países da Europa e a utilização da borracha como matéria-prima para as indústrias, todos os produtos para exportação ou consumo diário passavam por esses espaços. O "estômago dos pobres" encontrava nas sobras do mercado o seu pão cotidiano.

Nas décadas de 1920 e 1930, em Alagoas, por exemplo, abriram-se estradas de rodagem em direção ao norte e ao centro, e posteriormente o trecho de Atalaia a Palmeira dos Índios. O sertão se aproximava da cidade e enterrava o banditismo de figuras como Lampião, cujo grupo foi extinto em 1938. Intensificavam-se as pesquisas sobre o ouro negro: o petróleo, que se tornaria o grande personagem do Estado Novo. Os primeiros edifícios de três ou quatro andares apontavam o progresso que, nos anos da Segunda Guerra, fariam de Maceió um lugar estratégico.

Lampião, o rei do cangaço.

[Lampião]. [S.l.: s.n.]. BIBLIOTECA NACIONAL [ICONOGRAFIA].

Em suas memórias, Carlito Maia recorda a Maceió de calçadas paralelas, jardins gramados em desenhos de arabesco, postes de ferro trabalhado na Fundição Alagoana: "Nos anos 1940 e 1950, a elite intelectual e econômica descobriu a beleza da avenida da Paz, que passou a ser moradia de comerciantes, industriais, intelectuais, políticos, ladrões e barões, que davam um tom eclético aos moradores [...]. Durante a Segunda Guerra, o 3º RAM quartel do Exército foi instalado no início da avenida. Soldados faziam exercícios na praia, inclusive pulando de farda do coreto. Um espetáculo, a alegria da meninada."

E Recife se debateu entre vários projetos urbanísticos. Não faltaram especialistas como Saturnino de Brito, Domingos Ferreira, Nestor de Figueiredo, Ulhoa Cintra, entre outros, que apresentaram pareceres e planos urbanísticos para solucionar problemas da cidade. Muitos deles continham propostas de zoneamento, propunham a reforma ou ampliação do sistema viário, priorizavam demandas referentes a tráfego de veículos, salubridade e monumentalidade. Em seu estudo, a arquiteta Virgínia Pontual demonstra como a cidade, originalmente tentacular e dividida por mangues, vai multiplicando aterros para tornar-se uma grande mancha de crescimento desordenado, que representava, com seus infindos e tristes mocambos, a imagem da pobreza nordestina. Em 1913, por exemplo, 43,35% do total de habitações eram mocambos, brotados nos arrabaldes de Recife.

Natal, uma bela adormecida entre 1900 e 1919, ganhou hospitais, reformou espaços públicos em seu centro e foi provida de novas áreas de ocupação na periferia. Seu terceiro bairro, Cidade Nova, criado em 1901, foi a primeira proposta de intervenção sistematizada no espaço urbano e marca os primórdios da segregação e da elitização espacial. A Cidade Nova era a negação da cidade colonial consolidada nos bairros Cidade Alta e Ribeira. Entre as modificações físicas aí se contaram as obras de aterro, o nivelamento dos espaços centrais e a construção de novos logradouros públicos em locais com boas condições de salubridade, como as praças e parques. Os médicos continuaram sendo os principais idealizadores das propostas de saneamento para a cidade.

Com o interesse da elite local em modernizar Natal, contrataram-se profissionais especializados e surgiram vários estudos. Os do arquiteto grego Giacomo Palumbo, por exemplo, eram revolucionários: arborização de bairros, abertura de largas avenidas, criação de uma cidade planejada para o futuro, com bairros divididos por suas funções administrativas, comerciais e industriais.

Também Fortaleza, como outras grandes cidades, ganhou expressão urbana pelo crescimento vertiginoso e desordenado. Nos anos 1930, a industrialização absorveu a mão de obra de migrantes, expulsos do sertão pelas secas e pela precariedade da economia rural. Pipocavam favelas. Ocupou-se o litoral. A elite entrincheirou-se na Zona Leste da cidade, que ganhou vida intensa. Mas Fortaleza teve a peculiaridade, segundo o historiador do urbanismo José Almir Farias, de nunca ter sido um centro gerador de estudos e de novas práticas do urbanismo, se notabilizando mais pela ausência de concepção de utopias, experimentações ou inovações e, sobretudo, pela importação quase sempre oblíqua, tardia e desinformada de modelos propostos em centros urbanos mais influentes do país e do exterior.

Já Teresina só receberia reformas nos anos de 1950, graças ao aumento de sua população. Pois só a partir desta década, todo o país sofreria um acelerado processo de urbanização. Foi a partir desse momento que ações do Poder Público direcionado para o desenvolvimento e planejamento urbano patrocinaram obras de infraestrutura básica, como estradas, água, esgoto, energia e habitações populares, não terminadas até o século XXI.

Salvador, por sua vez, tem vários registros deixados por memorialistas. A começar pelo soteropolitano Pedro Calmon que enxergava a cidade histórica, embalada por seu próprio passado:

Antigo porto do Rio de Janeiro.

RIBEIRO, Emygdio. [1910].

ARQUIVO PÚBLICO DO ESTADO DO RIO DE JANEIRO.

A paisagem que primeiro se me gravou no sentimento, o ambiente em que respirei a infância, o meu meio, feito de crianças como eu, ou melhor, o bairro, limite do meu reino pequenino, quando somos todos reis de um universo utópico, foi a cidade de Salvador da Bahia de Todos os Santos (e de todas as crenças), metrópole do resto. Entendamo-nos. Do resto que aos 6 ou 7 anos idealizamos debaixo da ramagem do tamarindeiro, em círculo, cada um a contar o que lhe tinham dito da outra parte do globo – e seu envoltório confuso. Na verdade, a história cercava-nos, como a névoa na montanha, o caminho silencioso. É mais do que uma sugestão, traçada pelos prédios remotos e pelas pedras da calçada; é a atmosfera em que se associam a arquitetura, os costumes, a simplicidade, a indiferença. Diziam-nos que fora a capital do Brasil. Que igrejas, conventos, telhados negros, aquela grandeza estática, tudo o que o passado deixara, cruzes, zimbórios, magnitude, dimensões, era da época em que os portos se abriram, coisa do século findo.

Depois de 50 horas de viagem, desde o Rio, e de comparar Salvador a Bruges, na Bélgica ou a Florença, na Itália, o ensaísta Agripino Grieco, enfatizou a visão da cidade encantada, repositório de tempos passados e de seus tipos humanos:

Persiste o delicioso espírito de bairro criminosamente desaparecido do Rio. Cachos de crianças pendem dos chafarizes. Velhotas palram nas portas, redigindo o jornal falado do boato, de tamanha circulação na província [...] ainda há quem faça a digestão respirando a doçura da noite, de olhos nos astros e mãos no ventre, estendido numa espreguiçadeira em plena rua. Ruazinhas tortas brincam com os passantes [...]. Junto ao fogão, as mulheres, muito asseadas sempre, fazem comidas asseadíssimas que os restaurantes civilizados imbecilmente repelem, fazem pratos de verdadeiras alquimistas da culinária, regalo da gente gulosa de bons carurus... No mercado vendem-se bilhas de forma bíblica para raparigas que vão as fontes como nos tempos de Raquel e Rute; rendas... colares de contas... Nas ruas estreitas há namoros à antiga [...] brasões encimando portas rendilhadas lembram que aí habitou um magnata, um visconde, um grandalhão do Fisco, um senhor que fazia tremer o bairro. Fortes, solares, igrejas. Cidade de guerra, de hierarquia, do Cristo. Cidade de Salvador... delicio-me... em

Vista de Copacabana, no Rio de Janeiro, antes da urbanização.

Copacabana, 1908.

ARQUIVO NACIONAL.

certas casas persistem papagaios e saguis diante de um vagabundo de rua, só porque sabe o "O navio negreiro" e as "Vozes d'África" e os declama com a sonoridade de um sino badalando [...]. Não esquecerei nunca um pedinte de porta de convento que, em troca de um níquel de cem réis, me fez ouvir uma longa série de epigramas e anedotas.

A Grieco não interessaram as obras do porto ou a remodelação e ampliação do centro de negócios na Cidade Baixa e as recém-construídas avenidas Sete de Setembro e Oceânica, com seu renque de palacetes cercados por jardins e grades. Uma "pequena Europa" fora instalada no Largo da Graça com chalés ao estilo suíço, "fingindo aguardar nevascas, sob o sol escaldante de Salvador" – como disse o historiador Paulo César Garcez Marins. Grieco registrou com nostalgia o que sobrara das inúmeras demolições para a passagem dos bondes – a derrubada da quinhentista Sé Primacial do Brasil, em 1933, foi sem dúvida a mais cruel. Ou o desmonte de dez igrejas, entre as quais, a de São Pedro, que deu lugar a um dos símbolos do progresso capitalista, o relógio inglês, que passou a ter a designação de Santo. Ele marcaria a hora do trabalho, mas também do lazer, dos encontros partidários, dos estudantes de direito e da Politécnica, seus vizinhos. Ele talvez soubesse que se usou muito o recurso do incêndio espontâneo ou casual para justificar a demolição dos velhos edifícios, como foi o caso do Teatro São João, já um cinematógrafo, que ardeu na noite de 6 de junho de 1923. Enquanto os ricos se mudavam para o bairro de Vitória, os que não podiam pagar aluguéis nos sobrados insalubres do centro se instalavam na periferia: Santo Antônio, Carmo e Brotas passaram a acolher habitações precárias.

12. BABEL E BABÉIS

Quanta diferença da antiga capital na época colonial para aquela da Velha República! Mas sem ilusões em relação à Cidade Maravilhosa. Carolina Nabuco, que registrou o Bota-abaixo, tinha opinião bem ponderada sobre a capital. Ali, tudo era mais fachada do que conteúdo:

> O Rio de então era uma cidade provinciana, onde toda a gente se conhecia. Tinha a beleza das novas avenidas e o quadro incomparável de águas e montanhas, mas nenhum movimento nas ruas. À noite a cidade era fracamente iluminada. Não havia turistas nem hotéis próprios para recebê-los. Apenas o velho Hotel dos Estrangeiros, instalado num antigo solar do Império, na praça José de Alencar, oferecia serviços em condições aceitáveis. Ninguém morava em apartamento. Todas as casas tinham jardim e quintal. Minhas relações residiam em Laranjeiras ou no Flamengo. Duas igrejas paroquiais, na rua Voluntários da Pátria e na de São João Batista, bastavam para atender aos casamentos e batizados dos moradores dessas regiões. Copacabana era um arraial com as ruas apenas traçadas e poucas casas construídas. Viam-se sempre as mesmas pessoas nas igrejas, nas lojas, nos cinemas e no centro comercial. Este fora recentemente arejado pela abertura da avenida Central, hoje, Rio Branco, com a qual o prefeito Pereira Passos abolira um labirinto de velhas ruas estreitas. Nos passeios à tarde, as mulheres faziam as compras nas ruas do Ouvidor e Gonçalves Dias, onde se concentravam as lojas elegantes. Depois, entravam nas casas de chá, a Cavé, a Lallet, o Alvear que começavam a tirar clientes da velha Colombo.

Pedro Calmon visitou o Castelo, antes de ele ser demolido e suas pedras servirem como aterro para parte do novo bairro da Urca, da Lagoa Rodrigo de Freitas, para o Jardim Botânico e outras áreas baixas ao redor da baía da Guanabara. O ponto de fundação da cidade no século XVI foi arrasado, em 1922, pelo prefeito Carlos Sampaio com a desculpa de ser um espaço proletário, repleto de velhos casarões e cortiços, necessário para a montagem da Exposição Internacional do Centenário da Independência do Brasil. A ladeira da Misericórdia – que levava moradores, lata d'água na cabeça, para cima e para baixo – exibia ainda galinheiros, chiqueiros e abrigos para outros animais domésticos. A demolição foi o retrato da contínua luta pela cidade "higienizada". "Higienizada" de ares e de pobres. O historiador ignorou a lenda do tesouro enterrado pelos padres jesuítas ao pé do morro e concentrou-se na realidade: a luta do velho contra o novo, na qual se debateriam essa e outras aglomerações. "Fui dos últimos a visitarem o morro do Castelo. Era um subúrbio triste em cima do centro urbano; rua de velhas casas, muros de fortaleza, duas igrejas quinhentistas no topo, tudo pobre e esquecido no monte em que a cidade nascera e agora se ia arrasar, com a rapidez possível, para aterrar com o entulho a praia da Exposição (do Centenário). Dois brasis ali se defrontavam, o condenado e morto, o recém-chegado e estético."

E quase vinte anos depois, o diplomata e escritor Ribeiro Couto descrevia o destino das velhas pedras do Castelo: "Anoiteceu. As luzes, felizmente, são as mesmas, os mesmos são os reflexos das lâmpadas na água imóvel da enseada. De um lado, é a Urca com seu bairro gracioso e claro, o incêndio constante do cassino espetacular. Do outro, é o morro da Viúva, onde a picareta municipal ganhou espaço na pedra virgem. Ao menos nesse extremo da praia não houve decadência ou morte; é tudo novo, desde o chão até os proprietários e inquilinos."

A capital verticalizou-se: "À avenida Central está sendo levantado um edifício de 16 andares, um dos mais altos da cidade, neste momento. Lá no alto, sobre os suportes de cimento armado, que vão constituir o sistema ósseo do grande prédio, cruzam-se as vigas de ferro, estendem-se os andaimes, movimentam-se os elevadores. E sobre tudo isso, agitam-se, subindo, descendo, andando, martelando, dezenas de homens descalços, esfarrapados ou sujos de detritos da obra, que vai, dia a dia, se levantando para o céu. São os operários – os pedreiros, os carpinteiros, os ferreiros – a legião obscura de formigas humanas, construtoras infatigáveis das grandes cidades. São eles que lá encima arriscam a vida, zombam dos castigos do céu, diante do mais miserável dos salários."

O Rio inchava, escalava morros, mudava de cara. A cidade recebeu fábricas, graças aos capitais que sobraram da decadência do Vale do Paraíba. Não se investia mais em café, mas em negócios do comércio exterior. O mercado de consumo tinha proporções razoáveis e, se faltavam trabalhadores especializados, não faltavam operários de baixa qualificação. Favelas se multiplicavam no Centro e na Zona Sul: 1907, morro da Babilônia e Salgueiro; 1909, Mangueira e Tijuca; 1912, Andaraí, Copacabana e São Carlos, no bairro do Estácio. Em 1912, favelados moravam no morro do Pasmado, e nos subúrbios ao norte da cidade.

Enquanto isso, São Paulo crescia, buscava as alturas: arranha-céus e chaminés quebravam a monotonia do planalto. Os rios Pinheiros e Tietê disputavam com as piscinas dos clubes, as regatas e os dejetos das fábricas. No final do século XIX, São Paulo tinha apenas 60 mil habitantes. Em 1930, São Paulo ostentava 1 milhão e 300 mil habitantes. Como foi possível, em pouco mais de trinta anos, uma cidade dar um salto de crescimento habitacional e econômico dessa monta, sem paralelo na história? Difícil não mencionar o significativo impulso da economia cafeeira e, consequentemente, das receitas tanto estaduais quanto municipais provenientes do imposto sobre exportações.

São Paulo era também o grande centro distribuidor de produtos importados, o elo entre a produção cafeeira e o porto de Santos. Ali se encontravam as sedes dos maiores bancos e os principais empregos burocráticos, como sublinhou Boris Fausto. Ademais, aos imigrantes espontâneos ou aos que deixavam a atividade agrícola, a cidade oferecia um campo aberto de trabalho: do artesanato ao comércio de rua, de fabriquetas de fundo de quintal aos construtores autodenominados "mestres italianos", às profissões liberais. A opção mais precária era empregar-se nas fábricas nascentes ou no serviço doméstico.

Os anos 1920 foram também marcados pelo grande desenvolvimento industrial, inclusive com a implantação de uma indústria de base no país, do qual se beneficiou todo o estado. Na Pauliceia, em 1930, dois dos grandes traços da urbanização brasileira já estavam delineados: modelo de organização urbana envolvendo grande desenvolvimento extensivo e a verticalização, naquele momento ainda em pequena escala e concentrada na área central da cidade.

Membros da burguesia do café – é ainda Fausto quem explica – tornaram-se investidores numa série de atividades. Já os imigrantes que saíram das plantações para trabalhar na cidade se tornaram os consumidores de produtos manufaturados. E as estradas de ferro, existentes para escoar o ouro verde, passaram a levar para o interior os produtos industrializados.

Dois olhares descrevem a cidade. O da "menina pobre", filha de trabalhador e imigrante e o da "menina rica", filha de família de políticos do Segundo Império e de presidentes de província. A primeira, Zélia Gattai, se lembra de uma cidade semirrural. Por trás das belas fachadas da avenida Paulista, refúgio dos que queriam escapar da promiscuidade das ruas centrais, a vida bucólica, a intimidade com animais domésticos, as tradições vindas com a imigração. Moradora da alameda Santos, são dela essas informações sobre a Pauliceia dos anos 1930: "Todos os dias Tito (irmão) ia levá-lo (o cabrito) ao pasto. Na avenida Rebouças, sem calçamento, nem guia, apenas um lamaçal, sobravam terrenos baldios, com fartura de capim para o apetite de Bito. Tito o amarrava com uma cordinha em qualquer arbusto, num campo atrás do Hospital de Isolamento, enquanto jogava futebol com outros meninos. Ali o animal se empanturrava, devorando toda a sorte de ervas."

Já Laura Rodrigo Octávio ouve o bater do coração na cidade, no centro precocemente cosmopolita e moderno. Um centro urbano em que a presença de produtos finos revela também a presença de imigrantes e da sua contribuição profissional ao crescimento da cidade. As populações indígenas e negras tinham perdido sua superioridade numérica para aqueles recém-chegados, fossem imigrantes ou migrantes do meio século, como explica a socióloga Maria Arminda Arruda. No período áureo da imigração, entre 1882 e 1930, 2.223.000 pessoas chegaram a São Paulo, correspondendo a aproximadamente 18% da população total do estado. Os italianos eram a grande maioria desse contingente, aproximadamente 1 milhão, cerca de 50% do total; na torrente dos povos peninsulares, portugueses e espanhóis representavam cada um deles, 18%, o que equivale dizer que mais de 80% dos imigrantes procediam da Europa latina, seguidos em menor escala por japoneses, sírios, libaneses, poloneses, judeus, armênios e alemães.

Pode-se imaginar a babel cultural resultante desse impacto étnico e linguístico, pois, ao mesmo tempo que se sobrepunham e se miscigenavam,

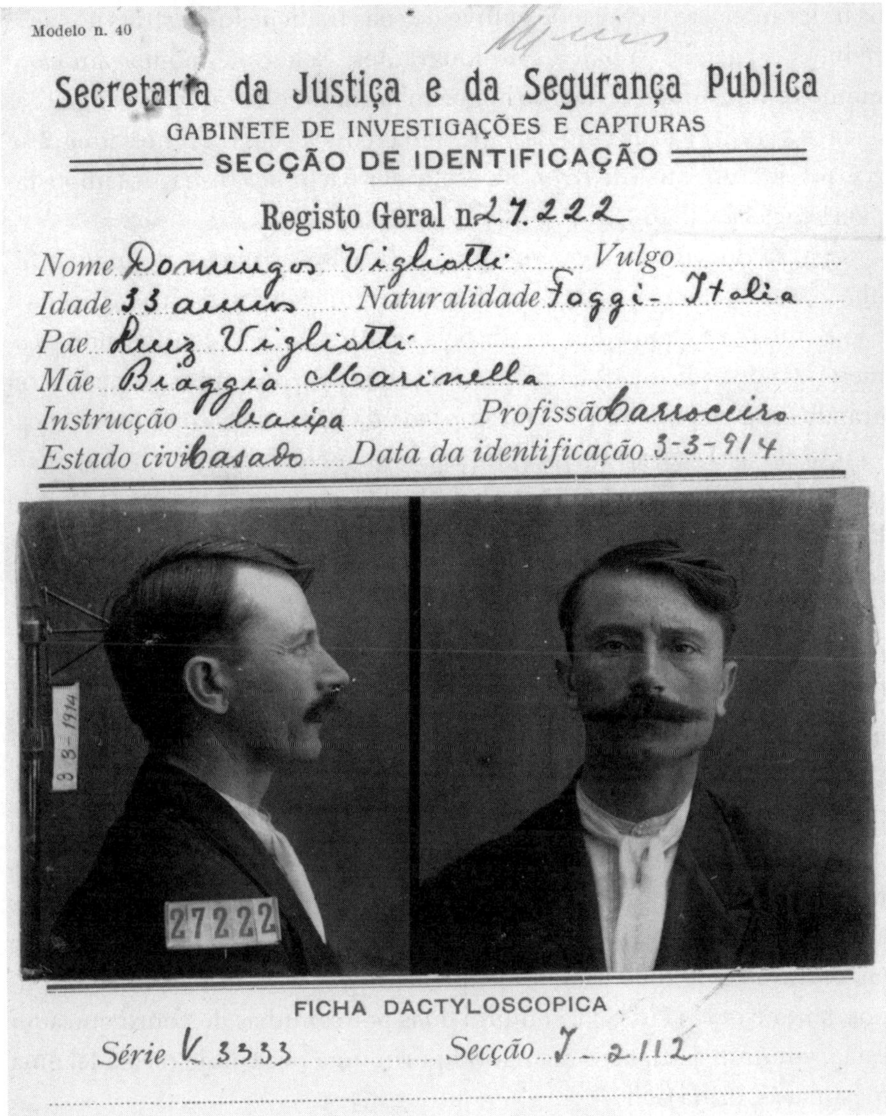

Modelo n. 40

Secretaria da Justiça e da Segurança Publica

GABINETE DE INVESTIGAÇÕES E CAPTURAS

SECÇÃO DE IDENTIFICAÇÃO

Registo Geral n. 27.222

Nome Domingos Vigliatti Vulgo

Idade 33 annos Naturalidade Foggi - Italia

Pae Luiz Vigliatti

Mãe Biaggia Marinella

Instrucção bacipa Profissão Carroceiro

Estado civil casado Data da identificação 3-3-914

FICHA DACTYLOSCOPICA

Série V 3333 Secção I - 2112

Italianos, os novos trabalhadores.

Domingos Vigliatti, 1914. Chefia de Polícia, Minas Gerais.

ARQUIVO PÚBLICO MINEIRO.

os imigrantes preservavam o cultivo de suas tradições ancestrais nos seus redutos espaciais: os bairros de imigrantes. Neles, não poupavam casamentos endogâmicos, o uso da língua materna, a celebração da religião, as festas e a confecção de comidas, apesar da redução das correntes imigratórias nos fins dos anos de 1930, em especial a partir das restrições impostas pela legislação de 1934.

Laura Rodrigo Octávio nos toma pela mão e, começando uma caminhada nos "4 cantos" – como se chamava a intersecção das ruas Direita e São Bento –, nos convida a seguir pela rua Direita. Vai identificando e caracterizando cada um dos edifícios, cada igreja, cada lojinha comercial ou grande estabelecimento: "No mesmo lado da igreja de Santo Antônio ficava o Hotel de França, cujo proprietário, de início, foi um senhor alemão, Lebeis [...]. Mais adiante, do outro lado, havia uma casa de modas, O Mundo Elegante e a Casa Alemã. Esta de início seria pequena, mas sempre oferecendo boas mercadorias. Era a casa mais procurada pela freguesia paulistana. Quando menina, me lembro de mamãe telefonar pedindo amostras deste ou daquele tecido, e lá vinha o caixeiro atendendo o chamado. O sr. Schädlich, amabilíssimo, com seu físico de meia estatura, redondinho, cara risonha."

Laura conta que quando veio a guerra, em 1914, foi uma desolação, pois todos se afastaram da Casa Alemã. Mas quando tudo acabou, voltaram "suas freguesas a encontrar ali o que havia de bom, e esqueceram a guerra. Em determinado momento refizeram as instalações em prédio de vários andares, elevadores, saída para a rua da Quitanda. Depois de ampliada, encontrava-se de tudo. Era um pequeno *magazin*, com móveis muito finos, tanto é que, já casada, comprei duas poltroninhas de couro que aqui estão, em minha saleta. E mamãe adquiriu uma peça, hoje raridade: uma mesinha assinada Gallé."

Durante o *tour* que nos propõe, Laura vai passando pelas ruas, mas também por costumes: "E lá ia eu, fazer *stock* de fitas de seda para os laços de cabelo de Stella (que luxo, meu Deus!) e rendinhas valencianas para enfeitar a roupa branca. Fizeram também um salão de chá muito concorrido e elegante, e as compras terminavam sempre nessa reunião."

Laura parece fotografar o que, na caminhada, ia aparecendo à direita e à esquerda: a Casa Kosmos, "só para homens, tudo finíssimo e bem sortido"; a Casa Espíndola, "especialista em coisas de escritório, papelaria, encadernador"; a Drogaria Baruel, "enorme, bem instalada, quase na Praça da Sé", tendo em frente o fotógrafo Wolsack. Na rua Quinze, os Calçados Rocha,"onde, creio, também se calçava toda a sociedade classe média". Registra a "Garraux, livraria magnífica, escola onde se fez José Olympio". A Salgado Zenha, "talvez filial da do Rio", vendia importados: "Sim, o nosso comércio tinha de ter esse cunho: produzíamos tão pouco!" Diz Laura, consciente do atraso em que vivia.

O que Laura, a menina rica, vê é bem diferente do cenário que nos mostrou Zélia:

> Depois, por ali abriram a Casa Michel, de joias. Mais adiante a Paul Levy com joias e objetos finíssimos. Tudo o que vendia era de requintado gosto: apareceram ali os primeiros Gallé. Em frente à Netter, também com joias e pouco mais adiante a Bento Loeb, no gênero da Paul Levy, mas sem a sobriedade desta. Tudo era mais vistoso. A Casa Mappin & Webb, filial da casa inglesa, apareceu também mais tarde na 15 de Novembro, mas do lado oposto àquelas joalherias. Tinha joias, artigos finíssimos em louças, cristais, pratarias. Depois abriram o Mappin Stores, tipo *magazin*, oferecendo também *stock* fino e um salão de chá frequentadíssimo. No final da 15 de novembro, o Depósito Normal, loja de comestíveis onde tudo era de primeira... Perto, era o Norder, bombonière alemã, com deliciosas balas que olhávamos com gulodice e que papai não deixava comprar, porque eram feitas com suco artificial.

A tardia urbanização paulistana facilitou o controle dos bairros residenciais elegantes que excluíam a presença de habitações populares. O zoneamento da cidade demarcou espaços privados e públicos, e a ausência de morros e vales facilitou a distribuição da população. Os setores mais abastados e médios agregaram-se em novos bairros, evitando a proximidade com favelas, como ocorreu em outras capitais. O centro, sob a batuta do conselheiro Antônio da Silva Prado, ganhou edifícios oficiais e monumentais e demoliu as construções "coloniais". Uma empresa imobiliária de capital francês e inglês – a Companhia City – deu início ao loteamento dos Jardins: o América foi o primeiro, com suas ruas arborizadas, casas

Os trabalhadores dos escritórios.

Fábrica Irmãos Reichert, s.d.
ARQUIVO PÚBLICO DO ESTADO DE SÃO PAULO.

situadas em meio a jardins e praças pequenas que não convidavam ninguém a ficar sentado.

Novas incorporações vieram. E, a partir dos anos 1930, a verticalização imperou. Primeiro os edifícios foram oferecidos aos segmentos abastados e recebiam o nome pomposo de "palacete". À medida que os bairros eram abandonados pela elite que mudava para os "Jardins", multiplicavam-se os apartamentos. Mas, desde 1937, a legislação exigia – o que não foi feito no Rio de Janeiro – que os prédios guardassem recuos laterais e frontais – como bem lembrou Paulo César Garcez Marins. Isso assegurou ventilação, insolação e aspecto bem mais estético aos bairros verticalizados de São Paulo.

A gente pobre e trabalhadora abrigava-se em casas de cômodos, alinhadas às calçadas, com janelas que se abriam para as ruas – no Brás, Mooca, Cambuci, Bom Retiro, Barra Funda, Pari, Bexiga – e ao longo das vias férreas. As condições sanitárias eram precárias. Trens e bondes serviam também à população que habitava vilas operárias.

Enquanto isso, em Minas Gerais, Belo Horizonte saía do chão. Uma das primeiras cidades brasileiras planejadas distava 100 quilômetros da antiga capital, Ouro Preto. BH nasceu da prancheta do engenheiro Aarão Leal de Carvalho Reis, e foi inaugurada, oficialmente, em 12 de dezembro de 1897. A malha perpendicular de ruas, cortadas por largas avenidas e abraçada por um cinturão – ou bulevar – circular, a avenida do Contorno, abrigava então 10 mil moradores. A preocupação com condições de higiene e circulação tinha inspiração de Paris e Washington. Seu perímetro dividia-se em área urbana central, suburbana e rural, e as linhas de trem comunicavam a capital com o interior e o Rio de Janeiro. Seu clima atraía doentes do pulmão e tuberculosos de todo o país. Até os anos 1930, todavia, além de hotéis e hospitais, sua função era simplesmente administrativa.

"Quantas vezes tomávamos esse itinerário. Bahia, Álvares Cabral e depois Espírito Santo. Para os lados do Calafate cada transversal nos oferecia o espetáculo de outro horizonte. Aimorés, Bernardo Guimarães. Santa Rita Durão eram verdadeiras bocas de fornalha. Como se o centro da Terra estivesse descoberto e todos os metais e todas as rochas estivessem em fusão derramando-se em ondas, oceano ruivo, maré montante dos limites mais distantes. Seguíamos, olhos cegos parando em cada esquina nos inundando de luz. Subíamos Santa Rita Durão e parávamos no canto, para mim ominoso, da Diretoria de Higiene toda fechada àquela hora. Dali olhávamos o farol do Posto Veterinário e os espetáculos que se desenrolavam no horizonte belo" – são palavras de Pedro Nava.

Só a partir do avanço da industrialização mineira, entre os anos 1930 e 1940, e a criação do Conjunto Arquitetônico da Pampulha, inaugurado em 1943, por encomenda do então prefeito Juscelino Kubitschek, Belo Horizonte irá se expandir, mostrando-se incapaz de regrar, como outras capitais, a expansão de moradias em sua periferia. O conjunto da Pampulha reuniu os maiores nomes do modernismo brasileiro, com projetos de Oscar Niemeyer, pinturas de Portinari, esculturas de Alfredo Ceschiatti e jardins de Roberto Burle Marx. Ao mesmo tempo, o arquiteto Sylvio de Vasconcellos também criou muitas construções de inspiração modernista, notadamente as casas do bairro Cidade Jardim, que ajudaram a definir a fisionomia da cidade.

13. CAIPIRAS, CAIPORAS E JECAS-TATUS

Se as capitais fervilhavam, como se vivia no interior, o que era ser considerado "provinciano"? Segundo o dicionário Aurélio, provincianismo é um modo de ser, hábito próprio de uma província – lugar afastado da capital – com sua maneira de se expressar, sotaque, acentuação etc. Por extensão, provincianismo significa também atraso.

"Claro: eu sou da província. Nela nasci, nela vivo. É, ao mesmo tempo, delicioso e cruel viver na província. Não conheço o mundo, nem sequer o Brasil", comenta Dyonélio Machado. A ideia de inércia associada ao interior ganhou reforço nas teses de intelectuais como Monteiro Lobato, que, discutindo as raças que compunham nossa nacionalidade, assim descrevia a gente interiorana: "Feia e sorna, nada a põe de pé." E o Jeca-Tatu, personagem que criou para representá-la, vivia "a vegetar de cócoras, incapaz de evolução, impenetrável ao progresso".

A criançada lia as estórias do Jeca-Tatuzinho, no almanaque distribuído pelo Biotônico Fontoura que resumia assim a vida do homem do campo: "Jeca-Tatu era um pobre caboclo que morava no mato, numa casinha de sapé. Vivia na maior pobreza em companhia da mulher, muito magra e feia e de vários filhinhos, pálidos e tristes." Ser caipira ou "acaipirado" era expressão detrativa. Laura Rodrigo Octávio comenta que conheceu Mário de Andrade, feioso e acaipirado, e nunca imaginaria que ele pudesse se tornar um grande nome de nossa literatura: "Naquele tempo o chamávamos 'o macacão' e não queríamos saber dele."

De fato, a vida na roça se distanciara muito das oportunidades e facilidades que a cidade oferecia, guardando formas de trabalho cruéis e penosas. O campo, e nele as formas de viver ou sobreviver, não se modernizava. O atraso foi para muitos a razão para migrar e conhecer "a cidade grande". Pensemos com Rubem Alves:

"Roça" é um lugar que a esperança abandonou. Havia os que "iam" à roça. Eram os fazendeiros proprietários que moravam na cidade e lá apareciam para ver o seu gado. Para esses havia esperança. Havia também os raros amigos que visitavam aos domingos. Para eles "roça" era piquenique. Mas havia os que "pertenciam" à roça, que estavam plantados nela, companheiros do gado, das matas, dos pastos. Para esses não havia esperança. Quem era da roça morria nela. "Roça" era limbo de onde não se podia sair [...]. Para sobreviver era preciso lutar com a natureza. A natureza é bonita quando a gente a contempla de longe. De longe é um cenário bom de se fotografar. Ou quando ela foi domesticada e transformada em parque ou jardim. Mas a natureza em si, do jeito como nasceu, bruta, a gente dentro dela, é fera que mata sem piedade [...]. A mata era inimiga. Era preciso matá-la como se mata cobra. Ou nós ou ela... Para se construir uma casa e viver em paz era preciso acabar com a mata. Bom não era o verde. Bom era o terreiro bem limpo, apisoado, varridinho, sem nem capim crescendo nele, garantia de que as aranhas, os escorpiões e as cobras ficariam longe. Era no terreiro que as crianças brincavam

> sem perigo. Quando o Jeca-Tatuzinho se curou dos vermes e do amarelão e ganhou saúde, pegou no machado e pôs-se a cortar árvores [...]. Lembro-me do meu pai trabalhando com a foice, corpo coberto de suor. Era preciso roçar os pastos para o gado ter o que comer.

Próximas às roças, as cidades do interior viviam em outro tempo. Não o da indústria, do comércio, das comunicações, mas, um tempo parado no espaço. Das conversas nas farmácias ou nas praças. Essas eram cidades cujas moradias abrigavam gerações: de bisavós, aos avós, e destes aos pais. Levava-se aí uma mesma vida, sem sobressaltos, sem quedas, sem perigos, uma vida que só conhecia ligeiras tensões. Num ritmo igual, o tempo levava seus moradores do berço ao túmulo. Notícias do mundo exterior ficavam nos jornais, nas conversas. Não adentravam as portas das casas.

A informação sobre o que se passava na cidade grande era um bem precioso e Dyonélio Machado, perdido na "vastidão difícil de encher" dos pampas, lembrou ainda que "A solidão condicionava a hospitalidade. Todo

Casa de Colono.

[Ruas, prédios, praças, rios e lavouras da cidade de São Paulo]. [s.d.].

ARQUIVO NACIONAL [DOSSIÊ].

forasteiro é bem-vindo à nossa casa. Mesmo o mascate com as impertinências próprias de quem quer vender. Porque trazem notícias – que é o mesmo que trazer gente vivendo".

E, no outro extremo, a vida urbana era considerada para alguns intelectuais do Brasil um dos principais problemas do país. Ela, e apenas ela, incentivava a cópia de modelos europeus, sem valorizar nada de nosso, de autêntico e original. É o caso do brilhantíssimo Luís da Câmara Cascudo, já grande agitador cultural em Natal nos anos 1920 e 1930, que se apresentava como um "provinciano incurável", disposto a pensar a identidade brasileira, longe do Sudeste onde cresciam as babéis. Gilberto Freyre era outro gênio, que se recusava a sair de seu Recife natal, pois só do Nordeste poderia entender o Brasil. As raízes de sua gente e de sua cultura resguardavam-se longe dos centros. Para pessoas menos intelectuais, havia quem simplesmente tivesse medo da cidade grande ou quem não quisesse usar sapatos para trabalhar, preferindo fazê-lo com os pés no chão! Entre os fins de 1910 e início da década de 1920, em vários estados do país, prosperou uma literatura regionalista, dedicada à vida rural e sertaneja, explica a historiadora Lúcia Lippi. Catulo da Paixão Cearense foi um dos que cantou o idílico país do interior: "Não há, oh gente, oh não, luar como esse do sertão."

Na contramão da poesia, o Jeca-Tatu criado por Lobato e inspirado no "piraquara" interiorano do Vale do Paraíba, foi apropriado por médicos sanitaristas para denunciar que a preguiça e inércia nasciam da falta de saúde do homem do campo. Atraso e doenças seriam sinônimos. Nunca é demais lembrar que, segundo o crítico literário Antonio Cândido, o fracasso de Lobato como proprietário de uma fazenda herdada de seu avô, no Vale do Paraíba, "talvez haja contribuído para o desprezo amargo com que tratou o homem do campo em vários contos e artigos notadamente 'Uma velha praga' e 'Urupês', ambos de 1914".

Muitos de nossos memorialistas guardam do interior onde nasceram não a imagem caricata que lhe quiseram dar mais tarde os modernistas, mas uma paisagem afetuosa onde, contra a velocidade e a uniformidade dos grandes centros, os velhos hábitos eram valorizados. Passeios às margens de rios, fogueiras de São João, a espera dos trens que viessem da capital para recolher os jornais da metrópole, a passagem de cegos

cantadores, o som dos sinos das igrejas, enfim, esse era um mundo onde "caía o tempo com a leveza dos grãozinhos da ampulheta", como definiu Agripino Grieco. João Daudt Filho assegurava: "Não podia ser mais feliz e tranquila a vida que, por muitos anos levei, em Santa Maria. Sem outras preocupações que não fossem o árduo e constante trabalho de minha profissão e o bem-estar da minha família, gozava intensamente a alegria de viver na pacata cidadezinha."

Trabalhadores do algodão.

Trabalhadores no algodão, s.d.
ARQUIVO PÚBLICO DO ESTADO DE SÃO PAULO, ÁLBUM VISTAS DE SÃO PAULO.

14. O ÚLTIMO DOS BRASIS E A DESCOBERTA DA PRAIA

AO LADO
Rondon, o soldado engenheiro.
O Malho, ano IX, n. 388, p. 15,19 fev. 1910.
BIBLIOTECA NACIONAL [HEMEROTECA].

Durante séculos, o interior foi conhecido como "sertão". Ainda hoje, a palavra é sinônimo de região agreste afastada dos núcleos urbanos e das terras cultivadas. Pois esses foram os tempos de adentrar sertões: era a "marcha para oeste", expressão que enfatizava o movimento, a força e a coragem já presentes nas conquistas coloniais. Teve início em 1938. Buscava-se o "sentido da brasilidade", uma solução para os infortúnios da nação.

A historiadora Angela de Castro Gomes lembra que do Estado brasileiro dependia a organização da nação. Dependia do estudo e do planejamento do que se queria do povo brasileiro. O interior do Brasil sofria, porém, de abandono. Nem saúde nem educação chegavam lá. Sua população, que parecia preguiçosa, estava na verdade roída por vermes; estava, apenas, muito doente. Daí, no início do século XX, a multiplicação de expedições, com médicos, engenheiros, militares e educadores que pudessem modernizar o sertão. Entre 1911 e 1912, enviados pelo Instituto Oswaldo Cruz, sanitaristas como Carlos Chagas e Artur Neiva visitaram o interior do Nordeste e a região amazônica. O escritor Euclides da Cunha descobriu, em Canudos, na Bahia, a força do sertanejo que arrancava das pedras a sua sobrevivência e imortalizou-a em *Os sertões.*

Mas foi Cândido Mariano Rondon, encarregado de instalar linhas telegráficas pelo país, que chamou a atenção das autoridades para a indigência em que viviam os outrora "brasis". Rondon os filmou e fotografou. As imagens foram projetadas até nos Estados Unidos. Seu ex-presidente, Theodore Roosevelt, que tinha gosto por aventuras e expedições resolveu vir ao Brasil acompanhar Rondon, já escolado sertanista, numa de suas viagens. Daí nasceu o livro lançado em inglês, em 1914, *Nas selvas do Brasil,* da pena do estadunidense. Sucesso! "Morrer se preciso for, matar

Euclides da Cunha.

[*Carte de visite*]. [S.l., s.d.].

COLEÇÃO PARTICULAR.

PÁGINA AO LADO

[*Theodore Roosevelt e Rondon em expedição pelo Brasil*].

[1914].

LIBRARY OF CONGRESS.

nunca", lema de Rondon, passou a sensibilizar a sociedade para a situação de nossos avós.

Como conta o historiador Seth Garfield, em agosto de 1940, o presidente Getúlio Vargas visitou a aldeia dos índios carajá na Ilha do Bananal, no Brasil Central. Foi o primeiro presidente brasileiro a visitar uma área indígena – e mesmo o Oeste da nação. Três anos antes, ele proclamara um Estado Novo compromissado com o desenvolvimento e a integração nacional. Como parte de seu projeto de construção de um Brasil novo, mais independente economicamente, mais integrado politicamente e socialmente mais unificado, Vargas voltou-se para o valor simbólico dos aborígenes. Diferentemente de "plantas exóticas" do liberalismo econômico e

Brancos, caboclos e índios no sertão republicano.

[*Dana Merril, fotógrafo oficial da estrada de ferro Madeira-Mamoré, ao lado de índios*], [Rondônia]: [s.n.], [1909-1911].

BIBLIOTECA NACIONAL [MANUSCRITOS].

do marxismo – que o regime autoritário nacionalista procurou extirpar do solo brasileiro, mediante repressão política, censura e intervenção federal em assuntos regionais –, os índios seriam defendidos por Vargas por conterem as verdadeiras raízes da brasilidade.

Ainda segundo Garfield, os carajás – então sob a responsabilidade de um órgão federal, o Serviço de Proteção aos Índios (SPI) – receberam a delegação presidencial com uma grande cerimônia. Apresentaram rituais tradicionais e cantaram o Hino Nacional diante da bandeira brasileira. Vargas, por sua vez, distribuiu facas, machadinhas e ferramentas para os índios. Para destacar sua imagem de "Pai dos Pobres", o presidente segurou um bebê carajá nos braços.

Depois de explorar Bananal, Vargas manifestou o desejo de conhecer o território dos xavantes, considerados extremamente violentos, que habitavam as redondezas. Da segurança de seu avião, Vargas viu, através de binóculos, uma aldeia xavante não contatada. Encorajado pela ameaça potencial, o ilustre visitante esboçou seu plano para o Oeste. Vargas prometeu distribuir terras para os índios e caboclos que viviam na região, pois, ao "fixar o homem à terra", o Estado extirparia as raízes do nomadismo, convertendo índios e sertanejos em cidadãos produtivos. Ao SPI caberia doutrinar os índios, "fazendo-os compreender a necessidade do trabalho".

Ainda segundo Garfield, a viagem de Vargas ao Centro-Oeste, arquitetada para se assemelhar às ousadas expedições dos bandeirantes no período colonial, não foi na verdade uma aventura perigosa. As maravilhas da aeronáutica facilitaram o acesso do poder estatal a lugares antes inacessíveis. Além disso, o Departamento de Imprensa e Propaganda (DIP), encarregado de divulgar as diretrizes culturais e ideológicas do Estado Novo, assegurou uma viagem tranquila. Um cinegrafista do DIP acompanhou Vargas, filmando imagens que o regime autoritário nacionalista procurou tornar relíquias: índios vigorosos, emblemáticos da força inata dos nativos brasileiros; o tradicionalismo das comunidades indígenas; a camaradagem entre índios e brancos; a bonomia do presidente, símbolo do homem cordial brasileiro; o longo braço do Estado estendendo-se sertão adentro para dar-lhes assistência.

Os nossos últimos brasis representavam uma porcentagem minúscula da população brasileira situada predominantemente nas fronteiras remotas, mas foram, de repente, convocados para o palco da política. Diferentes fatores provocaram o seu aparecimento, entre eles o esforço do Estado Novo para consolidar o poder e redefinir o território nacional e as preocupações da elite sobre as origens da nação e a composição racial da época. Tudo isso influenciaria uma formulação do Estado sobre a identidade cultural dos índios e uma política para a sua integração.

Frei José Maria Audrin, dominicano que exerceu seu árduo ministério durante cinquenta anos entre o norte de Goiás e o sudeste do Pará, deixou suas impressões sobre sertanejos e índios, nas quais se lê o tipo de integração obtido nessa época. Contou ele que o contato entre uns e outros era "de quase convivência", pois "depois que os cristãos se apoderaram daquelas terras, os índios continuam a percorrê-las e habitá-las como seus legítimos ocupantes". Costumavam acampar nas praias do rio Araguaia e quando das grandes chuvas, nas altas barreiras. "Podia-se entrar e demorar nas malocas. Negociar amistosamente peixes, produtos de caça, aves selvagens e diversos artefatos, a troco de linhas de pesca, anzóis, espelhos e outras bugigangas. No verão, instalavam-se perto das aldeias pescadores de pirarucus, angariando índios como arpoadores e hábeis flecheiros para suas pescarias. Quando a tripulação de um barco precisava de reforço para saltar pedrais e vencer rebojos, encontravam entre eles remeiros e até pilotos adestrados."

AO LADO
A liberdade da praia.
O Cruzeiro, ano I, n. 6, p. 32, 15 dez. 1928.
ARQUIVO O CRUZEIRO/EM/D.A PRESS.

Os caiapós e os carajás agasalhavam os sertanejos com quem negociavam milho, fumo e ferramentas – ou armas, munições e aguardente. "Ao menos uma vez por ano, vinham aos nossos povoados e passeavam pelas ruas, homens, mulheres e crianças, vendiam frutas, papagaios e macacos, admiravam as lojas, assistiam, mesmo inteiramente despidos, às festas religiosas. Em noites de luar, cantavam e dançavam nas praças, sendo depois gratificados pelos moradores."

Segundo Frei Audrin, era assim também que acontecia com outras nações da região do Tocantins: xerentes, coroás e apinajés. Os últimos pediam serviço. Ofereciam-se para tarefas de roça, a fim de ganhar dinheiro ou roupas. Índios, amigos entre si? Não. Caiapós e xerentes não se davam, e os primeiros evitavam os carajás. Tais antipatias se reproduziam nas escolas rurais mantidas pela missão dominicana. Todo cuidado era pouco. Ele relatou ainda a exploração sofrida pelos índios:

> Tropeiros e seringueiros contratavam jovens silvícolas iludindo-os com promessas irrisórias e pagando-os com miseráveis salários [...]. Por uma simples garrafa de péssima aguardente, por um punhado de sal, uma rapadura ou alguns litros de farinha de mandioca, subtraíam aos pobres selvagens roupas novas e ferramentas recebidas pouco antes das mãos dos missionários [...]. Que diremos, então, dos caminhos abertos pelos viajantes através das plantações dos índios para dar passagem aos seus comboios, das devastações de arrozais e mandiocais por criminosos tropeiros que soltavam neles os seus animais para ali pastarem dias e noites?

Mas os índios reagiam: ateavam fogo aos canaviais, poluíam ribeirões com o suco venenoso das raízes do tingui, flechavam gado e cavalos. As tensões foram tantas e tão violentas que nasceu então a ideia de "reservar-lhes territórios bem determinados, dos quais fossem donos absolutos, seguindo livremente seus costumes ancestrais". Havia ainda as nações sem contato com brancos. No baixo Araguaia, os gorotirés. Nos municípios de Peixe e Descoberto, os temidos "canoeiros". Nas matas do Xingu, os xicrins, assurinis e gaviões. Encontros sangrentos se multiplicavam.

Segundo o dominicano, eram silenciados pela imprensa: essa era "a triste condição da Marcha para Oeste". E da propalada "integração".

As praias do litoral que presenciaram, há quinhentos anos, o encontro dos nativos brasileiros com os navegadores portugueses, ganharam, ao longo do tempo, nova função. Até o século XVIII, eram lixeiras. No XIX, remédio para doenças e recomendadas para tratamentos de saúde. No XX, seriam sinônimos de lazer. Não se temiam mais criaturas invisíveis e traidoras, escondidas sob o azul das ondas, capazes de arrastar banhistas ao fundo, mas, ao contrário. Brincava-se em meio à espuma e ao estrondo das vagas, desenhava-se na areia. Homens e mulheres aprendiam a nadar. O cenário inspirava pintores, poetas e fotógrafos. Nascia a moda do "banho de mar". Um serviço de salvamento se ocupava dos nadadores mais ariscos, ao passo que a polícia se encarregava dos banhistas que, por falta de indumentária adequada, costumavam tomar banho pelados. Os pobres, sobretudo. A imprensa protestava contra "a galeria de nus" que se exibia, cedo, de manhãzinha, na orla: um quadro "indecoroso" e "pouco civilizado".

O surpreendente é que os homens, mais do que as mulheres, fossem o alvo principal das denúncias, como explica o historiador J. Barickman. As mulheres, quando iam ao banho e voltavam para casa, geralmente vestiam um roupão ou uma capa, ou enrolavam-se num lençol. Mas muitos banhistas masculinos vestiam um simples paletó por cima de traje de banho. O paletó obviamente não lhes cobria os joelhos nus. Se não bastasse isso, alguns não abotoavam o paletó, o que deixava indiscretamente visível o calção na altura da entreperna. Outros – pior ainda – dispensavam completamente o uso do paletó; iam à praia e voltavam para casa vestindo apenas o calção e a camiseta de banho.

A polícia tentou impor restrições às roupas de banho e à presença de banhistas nas ruas. As críticas, porém, não se restringiam às roupas usadas no mar e na areia; de novo, também tinham como alvo o "espetáculo" dos banhistas nas ruas da cidade. Assim, o "Binóculo", na *Gazeta*

de Notícias, afirmou, em 1920, que "só no Rio se constata tal espetáculo". Negou que houvesse "outra qualquer cidade de país civilizado em que se ande na via pública em semelhantes trajes". Dois anos depois, em fevereiro de 1922, Coelho Neto tratou da mesma questão num artigo publicado na primeira página de *A Noite*. Condenou "o escandaloso deambular dos banhistas" que, "em trajos sumários de mergulho", ocupavam as ruas – até as "mais concorridas e em horas de maior movimento" – quando iam à praia ou voltavam para casa. Para o escritor, esse hábito, que não era nem direito nem decente, daria aos estrangeiros uma péssima impressão da cidade. A polícia, afinal, terminou tendo de aceitar o maiô. "Para os banhos de sol" nas areias de Copacabana e "para a comodidade dos [sic] banhistas", já observara, em 1925, o *Correio da Manhã*, "o *maillot* é o traje mais adequado e simples". Dois anos depois, em janeiro de 1927, o "Binóculo" pôde declarar que, no Rio, o maiô tinha vencido definitivamente.

O Brasil não se achava atrasado em relação aos modernos costumes balneários da Europa. A Livraria Laemmert, uma das mais importantes da capital, traduziu do francês, e vendia a rodo, o *Manual da arte de nadar*. As novas gerações aprendiam a nadar nas piscinas de escolas e clubes desportivos. Agremiações ligadas ao remo ensinavam e promoviam competições de natação. Os campeonatos passaram a ser organizados pela Federação Brasileira de Sociedades de Remo que abriu a porta para nadadoras: Blanche Pironnet, Alice Possolo, Maria Lenk e outras.

Os banhos de mar deveriam ser de manhã cedo ou no final da tarde, em horário determinado por lei: das 5 às 8h e das 17 às 19h, de dezembro a março; das 6 às 9h e das 16 às 18h, de abril a novembro. Não se tomava sol: o padrão de beleza elegante era pele alva, assegurada por cosméticos, chapéus, sombrinhas, guarda-sóis e vestuário. Aos poucos, a prática de esportes, principalmente da natação, contribuía para a diminuição do tamanho das roupas de banho. Entre as banhistas cariocas apareciam maiôs ousados, que deixavam ombros e joelhos de fora, esclarece o historiador Paulo Donadio.

Mas, em setembro de 1920, uma visita real consagrou definitivamente o banho de mar e a praia de Copacabana. Tratava-se do casal de monarcas, Alberto I e Elizabeth da Bélgica, ele aclamado herói da Primeira Guerra Mundial. Carolina Nabuco nunca esqueceu: "Ficaram um mês no Rio, principalmente nas praias. Instalado com a rainha no Palácio Guanabara, o rei passeava e banhava-se as manhãs na praia de Copacabana. Foi o pioneiro dos banhistas que hoje lá afluem... Quem passasse na avenida Atlântica via sempre, perdida na imensidão da areia deserta, sua altíssima figura em roupa de banho ou esporte."

Apesar de todas as atrações turísticas que lhe foram oferecidas, o monarca, nas alvoradas que passou no Rio, saltava da cama diretamente para a praia de Copacabana. Todo dia era dia de banho de mar. Chegava pouco antes das 7 horas, trocava de roupa num palacete da avenida Atlântica e seguia de carro para a enseada do Posto 6. A notícia se espalhou no primeiro dia e logo atraiu milhares de pessoas, que passaram a assistir, da avenida e das areias, aos banhos do rei. Até dentro do mar, guardando uma distância respeitosa, dezenas de banhistas seguiam os exercícios de natação de sua majestade. A multidão aplaudia o Rei-Herói.

Nem banhos de mar, nem Copacabana eram novidade no Rio de Janeiro daquele tempo, explica Donadio. Copacabana havia muito já não era lugar de difícil acesso. A abertura de túneis, em 1892 e 1904, desencadeou a ocupação do arrabalde. Na época da visita do rei Alberto, da Bélgica, já era considerado um bairro, onde predominavam boas casas e palacetes. Antes mesmo do aparecimento do Copacabana Palace, em 1923, a elite carioca havia tomado conta do lugar.

A rainha Elizabeth banhou-se com menos frequência e sempre mais tarde que o rei. Entrava no mar, acompanhada de um cavalheiro no qual se amparava, segurando-o pela mão. Seus banhos não duravam mais de 15 minutos. Já os banhos do rei eram demorados exercícios de natação. Alberto furava as ondas, dava braçadas vigorosas, nadava centenas de metros e, de vez em quando, ultrapassava os limites demarcados pelo serviço de salvamento. Certa vez, quando se afastou da costa, foi seguido por duas jovens nadadoras copacabanenses. Ao adverti-las de que era perigoso irem tão longe, teve como resposta que nada temiam, pois eram conhecedoras da praia desde pequenas. E ainda foi desafiado para uma competição – da qual saiu vencedor, é claro. Alberto, além de rei-soldado, era um rei *sportman*. Representava, junto com essas banhistas, um modo esportivo de aproveitar o mar.

Mas o que não tinha se generalizado entre os cariocas era a ideia de que Copacabana representava então a melhor praia de banhos do Rio de

Janeiro e um dos mais belos pontos turísticos do país. Na mesma época, a desértica Ipanema tinha arrastões às sextas-feiras. Compradoras esperavam a chegada de barcos de pesca, cheios de peixes fresquíssimos, que iam direto da rede para as panelas, conta em suas memórias Marta de Faro Novis.

Copacabana já tinha conquistado visitantes de outras regiões do país. Vinda de Pedras Altas, no Rio Grande do Sul, em fevereiro de 1923, a família Assis Brasil assim viveu seus dias de "banho de mar". Quem conta é Cecília:

> Chegamos no dia 15. Nosso vapor foi o *Ceará*, do Loide. Viemos em quatro automóveis para a nova residência, uma pequena casa situada na av. Atlântica n. 686 [...]. A vida que levamos aqui é bem diferente da que vivemos em Pedras Altas. Vou descrever um dia: às 7 horas da manhã, toda a família está de roupa de banho, em volta da mesa, tomando café. Do outro lado da rua está a praia. Agora que aprendemos a nos defender das grandes ondas, nadamos bastante todos os dias e somos até as moças mais ousadas deste bairro. Depois do banho, ficamos em casa até a hora do almoço, costurando, remendando, tricotando. Temos feito todos os nossos vestidos em casa. Como moramos na praia e não vamos a festas, os vestidos de Pedras Altas luzem aqui do mesmo modo.

Vinte ou trinta anos depois, acabou-se o encantamento de estar num lugar se não isolado, pouco frequentado. Antes vila de pescadores e local de veraneio para famílias ricas de outros bairros, que mantinham chácaras e sítios para aproveitar os períodos de verão, o bairro se verticalizou. Como explicam os geógrafos Luiz Valente e João Pedro Eduardo, diferentemente do Centro da cidade e de bairros mais antigos, Copacabana se tornou um cenário sofisticado, apresentando grandes edifícios de apartamentos residenciais com um novo e moderno conceito de moradia. Tais edifícios, de diversos estilos arquitetônicos, começaram a se multiplicar, nos 7,84 km^2 do bairro nos anos de 1930, com imensos e charmosos apartamentos.

Nessa época, em Copacabana, se instalou a elite urbana, com estrangeiros, intelectuais, artistas e milionários. A região cresceu moderna, movimentada e cosmopolita, lançando modas e hábitos próprios, se diferenciando dos bairros do subúrbio. A principal forma de moradia em Copacabana era em prédios de apartamentos residenciais. Aliás, morar em Copacabana era sinal de status.

Copacabana, Rio de Janeiro: sinônimo de elegância.

Careta, ano XXVII, n. 1369, p. 31, 15 set. 1934.
BIBLIOTECA NACIONAL [HEMEROTECA].

Mas esse crescimento e essa fama também atraíram moradores de classe média de outras áreas e migrantes de outros estados, todos em busca do *glamour* de morar no bairro mais famoso do Brasil. Esse processo desencadeou, noutra esfera, ocupação desordenada e grande demanda para a indústria imobiliária, que aproveitou para construir freneticamente outros tipos de edifícios – alguns dotados de centenas de unidades de apartamentos conjugados, que passaram a ser ocupados por famílias menos favorecidas.

Segundo os geógrafos, Copacabana ficou famosa e cresceu tanto que, nos anos 1950, era tão movimentada quanto o Centro da cidade, com arranha-céus, coberturas, ruas e calçadas lotadas de lojas, pessoas, carros de passeio e ônibus. O furor imobiliário – mas também as mudanças no país – transformou Copacabana no avesso de um "cartão postal", numa selva de pedra, assim descrita por Paulo Francis:

> Um dos mitos mais resistentes no Rio, hoje nacional, é que os cariocas sempre foram praieiros. Mil e uma lixeiras musicais, pilhas de reportagens, etc. O *Jornal do Brasil*, no auge do prestígio, década de 1960, fomentou-o mais que qualquer outra força. E Copacabana se convertendo em favela do asfalto, chegou a vez de Ipanema. De novo, hordas aspirando à vida chique, empreiteiros escorados na liberação de gabarito no governo Lacerda transformaram a região em "fezes e merda", apelido tirado de uma das ruas do bairro, Farme de Amoedo.
>
> Se o mito encarnou em versão caricata, sempre foi falso. Os bairros mais procurados no meu tempo de garoto, década de 1940, eram Flamengo e Botafogo, onde não havia (ainda) praias, Laranjeiras e Cosme Velho. A maioria das

> casas de Copacabana pertencia a estrangeiros, da Europa Central, em particular. Os ingleses preferiam Icaraí, em Niterói; onde morei dois anos [...]. Foram americanos e judeus que popularizaram Copacabana, que inventaram a "princesinha do mar", publicitariamente. Os poucos judeus que o governo admitiu (exigindo fiança de 400 contos, uma fortuna) se estabeleceram no Leme. [...]
>
> O amendoim torradinho subiu de 1 a 100 réis. A modernidade, enfim: o entulhamento de gente em prédios irrespiráveis, o congestionamento de esgotos, a inflação pintaram a partir daí, prenunciando o Brasil Grande. Nós, Heilborn, íamos à praia, pegávamos jacaré de prancheta. Meu primo Carlito fez nome deslizando em tarugos, as ondas maiores e assustadoras de tempo ruim. Menos meu pai. Preferia levar os filhos à praia do Russell, em verdade praça, hoje sede do Blocão, da Bloch Editora. [...]
>
> O posto 4 e o 6 iniciaram a vida em Copacabana, antes da malta. O 6, pelas águas mansas, tinha a preferência de mamães e pimpolhos, e, claro, nosso desprezo; no 4 é que meu primo se exibia brilhante em jacaré de tarugos.

Mas não eram só as praias do Rio as frequentáveis. A exclamação ouvida por Laura Rodrigo Octávio ao chegar a Santos revela o encantamento, mas também os sentimentos mistos que o mar inspirava: "Nessa primeira vez em que vi o mar, uma das crianças da família exclamou surpresa: '–Quanta água derramada!'"

Tomar banho de mar era programa familiar que incentivava quem morasse longe a ir conhecer as praias. Lya Luft ia para Torres, no litoral gaúcho: "Era a viagem um dia inteiro, iniciando antes do amanhecer. Ser acordada de madrugada, as luzes acesas, ainda escuro lá fora, o pai conferindo as bagagens arrumadas na noite da véspera [...]. A praia era então uma imensidão de areia e mar, povoada com casas de veranistas e um precário hotel."

Para José Lins do Rego, havia o mar e o uso que se fazia da praia: música, dança, pé no chão e alegria. Uma libertação e, como recomendado no século XIX, um remédio para sua tia doente:

> No fim do ano fomos à praia. O médico aconselhara banho salgado para o magrém da tia Naninha. Ia conhecer o mar de que tanto falava Eugênia. O mar sem fim, as águas que cobriam mais terras do que aquelas que pisávamos. A viagem seria mais próxima que a do Recife. Sentia as coisas agora mais ao

> alcance das mãos [...] Ponta do Mato. A casa era coberta de palha, de chão de barro batido. Armavam-se redes pelos quartos e pela sala. Gemia mais para longe o mar verde, gemia em cima da gente o coqueiral. A princípio fiquei com medo daquela agitação de água que ia e voltava, daquele pesado bater na areia. Havia famílias de amigos de meu avô em outras casas de palha. À noite rapazes saíam de violão e organizavam cocos. As moças podiam andar de pés descalços sem que fosse feio. Dançava-se e cantava-se.

E em Maceió, os donos da praia – conta Carlito Maia – eram os moleques: "meninos seminus, queimados de sol e sal [...]. Ao acordar, eu colocava o calção de banho, descia à praia, dava o imprescindível mergulho matinal no manso mar azul- turquesa [...]. Quando não havia aula, continuava na praia [...]. Moleque de praia, eu me deliciava nadando até o galpão do trapiche, subia pela palafita, como um gato, galgava o telhado de zinco quente. Do alto apreciava o infinito mar azulado até dar vontade de mergulhar no espaço, corpo livre descendo, carícia suave do vento, o gozo no ventre, por fim o impacto na água limpa e cristalina. Os mais afoitos pulavam de cabeça da cumeeira."

E já existiam as praias ameaçadas pelo mar. As que se dissolveriam em suas ondas e ressacas bravias. Em Olinda, Geraldo Holanda Cavalcanti as conheceu menino, pois que morava literalmente à beira-mar. E antecipou: "Naquele tempo, o mar não havia ainda começado seu insidioso e persistente avanço sobre as praias de Olinda. Descíamos os degraus de madeira que nos separavam da praia e encontrávamos pela frente uma enorme extensão de areia lavada, por onde as marias-farinhas corriam a esconder-se, deixando grafadas suas rotas de fuga em delicados ideogramas [...]. Uma tarde, certo alvoroço na casa me fez procurar ver, como o faziam mamãe e as empregadas, cada uma de sua janela, o que estava acontecendo no quintal. E vi a língua da onda avançando e recuando pelo espaço das galinhas, passando, portanto, sob toda a extensão de nossa sala comunal. Minha única preocupação era saber como papai poderia entrar em casa, quando chegasse da loja, sem molhar os pés."

15. OS TRABALHOS E OS DIAS: DESORDEM E PROGRESSO

Nas primeiras décadas do século XX, o país ainda vivia à sombra dos cafezais até porque esse era praticamente o único produto brasileiro de exportação. Seu cultivo se desenvolvia nos estados de São Paulo, Rio de Janeiro, Espírito Santo e em algumas áreas de Minas Gerais. Atingidos pela crise de 1929, os cafeicultores buscaram novas alternativas produtivas. E muitas das infraestruturas usadas no transporte do café, como portos e ferrovias, passaram, a partir desse momento, a ser utilizadas para a produção industrial. De início, o foco foram produtos que empregavam pouca tecnologia: alimentos, sabão e velas. Homens jovens e fortes manejavam com destreza seus utensílios de ofício, sob o olhar de outros, mais fracos, mais velhos, todos controlados pela vista do contramestre. Ou, em fileiras, mulheres debruçavam seus rostos emaciados sobre outras tarefas. A fábrica: uma experiência real de sons, luzes, gestos repetitivos e para muitos, de exploração e miséria.

Observadora, Carolina Nabuco avaliou a questão antes mesmo das mudanças que chegariam com o Estado Novo:

> Em matéria de indústria só existiam no Brasil daquele tempo algumas fábricas de tecidos de algodão da mais pobre qualidade. O que havia de riqueza no país provinha do café. Aparecia por isso, mais prosperidade em São Paulo do que no Rio, mas lá também não existiam as incontáveis fontes de atividade que vemos hoje. Poucos caminhos se mostravam abertos aos moços que desejassem trabalhar. Acabavam de uma forma ou de outra abrigando-se no serviço público. Carreiras que hoje dão grande lucro, como a da advocacia ou a de construções, serviam apenas a interesses particulares, pois não existiam ainda grandes companhias. Talvez a única grande fosse a Companhia Docas de Santos, mas esta era também um derivado do café. Alguns médicos e raros corretores conseguiam ganhar modestas fortunas. Os engenheiros dobravam como arquitetos. As mais belas casas modernas do Rio, como as

pertencentes aos Guinle, vieram por assim dizer prontas da França – portas, janelas, soalhos, ferragens, *boiseries*.

A primeira metade do século XX colocou em cena palavras antes pouco utilizadas entre nós: fábrica, que antes designava "usina de açúcar" ou "conjunto de escravos de um engenho", passou a definir "parque industrial onde se processa a transformação da matéria-prima". A máquina, ou engenho, destinada a transformar uma forma de energia em outra ganhou complementos industrializados como eixos e parafusos. Podem ser a vapor, a explosão, de combustível, pneumática. Operário designou "indivíduo que, sob ordem de outrem e mediante um salário, exerce trabalho manual ou mecânico", sinônimo de proletário, "cidadão de baixo poder aquisitivo", como ensina o dicionário de Antonio Houaiss. Porém, se a indústria balbuciava, os operários se organizavam. Sob influência de ideias socialistas e anarquistas – vindas com imigrantes ou importadas por intelectuais e líderes trabalhistas –, os trabalhadores tanto lutavam por melhores condições de vida como pelo fim do capitalismo. Fundaram-se associações sindicais, jornais e clubes operários. Em nome dessa agenda e, a partir de 1907, em São Paulo e outras cidades do estado, greves foram declaradas.

O mundo fabril dominaria lentamente as principais capitais. As sirenes determinariam a passagem do tempo, substituindo os sinos ou os relógios. Na entrada e na saída das fábricas, rostos mestiços e estrangeiros. O vocabulário ganhava expressões italianas, espanholas. O humor caricaturava o falar dos árabes e dos alemães. Como praticamente não existiu legislação social até a década de 1930, regulamentos internos eram elaborados pelas fábricas para controlar o trabalho e resolver possíveis questões e conflitos. Muito rígidos, estabeleciam total disciplina e impunham multas – e até castigos físicos – não só para atos considerados condenáveis ocorridos dentro das fábricas como também para pequenas falhas. Além da severa supervisão dos horários e do ritmo de trabalho, multas altas para pequenos erros ou ações sem relevância tornavam os salários dos operários ainda mais minguados. Alguns trabalhadores ganhavam apenas dois terços de seus salários no fim do mês, de acordo com a historiadora Maria Auxiliadora de Decca, que relata um pouco da realidade da época:

Crianças de 9 a 14 anos trabalhavam comumente nas fábricas, recaindo sobre elas castigos físicos pesados. Crianças de 5 anos trabalhavam ocasionalmente nas indústrias e não escapavam de surras e castigos. Brincadeiras, conversas, vaias, ausências ao serviço, demora no banheiro eram consideradas faltas passíveis de punição, além da participação em greves, filiação aos sindicatos, erros no serviço, desobediência a quaisquer ordens e assim por diante. Não devemos nos espantar, portanto, de que as fábricas tenham sido frequentemente comparadas a cárceres e prisões.

PÁGINAS 196, 200 E 201
Matarrazzo: o primeiro grande grupo industrial brasileiro. Industrias Reunidas F. Matarazzo, [19--]. BIBLIOTECA NACIONAL [ICONOGRAFIA].

Ainda segundo Decca, quando as fábricas ou empresas dispunham de vilas operárias ou casas para moradia dos trabalhadores em suas imediações, os regulamentos de controle da vida das pessoas se expandiam para além dos muros: vigoravam normas para a circulação, com horários fixos de entrada e saída, horário de silêncio, horário para dormir etc. Ou seja, em troca de habitações melhores, o operariado dessas vilas via-se obrigado a se submeter mais amplamente ao controle dos industriais, inclusive no seu tempo livre. Era um prolongamento da disciplina rigorosa do interior das fábricas.

A vida cotidiana era tão sofrida quanto a situação no interior das fábricas. Mesmo em São Paulo e no Rio de Janeiro, os salários dos operários nas primeiras décadas da República significavam um poder de compra muito pequeno. Corroboram essa afirmativa não só a manutenção de padrões alimentares deficientes e inadequados, mas também a baixa qualidade habitacional. A saúde e a higiene precárias, o vestuário escasso e modesto, as possibilidades reduzidas de instrução e o raro tempo para lazer atestam a vida difícil de muitos trabalhadores.

Do outro lado do país, o empregador era um imigrado, suíço de língua francesa, dono de uma serraria exemplar nos campos gerais de Curitiba que veio a ser sogro de Pedro Calmon. A contribuição dos estrangeiros como os italianos, os mais numerosos, quase 90 mil; os alemães, cerca de 60 mil; e os espanhóis foi fundamental para o desenvolvimento desse segmento da economia. Calmon retrata o empregador suíço: "Acordava antes

Industrias Reuni

*Correspondentes Officiaes do "**BANCO DI N***
para o Estado de São Paulo.

MOINHOS MATARAZZO
SÃO PAULO
E **ANTONINA.**

ENGENHO DE **ARROZ**
REFINAÇÃO DE **ASSUCAR**
E MOAGEM DE **SAL**
SERRARIA "**MATARAZZO**"

C^{IA} DE NAVEGAÇÃO A VAPOR:
"**F. MATARAZZO**"

FILIAES: { RIO DE JANEIRO, RUA
SANTOS. ANTONIN
ROSARIO DE SANT

Representante: ....

...s F. Matarazzo.

...I" (Sociedade Anonyma)

SÉDE CENTRAL:

...ua Direita, 15. SÃO PAULO.

...AIXA POSTAL 86 ...ELEPH. 818 E 274	TELEGRAMMAS: "MATARAZZO"

...TECELAGEM-TINTURARIA, MALHARIA "MARIANGELA"
...TECELAGEM-BRANQUEARIA E ESTAMPARIA DO BELEMZINHO
...A DE OLEOS "SOL LEVANTE"
...A DE SABÃO "SOL LEVANTE"

FABRICA DE BANHA EM PONTA GROSSA
AMIDERIA E FECULARIA "MATARAZZO"

...TO, 7. TEL. 2220, NORTE.

...E.

Uma infância sem escola.

Vila Operária, Rio de Janeiro, 1906.

ARQUIVO PÚBLICO DO ESTADO DE SÃO PAULO, COLEÇÃO JORNAL O MOVIMENTO.

do amanhecer. Nos frios de inverno, sem capote para não causar inveja aos operários que não o tinham, ia de porta em porta para despertá-los para o serviço. Antecipava-se no trabalho, e a sua lâmpada era a última a apagar-se. Tratava como companheiros os empregados. De noite, jogava com eles no armazém. A essa atmosfera devia, disse-me, o rendimento do engenho. Completou-a com organização sagaz: a serraria de vapor, o desvio da estrada de ferro que a atendia, os vagões de carga do Butiá ao porto e depois em 1933, os seus barcos que levavam a madeira para o Rio de Janeiro."

E um tempo novo se anunciava: um tempo de enriquecimento e mobilidade, enquanto os herdeiros locais de atividades tradicionais empobreciam. Para eles era "a desordem", o fim de um mundo onde as rendas e os espólios não bastavam, como dantes, para garantir o dia a dia. Uma nova ética do trabalho perturbava o mundo daqueles que viviam apenas como rentistas ou herdeiros. A energia de muitos dos imigrantes remetia à acepção da palavra "indústria" no século XIX: "Destreza para granjear a vida; engenho em lavrar e fazer obras mecânicas." Eles tinham o saber-fazer herdado de muitas tradições. Além do que, o nível de protecionismo da economia, exigido por questões de ordem fiscal, permitiu que se desenvolvesse uma pequena indústria que não somente empregava mão de obra, como funcionava, ao mesmo tempo, como mercado consumidor.

Humberto de Campos mostrava a presença da indústria dentro da cidade, como parte pulsante da vida urbana, vizinha dos moradores que viviam da prestação de serviços ou do emprego público. Era o Rio, em 1929: "A nossa nova casa fica precisamente em frente à Fábrica de Cerveja Hanseática. Dia e noite pulsam aos meus ouvidos as artérias das máquinas e arfa, angustiado e surdo, o coração dos motores. Caminhões trovejam na rua, tilintando as campainhas das garrafas. Operários entram e saem. E um cheiro bom, e amável, de levedo, de cerveja fervida, mistura-se ao anoitecer ao perfume fresco do jasmim-laranja que sobe dos jardins da vizinhança. À direita, por trás da rua Conde de Bonfim, a serra da Tijuca se estende com sua mataria escura, cerrada."

Nos escritórios multiplicavam-se os "secretários", as "telefonistas", ofícios novos. O trabalho feminino, não mais na vida privada, mas na vida pública, se tornou evidente. Atrás dos balcões, vendedores e vendedoras. A máquina registradora fazia *tlin-tlin* operada pelo "caixa". Surgia o "contador", a contabilidade, o escritório.

O dinheiro começava a ser guardado, não mais em cofres, mas nos bancos, que se multiplicavam – da Lavoura, do Comércio e Indústria, Caixas Econômicas – eles também com uma multidão de executores de trabalho especializado. "Fazer carreira no Banco do Brasil" era o sonho de muitos. Em 1925, Verissimo era um desses empregados: "Fui readmitido no Banco Nacional do Comércio desta vez como chefe da Carteira de Descontos (os mesmos cento e vinte mil réis por mês) [...]. Na agência bancária meus devaneios artístico-literários eram constantemente interrompidos por alguns comerciantes que traziam dez, quinze, vinte duplicatas para descontar. Creio que ainda hoje me lembro do cheiro de suor de cada cliente importante, do perfume que usava ou do tom de voz de cada um. O gerente da filial fumava palheiro e falava em surdina. O contador à noite tocava piano no cinema local."

Mas se, para o escritor gaúcho, tal escolha não era feliz, Rubem Alves recorda que uma filha com diploma de normalista ou um filho com emprego no Banco do Brasil, permitia aos pais dizerem: "Podemos morrer. A sobrevivência de nossos filhos está garantida."

O Estado empregava a mancheias. Vargas não hesitou em colocar adversários de pensamento ou políticos em postos-chaves. Nasceu o "funcionário público" que pedia e obtinha emprego. Nepotismo e clientelismo se instalavam definitivamente. Erico Verissimo resistiu, mas, como tantos, acabou procurando o seu "cabide": "Em Porto Alegre [...] durante semanas procurei, mas, em vão, encontrar trabalho. A ideia de tornar-me empregado público era-me desagradável, pois eu associava essa condição à necessidade de votar, submissamente, com o Governo. Mesmo assim, em desespero de causa, andei por mais de uma secretaria de Estado em busca de emprego."

E, no sistema de toma lá, dá cá, alimentava-se o patronato. Afinal, primeiro empregavam-se os familiares ou os amigos, como revela Ribeiro Couto: "Nesse tempo, o ideal de todo o jornalista era arranjar emprego na secretaria do Senado. Uma vez eu também fui candidato. Criaram-se quatro lugares para quatro respostas. Na hora da nomeação, a mesa da presidência não pode fazer nada por nós. Dentro os senadores de então, havia quatro com a seguinte necessidade humana: cada um com um filho para empregar. E por essa razão, para os quatro lugares dos quatro repórteres foram nomeados os quatro filhos dos quatro senadores."

As memórias do jornalista Carlos Imbassahy sobre o tema são imperdíveis:

> Evidentemente, meu pai não pretendia ser nenhum petreco, de modo que participava de todos os concursos que lhe era possível fazer, e obtinha sempre as primeiras classificações. Mas, na terra do pistolão, embora otimamente colocado nas provas, jamais lograva ser convocado para ocupar o cargo. Quando abriram o concurso de guarda-mar, na Alfândega do Rio, havia uma série de candidatos protegidos: que deveriam ser aproveitados de qualquer modo. Porém, por infelicidade, logo na primeira prova foram eliminados e, de tal forma, que não foi possível nenhuma intervenção a favor deles.
>
> Resultado: a banca resolveu dificultar ao máximo as demais provas com o propósito deliberado de reprovar o resto e abrir novos concursos. De fato, conseguiram o intento e, a cada etapa, uma série de concorrentes era elimi-

nada; chegou a última e nela só restava meu pai. Seria Geografia, o que não lhe causava preocupações.

A banca, reunida e admirada pela resistência do "único sobrevivente", chamou-o para a verificação oral; de início perguntaram-lhe quais as ilhas da Oceania. Meu pai, calmamente, começou a recitar os nomes de todas elas, por grupos e arquipélagos.

Às folhas tantas, um dos examinadores não se conteve e toca a se debruçar na balaustrada da mesa de exame, para ver se meu pai lia em algum lugar aquela relação que enumerava.

É escusado dizer que acabou aprovado. Enfim! Único, não podia deixar de ser aproveitado [...] abriram novo concurso, nos Estados, sob a alegação de que as vagas não haviam sido preenchidas, e os empistolados vieram todos de lá aprovados e já nomeados, ficando meu pai, único e absoluto, a "ver navios de invídia".

Ou essa ainda mais representativa do grotesco do nepotismo:

Ainda na Bahia, nos concursos da banca na qual meu pai era examinador, conta ele que certa vez havia determinado concorrente, afilhado do próprio Governador, motivo por que o Delegado tinha empenho em não o reprovar, a fim de não contrariar – segundo seu juízo – o chefe do Poder Executivo Estadual e, com isso, cair fora de suas graças [...] e do lugar. Para um cargo da natureza que ocupava, devia sempre estar de bem com quaisquer autoridades, e principalmente com o Governador.

Mas o tal apaniguado, por cúmulo do azar, não tinha predicados intelectuais que ajudassem o apadrinhamento, e o Delegado insistia:

– Imbassahy! Não podemos reprová-lo.

– Mas como? Olha a prova!

– Dê um jeito.

E o jeito foi chamá-lo a exame oral para perguntar-lhe o que de mais simples houvesse, a fim de se lhe dar uma distinção que permitisse fazer média com as escritas.

E vai a primeira pergunta:

– Qual é a capital do Pará?

– ?

Vendo aquela indecisão, o próprio Delegado resolveu ajudar; tomando uma posição ridícula, pensando tornar-se despercebido, cochichou:

– Belém!

O candidato, que mal ouvira o sopro, apressou-se a responder:

– Berlim.

Não houve jeito de aprová-lo.

Apesar dos temores, o Delegado não "perdeu a cabeça".

Meu pai não tolerava injustiça e, quando recebeu ordens para elevar as notas, em outro exame, de determinados candidatos que não podiam ser reprovados, generalizou a medida e estendeu-a a todos os demais. Não ficou ninguém reprovado, porém, a consciência não lhe pesava por haver abandonado os que não tinham senão a própria sorte para ampará-los.

Simões Lopes criticava a nomeação de parentes e amigos para o exercício de atividades administrativas junto à esfera pública: "A situação da administração pública brasileira era, então, das mais lamentáveis, pois fora submetida durante largos anos a um regime eminentemente político, em que a escolha para cargos públicos se fazia sob pressão dos políticos que apoiavam o governo, e regionalmente, dos cabos eleitorais. Era o triste sistema do pistolão que os americanos batizaram de *spoil system*. A administração tinha alcançado um nível tão baixo de eficiência e credibilidade, de honorabilidade, de capacidade de responder às necessidades crescentes do povo brasileiro, que se fazia necessária uma reforma profunda."

A Constituição de 1934 já determinava que o ingresso no cargo público devesse efetivar-se apenas mediante a realização de concurso, garantindo o acesso ao funcionalismo estatal mediante o mérito dos candidatos. Uma reforma do serviço civil foi feita, e o projeto enviado ao legislativo onde "recebeu emendas para favorecer classes ou pessoas", segundo Simões Lopes. Por fim, a Lei passou e tomou o número 284, em 1936. As constituições que viriam na sequência repetiram o texto.

As cidades cresciam. Os serviços cresciam junto, desordenadamente. Toda uma classe média de atores históricos começava a ter rosto: "Por todos os bairros da cidade, os merceeiros prosperam. Proprietários de padarias, de quitandas, de botequins e de armarinhos constroem magníficos bangalôs, ou multiplicam estabelecimentos. Os banqueiros e industriais e

Grande exemplo de urbanização europeia nas cidades brasileiras.

Cartão postal do Theatro Municipal de São Paulo, 1918.

COLEÇÃO PARTICULAR.

outros grandes manipuladores de riqueza privada cumulam fortunas. Ninguém se incomoda com eles. Engordam. Os 'rapazes de jornal' envelhecem no artigo, na reportagem, na notícia. Envelhecem pobres. Quando moram numa casa melhor, com certeza que é o produto de alguma transação duvidosa [...]. O pior é que 'os rapazes de jornal', de vez em quando, também se devoram entre si. Quem se diverte muito com isso é o bom comerciante ali da esquina", comentava Ribeiro Couto, em 1940.

E a mobilidade era um fato em todos os grupos e em todos os pontos do país. A relativa distribuição de riqueza permitiu aos filhos dos imigrantes se tornarem empresários, atuarem em profissões liberais e integrarem, por casamento, a aristocracia tradicional, como a historiadora Emília Viotti da Costa demonstrou. Já os descendentes deste segundo grupo passaram a exercer posições insignificantes. Fortaleceu-se, também, uma classe média integrada por mulatos e negros, que não dependia das relações de clientela e patronato e formara-se nas faculdades que passaram a oferecer cursos noturnos, após 1946. Esse novo estrato social adquirira status mediante ligações com novas instituições que nasciam então. No engenho em que morava com o avô, na Paraíba, José Lins do Rego viu chegar, várias vezes, de visita, um dos representantes desse grupo: "Pareceu-me uma coisa estranha a chegada de um comerciante rico da capital. Era um negro casado com uma mulher branca e bonita. Um negro rico e tratado com a maior consideração. Tinha o nome de Benvenuto. Se não me engano, já havia ele herdado do pai a fortuna. Santa de Benvenuto tinha tudo de mulher de cidade, cheia de enfeites, falando com desembaraço. O negro parecia amigo do governador e mandava em muito dinheiro."

Verissimo também anotou a história de sucesso do amigo Henrique Bertaso: "José Bertaso, seu pai italiano, natural de Verona, viera para o Brasil quando ainda menino, empregando-se como servente da então pequena livraria de Laudelino Barcellos. Inteligente, trabalhador, dotado de um olho vivo para os negócios, fez uma carreira espetacular: passou de servente a caixeiro, de caixeiro a gerente e de gerente a sócio da firma [...]. Foi ele quem, numa sucessão de empreendimentos audaciosa, transformou a pequena livraria provinciana num grande estabelecimento que acabou sendo conhecido e respeitado não só no Brasil, mas também no exterior."

Pedro Calmon, por sua vez, lembrava de um carroceiro que "se aburguesara em comerciante de carne-seca na rua do Xixi. De um dos seus filhos, que entrou para a faculdade de direito e se chamava Francisco, ouvi, sem compreender, a leitura prolixa de seus ensaios literários".

Agripino Grieco registrou ter conhecido "o culto Luiz de Miranda, que começou ferreiro no Ipu e acabou notável advogado em Fortaleza. Descendia de tabajaras. Alto, macrocéfalo, olhos entrefechados de gueixa. Sempre discursou no júri da terra com o êxito dos oradores sacros. Sebastianista, não desejava a restauração da monarquia, no receio de que todos os republicanos aderissem e não sobrasse vaga alguma para monarquistas como ele".

A mobilidade social garantiu o lugar privilegiado para alguns, mas as tensões existiam em todos os grupos. A origem imigrante – ou qualquer outra – não garantia solidariedade entre as pessoas: "Os Da Col passaram a viver no Brás, onde já moravam velhos amigos cadorinos, operários, ex-colonos. Um deles vindo ao Brasil em busca de fortuna, como os outros a encontrara: Natal Boni, dono de uma serraria no Belém. Deu emprego ao conterrâneo e amigo de infância; passou a ser patrão do bom operário Eugênio, excelente carpinteiro. A amizade de infância ficou para trás. Patrão rico esquece o passado", lamentava Zélia Gattai.

Dentro da cidade que crescia, escondiam-se os afazeres dos pequenos vilarejos. Hábitos da província vigoravam nos subúrbios, nos bairros mais pobres, nos comportamentos e no consumo de seus moradores. Mesmo no mundo do trabalho, sobreviviam ofícios arcaicos do padeiro ou do leiteiro, como os que registrou Erico Verissimo:

> Outro olor que me comovia era o do pão quente, vindo da padaria do Marchiotti, onde tantas vezes meu irmão e eu íamos comprar pão recém-nascido do forno [...] em minha memória são inseparáveis da figura de Carlo Carlini, um italiano que fumava cachimbo [...] lembro-me de sua cara rude, os dentes escuros e miúdos apertando a haste do cachimbo. Não sei por que sempre que o via, vinha-me à mente uma palavra cujo sentido eu mal conhecia: carbonário. Dizia-se que Carlo Carlini era anarquista, além de pessimista. Sua frase registrada era "No tê jêto".
>
> Uma vaca que passava sempre àquela hora vespertina, puxada pelo seu dono, que vendia leite a domicílio [...]. Quer leite hoje? Perguntava o dono da vaca. Eu sempre queria. O homem pegava a caneca que eu lhe dava, ordenhava a vaca, depois me devolvia o vaso cheio de um leite gordo e espumoso.

Os mascates também eram velha tradição e continuavam a bater de porta em porta, como anotou no diário de 1926 Cecília Assis Brasil: "Avisadas pelo Raimundo, fomos ao encontro de um recém-chegado. Era um mascate com suas bugigangas. A Maninha foi logo dizendo: 'I feel like buying one of those dirty things because I pity this poor man.' A Dolores não se conteve: 'What horrible things!' E a Nia acrescentou: 'Don't disapoint the poor man.' Nisso alguém pega um quadrinho e diz: 'I wonder how much this is?' E todas levam um susto quando o homem responde prontamente: 'I speak german, I speak russian, I speak french, I speack spanish.'"

E mascateavam, como fizeram ancestrais desde o século XVIII, de Norte a Sul. No interior de Alagoas, os produtos eram outros, os serviços também, mas o mascate era um produto nacional. O ofício seguia vivo, segundo Zé Lins do Rego: "Paravam na porta da casa-grande cargueiros que vendiam abacaxi. Existia um seu Antônio do Uma, que trazia seus caçuás carregados de mercadoria [...]. Aparecia também para cortar os nossos cabelos o seu Henrique barbeiro, que trabalhava na feira de São Miguel com suas navalhas e tesouras [...]. Seu José Luís das miudezas, um homem branco, botava abaixo a sua caixa de mercadoria e fazia as suas vendas de alfinetes, agulhas, carretéis de linha, água-de-cheiro, fitas, galões [...]. Mas seu José Luís sofria a concorrência de um italiano de Itambé que dera para aparecer nas feiras com intuitos de arruiná-lo."

Mais acima no mapa, em Manaus, o mascate era o "teque-teque" como relata Thiago de Mello:

> A começar pelo "teque-teque", onomatopeia feliz que o povo achou para designar o mascate andarilho, em virtude do som estalado que ele conseguia, batendo uma contra a outra, as duas metades do "metro", unidas por um pedaço de couro que funcionava como dobradiça. E com uma só mão; não era fácil. O mesmo metro servia para medir a fazenda. O teque-teque era sempre um turco (não dominávamos ainda a sutileza que distingue os povos árabes). Não era nem sírio nem libanês, nem muito menos sírio-libanês. Era turco mesmo, e nenhum se zangava. Vendia de tudo: linhas, agulhas, botões, morins, chitas, brilhantinas, pó de arroz (Coty), cordões e brincos de ouro. O mascate informava que era de ouro com a garantia de que não enferrujava: "Bode combrar, não emabruja." Além do "teque-teque", havia a figura do vendedor de fósforos, o "palita-barata". Na caixa de estanho, antiga embalagem de fósforos, o "turco", com o lucro dos palitos, levava outras miudezas.
>
> O degrau seguinte era o armarinho [...] muitos partiam para o interior da floresta, primeiro como regatões, os mascates fluviais, depois negociantes de fato, como proprietários de castanhais e seringais. Do armarinho, o passo maior era o da loja de tecidos, ramo predileto dos turcos [...] todos eles muito unidos e solidários. Fizeram da rua dos Barés, o seu reduto comercial.

Também sobrevivência do século XIX, havia o jogo do bicho como descrito por Zé Lins do Rego: "O primo bancava o bicho e possuía a sua gente particular [...]. O jogo do bicho fazia-se em papel com a figura dos animais [...]. A notícia da sorte chegava na estação do Pilar em telegrama da Paraíba. O primo Gilberto aguentava bancas altas. Havia um cabra chamado Salvador que possuía roda de trem nas pernas. Saía de manhã com um maço de caretas, atrás de clientes. Quando a banca sofria um baque forte, [...] o primo fazia o diabo com seus agentes. Até surra dava nos seus auxiliares. Ainda conheci Salvador no engenho, chapéu-de-massa na cabeça e um lápis no bolso de cima do paletó azulão, no seu trabalho para os banqueiros do Pilar. O bicho tomara conta dos engenhos de tal maneira que se contavam casos de proprietários arrasados pela jogatina. No engenho jogavam quase todos."

No interior ou na cidade grande, as mulheres trabalhavam. Permanecia o trabalho doméstico como o realizado pela mãe de Erico Verissimo, retrato da pobreza envergonhada, que se multiplicou na época: "Encurvada sobre sua Singer, minha mãe agora costurava para fora. Eu sentia uma certa vergonha por saber que d. Bega, esposa de Sebastião Verissimo, membros ambos de tão tradicionais famílias serranas, era uma modista. Cedo, porém, observei que era ela quem, com o produto do seu trabalho, pagava as despesas da casa. O ruído dessa máquina de costura, o cheiro de fazenda e principalmente a figura de minha mãe com uma tesoura na mão, cortando moldes, são imagens, impressões que se me gravaram para sempre na memória."

Outro recurso feminino para aumentar a renda era transformar a casa em pensão, onde se alugavam quartos e oferecia-se pasto. Contou Otávio Gonçalves: "Nas situações embaraçosas, quando meu pai perdeu praticamente tudo, depois de uma existência de trabalho e honradez, minha mãe sentiu que naquele lugarejo onde morávamos seria mais difícil a sobrevivência e a educação. Viajou para Campo Grande alugou uma casa [...] e foi para o fogão. Surgiu a Pensão Santa Helena, em 1937, em frente ao cine que lhe deu o nome. Nós e minha irmã Olga éramos os 'garçons'."

Muitos pais de família não podiam nem ouvir falar que suas filhas fossem trabalhar fora de casa. Entre os italianos a resistência ao trabalho feminino era grande, mesmo entre anarquistas e comunistas, como demonstrou a historiadora Margareth Rago. Zélia Gattai, escrevendo sobre sua irmã, confirmou: "Um dia, cansada de ouvir papai falar em 'situação difícil', Wanda anunciou que estava disposta a procurar emprego; mesmo que ganhasse pouco, sempre daria para ajudar a família. [...] Essa declaração da filha quase ofende seu Ernesto. Ele jamais consentiria que sua filha trabalhasse para ganhar dinheiro: '– Lugar de mulher é em casa, aprendendo a cozinhar'."

Porém, não faltaram empreendedoras como a avó paterna de Rubem Alves. Ei-la de corpo inteiro: "De perfil, nariz decidido e forte, como aquelas efígies cunhadas nas pratinhas de dois mil-réis. Impassível, sem uma ameaça de sorriso, cabelo esticado para trás, terminando num coque, gola de renda". Na foto de um calendário, Sophia – seu nome – aparentava "uma dama elegantemente vestida, enorme chapéu, sombrinha vermelha com franjas brancas, sapato negro bicudo com fivela dourada [...]." No calendário estava escrito:

> 1917 – Boas Festas
> SOPHIA ALVES DO ESPÍRITO SANTO
> NEGOCIANTE
> Perfumarias, Couros e Molhados
> Praça da Boa Morte – Telefone n. 4
> Dores de Boa Esperança – Sul de Minas

> Dona Sophia era uma negociante de sucesso. Esse era o seu sonho: queria ficar rica. Se ficasse rica ficaria feliz. [...]. Nascida pobre, pôs-se a trabalhar com vontade de ferro e rica ficou. Tanto assim que ela podia se dar ao luxo de mandar imprimir o dito calendário de arte a ser distribuído pelos fregueses como brinde de Natal. E, acima de tudo, tinha telefone: n. 4.

E o memorialista explica: a riqueza que o calendário brinde de 1917 anunciava, era nada, se comparada ao noticiado no jornal *A Esperança*, de 20 de novembro de 1927. Na página 4, o anúncio gigante estampava que a firma de Sophia passara a correspondente dos Bancos do Brasil e Comercial e também agente da Studebaker do Brasil!

Em Belém do Pará, também não faltaram empresárias que souberam integrar o saber-fazer tradicional – e tradicional desde os tempos da Colônia – a uma nova forma de produção. Quem conta é Leandro Tocantins: "Além da indústria caseira de doces, compotas e licores para o consumo doméstico, hábito que veio da antiga vida rural paraense, Belém apresenta uma linha de produção industrial na Fábrica de São Vicente, a maior e mais importante do norte, no gênero. Esta fábrica surgiu modestamente em 1910, graças à inteligência e à tenacidade de uma senhora paraense, d. Maria Rita Ferreira dos Santos, a popular e alegre d. Sinhá. No princípio, ela só utilizava tachos de onde saíam esplêndidas maçãs açucaradas, que logo mereceram a preferência dos belenenses."

Os produtos de dona Maria Rita são fabricados, até hoje, por outras conterrâneas: doce de massa de bacuri, cupuaçu, goiaba, cacau. Compotas de bacuri, murici, mangaba, caju, ananás, carambola e frutas cristalizadas: laranja, abiu, goiaba, banana, caju, abricó.

É sabido: as brasileiras sempre trabalharam. E muito. Dentro ou fora de casa sustentavam famílias, companheiros, agregados. Não seria diferente nessa época. O que mudou foi o enorme leque de atividades em que se envolveram. No setor de consumo coletivo, nos serviços públicos e no comércio ou em profissões reconhecidamente "femininas": enfermeiras, professoras, balconistas, telefonistas, secretárias, escriturárias, guarda-livros. A difusão da máquina de escrever tornou as datilógrafas essenciais nos escritórios. Entre as mais pobres, sobrava o caminho da fábrica. Lá, nas primeiras décadas da República, eram até 12 horas de trabalho por dia. Em São Paulo, em 1876, elas constituíam 76% da mão de obra fabril. Em 1956, representariam 23%. Patrícia Galvão, escritora feminista e comunista, em seu clássico *Parque industrial*, assim descreveu o ambiente: "Na grande penitenciária social, os teares se elevam e marcham esgoelando [...]. O chefe da oficina se aproxima, vagaroso, carrancudo. '– Eu já falei que não quero prosa aqui [...].' Bruna desperta. A moça abaixa a cabeça revoltada. É preciso calar a boca [...]. Assim em todos os setores proletários, todos os dias, todas as semanas, todos os anos!"

O feminismo? Era para poucas, como conta Zélia Gattai: "Berta Lutz, por essa época, conclamava as mulheres à luta pela emancipação feminina. Mamãe e Wanda haviam recebido uma visita de Maria Préstia, filha mais velha de uma família italiana numerosa, habitante antiga do bairro, convidando-as a tomar parte em manifestação feminista. Maria Préstia era exaltada discípula de Berta Lutz, mas parece que não conseguiu nada lá em casa. Mamãe, por fora do assunto e de pé atrás com os movimentos feministas, pois não se julgava oprimida, não queria lutar contra o marido."

Nos anos 1930, cresceu a interferência federal na regulamentação do trabalho. Em 1943, inseriu-se na CLT o item "Da proteção do trabalho da mulher". Por ele ficou estabelecida a equiparação salarial entre homens e mulheres e coibiu-se a participação delas em tarefas inadequadas que expusessem sua saúde a qualquer risco.

Além dos salários baixos, do assédio sexual de chefes, das instalações insalubres das fábricas, as operárias tinham que enfrentar todo o tipo de preconceito. E o enfrentavam em casa, junto a companheiros que comparavam as fábricas a "lugares de perdição", a "lupanares". Entre teares e máquinas, perdia-se a virgindade, corneava-se o marido, vendia-se o corpo.

Médicos higienistas concordavam: lugar de mulher era em casa. Pois acreditava-se que seu trabalho fora destruiria a família, tornaria os laços familiares mais frouxos e debilitaria a raça. Crianças cresceriam mais soltas, longe da vigilância das mães. E muitas cresciam mesmo. E obrigadas pela pobreza, trabalhavam desde cedo. Mas havia outro fantasma: o do espaço de trabalho como lugar de sedução. Considerada, não uma profissional, mas uma presa fácil, a mulher ficaria na mira de patrões ou colegas. E não só nas fábricas, onde as relações de comando eram verticais. Nos escritórios, também. O resultado, a traição e a consequente difamação de ambos. Outro risco: ela ganhar mais do que ele. Com dinheiro no bolso, dariam mais ordens? Controlariam as despesas? A resposta vem neste diálogo de Humberto de Campos com a noiva de um dos filhos de Coelho Neto, sobre o fim do noivado e as novas atitudes femininas:

> – O que houve entre vocês?
>
> – Como o senhor sabe, havia entre nós um desacordo completo no modo de encarar a vida depois de nosso casamento. Eu ganho, como funcionária do Ministério do Trabalho, ordenado superior ao de Paulo. O que ele ganha, não daria absolutamente para sustentar a casa. Entretanto, ele queria que eu abandonasse o emprego antes de nosso casamento. Eu objetava a necessidade que tínhamos do dinheiro que ganho. Sem ele, seria a miséria na casa. Paulo alegava, porém, sempre, que as mulheres não querem deixar as repartições para continuar a namorar, depois de casadas. Hoje, tivemos uma discussão mais violenta e ele insultou-me. Insultei-o, também, e devolvi a aliança... Ele saiu atrás de mim, até o ônibus, e gritou-me que havia de vingar-se, pois iria difamar-me por toda a parte.

No campo, no interior, mulheres também sabiam ganhar sua vida: "A chácara de dona Delminda ficava na confluência do rio Botas com o corguinho da vila, cuja casa marcava o fim do povoado. Ali vivia minha madrinha [...] viúva duas vezes. Criou uma prole numerosa, espalhada pelo Brasil afora [...] vivia quase só, com seus sessenta e tantos anos e dois netos, meninos criados por ela. Tirava seu sustento da venda dos produtos da chácara: frutas, legumes, leite. Criava galinhas e porcos. Tinha seu gado. Dali provia suas necessidades e ainda guardava para as emergências [...] fazia questão de receber e pagar até os tostões quando devia e não os dispensava quando tinha a receber", conta Otávio Gonçalves.

Dona Delminda era mulher de poucos recursos. Mas, no campo, mesmo quem os tinha em abundância, trabalhava também. Veja-se o diário de Cecília de Assis Brasil, filha de um dos estancieiros mais ricos do Rio Grande do Sul, ao descrever suas atividades em Pedras Altas: "Fizemos enorme colheita de morangos e aspargos. Colhi muitos ovos e deitei uma galinha com vinte [...]. De tarde ajudei mamãe a plantar um viveiro de várias verduras. Pegou-se um enxame de abelhas. Bordei durante todo o tempo que pude. Debulhamos favas. Fiz uma caixa de papelão para o ovo de socó e para um de bem-te-vi... Depois fomos courear o guaraxaim. Num momento tiramos o couro, que ficou estaqueado na porta do galpão. Antes do chá, agachei a bordar e a ensinar os pequenos do tio Diogo a falar inglês. De tarde fomos pescar lambaris no açude." (Ela ainda menciona) "fazer vestidos novos de vestidos velhos... tirar leite e fazer manteiga... fabricar rede para a quadra de tênis" (e também brinca): "Minhas companheiras tentaram convencer-me que São Paulo e Paris são melhores do que Ibirapuitã. Quando for a esses lugares saberei ao certo, mas por enquanto agarro-me ao meu ideal: a vida no campo. Sou assim, e agora? Tenho plena confiança que meu amor ao campo nunca cessará de crescer."

Em Bom Jardim, Vale do Paraíba, depois da crise do café nos anos 1930, os parentes de Marta Novis resolveram investir no plantio de cana. Sua tia Júlia "comprou máquinas de costura de última geração e fabricava enxovais completos. Na usina, ninguém nascia sem ganhar uma cesta com fraldas, camisinhas de pagão, cueiros e toucas. Também não havia noiva que não recebesse seu vestido e sua arca com lençóis e toalhas de mesa. Júlia coordenava e financiava a oficina".

Transferia-se para a zona rural, pelas mãos de mulheres, a mentalidade paternalista de que, na indústria paulista, buscava-se oferecer melhores condições de vida aos trabalhadores. Não só: mantinha-se a velha tradição de trabalho coletivo, velho de quinhentos anos! No passado, senhoras e escravas costuravam e cozinhavam juntas. A condessa de Barral foi um dos muitos exemplos que nos deixou a história das mulheres.

Júlias e Marias entre tantas outras foram trabalhadoras que ajudaram a construir o país, nas primeiras décadas do século. Como bem diz a historiado ra Margareth Rago, nesse contexto, foram definidos códigos sociais, conceitos morais, noções de certo e errado, assim como a legislação trabalhista que regeu por décadas as relações de trabalho, com consequências na vida social e doméstica. Ao homem público, todas as honras. À mulher pública, os opróbrios e xingamentos. Ainda assim, as mulheres recusaram, alteraram e recriaram muitas das práticas que os homens lhes havia imposto no mundo do trabalho.

PARTE 2

GAIVOTA
A MELHOR
MANTEIGA
INGLEZ
FRANCEZ
ALLEMÃO
Methodo de Rosenthal
por meio de discos de gramophone. Informaçõs gratis. Facilidades de pagamento.
E. M. Grau & Cia.
Caixa 962 S. Paulo
GOMES PEREIRA
VARIEDADE, BOM GOSTO E PREÇOS EXCEPCIONAES
OUVIDOR, 91
RIO DE JANE
Mme Celeste
Alta Costura
OS MAIS CHICS MODELOS PARA PASSEIO E SOIRÉE
DESDE
150$000
AV. RIO BRANCO, 151-2
SALA 5 - ELEVADOR
TELEPH. N-1777
rocurem conhecer nesta arca de chapéus de pa a recebidos pelo Parc oyal os forros modernos om elegante utilidade em systema automatico. —
PRIVILEGIOS
Patentes de invenção — R gistros de marcas de fabri

MORAR, CONSUMIR E COMUNICAR

1. TEMPOS MODERNOS: NAS ASAS E NOS TRILHOS

AO LADO
FUSS, Peter. [*A chegada do Zeppelin no seu hangar no Rio de Janeiro*]. 1936.
COLEÇÃO PARTICULAR.

DUPLA ANTERIOR
O nascimento da sociedade de consumo.

O Cruzeiro, ano I, n. 6, p. 56, 15 dez. 1928.
ARQUIVO O CRUZEIRO/EM/D.A PRESS.

As palavras mais repetidas na primeira metade do século XX foram ciência, progresso e modernidade. O desenvolvimento tecnológico foi espetacular. Transportes, eletrificação e indústrias químicas transformavam a sociedade. Um clima de otimismo banhava até a gente que não podia desfrutar de tais milagres. O relógio acelerava, o mundo parecia girar mais rápido. Tudo indicava que a República brasileira iria participar do cenário internacional uma vez que ele chegava às praias tropicais por meio de comunicações cada vez mais eficientes. O historiador Nicolau Sevcenko lembra o papel fundamental do Rio de Janeiro, nessa época sede do Governo Federal, centro cultural, a cidade com maior porto, o cartão de visita do país, atraindo estrangeiros e mesmo brasileiros de outras cidades. A capital, graças à telegrafia sem fio, telefone, meios de transporte, aviação, imprensa, indústria fonográfica, rádio e cinema, teria o papel de caixa de ressonância das transformações em marcha no mundo. Para Gilberto Freyre, uma cidade "pambrasileira": ditava modas, comportamentos, mudava valores, modos de vida e disposições característicos de uma nova época.

Novidades chegavam pelo ar. O gigantesco Graf Zeppelin, o primeiro dirigível a fazer voos comerciais transoceânicos, aterrissou, em 22 de maio de 1930, no campo de Jiquiá, em Recife. Três dias depois, a nave pousava gentilmente na capital. As praias se encheram com acenos, quando de sua passagem, e a multidão, acrescida de autoridades, foi aplaudir a aterrissagem do engenho. Com 213 metros de comprimento e um luxo impensável no interior – dez camarotes com banheiros, salas de jantar, de jogos e navegação, além da cozinha –, em pouco tempo, a

SANTOS DUMONT

Santos Dumont, o eminente aviador brasileiro, vem de bater o *record* da velocidade e da partid[a] com o seu elegante monoplano *Demoiselle*.

Este lindo apparelho eleva-se immediatamente do sólo ao primeiro movimento ao passo que o[s] de outros systemas necessitam correr dezenas e até centenas de metros sobre o sólo para erguerem o vô[o]

Temos a satisfação de offerecer aos leitores de *Careta* quatro photographias do *Demoiselle* e[m] Issy-les-Moulineaus, onde se realisaram as experiencias do illustre aviador.

Santos Dumont conduz o "Demoiselle" a Issy-les-Moulineaux.

O Demoiselle.

Diretoria do Aeroclube Brasileiro, 1917.

Careta, ano X, n. 494, p. 20, 1917.
BIBLIOTECA NACIONAL [HEMEROTECA].

AO LADO
Automóvel e avião: novas tecnologias.

Careta, ano II, n. 70, p. 24, 2 out. 1909.
BIBLIOTECA NACIONAL [HEMEROTECA].

companhia Luftschiffbau Zeppelin GmbH ganhou um hangar exclusivo no Rio de Janeiro, totalmente subsidiado pelo governo.

Pouco depois, em 1935, a companhia de aviação Pan Am usou em sua carreira um novíssimo modelo de hidroavião, o Brazilian Clipper, para longas viagens costeiras. Um mundo de gente assistia a seu pouso, nas águas do Rio Negro. Sua capacidade: 32 passageiros; velocidade média, 256 quilômetros por hora. No ano seguinte, a Panair do Brasil voou para os Estados Unidos em apenas quatro dias. A Air France já ligava a França ao Brasil em dois. Três empresas e 13 aeronaves faziam o tráfego aéreo comercial em condições de voo bastante precárias. Os aeroportos com maior movimento eram os do Rio de Janeiro, de Porto Alegre, Salvador, Recife, Santos, Belém e São Paulo.

O historiador Hélio Higuchi lembra que os aviões não serviram só para passear. Armados de metralhadoras, capazes de bombardear alvos, também se transformaram em armas mortais. O batismo se deu na

Primeira turma da Escola de Aviação Militar Brasileira, 1919.

Illustração Brazileira, ano 5, n. 5, p. 53, jan. 1921.

BIBLIOTECA NACIONAL [HEMEROTECA].

Campanha do Contestado, depois foram usados na Revolta do Forte de Copacabana. Na Revolução dos Tenentes, em São Paulo, aviões de procedência francesa decolavam de Mogi das Cruzes e davam rasantes na cidade, apavorando os moradores. Os revolucionários, por seu lado, usaram-nos para panfletagem em favor de sua causa. Em 1924, os rebeldes sonharam em bombardear o Palácio do Catete. O então tenente Eduardo Gomes, um dos sobreviventes do episódio dos Dezoito do Forte, decolou do Campo de Marte, em São Paulo, num pequeno biplano Curtiss Oriole. Não foi longe: com uma hora e meia de voo, caiu na cidade de Cunha, no sul fluminense.

Durante a Revolução Constitucionalista, os aviões dos rebeldes, subtraídos à aviação do Exército, barbarizaram. Teve lugar, então, o primeiro combate aéreo nos céus da América do Sul, que, segundo Higuchi, causou pequenos estragos materiais em ambos os lados, mas teve efeito psicológico aterrorizador nas tropas terrestres. Asas serviam para matar.

Também em solo, a modernidade. Seu símbolo mais comum eram os trilhos. Eletrificados, os primeiros bondes rodavam lentamente, ofe-

recendo aos passageiros um ambiente amistoso, parando na porta de escolas, nas esquinas, nas praças. Bastava puxar a correia e uma campainha alertava o condutor. Anunciando sua chegada com o toque de um sininho, os bondes deslizavam sobre os trilhos urbanos.

Em São Paulo, durante a Revolta Tenentista, o bombardeio decretado pelo presidente Artur Bernardes atingiu quilômetros de linhas de bonde e de transmissão elétrica. A Light, que explorava os serviços, amargou tremendo prejuízo. Em todo o país, bondes alimentavam a circulação nas cidades: de Afogados da Ingazeira, em Pernambuco, até Vitória, no Espírito Santo, foram 85 as cidades com bondes a tração animal, a vapor ou elétricos. Em 1910, era o transporte coletivo mais usado, por ricos e pobres. Carolina Nabuco costumava tomá-lo:

> Encontrei o Rio ainda pouco motorizado. Não mais de uma dezena de famílias abastadas tinha carro a motor [...]. O transporte naqueles tempos era quase unicamente o dos bondes [...] carris elétricos, pequenos e leves, nos quais a viagem era um verdadeiro passeio [...]. Os carros tinham quatro lugares por banco e nunca viajavam cheios. Não se aceitavam passageiros que não trouxessem paletó e gravata. Assisti, certa vez, um condutor tentar im-

> pedir a entrada de um jogador de tênis por se apresentar com o traje clássico para este esporte, calça de flanela branca e blazer de flanela azul, mas sem gravata [...]. Era costume os passageiros masculinos pagarem as passagens das senhoras de suas relações [...]. Elas agradeciam o favor com um sorriso, de longe, sem estabelecer conversa, porque as conversas em público entre sexos eram geralmente vedadas. Esse meio de transporte gostoso começou a desaparecer no início da Primeira Guerra Mundial, sendo gradualmente instalados carris muito maiores, mais altos, mais pesados e mais lentos em vencer o tráfego sempre crescente [...] existiam ainda, nas noites de ópera ou de teatro francês, os chamados bondes de ceroulas que, antes dos automóveis, conduziam os frequentadores de espetáculos ao Teatro Lírico ou ao Municipal. Apresentavam-se rigorosamente revestidos de capas de linho branco a fim de melhor servir os passageiros em traje de rigor.

Zélia Gattai, em São Paulo, via a viagem de bonde de outro jeito: "Mamãe só viajava de segunda classe [...] por ser muito mais divertido [...] era permitido o transporte de volumes grandes e de animais [...]. Todo mundo se atropelava, ao entrar no trem, na ânsia de conseguir sentar – havia o costume de marcar lugar pela janela antes de subir ao vagão – tropeçando em jacás de frutas e de verduras, em trouxas de roupas, em bujões de leite, em cestas de ovos e em gente mesmo [...]. Wanda e Vera liam em voz alta os anúncios de remédios fixados nos bondes. Até eu, que não sabia ler, entrava no páreo, repetindo rapidamente os textos decorados de tanto ouvir. Muita gente se admirava de ver criança tão pequena ler daquele jeito: 'Veja ilustre passageiro/ o béllo typo faceiro/ que o senhor tem a seu lado/ e, no entanto, acredite/ quási morreu de Bronchite/ salvou-o o Rhúm Creosotado.'"

Bonde, explica Boris Fausto, era um gênero com várias espécies. Um bonde aberto ou fechado eram seres diversos, a começar pela aparência. O bonde fechado se chamava camarão, por ser pintado de um vermelho forte. Embora o preço da passagem fosse o mesmo do bonde aberto, o camarão tinha ares de superioridade social. Os passageiros viajavam mais protegidos, e as senhoras não tinham os cabelos despenteados pelo vento. O bonde que Zélia Gattai tomava sacolejava; o camarão, mais pesado, parecia deslizar.

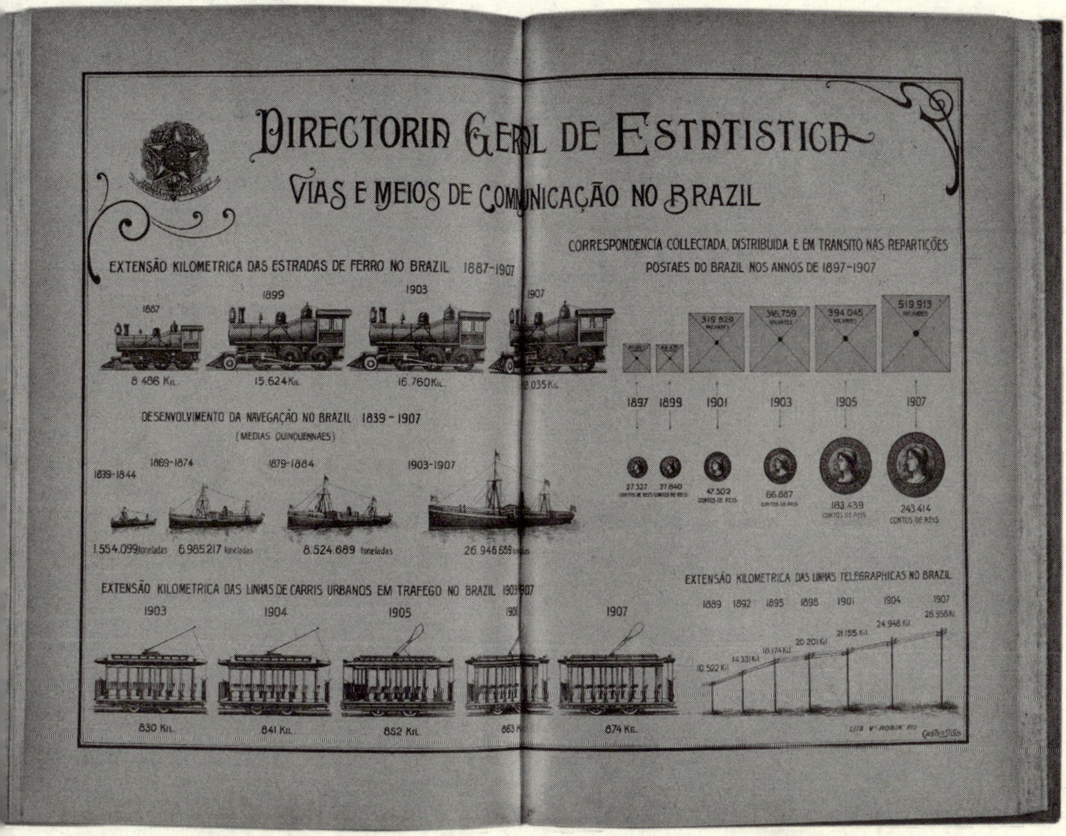

Vias e meios de comunicação no Brasil.

Boletim comemorativo da exposição nacional de 1908. Rio de Janeiro: Tip. da Estatística, 1908.
ARQUIVO NACIONAL.

Em Manaus, segundo Thiago de Mello, os bondes marcaram quase meio século de vida e foram: "o único meio de transporte, durante largo tempo, de toda a população, 200 réis a passagem [...]. No domingo, de manhã saíamos (para a missa), mas o dinheiro só dava para a ida. Na volta, a família vinha caminhando [...]. A rapaziada pobre se divertia a seu modo, inventando um esporte novo e perigoso, que deu origem a um verbo só nosso: morcegar. Morcegar consistia em tomar o bonde em movimento e logo em seguida saltar. O segredo da proeza perfeita era a simultaneidade: as mãos no balaústre e os pés na plataforma. No salto bem calculado, as mãos já iam em concha. [...] Em dias festivos, os estudantes ganhavam um bonde para pas-

68

Bondes elétricos compunham a paisagem urbana.

MALTA, Augusto. [*Igreja de São Francisco de Paula*]. [S.l.: s.n.], [s.d.]. BIBLIOTECA NACIONAL [ICONOGRAFIA].

sear gratuitamente [...] varavam as ruas tirando cantorias. [...] Aí, por volta dos quarenta e um, ou dois, a repressão começou. Os guardas batiam, estou dizendo batiam, porrada mesmo, de cassetete em quem surpreendiam botando cacos de vidro nos trilhos do bonde (para fazer cerol)."

Em Aracaju, nos idos de 1920, os bondes ainda eram puxados por burros, que muitas vezes empacavam, deitavam-se nos trilhos e não havia santo que os arredasse. Quatro anos mais tarde, a cidade ganhou bondes de tração elétrica. O novo ritmo de deslocamento dos elétricos surpreendia transeuntes incautos. Atropelamentos? Centenas...

Passados vinte anos, Ribeiro Couto, que sempre tomava o bonde em Botafogo, relata: "O bonde elétrico é o responsável pela ilusão de que ainda não estamos velhos. São sempre absolutamente os mesmos, com os bancos estreitos, os passageiros meio moles e empacotados, o cobrador aos

pulos no estribo, as rodas com um áspero raspar de ferros sacudidos. À sua passagem, o chão estremece e estremecem todas as paredes do bairro. É incômodo, mas por 200 réis a gente vai até o Largo do Machado [...] pelas quatro da tarde iam saindo os veneráveis (senadores), tomando a limusine particular, ou, simplesmente o bonde, como acontecia com o senador Raimundo de Miranda, de Alagoas, paupérrimo e boêmio."

Durante o Estado Novo, os compositores cariocas usaram o tema do bonde em várias de suas músicas, para exaltar Getúlio ou retratar cenas do cotidiano: "Não pago o bonde, ioiô, não pago o bonde, iaiá, não pago o bonde, pois conheço o condutor, quando estou na brincadeira, não pago o bonde nem que seja por favor." Boris Fausto guardou a voz de Dircinha Batista, cantando os versos da marchinha: "Seu condutor dim-dim/ Seu condutor, dim-dim/ pare o bonde para descer o meu amor."

Trem Madeira-Mamoré.

MERRIL, Dana. *[Locomotiva a vapor da estrada de ferro Madeira-Mamoré].* Porto Velho: [s.n.], [1911-1912].
BIBLIOTECA NACIONAL [MANUSCRITOS].

Outra forma de transporte bastante utilizada era o trem. O início do século XX assistiu à sua expansão. Em 1907, o presidente Campos Sales se declarou a favor do que hoje chamamos de privatização. Em pronunciamento, alegou que não havia vantagens em manter ferrovias sob a administração pública. Para alívio do Tesouro Nacional, melhor entregá-las à iniciativa privada. E assim foi feito. Dos cerca de 10 mil quilômetros de trilhos, pulou-se para 29 mil. O maior crescimento se deu em São Paulo, onde havia também maior capital. Nasciam as estradas de ferro Mogiana, Sorocabana e Noroeste, além da São Paulo Railway, que carreava café do interior para o porto de Santos. Em Minas e no Espírito Santo, circulavam os vagões da Estrada de Ferro Vitória-Minas.

A Madeira-Mamoré fez história: entre 1907 e 1912, abriu, em plena selva amazônica, 366 quilômetros de trilhos entre Porto Velho e Guajará-Mirim. Tendo à frente o investidor americano Percival Farquhar, contou com 20 mil trabalhadores de cinquenta nacionalidades diferentes. Mas o "inferno verde" – com seus acidentes, clima terrível e insetos transmissores de febres – queimou muita gente. Falava-se em milhares de mortos. Para combater as doenças tropicais que atacavam seus operários, Farquhar contratou os serviços de Oswaldo Cruz. Uma vez pronta, a malha viária garantiu a posse da fronteira com a Bolívia e incentivou a colonização de áreas no vale amazônico em torno de Porto Velho, fundada em 1907.

Em 1930, morria o trem a vapor, substituído pelo de tração elétrica. Oito anos depois, chegava a tração diesel-elétrica no Brasil, com a Viação Férrea Federal Leste Brasileiro. Eis a viagem descrita por uma passageira, Adalgisa Nery: "Dias depois, partíamos numa chuvosa manhã [...]. No trem, fomos arrumados entre malas e embrulhos [...]. Passageiros do trem falavam alto, empilhavam valises, espiavam alguma coisa na paisagem monótona [...]. O trem corria em soluços, fungando e despejando um fino pó de carvão sobre aquele monte de gente sonolenta e fatigada. Horas viajamos assim. Às vezes, a máquina estacionava numa parada. Vinha um homem de boné, confabulava com o maquinista, depois olhava sem interesse a cara dos passageiros, soprava um apito, fazia um sinal com a mão, e o trem novamente soluçava, gemia e continuava com moleza a engolir trilhos intermináveis."

O trem fazia viverem as populações dos arredores das estações. O que Carlito Maia tomava para ir de Maceió a Fortaleza era cercado, a cada parada, por uma "feira de ambulantes": "Olha a manga madurinha... Cavaco, olha o cavaco... Tapioca quentinha feita na hora...." Da casa-grande – quem conta é José Lins do Rego – "Via-se a chegada dos trens [...]. Havia os horários de Guarabira e do Recife [...]. Não havia rodagem passando por Massangana [...]. O importante em Massangana era o trem. A mulher do feitor Felismino mandava vender laranjas e limas na estação. Vinham de longe mendigos para o instante da parada. No momento das manobras, o lugarejo se enchia de gente."

Porém, como toda novidade que alterasse os ritmos da vida tradicional, sobretudo no interior, o trem causava tensões. José Lins conta um episódio que se passou nos anos 1930 e reflete a adaptação de velhos hábitos aos novos tempos. Não mandava mais o senhor de engenho, e sim o empresário da estrada de ferro, apoiado pelo governo, que se queria progressista. Negociava-se, muitas vezes com violência. No cerne das novas relações, porém, sobrevivia o paternalismo em figuras como Belmiro, o "condutor que dava passagens para gente pobre e, se por acaso aparecia valentão no seu trem, teria que se haver com ele". Vamos ouvir o que nos conta o grande escritor sobre o começo da estrada de ferro:

> Os senhores de engenho fizeram um motim em vista do novo horário dos ingleses. José Alemão era um negro com quase dois metros de altura. O meu primo Gilberto, sem autorização do meu avô, reuniu um grupo de trabalhadores e mandou arrebentar os pontilhões e arrancar os trilhos. E ainda mais: foi com os negros para a estação, querendo meter medo aos homens da Companhia. O preto Zé Alemão, de cacete em punho, agrediu uma máquina parada na plataforma. Alguns passageiros tentaram reagir, mas os cabras do primo Gilberto não deram tempo. O chefe da estação ganhou os matos, e no outro dia apareceu o Batalhão 49 do Exército, para garantir os ingleses [...]. No Engenho Novo do dr. Quinca houve até a morte de um cabra. Botaram a culpa para os ingleses, mas o horário permaneceu, como fora determinado pelo dr. Clark [...]. Pagaram mais de vinte contos de indenizações. Desde aí engenho e estrada de ferro viveram muito bem.

Com os trilhos que rasgavam o país, interiorizavam-se mercadorias, informações e autoridades. Junto com o apito das fábricas, o do trem substituiu o canto do galo e o som do sino da igreja que, por séculos, haviam marcado as horas.

2. FOM-FOM: SAI DA FRENTE QUE EU QUERO PASSAR

Mas a novidade foi mesmo o "automobile", sensação da Exposição Universal de 1889, realizada em Paris. Antes, a invenção despertara interesse limitado. A máquina que substituiria os cavalos e a cadeira de arruar já havia surgido na Bahia em 1871, importada pioneiramente por um rico soteropolitano. O carro pesado e barulhento, movido a vapor, com uma quinta roda na frente, arrancou aplausos da multidão em Salvador. Pertencia ao sr. Francisco Antônio Pereira da Rocha e despertou incredulidade ao desafiar a gravidade arrastando-se, lento como uma tartaruga, pela ladeira da Conceição da Praia.

Em 1897, o escritor e poeta José do Patrocínio foi o primeiro a circular no Rio de Janeiro a bordo de um automóvel, um Serpollet francês. "As pessoas paravam, espantadas, como se estivessem vendo um bicho de Marte ou um instrumento de morte fulminante", diz o crítico literário Guillermo Giucci. Certa vez, Patrocínio resolveu ensinar o amigo, escritor e poeta Olavo Bilac a dirigir seu carro. Durante o percurso, na rua da Passagem, Bilac colidiu com uma árvore: foi o primeiro acidente automobilístico registrado no país. Três anos depois, em 1900, o então prefeito de São Paulo, Antônio Prado, implementou leis para o uso do automóvel na cidade, instituindo uma taxa para a circulação do veículo, assim como era feito com os tílburis e outros meios de transporte.

De acordo com Giucci, foram "criadas medidas de segurança contra explosões e incêndios; instruções para não espantar os cavalos nem espalhar odores incômodos. Os instrumentos de manobra deviam estar agrupados de tal forma que o condutor pudesse acioná-los sem deixar de olhar o caminho; o veículo devia obedecer ao aparato de direção, fazer pequenas curvas com facilidade e ter dois sistemas de frenagem distintos. A velocidade não deveria exceder 30 quilômetros por hora no campo e 20 quilômetros nas aglomerações".

Os primeiros carros lembravam carruagens.

Escola Barth em construção, Rio de Janeiro, 1902.
ARQUIVO NACIONAL.

Há notícia de que o primeiro carro dotado de motor à explosão a chegar ao Brasil foi trazido por Alberto Santos Dumont: um Peugeot, adquirido na França, em 1890. Não se sabe se a máquina foi desmontada para estudos ou se serviu para seu irmão Henrique circular por São Paulo. O fato é que Henrique endereçou às autoridades uma solicitação de baixa no lançamento de imposto invocando o alto custo de manutenção, o sacrifício feito para dotar a cidade com esse exemplar de "automobile".

No Norte e Nordeste, os automóveis iam chegando como verdadeiras curiosidades. Em Salvador, um Clément a vapor, importado por dr. José Henrique Lonat circulou, com sucesso, em 1902. A Manaus, chegou um Renault Double-Phaeton, aberto, importado por dr. Antônio de Lavandeyra, presidente da companhia que fazia obras no porto. O tráfico de artigos de luxo e o consumo dos ricos seringalistas traziam quase tudo da Cidade-Luz para a Amazônia, inclusive carros. No Maranhão, o comerciante e industrial Joaquim Moreira Alves dos Santos mandou buscar seu Phaeton, de quatro lugares, do fabricante inglês Speedwell, em 1905. Em Minas, João Pinheiro fazia o circuito Caeté – Sabará. Foi de sua autoria a primeira estrada rodoviária do estado, construída para seu automóvel passar. O trajeto tinha 20 quilômetros que, à velocidade de 5 quilômetros por hora, levava 4 horas! Em Aracaju, os pioneiros chegaram em 1913. Dez anos depois, o *Diário da Manhã* anunciava "quase por metade do seu verdadeiro valor um Studebaker de sete assentos...". Ou um Lanz, "usado, mas em perfeito estado".

Um dos primeiros a ter automóvel na capital foi o engenheiro Adalberto Guerra Duval: um Decauville com motor a gasolina de dois cilindros. Durante a Primeira Guerra, na falta de combustível, o carro bebia benzina comprada nas farmácias. Além de barulhento, sem capota, o veículo tinha no lugar do volante um guidom de bicicleta. Mas o motor a explosão, mais silencioso, atraiu consumidores que, na maior parte das vezes, não estavam preparados para guiá-los. O professor de Otávio Gonçalves, o sr. Pimenta, foi um desses motoristas frustrados:

> Certa vez, quando voltou de uma dessas férias, ele declarou com ar de importância que havia comprado um automóvel Ford. Foi a sensação da vila, todo mundo ansioso para conhecer o Ford do "seu" Pimenta [...] preto, de capota da mesma cor, tinha frisinhos amarelos, finos, nos lados, na altura da porta [...]. Os meninos da escola haviam visto o professor gesticulando e lendo um livrinho com o desenho de um carro na capa e escrito: Manual Ford. Parecia que ele estava disposto a dar sua esperada volta de carro [...]. Entrou, bateu a porta, experimentou os pedais, desceu e subiu os "bigodes", puxou o afogador e mandou dar a manivela. Não faltava voluntário [...] o carrinho saltava que só cabrito... E o carro a correr, a saltar e a vir... Até que numa daquelas, o professor jogou o carro para cima do areão, no meio da rua [...]. Foi a primeira e última façanha do fordeco [...] depois, o professor mandou construir uma garagem, guardou o carro e nunca mais saiu nele.

No interior do Rio Grande do Sul, não foi diferente com o pai de Erico Verissimo: "Lá por 1916, meu pai pediu a seu pai dinheiro para comprar um automóvel Ford, modelo T [...]. E mal aprendeu – e como aprendeu mal! – a dirigir o carro, decidiu levar-nos num passeio pela cidade. Minha mãe recusou o convite, porque não confiava no *chauffeur* (palavra recém-entrada em nosso vocabulário) e também não permitiu que seus filhos corressem o risco [...] o pai pôs o carro em movimento, isso depois de fazer sua primeira 'barbeiragem', pois apertou no acelerador sem soltar a trava, de sorte que o veículo entrou numa espécie de tremelique sem sair do lugar. Por fim o Ford de Bigode arrancou e se foi, pondo em perigo a vida de transeuntes e assustando os cavalos dos carros de aluguel, ainda pouco afeitos àquela estranha carruagem que roncava, fazia fom-fom e soltava fumaça pelo rabo."

As oficinas começaram a surgir, assim como os serviços de *chauffeur*, ou motorista. O pai de Zélia Gattai foi procurado por um desses proprietários que não conseguia dirigir o próprio carro. Foi o início de sua ascensão como comerciante de autos e dono de oficina.

> O proprietário do Motobloc em questão andava desacorçoado com as complicações do automóvel que ele não conseguia manejar. Não acertava virar a manivela e já levara um contragolpe que quase lhe fraturara o braço. De outra feita, ficara encalhado, em plena escuridão da noite, mulher e filhos a tremer de medo e frio naquele carro aberto, os faróis apagados por falta de carbureto, ele sem saber que rumo dar [...]. Vendeu-o por alguns vinténs e sentiu-se feliz. Mais feliz ainda ficou o habilidoso comprador que, num abrir e fechar de olhos, botou o carro tinindo, novo, travões devidamente engraxados, aptos a brecar a máquina em qualquer emergência, as correntes de transmissão das rodas traseiras também deslizando de fazer gosto [...]. Outros automóveis foram aparecendo, papai sempre a par das novas marcas, dos novos tipos, procurando compreender e dissecar estranhos motores a explosão, penetrar em seus mistérios [...]. Naqueles tempos, a vida em São Paulo era tranquila. Poderia ser ainda mais, não fosse a invasão cada vez maior dos automóveis importados, circulando pelas ruas da cidade; grossos tubos, situados nas laterais externas dos carros desprendiam, em violentas explosões, gases e fumaça escura. Estridentes fom-fons de buzinas, assustando os distraídos, abriam passagem para deslumbrados motoristas que, em suas desabaladas carreiras, infringiam regras de trânsito, muitas vezes

chegando ao abuso de alcançar mais de 20 quilômetros a hora, velocidade permitida apenas nas estradas.

PÁGINAS 242 E 243
Os automóveis conquistam as ruas.
[Ruas, prédios, praças, rios e lavouras da cidade de São Paulo].
ARQUIVO NACIONAL [DOSSIÊ].

Mas o que fazer com tão maus motoristas que mal sabiam operar suas máquinas? Obrigá-los a uma habilitação. Embora um decreto de 15 de abril de 1902 exigisse exame aos condutores de automóveis, as primeiras comissões examinadoras só foram criadas em 1906, na capital. Os examinadores eram engenheiros da prefeitura. O pai de Zélia Gattai passou nos exames e foi ganhar a vida. Ela conta como foi o processo: "Sua carta de 'condutor' foi liberada pela Inspetoria da Viação Municipal a 4 de abril de 1907 [...]. Documento em punho, o jovem candidato a *chauffeur* [...] dirigiu-se ao elegante bairro de Higienópolis [...]. Bateu à porta dos Martinho Prado. Passou no teste: devidamente habilitado, boa aparência, educado. Fardado de branco, perneiras pretas reluzentes de graxa e escova, luvas brancas e boné, trabalhou seu Ernesto durante dois anos para a família Prado. Ocupava com a mulher e o filho um apartamento sobre a garagem, no jardim do palacete. Todas as manhãs, bem cedo, sua primeira tarefa: lavar o espetacular automóvel preto e pintar de branco as faixas das rodas."

O cronista paulistano Amadeu Amaral foi dos muitos que receberam o automóvel com suspeitas: o veículo não passaria de uma nova fórmula de entorpecimento da vida moderna, da "mesma prateleira que o uísque, tango, vinho, grapa, coca, ópio, vodca e morfina", pois levava a pessoa a escapar, sem perceber, do "olho antipático e fulgurante do seu eu profundo". Elas se tornavam "automobilíacas", deixando de lado a família e os negócios.

No interior do Vale do Paraíba, passeio noturno de automóvel fazia o povo correr: a luz dos faróis em movimento era assombração! Em muitas estradas, o pessoal das fazendas ia à frente para tapar os piores buracos, lembra Marta Novis. José Lins recorda que na Paraíba só circulavam "bondes de burro e carroça", quando viu passar o primeiro carro "botando fumaça pelas traseiras, fazendo um barulho dos diabos". Na mesma época, 1929, Humberto de Campos comentava sobre o Ceará: "Aqui e ali um

APPARELHOS
PHOTOGRAPHICOS E FILMS
ZEISS
IKON
SIGNIFICAM QU
"REO"
AUTOMOVEIS - CAMINHÕES
A GAZ

GESSY

atropelo na circulação: é que se encontram no cruzamento de duas ruas um bonde, um automóvel, uma tropa de jumentos e um cavaleiro num cavalo marchador."

O automóvel também mudou os comportamentos. O motel *avant la lettre* era o carro. A baratinha, o instrumento de aproximação mais íntima e lugar de colóquios com o sexo feminino. Os versos humorísticos de Bastos Tigre, em *De pernas p'ro ar*, título bastante malicioso de 1916, sugeriam comicidade e perigo numa estória entre a costureirinha ingênua – "Pedrinho, não faça isso! Pedrinho, não faça isso!" – e um motorista.

Quando passa lá em casa
Eu tinha as faces em brasa,
Ao vê-lo no auto vermelho
Mamãe conselhos me dava
Quem ama como eu amava
Quer lá saber de conselho?
[...]
Foram-se os dias passando
E tantos beijos foi dando,
Que eu nem reparava nisso...
Uma vez beijou-me na boca
Fiquei tonta, fiquei louca:
– Pedrinho, não faça isso!
Uma vez, por meu castigo,
Saiu a passear comigo,
Ao terminar o serviço.
– Vou tocar para a Tijuca!
Meu Deus, que ideia maluca!
– Pedrinho, não faça isso!
Fomos. O auto em disparada
Devorava a linda estrada!
De repente – zás – um enguiço.
Quem passasse ali por perto
Me ouvia dizer por certo,
– Pedrinho, não faça isso!"

A partir dos anos 1930 e da ascensão de Getúlio Vargas, todo o esforço foi feito para se desenvolver o sistema rodoviário. Abrir estradas e permitir a instalação de fábricas de autopeças para automóveis era parte dessa agenda. A Ford foi pioneira em exibir ao público, durante a Primeira Exposição de Automobilismo do Rio de Janeiro, em 1925, a montagem de peças complexas. A General Motors passou a importar carros e peças. Carrocerias para caminhões já eram montadas aqui. Com a importação livre, às vésperas da Segunda Guerra Mundial, circulavam no país cerca de 200 mil carros. Em 1945, um modesto parque de autopeças tinha se desenvolvido graças ao desabastecimento de peças importadas durante o conflito. Mecânicos e oficinas locais improvisavam soluções, alimentando a incipiente indústria. As ferrovias controladas por estrangeiros foram estatizadas. Foi o triste início do fim dos trilhos: durante o período de entreguerras, os investimentos nas estradas de ferro caíram vertiginosamente. Abandonadas pelo governo, apenas foram construídos em todo o Brasil cerca de 1.300 quilômetros.

3. MORAR BEM OU BEM MAL

Desde o século XIX, nos bairros elegantes, as casas se afastaram das ruas, graças aos jardins e aos portões ostensivos. Os ambientes internos, que já vinham se multiplicando, agora tomavam a forma de *hall*, estar ou *living*, sala de jogos, *fumoir*, sala de música, escritório, gabinete etc. Nos bairros de classe média, a privacidade era obtida com portões altos que barravam olhares vindos da rua. Nas habitações populares, vivia-se em cômodos superlotados.

Carolina Nabuco dizia sobre a sua casa, que não era exatamente luxuosa – ela não se lembra de cortinas nem de tapetes, elegantes, mas inadequados ao clima:

> No tempo de nossa infância as casas de residência [...] eram iluminadas a gás. Outra diferença criada pelo progresso é a dos banheiros [...]. Havia apenas o do andar térreo. Antes do importante progresso que foi a água encanada e do serviço de esgotos, banheiros e cozinhas eram fora da casa ou encostados a ela. [...] Do mobiliário das nossas salas sobrevivem um console de jacarandá, esculpido com cabeça de leão e um *trumeau* francês [...]. Não eram conhecidos no Brasil os móveis estofados já usados na Inglaterra e que, além da comodidade, ofereciam a alegria de padrões coloridos em cretone ou *chintzes*. As salas brasileiras eram presididas na maioria por um sofá de palhinha cercado de duas poltronas e mais quatro cadeiras [...] não permitiam recostar-se. Predominava o estilo Luís XVI. Nas salas de categoria raramente faltava o piano.
>
> Era na sala de jantar que, naqueles tempos, se concentrava a vida da família [...] peça central da casa, passagem obrigatória de um ponto a outro e aberta à varanda ou ao jardim, facilitando entradas e saídas. As refeições eram servidas sempre à hora certa e reuniam obrigatoriamente todos os moradores. Havia talher para convivas adventícios. Do mobiliário das salas de jantar constava, também, muitas vezes, uma máquina de costura, invenção

ainda relativamente nova [...]. O cafezinho final das refeições era habitualmente servido à mesa.

As tendências de decoração de fachadas ou interiores, ou mesmo os estilos arquitetônicos não eram determinados: experimentavam-se as modas. Era um verdadeiro vale-tudo, como se lê na pena de Laura Rodrigo Octávio, que começa pela casa onde morou, entre a alameda Santos e a avenida Paulista:

> A primeira casa era de um só pavimento, tendo uma sala interna [...] para onde abriam todos os cômodos e onde eram as brincadeiras, quando o tempo não nos deixava ficar no jardim [...]. Tio Horácio [...] foi o precursor da venda de terrenos a prestações. Abriu ruas naquele bairro [...]. Aos domingos, oferecia cerveja aos fregueses que vinham fazer negócios, com a charanga para alegrar mais o ambiente; assim se fez a Vila América (atual Jardim América) nome de sua mulher [...]. O terreno da avenida Paulista tinha sido plantado para que a futura casa, ao ser edificada, já tivesse o parque formado. [...] A casa da avenida Paulista 46, mais tarde 2.133, foi afinal construída, no auge do Art Nouveau [...]. Era uma perfeição no gênero [...] não havia nada que não estivesse dentro da nova estética [...]. A cozinha era forrada de azulejos brancos até o teto, e um sistema de campainhas defendia os moradores de qualquer assalto [...]. Papai sempre gostou de casa; na primeira [...], onde morei até casar, já tinha objetos finos, pratos chineses, quadros bons. A mobília da sala atualmente seria uma graça de Art Nouveau japonesada, feita por um francês, Paul Warth, executada numa espécie de charão incrustada de ouro e madrepérola, muito frágil e pouco confortável.
>
> Depois, ele comprou terreno na avenida [...], esquina de alameda Campinas [...], construiu bela casa em "estilo colonial" com o arquiteto português Ricardo Severo, no centro de vasto terreno e para trás, fez casas para os filhos. A casa dele, cheia de azulejos desenhados pelo artista português Jorge Colaço, era muito confortável e bonita. No gramado da frente, a estátua Iguaçu, de Magalhães Correia. [...] Depois, resolveu ter um apartamento no Rio, em Copacabana [...]. Ficou uma beleza com decoração Art Déco [...]. Em plena Segunda Guerra, resolve comprar uma fazendinha nas margens

do Paraíba [...] passatempo para ele, que não ia mais à Europa. A casa totalmente idealizada e mobiliada por ele tinha vasto salão sobre aquela vista esplendorosa [...]. Mesa para 24 pessoas [...]. Quartos para todos com seu banheirinho, como cabines de bordo [...]. Uma piscina enorme, rodeada de trepadeiras lilases.

São Paulo: palácios urbanos dos fazendeiros de café.

GAENSLY, Guilherme. *Palacete Cons. Prado.* São Paulo, [1902?].
BIBLIOTECA NACIONAL [ICONOGRAFIA].

Vizinha da moça rica, a moça remediada, Zélia Gattai, narra sua história: "Num casarão antigo, situado na alameda Santos, número 8, nasci, cresci e passei parte da minha adolescência. Ernesto Gattai, meu pai, alugara a casa por volta de 1910, casa espaçosa, porém desprovida de conforto. Teve muita sorte de encontrá-la, era exatamente o que procurava: residência ampla para a família em crescimento e, o mais importante, o fundamental, o que sobretudo lhe convinha era o enorme barracão ao lado, uma velha cocheira, ligada à casa, com entrada pelas duas ruas: alameda Santos e rua da Consolação. Ali instalaria sua primeira oficina mecânica [...]. Para quem vem do centro da cidade, a alameda Santos é a primeira rua paralela à avenida Paulista, onde residiam, na época, os ricaços, os graúdos, novos-ricos. Da Praça Olavo Bilac até o Largo do Paraíso, era aquele desparrame de ostentação! Palacetes rodeados de parques e jardins construídos em geral, de acordo com a nacionalidade do proprietário: os de estilo mourisco, em sua maioria, pertenciam a árabes, claro! Os de varandas de altas colunas que imitavam os *palázzos* romanos antigos, denunciavam, logicamente, os moradores italianos..."

Tais descrições estão relacionadas ao momento em que o pesquisador Luís Henrique Luccas identificou o reflexo do grande contingente de imigrantes italianos na arquitetura da cidade: o ecletismo produzido apresentava acentuado sotaque. Em São Paulo, então a segunda cidade do país, o próprio Escritório Técnico Ramos de Azevedo contava com projetistas e artífices provenientes daquele país, definindo a forma de seus edifícios. O apelido de Ramos de Azevedo era "maestro da orquestra italiana".

Naquela época, nascia outra tendência: de resgatar o passado. Ressuscitavam-se as casas avoengas do período colonial, que ganhariam a partícula "neo". A primeira menção ao neocolonial ocorreu em 1912, no discurso "Culto à tradição", proferido pelo engenheiro português Ricardo Severo, ao ser recebido como sócio do Instituto Histórico e Geográfico de São Paulo.

Especialistas lembram, contudo, que o neocolonial não foi originalidade nossa: a maior parte do continente, nas segunda e terceira décadas, adotou posição contra o colonialismo europeu. O respeitável Heitor de Melo foi um dos primeiros arquitetos a adotar o neocolonial no Rio de Janeiro, projetando alguns prédios às vésperas de sua morte, em 1920. A partir de então, o pernambucano José Mariano Carneiro da Cunha Filho, crítico de arte e arquitetura, assumiria o neocolonial como causa, como demonstraram os diversos prédios que adotaram o estilo na Exposição Internacional do Centenário da Independência, em 1922. Mais: ele defendia a arquitetura intrinsecamente conectada à realidade brasileira, em seus aspectos tanto materiais quanto culturais: uma arquitetura que levasse em conta desde o consumo de energia, até a produção de matéria-prima para a construção civil e as técnicas construtivas, passando por noções de pertencimento.

Gilberto Freyre, depois de ter percorrido capitais europeias, ao chegar ao Rio, achou "tudo horrível": "A variedade dos subestilos é assombrosa, e só uma unidade os irmana: o mau gosto! [...] Em vez de se conservar a velha confraternidade da mata com a civilização, raspa-se, agora, o verde para só se destacar o horror de novos e incaracterísticos arquitetônicos." Como José Mariano, Freyre era um ecológico à frente de seu tempo. A discussão culminou no confronto, na entrada dos anos 1930, entre José Mariano e o arquiteto Lúcio Costa. Passado contra futuro!

O vale-tudo arquitetônico e os modismos importados brotavam do chão como cogumelos. Ecléticas também eram as casas em Manaus, assim descritas por Thiago de Mello:

> Cabe chamar atenção para o grande número de boas casas construídas em 1910, justamente o ano em que a produção de nossa borracha atingiu o mais alto volume. São gabados o estilo neoclássico, o sobradão colonial português, as extravagâncias Art Nouveau, certas residências que o gosto da época chamava de palacetes, que chegavam a ser a cópia fiel de pequenos "hotéis" franceses ou "vilas" italianadas, sem disfarçar a satisfação do registro da origem do material de construção, quase todo vindo das estranjas [...]. Mas coisa de que Manaus pode realmente se orgulhar, como obra nascida do talento e do bom-saber de seu povo, é de sua arquiteta popular. Nos bairros pobres, na periferia da cidade, nos barracos de beira de igarapé é que estão as casas verdadeiramente amazonenses, feitas para atender as exigências intuitivas de gente que tem um determinado jeito de viver, ainda que mal versados em matéria teórica tecnológica. São casas simples, quase singelas. Na maioria de madeira, chão de itaúba ou sucupira. Portas e janelas admiravelmente bem-dispostas, muitas preferindo o frontão só de janelas, deixando o lugar adequado para a porta lateral, que se abre sem trancas para as vastas varandas, quase todas protegidas por treliças de madeira, cujos desenhos são invenções caboclas.

Belém tampouco escapou do ecletismo. Quem conta é Leandro Tocantins:

> Sob o signo da valorização do ouro negro – o açaí – construíram-se mais sobrados, entre eles os de dois, três ou quatro andares [...] nas tradições lisboetas. Porém, o francesismo invadira Belém [...] iria ser uma

Rio de Janeiro: a verticalização da cidade.

FERREZ, Marc. Avenida Central. [1907?].
BIBLIOTECA NACIONAL [ICONOGRAFIA].

influência constante na arquitetura. Aparecem, então, casas com frontispícios trabalhados, altos, por intermédio de embasamentos, segundo o costume europeu de porões de arranjo da carvoaria e da calefação, e que em Belém servem para assegurar a ventilação necessária e o resguardo dos pisos de madeira em tabuado corrido sobre barrotes. Grande parte das casas residenciais de Belém obedece ao academicismo francês na fachada e a certas concepções de arquitetura portuguesa [...] com soluções tropicais de amplas varandas, jardins laterais, quintais ocupados por árvores frutíferas e criações domésticas. [...]

O Art Nouveau apareceu em Belém na figura dos palacetes, em geral enriquecidos no comércio da borracha ou atividades decorrentes do boom da seringueira: palacete Bolonha, palacete José Júlio de Andrade com originais torreões. Outro palacete de estilo florentino, a antiga residência do ex-governador Augusto Montenegro [...] mansões híbridas que obedecem a regras portuguesas e estilo de casa de fazenda brasileira: um corpo central, em dois andares, rodeado de varanda, com gradis de ferro [...]. Até aquela arquitetura muito comum nas casas de comércio de Paris, simplificadas nas formas, vamos encontrar em Belém. Exemplo: o prédio do Magazin Paris n'América, na rua Santo Antônio [...] nítidas semelhanças com o edifício da Galeries Lafayette. Na Praça da República, o Grande Hotel é quase uma cópia daqueles prédios comuns nos Boulevards de Paris [...]. E o Teatro Municipal [...] o Intendente Antônio Lemos mandou à Europa o arquiteto Filinto Santoro com a missão de colher elementos e sugestões.

Com o declínio da Belle Époque da borracha e o término da Primeira Grande Guerra, Belém passou a adotar [...] valores importados do sul, sobretudo do Rio de Janeiro. Surgiu a moda dos bangalôs [...] que o Rio elegante exibia na década dos vinte e dos trinta, eram igualmente para os belenenses, um sinal de distinção, de elevado nível social e econômico.

Já os pobres, segundo o mesmo memorialista, viviam enclausurados nos subúrbios, em "habitações características, primas-irmãs dos mocambos nordestinos. De fato, as barracas, de estrutura tipicamente amazônica, não ofendem a natureza regional [...] construídas de madeira, telhado de palha com duas águas, várias janelas para o arejamento e luz, ela transpira o bom senso da arquitetura popular e também uma intuitiva noção de paisagismo. São de notar as mangueiras, os abieiros, os sapotizeiros confraternizando com as barracas".

Ribeiro Couto assim percebia o Rio de Janeiro, em 1922: "Ruas iguais, igualmente longas, alargando-se em praças arborizadas. Casas medíocres, debruçadas para a rua, as vidraças brilhando. Pequenos palacetes destoando num orgulho calado entre jardins [...] casinhas claras a se defrontarem até lá longe, no meio do mato; agora, as casas antigas do fim do Império, jardim à frente, pintadas de azul, um ar de severidade das janelas regulares; depois, casinholas de pobres; em seguida, um muro enorme, extenso escondendo o hiato urbano de uns terrenos não edificados."

Na capital, os poderosos quando não "moravam nos hotéis do Largo da Lapa, moravam nos palacetes de Botafogo", espalhados da praia ao sopé dos morros, com seus gramados e repuxos, que "deslumbravam o estudante sempre a mudar de quarto e de rua".

Na mesma época, em São Paulo, Boris Fausto morava na rua Maria Antônia. Sua casa avizinhava-se com casas menores e mais simples. As classes sociais ainda não haviam sido separadas pela busca de refúgio dos que queriam escapar da promiscuidade das ruas centrais. "Era uma sólida edificação térrea, construída em um terreno amplo, a curta distância da rua. Possuía um porão habitável, e a parte principal da edificação se situava em nível elevado. A esse corpo principal se tinha acesso por uma escada em curva, de mármore branco. O jardim da frente e das laterais era recortado por aleias sinuosas, caramanchões e buxos aparados [...]. Ela se destacava do conjunto de habitações da rua Maria Antônia [...] pequenas construções que ocupavam todo o terreno, sem jardim na frente, janelas abertas para a rua. Algumas [...] tinham declinado de status nos anos 1930, convertendo-se em casas de cômodos. Nelas morava uma grande quantidade de pessoas que chamava atenção pela pobreza e pela cor escura."

Muita gente, graças à autoconstrução em mocambos e favelas, vivia nas margens das grandes capitais. O agravamento da falta de moradia nas cidades brasileiras se transformou em questão social nas primeiras décadas do século XX, explica o arquiteto Nabil Bonduki. Sua pesquisa revela como o Estado, preocupado com questões de higiene e alta de aluguéis, respondeu a essa questão de 1930 a 1964. Nasceu uma lei para o inquilinato e, graças aos Institutos de Aposentadoria e Pensões (IAPs) e a Fundação da

Favela, a comunidade dos pobres.

Revista da Semana, ano 16, n. 49, p. 31, 1916.

BIBLIOTECA NACIONAL [HEMEROTECA].

Casa Popular (FCP), multiplicaram-se moradias populares, cujo número atingiu cerca de 140 mil unidades, atendendo à demanda de 10% da população, em cidades com mais de 50 mil habitantes.

Além disso, Bonduki mostra que aqui se fez o que então de melhor se fazia no mundo, em termos de princípios estéticos e funcionais do urbanismo e da arquitetura modernista, visando a criar o novo trabalhador urbano integrado ao Estado do Bem-Estar Social. Nos anos 1940, passou-se a privilegiar a construção de conjuntos verticais em substituição aos bairros com casas isoladas. Tais conjuntos de grandes dimensões, projetados para mais de 3 mil pessoas, eram bem providos de serviços e infraestrutura. No Rio de Janeiro, o primeiro deles, o Conjunto Residencial de Realengo, do IAPI, foi concluído em 1943. Acessível pela ferrovia e composto por 21.344 unidades, era capaz de abrigar cerca de 14 mil pessoas, com infraestrutura completa: água, esgoto, iluminação, pavimentação e estação de tratamento de esgoto: um luxo até para os dias de hoje. Tinha, além de serviços coletivos, escola primária, creche, ambulatório médico, gabinete dentário, quadra de esportes. Uma realidade digna dos grandes centros europeus.

Seguiram-se conjuntos em Del Castilho (1.520), Bangu (5 mil), Várzea do Carmo (São Paulo, 4.038 unidades), Passo de Areia (Porto Alegre, 2.496), Vila Guiomar (Santo André, 3 mil), Areias (Recife, 1.450) para ficar em alguns exemplos. Nesses ambientes não era difícil encontrar um mobiliário simplíssimo como o que improvisou, depois do casamento, Verissimo: "Em fins de 1931 havíamos abandonado o Majestic (hotel) para nos instalarmos numa casa de cômodos no Alto do Bronze. Compramos a prestações uma mobília de quarto ordinaríssima [...]. Minha mulher improvisou mesas e bancas com caixões de querosene cobertos de chitão estampado [...]. Em princípios de 1940, instalamo-nos num apartamento do edifício do Clube do Comércio [...] ao tempo aqueles apartamentos, nada baratos, classificavam-se entre os melhores da cidade [...] compramos um sofá, poltronas, um armário para livros e uma eletrola Victor."

Em Bananal, no Vale do Paraíba, os avós de José Carvalho Kandratovich, gente do "bem", também quase não tinham móveis: "Os mais sofisticados eram um armário-prateleira com porta de vidro, onde vovô Jerônimo guardava os livros, e um relógio de parede tipo oito, que ficava na sala de jantar. O restante eram só catres, caixas, bancos toscos, mesas e baús. Havia também, mas só para visitas importantes, meia dúzia de cadeiras de palhinha marca Thonet."

O fato de Bahia e Pernambuco, de relevante passado colonial, terem desempenhado importantes papéis na construção da identidade brasileira, acentuou o processo de defesa das tradições nacionais contra a importação de modelos culturais ou arquitetônicos estrangeiros. O outrora inimigo português se transformou no criador do passado erudito. O estilo neocolonial começou a ser cultivado, enfatizado pela política de proteção ao patrimônio desenvolvida pelo Iphan, graças à ação do ministro de Vargas, Gustavo Capanema. Só se falava no cultivo da tradição.

De passagem em Recife, em 1928, Humberto de Campos visitou um desses exemplares de tradição colonial preservada na arquitetura, no mobiliário e, tudo indicava, também na mentalidade do proprietário: "Às onze horas leva-me o Chefe de polícia à sua graciosa vivenda de residência, estilo pernambucano do século XVIII, no Bom Jesus. É uma casa térrea de compartimentos amplos, jardim discreto, com grandes vasos de porcelana sobre suportes de pedra. Nos vasos, alguns cactos africanos, folhas duras e pontiagudas, que mais parecem coleções de facas tomadas aos bandidos de Pajeú. Dentro da sala de jantar, o gosto apurado e severo herdado de fidalgos portugueses do tempo de Duarte Pereira. Móveis antigos, seculares, esculpidos pacientemente, com flores e figuras abertas em madeira rija como o mármore [...] sobre uma pele de onça, amarela e negra, que cobre uma peça colonial talhada em ébano, estende-se, na sua bainha de metal branco, uma espada recurva. É a espada bárbara do cangaceiro Lampião, tomada em um dos combates entre o bandoleiro e a polícia pernambucana. Na lâmina da arma, sob a qual tombaram, talvez, dezenas de sertanejos inermes, a inscrição em tinta preta e indelével: 'Viva o Imperador.'"

Na Paraíba, as Casas Grandes ainda não haviam sido destruídas e se morava nelas como no tempo dos antepassados. Vamos ouvir José Lins do Rego:

> Aos meus olhos, o Engenho Corredor começava a tomar forma. Tudo nele era grande para mim. A casa rodeada de pilastras. Alpendres cercavam-na por todos os lados [...]. A antiga casa do engenho continuava de pé, pequena, com as janelas verdes e uma puxada rasteira onde fora a sala de jantar [...] de mesa comprida ladeada por dois bancos. Havia duas cadeiras de palhinha. Na cadeira do lado sentava-se o meu avô, na cabeceira a visita que chegava [...]. No fundo, os armários onde ficavam as pratas e os objetos de mais-valia [...]. Vinha o corredor que dava para os quartos de dormir. Ao lado, o quarto dos santos todo coberto de estampas e molduras e o santuário grande com as imagens de devoção [...]. No fundo, ficava o quarto do meu avô. Havia uma cômoda enorme de pau-ferro e as duas camas de casal. A do meu avô de sola dura, sem espécie alguma de colchão, e a de minha avó de pano, forrada de cobertor de lã vermelha. Uma imagem de São Sebastião na parede branca [...]. Os aposentos da tia Maria com guarda-roupa e cama de pau-amarelo e palhinha. Dormia de rede ao lado de minha tia. Quando chegava algum hóspede, mandavam para o quarto com a cama do Imperador. Compraram este móvel para a visita de Pedro II, no ano de sua passagem pelo Pilar. Mas o rei não parara no caminho [...]. Era uma bela cama de ferro com bolas de metal amarelo nos varais. Larga, com lastro de material flexível, e, no espelho, uma cena de pintura: anjos a dormir no

regaço de Nossa Senhora [...]. A sala de visitas com duas mobílias. Pelo chão as escarradeiras de louça, todas pintadas.

O interior – ou seja, o sertão que padecia de secas terríveis e não oferecia oportunidades senão quando chovia – era o endereço da irrestrita miséria. Ali a gente se abrigava em choupanas, ranchos abertos do lado. O único mobiliário era uma cama de varas. Trempes de pedra serviam de fogão. Nada mais. No sul de Mato Grosso, o progresso dos materiais e da tecnologia de construção ficava evidente nas mudanças que sofriam as moradias, como mostra Otávio Gomes:

> As casas da vila, no princípio, eram de madeira, de taipa e ranchos de capim, as mais pobres. Muito tempo depois vieram as casa de alvenaria, com a instalação da olaria dos irmãos Gomes de Campo Grande. A nossa moradia foi a melhor casa construída na época: alvenaria coberta de telhas francesas e com vidros coloridos, grande novidade da vila. Foi a primeira e única residência com água encanada por muito tempo. Depois vieram as casas do Rachid Abes, do Deraldino dos Santos, do Abdon Bunazar, o novo sobrado do meu tio-avô Filadelfo Alves da Silva, bonito e soberbo [...]. Veio depois, devagarzinho, engolindo a velha casa de madeira, a construção de alvenaria do Fahed, que foi posteriormente a maior casa de comércio da vila.

No campo, em zonas de grande pobreza, as casas eram há quinhentos anos as mesmas. Elpídio Reis descreve a casa de um velho, em que pernoitou, em Ponta Porã, em 1930: "A casa era coberta de sapê. As paredes, de sopapo. O reboco, de barro puro, com o tempo foi caindo e por isso as paredes apresentavam frestas ou pequenos buracos, por onde a luz provocada pelos relâmpagos [...] formava filetes de claridade dentro da sala que era também quarto [...]. A cozinha ficava ligada à sala. Era um puxado de três paredes. O piso era de chão batido. Banheiro a casa não tinha. O banheiro era o pocinho, onde o velho lavava o rosto, as mãos e os pés. Ali também lavava sua roupa. Banho ele tomava num riacho que ficava a uns quinhentos metros. A latrina ou casinha ficava a uns quinze metros. Durante a chuva forte, o velho urinava à porta, fazendo a urina cair fora da casa, levada pela enxurrada."

4. A ERA DE OURO DO RÁDIO

O aparelho coqueluche era a radiola. No dia 7 de setembro de 1922, durante as comemorações do centenário da Independência, uma voz invadiu os ares. Era o presidente Epitácio Pessoa que, com seu discurso, inaugurou no país a radiofonia com transmissão a distância e sem fios. O pai da ideia foi um médico que pesquisava a radioeletricidade para fins fisiológicos, o doutor Edgard Roquette-Pinto. Entusiasmado com o avanço das comunicações, ele convenceu a Academia Brasileira de Ciências a patrocinar a criação da Rádio Sociedade do Rio de Janeiro. A rádio só começou a operar no dia 30 de abril de 1923, com um transmissor doado pela Casa Pekan, de Buenos Aires, instalado na Escola Politécnica. De 1923 a 1924, multiplicaram-se as emissoras: no Rio Grande do Sul, a Sociedade Rádio Pelotense, de Pelotas, e em Porto Alegre, a Rádio Sociedade Gaúcha, que até hoje se proclama a pioneira no Sul do país. Em Minas Gerais, a Rádio Clube Belo Horizonte e em Curitiba, a Rádio Clube Paranaense; em São Paulo, a Rádio Clube São Paulo e a primeira emissora do interior, a Rádio Clube Ribeirão Preto. A partir daí, surgiram emissoras de rádio por todo o Brasil, como a Rádio Clube do Pará, no extremo Norte, e as fronteiriças do Rio Grande do Sul. As primeiras emissoras – explica o pesquisador José de Almeida Castro – eram clubes ou sociedades de amigos, nascidas da união de curiosos encantados com a sensacional novidade.

Um dos primeiros a registrar a novidade foi Erico Verissimo: "A partir de maio, depois de 1925, eu costumava ir à noite ao sobrado para de lá ouvir pelo rádio a transmissão que a Broadcasting Municipal de Buenos Aires fazia de óperas inteiras durante a temporada lírica do Teatro Colón. '– Qual é a ópera, hoje? – *La Bohème*. – Ótimo. – Quem faz a Mimi? – A Claudia Muzio. – E o Rodolfo? – O Gigli. – Opa, que elenco!' E amaldiçoávamos o mau tempo quando descargas elétricas apagavam as vozes dos cantores [...] começava para nós a Era do Rádio."

O hábito de prestigiar as óperas encenadas no Teatro Colón, em Buenos Aires chegava às coxilhas, assim como se adensavam as informações do que acontecia em outros estados. Em 1926, Cecília de Assis, louca para comprar "uma radiola", anotava no diário: "Estamos todos preparando para ouvir o Totti dal Monte, diretamente do Colón. Essas noites de geada são as melhores para transmitir o som. A radiola fica quase humana. Com bom tempo estamos ouvindo Buenos Aires e São Paulo admiravelmente [...]. Só o nosso Rio de Janeiro é que ainda não conseguimos ouvir. Hoje ouvimos *La Bohème*, em matinê no Colón e, depois, a festa oferecida aos aviadores do Jaú, no Municipal de São Paulo."

A "radiomania", como dizia Herberto Sales, também chegou ao interior da Bahia, encurtando a distância entre a capital e o interior: "Grassava no Brasil a febre do radiotransmissor. Mas já havia em Andaraí luz elétrica, progresso, embora convivendo ou coabitando com os fifós da pobreza. E quem tinha luz elétrica em casa tinha em geral um rádio. E também havia o rádio do vizinho [...] com inevitável estática e inevitáveis descargas."

Zélia Gattai registrou o aparecimento dos rádios de galena, proibidos durante muito tempo. O pequeno aparelho era constituído por um fragmento desse minério, uma bobina e um fio de cobre denominado bigode de gato. Explica o pesquisador Ivan Rodrigues que, até o ano de 1924, a posse de um radinho de galena era contravenção. Sua utilização era proibida pela Lei nº 3.296, de 10 de julho de 1918, primeiro diploma legal que disciplinou os serviços de radiotelegrafia e radiotelefonia, considerados privativos do Governo Federal.

A vigilância exercida pela Repartição Geral dos Telégrafos, órgão encarregado de fiscalizar o cumprimento dessa lei, levava seus prepostos a apreenderem os "miseráveis galenas" – na expressão de Roquette-Pinto. Todavia, seu uso passou em pouco tempo a se expandir clandestinamente no Rio de Janeiro, São Paulo e Minas Gerais, sendo instalados até mesmo em automóveis. Embora os receptores de galena fossem de difícil acesso e faltassem fones, as revistas francesas que aqui chegavam ensinavam como construí-los. O galena empolgava a população, como confirma Zélia Gattai: "Apareciam os primeiros rádios de galena: o nosso fora montado por Remo, habilidoso em assuntos de eletricidade. A transmissão dos programas, ouvidos através de um par de fones, era perfeita. Mamãe não perdia, à tarde [...] o *Conversas da Tia Chiquinha*."

O radiotelégrafo revoluciona as comunicações.

Estação Radiotelegráfica da 1ª Brigada Estratégica, 1910.
ARQUIVO NACIONAL.

O uso do rádio de galena deixou de ser contravenção a partir de 5 de novembro de 1924, com a assinatura do Decreto nº 16.657, permitindo a qualquer pessoa, mesmo estrangeira, instalar estações meramente receptoras, comprometendo-se o interessado a guardar sigilo absoluto "de toda correspondência radiotelefônica porventura interceptada pelo posto de recepçao a ser instalado em sua residência". Mais tar de, surgiram peças mais sofisticadas e decorativas. Zélia conta exultante: "O aparelho, um Zenith, que papai acabara de comprar tinha formato de oratório gótico, seu som era perfeito. Mamãe podia, daí por diante, pôr seu rádio de galena fora de combate [...]. César Ladeira, o Bico de Ouro, voz empostada, cristalina, anunciava os programas, dava conta do que se passava no mundo. Entusiasmo geral!"

Programação musical de teatros era transmitida por rádio.

Careta, ano XVIII, n. 902, p. 42, 1925.
BIBLIOTECA NACIONAL [HEMEROTECA].

Quando a Rádio Nacional foi fundada, em 1936, o mundo inteiro, ainda mal refeito da Primeira Grande Guerra, esperava a eclosão de um novo conflito. Mas, em vez de más notícias, a Nacional embalava os ouvintes durante o Estado Novo com o prefixo musical "Luar do sertão", de Catulo da Paixão Cearense. A música dava à estação suas tintas: um ufanismo ingênuo, transformado em piada na voz de humoristas: "*A muié é como o rádio/ Que vive sempre enguiçando/ Ele não garante as várvula/ Nem a gente arreclamando.*"

O governo descobriu a importância do rádio como instrumento de acesso à população e, em 1937, Getúlio deixou claro seu propósito de instalar, em diversas cidades, receptores de rádio com alto-falantes para os brasileiros acompanharem os temas de interesse da nação. Nasceu o programa de propaganda política *Hora do Brasil*. Graças às pesquisas, hoje sabemos o que mais se escutava na década de 1940: músicas de discos (45% do tempo total), música ao vivo (22%), propaganda comercial (10%), noticiário e teatro (3% cada) e cursos (menos de 2%).

O crescimento da radiodifusão no Brasil foi acompanhado de perto pela imprensa escrita, pois ainda na década de 1930 surgiram algumas publicações especializadas em assuntos radiofônicos, como *A Voz do Rádio*. O novo aparelho despertava muita curiosidade e debates entre o público, em geral. As publicações alimentavam as discussões sobre o papel do rádio na sociedade, tais como: se o novo meio de comunicação deveria ter, ou não, obrigatoriedade de um caráter educativo. E Humberto de Campos se espantava com aulas de... Ginástica!:

> Tenho, agora, em casa um rádio que minha filha põe a funcionar, às vezes pela manha. Uma das estações cariocas, a essa hora, irradia sempre uma lição de ginástica, em que o *spíquer* simula estar dirigindo um grande grupo de moças, rapazes e crianças, aos quais dirige recriminações espirituosas: – Mais para a frente, Madame... Assim... Assim... com as mãos levantadas... Muito bem!... Não converse, cavalheiro! Preste atenção ao que está fazendo... o senhor está curvado demais... Cavalheiro, as mãos na cintura... Faça favor... não ria... não ria... O pé mais para dentro... Assim... Assim, está muito bem!

O veículo, entretanto, ainda não se havia profissionalizado completamente. Não existiam propriamente artistas de rádio e, sim, artistas que também atuavam no rádio – ensina a historiadora Lia Calabre. Era um tempo de experimentação, e a imprensa escrita se encarregava de noticiar todas as novidades que surgiam no meio radiofônico. Muitos dos jornais diários passaram a publicar uma coluna dedicada ao assunto. Surgiu a figura do cronista radiofônico, que comentava a programação, apresentava as novidades técnicas, mas não deixava de fornecer informações sobre a vida e o trabalho dos artistas preferidos do público ouvinte. Havia ainda revistas como *A Carioca* ou a *Noite Ilustrada*, que destinavam muitas de suas páginas aos artistas de rádio. Wilson Lins conheceu de perto um dos mais importantes:

> Certa noite, no verão de 1942, Arnaldo Silveira chegou à redação acompanhado de um rapaz bem moreno, de bigode bem tratado e sorriso pronto [...] um baiano que começava a fazer sucesso no Rio, como compositor. Sua composição "O que é que a baiana tem?" continuava fazendo sucesso e novas músicas de sua autoria vinham despertando o interesse do público. Três anos depois de ter partido para o Sul, Dorival Caymmi vinha pela primeira vez a sua cidade natal. Na época, a Bahia já contava [...] com expressões como Humberto Porto e Assis Valente, mas o astro que despontava trazia uma mensagem nova, diferente de tudo o que se apresentava até então. Não era samba de morro, samba de roda, samba-canção, nem folclore. Também não era música como o lundu e o maxixe e tudo isso, num jeito novo. Vindo à Bahia para passar uma semana com a família, Caymmi acabou ficando dois meses a cantar para o seu povo na Rádio Sociedade, em recitais públicos no Cassino Tabaris, no Palace Hotel e, sobretudo, nas ruas, nas praias, para os amigos.

Na década de 1940 – é ainda Lia Calabre quem informa – o setor radiofônico era forte e já bastante profissionalizado. A lógica do trabalho havia sido invertida: os artistas eram de rádio, mas também trabalhavam em outros setores. Este é um grande momento da MPB: "Dorinha, meu amor", "Fita amarela", "Gosto que me enrosco", "Jura", "Sofrer é da vida" e outras eram canções que viviam na boca de pobres e ricos, evidenciando a influência de grupos antes excluídos na representação dos sentimentos. E mais: mostrando que certo repertório de gestos e palavras, começava a fazer parte dos diálogos amorosos: "O cavalheiro segura/ a cavalheira com jeito/ Pouco abaixo da cintura/ E vai chamando ela ao peito/ Ela, a cara toda terna/ Gruda na cara do meco/ e depois, perna com perna/ caem os dois no perereco/ mas eu gosto é quando a gente/ Incói o corpo e... mergúia."

Famílias inteiras se postavam na frente do rádio para ouvir estas e outras músicas, ou as esperadas novelas. Junto com as músicas, havia uma curiosidade enorme sobre as estrelas do rádio, pois os fãs só conheciam sua voz. Para saciar tal curiosidade, surgiu a *Revista do Rádio*, que trazia, sobretudo, a cobertura da vida amorosa dos ídolos em cartaz. A separação dos cantores Herivelto Martins e Dalva de Oliveira, por exemplo, prodigalizou um fogo cruzado entre dois gigantes da cultura popular, ao desfazerem uma união, antes, apaixonada. Foi um vaivém de músicas e de acusações. "Mexericos da Candinha", coluna da mesma revista, se encarregava de lavar a roupa suja dos casais.

Na sessão de entrevistas não faltavam elogios à vida familiar, às casas dos artistas, aos seus planos de casamento, valorizando o padrão moral burguês. A revista perguntou aos artistas qual a melhor profissão para mulher. Joana D'Arc, da Rádio Tupi, respondeu: "A de esposa, porque é o mais belo cargo e o que a mulher pode exercer com facilidade e segurança." Saint Clair Lopes, conhecidíssimo locutor e intérprete de novelas dramatizadas, sentenciou: "Qualquer profissão serve para a mulher, desde que ela não abdique de seus deveres de dona do lar, a dona da casa." O recado aos amantes, esposos e namorados era sempre o da moralidade: mulheres, em casa; homens, na rua. No geral, as fofocas giravam em torno de assuntos como os gostos dos ídolos, os salários que recebiam, ou iam receber, os carros comprados ou recebidos de presente ("de quem? de quem?"), a informação mais ou menos velada de que determinado rádio-ator estava apaixonado por uma famosa rádio-atriz ("por quem? por quem?").

A cada número, a *Revista* escolhia quatro ou cinco artistas para matérias mais longas, de três a quatro páginas, e o restante da publicação apresentava colunas fixas de uma ou duas páginas. As reportagens principais – ora entrevistas, ora em forma de textos corridos – eram

fartamente ilustradas, e os textos não excediam o espaço dedicado às imagens. Brilhavam os talentos de Iberê Gomes Grosso, Luciano Perrone, Almirante e Dorival Caymmi.

Em 1940, a Rádio Nacional foi encampada pelo governo de Getúlio Vargas, e a programação ganhou novo formato, sob a direção de Gilberto de Andrade.

O "Rei do Rádio" acompanhava o ritmo da vida das pessoas. Boris Fausto conta que a hora do almoço era marcada pelos concertos da Rádio Gazeta, que abria com árias de Bach. O programa que chegava à mesa junto com a comida chamava-se "A música dos mestres". Na hora do jantar, ouvia-se o programa popular do Nhô Totico, cuja abertura era: "*x.p.tio de arrelia, a voz do Juqueri; senhoras e senhores escuitantes, boa noite!*" Suas piadas giravam em torno de dona Aqueropita, filha de italianos, obcecada em encontrar um homem "sortero, sortero", para se casar. O radialista recriou a presença dos imigrantes de São Paulo, através de falas e maneiras: o Sakamoto, que levava dona Aqueropita pela cidade; Jorginho, filho do negociante de tecidos; Mingau, irmão de Aqueropita, cujo genitor se chamava Betto Spacca Tutto; o nordestino Mingote e seu pai. A graça era o sotaque carregado.

Aos programas cômicos se seguiam, ainda segundo Fausto, os que uniam suspense e moralismo. Crimes terríveis narrados com música fúnebre de fundo, terminando com a prisão do criminoso. Moral: "O crime não compensa." O "Chute sem bola" desancava os dirigentes do esporte. Aos domingos, jogos eram transmitidos com o entusiasmo de quem estava na torcida.

Vale lembrar que a possibilidade de reprodução técnica do som chegou antes mesmo do rádio, na forma de fonógrafo. Inventado em 1877, o aparelho permitia gravações, armazenagem e reprodução sonoras que, desde então – e cada vez mais –, passaram a desempenhar papel central, como comprova Laura Rodrigo Octávio: "Os fonógrafos apareceram em

São Paulo por volta do fim do século [...] um aparelho ao qual se adaptava um rolo de uns 5 centímetros de diâmetro, que era o veículo registrador. Uma agulha fazia soar seus sulcos, mas era ouvida a transmissão com auditores individuais [...]. Havia vários fios com tais auditores, e assim a família se reunia em volta do aparelho, com aqueles fios nos ouvidos. Só depois surgiu o fonógrafo com discos e uma corneta transmissora de som. Foi uma festança. Heloisa, mais gaiata, só gostava de um disco de voz estridente: 'Quando vou ao Loreto com meu vestido preto.' Eu, já metida a séria, preferia 'O vinho português', um dobrado muito bonitinho."

À mesma época, Edgard Roquette-Pinto, que além de médico era antropólogo e etnólogo, foi arregimentado pelo coronel Cândido Rondon para fazer parte de sua "Comissão de linhas telegráficas estratégicas de Mato Grosso ao Amazonas". Era o ano de 1912, e ele coletou, graças ao fonógrafo, uma série de melodias e canções dos índios da Serra do Norte, parecis e nambiquaras, algumas das quais transcritas por um colega do Museu Nacional, Astolfo Tavares, e publicadas em *Rondonia: Anthropologia – Ethnografia*, cuja primeira edição veio à luz nos Arquivos do Museu Nacional do Rio de Janeiro, em 1917. A segunda, publicada em 1919, contém raríssimas transcrições de 12 canções: 7 pareci, 2 nambiquara e 3 de sertanejos cuiabanos. Verissimo levava seu aparelho para o trabalho: "Em certas noites eu trazia a minha portátil Victor para a farmácia, colocava-a em cima do balcão, dava-lhe manivela e, segundos mais tarde, de dentro da caixa saía a voz dulçorosa de Tito Schipa cantando 'Estrellita' ou 'Valencia', ou então a de Miguel Fleta interpretando o 'Ay, Ay, Ay'. Pessoas paravam às nossas portas para escutar."

Sintonizado, o Brasil descobriu programas de sucesso retumbante, como o jornalístico "Repórter Esso", as radionovelas, e ainda os musicais, estrelados pelas famosas rainhas, como Marlene e Emilinha Borba. A música brasileira alcançou status de primeira grandeza, com os arranjos de maestros como Radamés Gnattali e acompanhamento de orquestras em apresentações diárias, ao vivo. Com a concorrência da televisão, em fins da década de 1950, o rádio começou a perder prestígio. Se a televisão só chegou depois da Segunda Guerra, os preparativos para recebê-la vinham de longe. Vejamos a anotação de Humberto de Campos ainda nos anos 1930, publicada posteriormente em seu *Diário Secreto*:

Anúncio da primeira transmissão de TV, em São Paulo, que circulou em jornais da época.

Propaganda do aparelho RCA, São Paulo, set. 1950.

COLEÇÃO PARTICULAR.

Na sede da Rádio Sociedade, onde vou fazer a minha palestra do mês, diviso, num recanto do grande salão de espera, a figura simpática e brasileira de Roquette-Pinto [...] acha-se por trás de uma infinidade de aparelhos de física, de fios de arame que sobem e descem, de radiadores que se defrontam com os seus círculos e losangos misteriosos. Encaminho-me para o seu laboratório de homem de ciência, e ele me explica do que se trata.

– É um aparelho de televisão. Há tempos venho fazendo experiências em silêncio, e já tenho conseguido muita coisa. Tenho transmitido letras e sinais e recebido também... Dentro, porém, de poucos meses teremos coisas verdadeiramente sensacionais com um aparelho fabricado por um polaco, que eu encomendei dos Estados Unidos.

5. ALIMENTAÇÃO: COSTUMES, SABERES E SABORES

Colher difundia símbolo da República.

Belém do Pará, s.d.

INSTITUTO MOREIRA SALLES.

As grandes transformações tecnológicas também chegariam à mesa e à cozinha. Mas, assim como todos os avanços da época, chegaram em velocidade diferente aos diferentes rincões e aos diferentes grupos sociais. Muitos intelectuais desejavam que os brasileiros se espelhassem nas imagens da burguesia europeia, em termos de consumo e comportamento "civilizado"; essa não era, porém, a realidade vivida pela maioria. Nem todas as cidades realizaram a modernidade desejada, e a industrialização crescente não apagou as formas tradicionais de produção e sobrevivência dentro de casa. Os padrões foram absorvidos de maneira desigual, e muita gente continuou a comer sentada em esteiras e a cozinhar no fogão a lenha ou a carvão, preparando velhas receitas avoengas.

Mesmo nas grandes capitais a presença do fogão a gás, também símbolo de bom gosto e prestígio, não significava seu uso. No dia a dia, acendia-se o "econômico", para pratos mais elaborados, e a "espiriteira" para fazer comidas rápidas ou esquentar a água. Explica a historiadora Cláudia Lima que era para poucos a cozinha das imagens coloridas dos anúncios ou das páginas de revistas: higienizada, forrada de ladrilhos, guarnecida por armários repletos de panelas de alumínio, fogão elétrico ou a gás, mesa, pia e água encanada capitaneada por uma cozinheira branca, vestida com uniforme impecável. O cotidiano era bem outro!

No campo ou na cidade, galinheiros e quintais com árvores frutíferas continuavam presentes na maioria das casas. O arquiteto Carlos Lemos sublinha que quintais eram lugar de estar, trabalhar e confraternizar. Raros os memorialistas que não os comentem. Leandro Tocantins destacou sua importância: "Onde se sente melhor a integração de Belém à natureza é no quintal, ponto de confluência entre o sítio (ontem, a rocinha) e a casa urbana. Parece que esta não quis se desligar de todo daquele ambiente de pomar, ou simplesmente do mato das antigas propriedades rurais [...]. Não há fundo de casa fim de século que se respeite, sem deixar de exibir o seu quintal, onde a família costuma fruir os recantos de sombra em reunião com os amigos. Sentados em cadeira de balanço para conversar ou até fazer refeições."

Marta Novis lembra o quintal de sua madrinha, em Bom Jardim, relacionando-o às delícias da cozinha: dele "saíam ingredientes para os doces mais deliciosos. Tinha mais de mil pés de fruta-do-conde. E goiabas, muitas goiabas, brancas e vermelhas. Faziam umas geleias transparentes, cor-de-rosa forte, com semente de goiaba. A polpa servia para compotas e para goiabadas".

Antes da popularização da geladeira, sobrevivia o costume de abater as aves e deixá-las em observação por cerca de três dias, para que se eliminassem das entranhas as "bicheiras" e qualquer "porcaria que se houvesse comido sabe-se lá onde", explica Cláudia Lima. Para a limpeza das panelas, frigideiras de ferro, pedra, barro, cobre e, modernamente, alumínio, usava-se o sabão feito em casa com mistura de cinzas e pau-de-pita. Panelas eram areadas com areia, cacos de telha e tijolos reduzidos a pó e batatinhas. Para brilhar, secavam no jirau, ao sol. Na cozinha se preparavam alimentos, lavava-se a louça, guardava-se a bacia para banhos, passava-se roupa. E, ali mesmo, cozinheiras e empregadas dormiam sobre esteiras. Poucas casas conheciam as divisões de espaços preconizadas por higienistas, engenheiros e construtores, e as posturas municipais eram ignoradas.

Nos casarões e palacetes, desvinculou-se definitivamente a cozinha da sala de jantar, que passou a ser espaço de exibição. Além da mesa e cadeiras, aparadores, *buffets*, *étagères*, consoles e guarda-louças guarnecidos de espelhos e cristais. A exibição da prataria e da louça fina fazia parte da ostentação. Porcelanas, faianças e faqueiros traziam as iniciais da família; guardanapos com monograma repousavam sobre toalhas feitas sob medida. Um jantar tinha de se adequar às normas da etiqueta no uso dos talheres, dos copos certos para cada bebida, bem como no conhecimento dos serviços: à americana, à russa e à francesa. Era proibido arrotar ou usar palitos. Nem todos seguiam as regras, nem mesmo a gente rica. Cecília de Assis Brasil que o diga. Certa amiga da família, num almoço,

Surgem fábricas de doces.

Fabricado por Frederico Lencioni: Largo Bom Successo. [S.l.: s.n.], [19--]. BIBLIOTECA NACIONAL [ICONOGRAFIA].

comeu com os dedos uma costelinha de ovelha e depois palitou os dentes com um galhinho de laranjeira, ainda cheio de folhas.

Nas casas, sobrevivia o guarda-comida. No Rio, na casa de Carolina Nabuco, havia um, e na da antropóloga Hildegardes Vianna, em Salvador, também: "de madeira escura, com duas ou três prateleiras e uma porta de uma ou duas bandas [...], permitindo uma precária ventilação [...] tinha lugar para as sobras da mesa, a padeira, a manteigueira, o açucareiro, a molheira, o galheteiro, os suportes de talheres, o porta-guardanapo, travessas, pratos e tigelas."

Antes da geladeira, existia o gelo, vendido em domicílio, como conta Thiago de Mello: "Inconfundível era a harmonia formada pelo badalar simultâneo das várias sinetas do Gelo Cristal. Era uma carroça de rodas altas, puxada a cavalo, a caixa verde pintada com dizeres em dourado, onde o geleiro trazia acumuladas as pedras transparentes que tanto nos fascinavam [...] a geladeira era um móvel de madeira com compartimentos verticais, portinholas com dobradiças de metal – isso nas casas ricas – ou uma caixa de madeira com tampa onde se guardava o gelo conservado em serragem [...]. Para dizer que já chegara, ele mudava de som: tocava uma buzina de boca dourada e fole de borracha preta."

Boris Fausto, morador da rica São Paulo, confirma que geladeira era coisa para poucos. Mas era sonho de consumo de muitos, como de Herberto Sales, que se mudara para o Rio: "Trabalhava, trabalhava muito, nos tempos do Rio Comprido. Mas só assim poderia comprar a geladeira que a família sonhava." Para muito poucos, as geladeiras importadas eram verdadeiras caixas-fortes divulgadas nas revistas sob o lema: "Um bloco de gelo que nunca derrete." Alguns modelos permitiam fabricar pequenos blocos de gelo numa gaveta de borracha. Comprava-se gelo para alimentar a... geladeira! Segundo a antropóloga Verena Alberti, a partir de 1947 começaram a entrar no Brasil toneladas de geladeiras.

Quando faltava gelo, guardava-se a comida na mesma vasilha em que tinham sido aferventadas, cozinhadas ou fervidas. Nada de tigelas de alumínio reluzente, pois desconfiava-se que o metal se tornava nocivo às comidas que nelas "dormiam". Melhor as de barro ou ferro esmaltado. Cuidado: o azinhavre das panelas de cobre podia envenenar os alimentos.

Carnes verdes, ou seja, frescas, de boi, carneiro, porco ou peixe eram limpas com panos imaculados e conservadas no sal grosso misturado a alho. Se não eram empregadas em algum prato logo no dia seguinte, tinham que ser expostas ao sol para escorrer a salmoura. Hildegardes Vianna nota que tranças de cebola e réstias de alho conviviam, sem estética, em qualquer prego onde pudessem se manter ventiladas. Toucinho, linguiça, carnes salgadas, ficavam dependuradas por cima do fogão. Temperos frescos como coentro, cebolinha e cheiro-verde eram molhados, sacudidos e postos a escorrer. Acondicionava-se banha de porco e manteiga em recipientes de vidro, cobertos com água e sal trocada de dois em dois dias. Frutas da estação nadavam em recipientes com bastante água. Raízes como batata-doce e cará repousavam debaixo da pia, para conservar frescor. Limões eram enterrados na cinza do borralho do fogão, onde murchavam, mas não apodreciam.

Resolvido o problema da acomodação dos alimentos, surgia outro, de quinhentos anos: os malditos insetos! Nada ficava descoberto. Bacias com água e sabão e papel viscoso polvilhado com açúcar eram armas precárias contra moscas. Formigas de todo tamanho circulavam ao bel-prazer entre latas de açúcar, compoteiras e garrafões de azeite, levando nas costas grãos de feijão e milho debulhado, carocinhos de farinha e restos de pão. Riscos de cruzes no chão não resolviam; tigelas tampadas contendo os alimentos açucarados iam para dentro de bacias de água... Para combater os exércitos de baratas – que não capitulavam diante do ácido bórico misturado ao açúcar – a arma era o pano amarrado na boca das panelas! Sem esgotos, ratos se instalavam em toda a parte, roendo o que fosse comestível. Até óleo das lamparinas dos quartos dos santos bebiam. Contra eles, só gato caçador.

As cozinhas eram o lugar por excelência das refeições, mesmo em casas que dispunham de sala de jantar com mesas, cadeiras e cristaleira. Era lá que 92,35% das famílias gostavam de se sentar para comer. Em pesquisa para seu livro *Cozinhas, etc.*, Carlos Lemos descreve as cozinhas proletárias com 10 ou 12 metros quadrados. Mas havia quem cozinhasse sob as estrelas – embora sem romantismo. Eram os caboclos, sertanejos que pastoravam gado, condutores de tropas, viajantes. Sua cozinha era ao ar livre, como conta Otávio Gomes:

> O carreiro [...] trata de colocar a "maruca" sobre o fogo. Maruca é um tripé no qual se pendura a panela de ferro fundido [...]. A panela tem alça semicircular e é de três pés também. [...] Retira um naco bem largo de toucinho já salgado em fatias, que traz num caixote dentro do carro. Lava-o bem para tirar o sal, pica-o miúdo e atira na panela que já está quente. O toucinho chia e esfumaceia. Antes, o cozinheiro improvisado catou o arroz, tirou os "marinheiros" e lavou-o na cuia com água cristalina do córrego. Examina e escolhe as mantas de carne-seca. Com a faca ou o facão que conserva dependurado na cinta, corta um bom pedaço. Verificou, antes, cautelosamente, se não existem ali uns bichinhos de varejeira, costumeiros de aparecer nesse tipo de carne. Lava-o bem e passa a cortar a carne, em pedacinhos numa gamela pequena. A carne depois de lavada é jogada na panela fumegando de quente [...] espera um instante para se livrar da gordura que espirra. Mexe e remexe [...] até ficar

> tudo fritinho. O arroz já lavado, pingando água na mão, é atirado na panela quente [...] a carne picada está bem frita, com os temperos. O arroz chia forte. Vai frigindo até ficar tostado. Aí se põe a água, e o arroz é afogado. Recende da panela um cheiro gostoso [...] é uma delícia comer seu arroz de carreiro, preparado na hora.

A culinária se instalou como moda elegante nos livros de receita usados pela gente rica. Era *chic* saber "mandar fazer" tais e quais receitas complicadas, multiplicadas nas revistas. A historiadora Solange Demeterco lembra que mudanças nos hábitos alimentares ocorreram em razão da disponibilidade das matérias-primas indicadas nos livros de cozinha mais utilizados então: *Comer bem*, por Dona Benta, e *A arte de comer bem*, de Rosa Maria.

A colunista mais famosa de *O Cruzeiro* – revista ilustrada lançada em 1928 – foi Helena Sangirardi, que escreveu por muitos anos divulgando receitas e dando conselhos às suas leitoras. Em abril de 1944, ela passou a responder por três colunas de dicas e conselhos para as donas de casa: "Pequena Enciclopédia Doméstica", "Lar Doce Lar" e "Pratos que Todos Repetem". Antes, porém, certa tia Evelina, autora dos livros *Receitas para você* e *Novas receitas*, oferecia acepipes à "brasileira" como o cuscuz, os manjares, a feijoada e as sobremesas com frutas nativas. Outra colunista que escrevia na década de 1940 foi Maria Luiza, autora *de Arte de cozinhar*, que apresentava sugestões para a merenda, lanche da tarde ou do final do dia, baseadas em doces, acompanhados de chás ou café. Conta Otávio Gonçalves sobre sua mãe: "Nem sempre havia cozinheira em casa, era ela mesma quem fazia a cozinha. Tínhamos sempre vários comensais extras [...]. Os quitutes de minha mãe foram famosos. Preparava uma leitoa como ninguém, assava umas roscas de dar água na boca e preparava muito bem os doces de leite, de limão, de mangaba."

Desde o Império, a mesa farta não era privilégio das cidades litorâneas. No interior, chegavam os produtos importados, mencionados na imprensa, para a mesa do senhor de engenho ou do fazendeiro rico. José Lins afirma: "Nunca nos faltou a melhor manteiga da Dinamarca e os queijos do Reino da Holanda. Tudo à grande [...] chegava em quintos da Paraíba, o vermelho vinho de França." Na outra ponta do país, em casa de

Erico Verissimo, seu pai também não economizava no consumo de produtos finos. E nos almoços de domingo, dirigia-se, aos berros, aos convidados: "'– Olha essa salada tem atum e maquereau. Come um pouco mais!' Em cima da mesa enfileiravam-se garrafas de vinhos franceses, italianos, portugueses e alemães. Como me parece estranho o nome de um deles: Leite da mulher amada! Os brindes faziam-se com champanhe [...] homens e mulheres recuavam, rindo e gritando para não serem atingidos pelo esguicho da Veuve Clicquot."

Malgrado a imposição lenta dos bons modos, muitos mantiveram o costume ancestral de comer com as mãos. Vejam-se os ditos gaúchos: "Feijão? Com a mão, e costelas? Unhas nelas." Quanto à sucessão de pratos à francesa, alguns não estavam muito bem informados. Humberto de Campos conta que, em almoço com o governador, em Teresina, "o criado serve-me maionese de peixe com uma fatia de bife. O governador intervém, corrigindo o engano".

Mantendo a tradição que vinha do período colonial, era costume sair à rua para comer. As praças de mercado, em muitas capitais, eram o convite para uma refeição quando o sol raiava, depois de uma noite de farras ou de bailes: "– Vamos comer ostras ao mercado?", perguntava João do Rio. Em Maceió, ia com o pai "comer sanduíche de fiambre com queijo do reino e saboroso caldo de cana moído na hora". Botequins baratos, casas de pasto, atendiam quem saísse dos escritórios ou interrompesse o trabalho braçal. Gravatas se acotovelavam nos balcões com camisetas suadas. Bebia-se cerveja. Nas "casas de chopp", a clientela era mais seleta. Entornava-se o caneco espumante ao som de acordes de piano ou harpa. Na rua da Carioca, João do Rio contou dez estabelecimentos. Ribeiro Couto os via repletos aos domingos.

Laura Rodrigo Octávio, nos jogos de futebol e corridas do Velódromo, não dispensava "as balas vendidas nas arquibancadas feitas pelas Eloy, doceiras famosas, filhas e sobrinhas de Francisco Glicério. Balas de ovos deliciosas, dentro de um lenço de papel de seda cor de rosa [...] creio que essa especialidade custava apenas dez tostões".

Ou ia-se à rua para comer ou a rua ia à casa para oferecer comida pronta. Como nos séculos passados. É Thiago de Mello quem conta sobre vendedores e pregões:

O velho Jaú chegava ali pelas 9h, atravessava metade de Manaus, com seu mingau (mungunzá) perfumado a cravo de cheiro. As duas panelas altas de alumínio, enroladas em alvíssimas toalhas de linho. O negro não anunciava a mercadoria, mas a si próprio, com o grito que era seu logotipo musical impresso no espaço de nossas noites estreladas: "Já-Já-Já-Já-ú-ú-ú!" [...]. E o grito de guerra de seu Messias, com a sua voz de tenor: "Pajurá-de-racha!" O seu Messias vinha de manhã, mas às vezes aparecia à noitinha [...]. Equilibrava o tabuleiro na cabeça [...]. Na mão direita, um banquinho de madeira. Eram as frutas mais saborosas da cidade: sorva, mari-mari, jambo, manga-rosa, biriba e as santas sapotilhas, que ele trazia lá da Vila Municipal [...]. Agora é o pregão do cuscuzeiro que vinha lá de Educandos [...] e subia a ladeira gritando: cuscuz de milho no leite, coberto de coco ralado, na folha de bananeira [...] custava mais barato que o pão... "Olha o miú-ú-ú-ú-do". Não

me lembro do vendedor de miúdos, só de seu tabuleiro com tampa e cavalete. Depois era a exaltação da qualidade: "Frescos, fresquin-in-in-in-inhos" e afinava a voz num agudo pianíssimo... E afinal o chamamento, que se repetia em ritmo sincopado: "Quem vai querer! Quem vai querer!"

A cerveja torna-se uma bebida popular.

Cerveja Cavalleira: Companhia Cervejaria Brahma. [19--?]. BIBLIOTECA NACIONAL [ICONOGRAFIA].

E Thiago mesmo, quando a situação familiar se deteriorou, passou a vender sorvetes: "Em 1926, meu pai morreu em Santarém. E como eu já sabia fazer sorvete, comprei uma sorveteira, daquelas de botar na cabeça. Nela mesma, a gente fazia e a gente vendia, saía na rua com ela. No centro dela era um tambor de cinco litros, de metal ajustado num eixo ligado a uma manivela. Ao redor do tambor a gente enchia de gelo e sal e rodava, rodava a manivela até o refresco ir endurecendo, quer dizer, até virar sorvete."

Em Salvador, de manhã cedo, circulava a "mulher do mingau" que, de saia rodada e pés descalços, anunciava o latão de mingau fervente com o pregão: "São Francisco, meu pai, quem me quer hoje?" Dona de freguesia certa, levava uma gamela redonda de pau assentada sobre a rodilha de pano que lhe protegia a cabeça do creme fervente envolto em linho impecável.

6. A FOME E DE COMO SACIÁ-LA

Faltou comida, em algum momento? Sim. Agripino Grieco ironizava: "Surgiram no Brasil uns cidadãos que se intitulam nutrólogos e nutricionistas, que espalham graves teorias em matéria de alimentação. Vê-se que temos quase tudo nesse terreno. Só nos falta uma coisa perfeitamente secundária: comida."

Mas houve coisa séria. Durante a Segunda Guerra, conheceu-se o racionamento. O surpreendente, segundo o historiador Roney Cytrynowicz, é que a realidade não foi afetada diretamente pelo conflito mundial, mas, sim, por jogos políticos internos. Segundo suas pesquisas, o governo de Vargas adotou a escassez como estratégia de conscientizar a população da necessidade de lutar contra o nazifascismo. Para isso, elevou preços e dificultou o acesso aos gêneros alimentícios básicos, como a farinha de trigo e o açúcar. Acreditava que, com o cotidiano diretamente atingido, os que relutavam aceitariam participar do conflito.

Cytrynowicz mostrou que a dificuldade de aquisição de produtos básicos concentrava-se, na maior parte das vezes, na população mais carente, contribuindo com o espírito de mobilização nacional. Os preços de itens como batata, carne-seca, cebola nacional e manteiga salgada chegaram a dobrar. Além do "pão de guerra" – à base de macarrão argentino dissolvido para o aproveitamento da farinha de trigo – foi lançada uma "sopa de guerra", estimulando o plantio da "horta da vitória". Sem registros dramáticos, a escassez de alimentos foi instrumentalizada e mobilizada como arma política. Trouxe a guerra para o cotidiano, constituindo verdadeiro "*front* interno".

Mas, guerras à parte, passou-se fome de verdade no Brasil. Demósthenes Martins nunca esqueceu a família de retirantes com quem cruzou na serra de Sabugi e Angicos. Num jumento esquelético vinham fugindo da seca. Iam para o Pará. O homem levava ao ombro uma enxada. "– Vai armado para lavrar a terra?" "– Não, meu senhor, esta enxada conduzo para fazer as covas em que terei que enterrar esses meninos que vão nos caçuás, morrendo de fome. Dois já morreram e estes três não resistirão por muito tempo. Mas não servirão de pasto aos urubus."

Gregório Bezerra só foi comer um "prato de arroz com farofa e carne de porco" aos 7 anos, quando já trabalhava como pequeno lavrador na fazenda de um velho latifundiário. Costumava fazer uma única refeição: farinha com migalhas de charque ou "pirão de água fria com um naco de bacalhau". Ele viu passarem "as primeiras caravanas de flagelados pelas estradas afora e aparecerem, ali e mais além, os cadáveres esturricados de crianças e velhos, vítimas da fome, da sede e das doenças ocasionadas pela fome".

Nascido a 13 de março de 1900, num sítio em Panelas de Miranda, filho de camponês paupérrimo, Bezerra conta que esse foi um ano "seco, de muita fome e sede, que matou o nosso reduzido gado de carneiros e cabras, esturricou nossa lavoura e quase nos matou [...]. Nasci faminto e faminto fui vegetando e crescendo ao léu da sorte. Não havia leite materno, nem de gado. Como alimento, minha mãe empurrava-me pela boca um pouco de mingau de farinha de mandioca com rapadura. Berrava de fome. Minhas irmãs punham o dedo médio em minha boca, só para me enganar".

Em Andaraí, na Bahia, Herberto Sales também viu famintos: "abri uma venda, uma pequena venda dessortida e triste, para vender provisão de boca a garimpeiros tristes, quando Deus se condoía da fome deles." Muitos brasileiros tinham fome. Para calar a abstinência, Câmara Cascudo lista as chamadas "comidas brabas", recursos desesperados usados nas longas estiagens. Segundo ele, o "cardápio famélico" incluía: o cardeiro, uma cactácea, cuja medula seca ao sol, esfarinhada, dava em papas. A carnaúba, palmeira capaz de fornecer palmito, farinha e goma. A embiratanha, cujas raízes novas são levemente adocicadas. A mangirioba, cujas sementes torradas permitiam a cocção de uma infusão amarga, substituta do café. O pau-mocó de raízes também feculentas. O umbuzeiro, cujas raízes concentram água. O uricuri dava pão seco. O xiquexique, cujo miolo era comido depois de assado, entre outras plantas, além de feijões, favas, vagens de trepadeiras rústicas. A todos se cozinhavam cinco, sete até nove vezes e depois de secos ao sol ou ao sereno, tornavam-se mingaus e papas. Segundo mestre Cascudo, tais "comidas de desespero" de um povo magro,

Nas grandes cidades surgem grandes mercados.

Mercado Municipal, Rio de Janeiro, 1908.

ARQUIVO NACIONAL.

nu e acabado inspiraram a poesia sertaneja: "De macambira a farinha/ Do croatá o beiju/ Da massa de coco o pão,/ Da mucunã, o angu/ A melhor de todas quatro/ É croatá comido cru."

Não era cardápio provisório, mas, sim, uma espécie de reserva, incluída no plantio corriqueiro, melhorada para diminuir seus efeitos tóxicos. Uma herança dos índios jês ou cariris, moradores dos sertões da Bahia e do Piauí. Os habitantes dos vales úmidos do Nordeste, os matutos, tinham o sustento extraído das matas úmidas, dos rios e do mar: peixes, crustáceos, couves, fruta-pão, rapadura, queijo, peru, galinha e capão, comida cantada em folhetos por grandes cantadores. A "precisão ingrata", ou seja, a dura necessidade ficava para o povo do sertão.

Na Região Sudeste, os caipiras repetiam a alimentação de seus avós: "Logo ao se levantar, um café simples, enquanto se prepara o que comer. Minutos depois, café com leite, com bolo de frigideira de fubá, quando a mandioca cozida não substitui o pão. Este raramente aparece, trazido em grandes sacos, pelos compradores de aves e ovos [...]. Também, quando alguém vai à cidade não deixa de trazer pão, tão secundário na alimentação dos nacionais: artigo de luxo para eles, não é procurado, não faz falta, mas é apreciadíssimo, simples ou com café" – explicou o escritor Cornélio Pires, grande conhecedor do vale do rio Paraíba.

Às 8h30 ou às 9h, o almoço; no meio-dia, isto é, às 11h30, café com mistura ou alguma fruta; às 14h30, jantar; às 17h, merenda; às 19h30 para as 20h, a ceia. O caipira só consumia as carnes de porco e de caça, e raramente de vaca, em forma de charque de sal, de sol ou de vento. Feijão era servido com couve ralada ou picada. Gostavam do feijão virado em farinha de milho; a linguiça, arroz com suã de porco, com frango ou com aves selvagens, ou com entrecosto; o couro "pururuca" de porco, o torresmo, o viradinho de milho-verde, de cebola, de ervilha ou couve, as batatas e o ensopado de cará, o bolo de fubá, bananinhas de farinha de trigo etc. A refeição salgada era encerrada com um bom caldo de couve ou "serralha" de palmito ou de "cambuquira". Para a sobremesa, bastava arroz-doce, melado com cará, canjica, curau, milho-verde cozido ou assado. E os indefectíveis doces de abóbora, cidra, goiaba e marmelo, segundo Pires, influência dos imigrantes italianos.

Durante as refeições, os roceiros bebiam água. Pelo meio-dia, cachaça, refrescos de marmelo, limonadas, "água de açúcar", muito café e a jacuba, feita de água, açúcar mascavo e farinha de milho. O jantar podia oferecer "feijão com carne-seca, orelha de porco, couve com angu, arroz mole engordurado, carne de vento assada no espeto entre outros, que se termina por um prato fundo de canjica com torrões de açúcar". Segundo o mesmo autor, depois da comezaina, rede, pois "quem come e não deita, a comida não aproveita".

No Rio Grande do Sul, o avô de Erico Verissimo, estancieiro, concordava com esse cardápio. Para ele, "tendo carne e leite, o mais para mim é droga". Sua sobremesa era quase sempre um prato fundo cheio de leite misturado com pedaços de marmelo cozido, farinha de mandioca, beiju ou grãos de milho. E pontificava: "Misturar doce com leite é coisa pra bundinha – almofadinha, mocinho delicado da cidade." Verissimo acrescenta: "Um prato que ele considerava indigno de um bom gaúcho era arroz de grãos soltos. O certo mesmo era o pastoso, reluzente de banha de porco."

A criação para o cardápio diário ou de festa era abatida em casa. Conta Hildegardes:

PÁGINA 290 E 291
A pobreza no campo estimulava o trabalho infantil.
Grupo de crianças em escola agrícola. [S.l.], [s.d.].
ARQUIVO PÚBLICO MINEIRO.

> [...] o porco, fuçando e roncando, enchendo a barriga com litros e mais litros de farinha grossa misturada com bastante sal grosso e água fria [...] para simular pirão. O peru [...] dando seus glu-glus e se inflando todo, como se estivesse reinando como um sultão. Quando menos pensava, era preso pelas asas e pelas pernas, debaixo dos pés de algum tirano que lhe despejava pelo bico aberto à força, caldo de limão ou sulfato de sódio [...]. É que não queriam que pegasse gogo e ficasse imprestável para o talho.
>
> Na véspera da festa, reunia-se um pequeno exército de mulheres e uns tantos homens para o início da operação preliminar. A chefe era invariavelmente uma "mulher de saia", velhusca e despachada, muito hábil no trabalho e também no ofício de dar ordens. Depois de inspecionar o arsenal de panelões, cochos e frigideiras, a qualidade do carvão ou da lenha, agarrava uma garrafa de cachaça, uma faca ou punhal, uma frigideira rasa, com um pouco de vinagre dentro. Era a hora do sacrifício. O peru, novamente sujeitado sob os pés, o bico aberto à força, bebia uma boa talagada de cachaça pura ou misturada com vinagre. Os "badaguês" vermelhos iam ficando azuis e roxos, a crista arriava, as pernas perdiam as forças [...] enquanto a cachaça ia tomando conta dele. O porco, por sua vez, era amarrado pelos pés e atingido pelo punhal ou faca em pleno coração. Ele reagia com roncos e grunhidos, enquanto os circunstantes riam a bom rir. Morto o porco, chegava a vez do peru, completamente bêbado, morrendo sem protesto, estrebuchando à medida que o seu sangue espirrava na frigideira com vinagre. Dado o último estremeção, ficava descansando a um canto qualquer, esperando junto com o porco o banho de água fervente.

Nem todos tinham estômago para assistir ou participar de tal operação. Sobre a morte de porcos, Marta Novis comenta que: "Horrível, só vi uma vez. Ele grita feito gente. O açougueiro segura o bicho e mete a faca!" Em seu horror à matança da criação, Marta não estava só. Em 1910, a segunda leva de imigrantes japoneses que aportou em terras paulistas, ainda

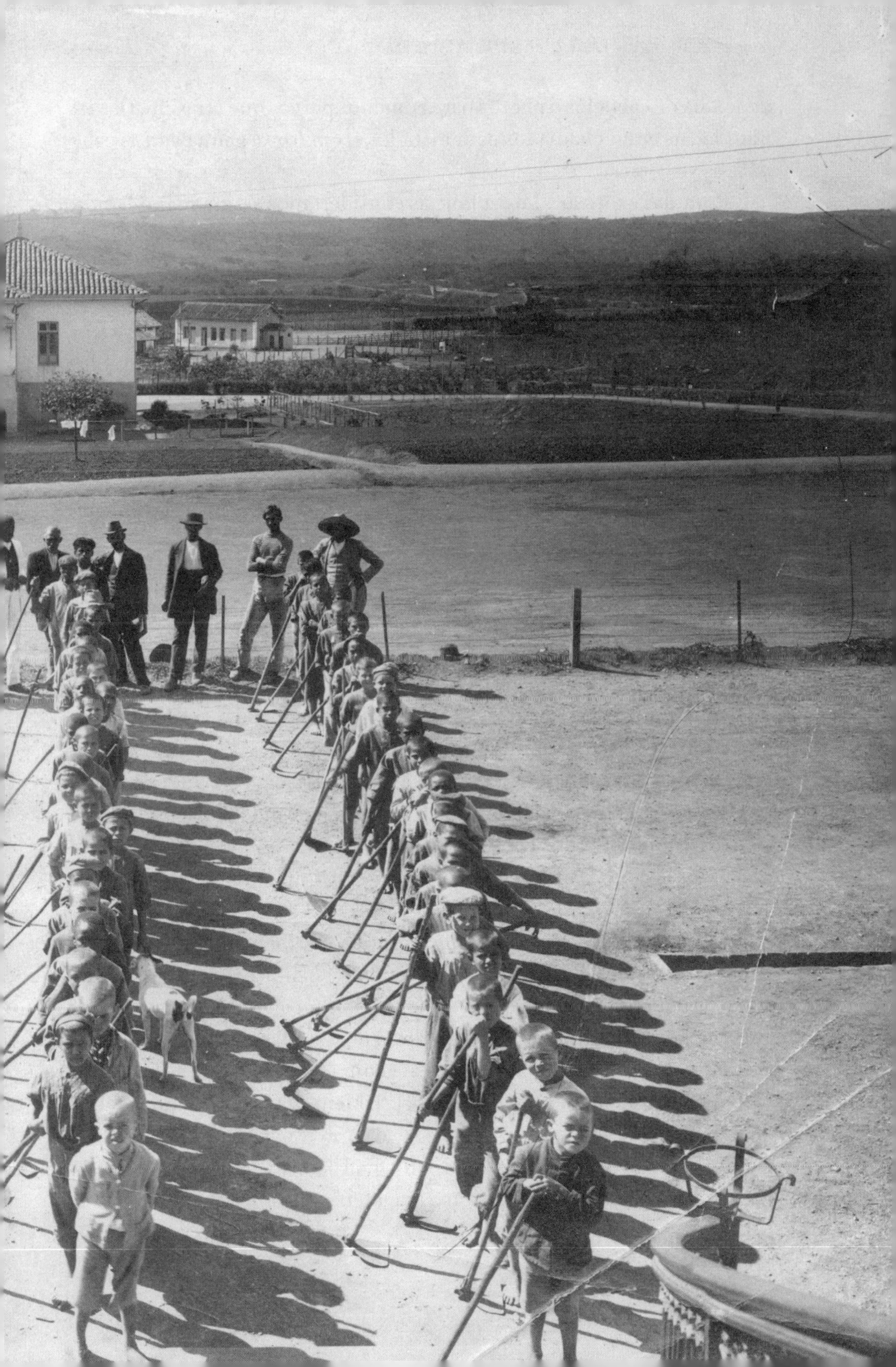

dependia de caboclos e negros para comer os porcos que criavam. Os vizinhos locais eram chamados para matá-los e, em troca, ganhavam as cabeças e as vísceras.

Comidas exóticas? Talvez hoje as consideremos assim, mas o famoso livro *Cozinheiro Nacional* ou *Coleção das melhores receitas das cozinhas brasileira e europeias para a preparação de sopas, molhos, carnes, caça, peixes, crustáceos, ovos, legumes, pudins, pastéis, doces de massa e conservas para sobremesa – acompanhado das regras de servir à mesa e de trinchar*, segundo livro de culinária editado no Brasil, tinha receita com cobra refogada, frita e assada, além de gambá refogado com brotos de samambaia. Entre as cobras, na panela, a preferida era a cascavel, que, além de saborosa, curava moléstias do coração e sífilis. "Todos dirão que comeram galinha" – apregoava.

O antropólogo francês Claude Lévi-Strauss que, na década de 1930, adentrou o Brasil em expedições etnográficas foi atacado por "frenesi alimentar" e degustou: colibri assado no espeto, rabo de jacaré grelhado, papagaio flambado no uísque, guisado de mutum, tudo polvilhado com a noz de tocari, cuja polpa engrossava os molhos tornando-os um creme branco.

Na mesma linhagem gastronômica, Cecília de Assis Brasil não hesitava em garatujar no seu diário: "Matamos uma cobrinha verde que chegou a morder meu dedo minguinho. Depois carneei-a, e como a carne estava tão linda resolvemos comê-la. A Quim teve uma boa ideia: iríamos pescar uns lambaris, faríamos uma fritada, misturando pedaços de cobra e a serviríamos a todos sem dizer nada [...]. A Quim preparou a fritada de lambaris com cobra. E ela mesmo a serviu no almoço. Fizemos um *succès fou*!"

Saudade já se tinha da tartarugada, prato de ribeirinhos do vale amazônico, em extinção nos anos 1930, comenta Leandro Tocantins: "Já não é mais frequente o cheiro da tartarugada. Porque comer tartaruga virou coisa de gente endinheirada ou do governo, sem falar no pobre caboclo do fundo da floresta, que faz uma festa com a família quando 'vira' uma bichona na praia no tempo da desova [...]. Meio-dia de domingo, de tudo quanto era canto da cidade, subia e se alastrava, perfumando o vento, o cheiro do casco da tartaruga, dentro do qual estava sendo preparado, sobre fogo de carvão a lenha, o santo sarapatel."

Para acomodar a comida, bebia-se água. Poucas casas a tinham encanada ou potável, conta o morador de Itapagipe, Bahia, José Lemos de Sant'ana, em 1928:

> Lá em casa não havia filtro, nem na casa de meus tios e meus avós, nem conhecia outra casa que o tivesse. Em compensação, a água era fresquinha no pote localizado a um canto da sala de jantar ou da despensa [...] uma talha com torneira sobre um móvel apropriado de madeira ou ferro, na sala, e mais alguns moringues espalhados na janela sombreada e ventilada [...]. A água vinha da fonte em carotes, pequenos barris com abertura superior [...]. Vinham quatro em um jumento. Ao passar a água do barril para o pote, era coada com um pano colocado na boca do pote. Só isso, mais nada [...]. Em época de doençada se colocava um pedaço de enxofre em pedra dentro do pote. Nos potes ou talhas em que não havia torneira – e eram a maioria – havia uma caneca de uma asa só para tirar a água, jamais podendo ser usada na boca [...] em casas mais pobres, vi separação da caneca de tirar daquela de beber. Mas, independente de posses e de educação, menino fazia o diabo nas costas dos mais velhos [...] houve até quem, subido numa cadeira, mijasse dentro do pote [...] o pau cantou numa surra de, no mínimo, uma dúzia de bolos. Moringa, talha ou pote novo deixavam gosto de terra na água. Compreendi então por que Chiquinha disse um dia: "Pote velho é que dá boa água."

7. A VIDA PÓS-ABOLIÇÃO

Muito se tem escrito sobre o dia seguinte ao decreto da Abolição. Será verdade que os ex-escravos deixaram apressadamente os lugares onde tinham vivido longo tempo na escravidão? Não necessariamente. Muitos se distribuíram entre outros grupos da sociedade, acentuando ainda mais – como disse a historiadora Maria Cristina Wissenbach – a fisionomia mestiça de nossa sociedade. Com a abundância de mão de obra imigrante, os ex-cativos acabaram constituindo-se num imenso exército industrial de reserva, descartável e sem força política na jovem República. De fato, muitos ex-escravos, além de serem discriminados pela cor, somaram-se à população pobre e formaram os indesejados dos novos tempos, os deserdados da República. O aumento do número de desocupados, trabalhadores temporários, lumpens, mendigos e crianças abandonadas nas ruas redundou, também, em aumento da violência, o que pode ser atestado pelo maior espaço dedicado ao tema nas páginas dos jornais, como explicou o historiador Gilberto Maringoni. Escrevendo sobre esse período, Lima Barreto ressaltava que: "Nunca houve anos no Brasil em que os pretos [...] fossem mais postos à margem."

Mas nem todos se tornaram seres em condição sub-humana, jogados à própria sorte, ou bandidos. Sobrevivia, entre muitos ex-senhores, a mentalidade paternalista responsável por relações de proximidade e mesmo afetividade. O pai de Carolina, Joaquim Nabuco, desejava que se oferecesse escolarizaçao aos ex-escravos como forma de inserção social. Ela recorda como eram os dias depois da Abolição na fazenda de cana de seu avô, em Maricá:

> Embora decadente e não dispondo mais de escravos, o Pilar continuou a produzir cana-de-açúcar, com a qual se fabricava melado. Era também no terreiro que se batia o feijão. A fazenda se animava, nessa ocasião. Vinham foreiros de todo lado trazendo as suas colheitas. No terreiro, uns oito homens

Rótulo registra o trabalho doméstico.

Pó Lavadeira preparado na antiga fábrica de sabão Consumo.

BELÉM DO PARÁ, [19--].
BIBLIOTECA NACIONAL [ICONOGRAFIA].

batiam com varas na palha seca para soltar os feijões. Eram todos foreiros. Os seus sítios se espalhavam através da fazenda e, à guisa de aluguel, davam um dia de trabalho por semana. Cinquenta famílias recebiam a "tamina" de gêneros distribuída por meu avô aos foreiros e moradores. [...]. A velha Henriqueta [...] responsável pela enfermaria da senzala e pelo tratamento dos escravos doentes ou acidentados [...], moça ainda, foi mandada por seus senhores para ganhar prática, num hospital no Rio. Ouvi contar dela, e esse feito despertou-me ilimitada admiração, que salvara a vida de um homem estripado por um boi. Recolocara-lhe os intestinos, após lavá-los num córrego próximo e recosera-lhe o ventre conforme as regras da cirurgia. Era uma preta alta e magra com um ar de respeitabilidade [...] realizada pela vocação médica que era a sua. Continuava ativa, servindo à vizinhança como parteira, doutora e distribuidora de ervas aptas à cura.

Os depoimentos de Pedro Calmon e Zé Lins do Rego endossam a tese de Gilberto Freyre da escravidão nordestina mais paternalista, com laços de dependência entre ex-senhores e ex-escravos que não se desfaziam facilmente. Calmon nos conta que:

> Numa dependência da casa vivia, trôpego, o velho Lizardo. Era um preto de Mataripe que o avô barão recomendara aos cuidados de minha mãe [...]. Pertencia à escravatura do engenho, [...] capaz de dar a vida pelo senhor, esquecido da liberdade para ser lealmente servo [...]. Salvara o barão de um motim de colonos, em Canavieiras, noite alta, fugindo ambos a cavalo, antes que chegassem os rebeldes. Por esse motivo, [...] o dono [...] o legou à filha, para que tivesse até morrer, casa e comida. Ziguezagueando pelo quintal, esse remanescente da escravidão [...] era a prova de que no Recôncavo sobre o infortúnio do cativeiro pairava a gratidão. E existia a caridade.
>
> Os fundos da casa davam para um pátio onde ficava o poço da serventia. Para este pátio dava o quarto das negras velhas, antigas escravas africanas que ainda se arrastam pela cozinha [...]. A minha avó Janoca ia sentar-se na banca, onde passava o dia a velha Galdina, aleijada, negra africana a quem todos nós chamávamos de "vovó".

PÓ
LAVADEIRA
PREPARADO NA ANTIGA FABRICA DE SABÃO CONSUMO
PÓ
LAVADEIRA
PREPARADO NA ANTIGA FABRICA DE SABÃO CONSUMO
ESCRIPTORIO LARGO DAS MERCÊS Nº20
PARÁ-BRAZIL
PÓ
LAVADEIRA
ESCRIPTORIO
LARGO DAS MERCÊS
Nº20
PARÁ-BRAZIL

Muitos ex-escravos foram trabalhar nos portos.

Carregadores de café Santos. São Paulo: Union Postale Universelle, [entre 190- e 193-]. BIBLIOTECA NACIONAL [ICONOGRAFIA].

Mas havia também as rainhas negras, saídas do cativeiro, que tomavam lugar da patroa ou da sinhá, donas da cozinha e das conversas, como nos conta José Lins: "A negra Generosa fora escrava e conquistara pela força, pelo tempero, pela franqueza, o reinado da cozinha. Tudo ali saía de suas mãos e de seus braços. As notícias chegavam primeiro na cozinha: as cheias do Paraíba, as chuvas no Piauí, as secas no sertão, as bravatas de Antonio Silvino, tudo vinha à cozinha em primeira mão."

Em Recife, Manuel Bandeira cresceu entre Tomásia e Rosa. Vamos ouvi-lo:

> Tomásia era a velha preta cozinheira da casa da rua da União. Tinha sido escrava de meu avô e fora por ele alforriada. Naquela cozinha, com seu vasto fogão de tijolo, o seu enorme pilão, que pelas festas de Santo Antônio, São João e São Pedro resplandecia, quentemente, com as grandes tachas de

cobre areadas até o vermelho. Tomásia, pequena, franzina e de poucas falas, mandava as suas duas únicas respostas a todas as minhas perguntas: "Hum" e "Hum-hum", que eu interpretava por "sim" ou "não". Rosa era a mulata clara e quase bonita que nos servia de ama-seca. Nela minha mãe descansava, porque a sabia de toda a confiança. Rosa fazia-se obedecer e amar sem estardalhaço, sem sentimentalidades. Quando estávamos à noitinha no mais aceso das rodas de brinquedo, e era hora de dormir, vinha ela e dizia peremptória: "Leite e cama!" E íamos como carneirinhos para o leite e a cama. Mas havia antes do sono, as "histórias" que Rosa sabia contar tão bem...

Carolina Nabuco também teve sua "vó preta" em casa: "Nosso pessoal de serviço pode parecer grande nos dias de hoje em que desaparecem, aos poucos, os domésticos: era, porém, mínimo para aquele tempo. Constava de duas babás [...] que eram também arrumadeiras. Eram irmãs [...]. Quando iam a Maricá visitar a família, viajavam a pé a noite inteira. Havia também um rapazinho, que fazia uma vaga copeiragem. Lembro-me muito bem do cozinheiro preto, Panfílio, e de seu predecessor, Diogo, mulato filho da velha Carlota, que fora cria do Pilar (a velha fazenda de meu bisavô) e que nunca se afastou da família dos seus antigos senhores. Carlota, pela idade, era dispensada de serviço. Morava num quarto no quintal de onde tudo se via e de tudo informava minha mãe, a quem chamava de Nhanhã [...] só a chamávamos de 'Minha Velha' [...]. Ninguém esperava deles apuro no trajar nem no serviço. Havia que lhes apreciar a boa vontade e resignar-se ao desalinho."

E em São Paulo, em casa de imigrantes italianos, Maria Negra também teve tratamento afetuoso, como conta Zélia Gattai: "Maria Negra chegou à nossa casa um mês antes de meu nascimento, seria a minha pajem. Veio recomendada por Suzana, empregada antiga da casa de dona Emília Bulcão, parteira conceituada no bairro. Por que Maria Negra e não Maria da Conceição, se seu nome era este? Não foi certamente por racismo que lhe deram o apelido, isso não! Aquela era uma casa de 'livres-pensadores', de anarquistas. Inteiramente absurda semelhante hipótese, nem mesmo por brincadeira! Maria Negra rapidamente dominou a todos com sua simpatia e eficiência. Mocinha, quase menina, tomou as rédeas da casa. Era a primeira a sentar-se à mesa com a família – papai não admitia que alguém comesse na cozinha, fosse quem fosse – servia os meninos, descobrindo logo o gosto de cada um."

Marcas do tempo da escravidão subsistiam em atitudes violentas como a de um tio de Zé Lins, dono do Beleza, um engenho decadente: "Tinha horror aos negros, e o preto Mendonça, cria de Massangana, sofria o diabo em suas mãos. Quando chegava à mesa do engenho e encontrava Mendonça sentado [...] gritava: 'Negro só mesmo São Benedito, e isto porque está no céu'. Mendonça se enfurecia e se atritava com o velho."

Mas mudanças mesmo, só nas palavras: sobrevivia o paternalismo de alguns e sobravam preconceitos a massacrar homens ou mulheres, negros e pobres. Na Bahia, a antropóloga Hildegardes assim descreveu "a gente de cor, antigamente", que tinha de:

> [...] tomar cuidado com seu modo de pisar, de falar, de proceder em casa alheia. Se casa de rico ou remediado, a cautela se tornava ainda maior. O negro enchia-se de brios e evitava maiores expansões ou intimidades com os brancos de categoria superior. Assim, cada qual impunha a si próprio uma severa disciplina, ainda mais rígida quando seus ascendentes eram africanos. O africano tinha uma noção de dignidade deveras invejável. Pois se havia gente que se vangloriava de nunca ter apertado a mão de um homem de cor, por que, então, lhe dar atenção? Elas por elas. O branco pobre, socialmente nivelado ao negro, não raro se tornava subserviente, humilhado, como se a pele clara fosse uma sobrecarga. Bem diferente do mulato, por índole, corajoso [...]. O mulato mal situado, nem branco nem negro, forçado a escolher uma posição, preferia se furtar a continuar em segundo plano [...]. Quando recebidos nas casas remediadas, iam direto para a cozinha, descalços. Levavam os sapatos ou chinelos na mão, pois constituía falta de respeito estar calçado na frente de pessoas de consideração. Todo branco, salvo se fosse desprezível, era "vosmincê". Mulato e negro: "tu e você." As mulheres de cor, amigas antigas de certas famílias que serviam com devoção ímpar, só tinham destaque em duas ocasiões: enterro e batizado. Nos primeiros, carregavam bandejas de flores destinadas aos defuntos, nos segundos, a criança. Se dedicada, era a madrinha de apresentação.

O historiador Carlos Coutinho da Costa explica que muitos ex-escravos optaram por circular dentro dos estados ou do país. Não foram, portanto, responsáveis pela formação de favelas e guetos, que representam a

Rótulo de cerveja: música popular como "estilo africano".

Badiana: Senna Madureira Estylo Africano E Bussons [e] Cia Ceará. [19--?]. BIBLIOTECA NACIONAL [ICONOGRAFIA].

herança maldita do tempo da escravidão. Em entrevistas realizadas com descendentes diretos de ex-escravos, a historiadora Ana Rios se deparou com três tipos de trajetórias de vida após a promulgação da Lei Áurea. Na primeira, histórias de extrema estabilidade: nos últimos anos da escravidão no Brasil, no Vale do Paraíba, vários proprietários alforriaram seus escravos em massa. Tentavam construir laços de gratidão com os trabalhadores, no intuito de organizar um verdadeiro "exército" de trabalhadores negros. Muitos desses grupos permaneceram nas fazendas por muitos anos, e vieram a formar o que hoje a Fundação Palmares reconhece como comunidades remanescentes de quilombolas. Havia também os que compraram pequenas propriedades e nelas se estabeleceram, trabalhando como meeiros, parceiros, em empreitada, obtendo parte de sua subsistência nas pequenas roças. Em suma, mantiveram-se, no imediato pós-Abolição, no Vale do Paraíba.

Em segundo lugar, a autora encontrou trajetórias daqueles que não conseguiram obter estabilidade: migravam de fazenda para fazenda, em busca de trabalhos temporários, e raramente obtinham algum tipo de mobilidade social. Nesse grupo, as histórias de vida são marcadas pela violência, instabilidade, pobreza e falta de laços parentais extensos. Por fim, os que migravam definitivamente para os centros em ascensão, grupo formado, sobretudo, por filhos e netos de ex-escravos. Migraram apenas na década de 1920, quando já era impossível reproduzir a condição social e financeira de seus pais. Ao trabalhador do Vale do Paraíba, a erosão do solo, as pragas, a diminuição do emprego, por conta da desvalorização do café, afetaram muito e rapidamente. Tiveram de abrir mão da terra, seu último bem.

Coutinho da Costa destaca que, na década de 1920, os jornais incentivavam a migração campo-cidade, divulgando oportunidades de emprego nas grandes cidades e seus arredores. Nessa época, diminuía a imigração europeia e aumentava a necessidade de mão de obra na capital e nas periferias. Regiões no entorno da cidade ampliaram suas produções, direcionadas para o abastecimento da cidade, mas também para o mercado externo. Informações sobre oportunidades eram divulgadas em jornais e por parentes e amigos migrantes, que levavam notícias para residentes no Vale do Paraíba.

Os ferroviários também contribuíram na distribuição de informações. As linhas férreas cortavam as decadentes fazendas de café, cruzavam a Baixada Fluminense e terminavam no centro do Rio de Janeiro. Ao retornar às suas fazendas de origem, os ferroviários comentavam com os demais parentes e amigos as informações sobre empregos e oportunidades, incentivando futuros migrantes. Os trens, desde o final do século XIX, transportavam para a capital, além do café, passageiros.

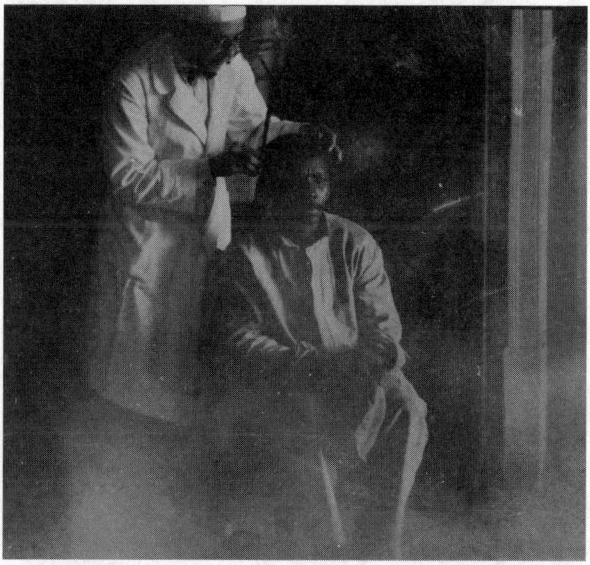

Médicos mediam o cérebro dos ex--escravos.

[Craniometria aplicada a negro]. [S.l.], [entre 190- e 193-]. BIBLIOTECA NACIONAL [ICONOGRAFIA].

PÁGINAS 304 E 305:

Membros da Frente Negra Brasileira.

Banda Musical da Delegação da FNB (Frente Negra Brasileira). São Paulo: Wessel, [entre 1931 e 1937]. BIBLIOTECA NACIONAL [ICONOGRAFIA].

O mesmo historiador lembra que o maior incentivo à migração teria sido o desejo de muitos ex-escravos de reunir famílias separadas havia muito pelo flagelo da escravidão. Outro fator de incentivo foi a busca por maior e melhor acesso à educação. Muitos cativos deixaram consignado, nas cartas de alforria, o desejo de trocar o cativeiro por longos anos de serviço obrigatório, em troca de o patrão assisti-lo em caso de doença e, mais importante, dar educação a seus filhos, possibilitando sua mobilidade social. Laura Rodrigo Octávio conta a história de Rachel, que: "Meninota, foi entregue à vovó pelo juiz, e pela vida afora esteve na família." Muito jovem, engravidou. Seu filho, Otávio, tornou-se mecânico perito. Aprendeu inglês para "desenvolver conhecimentos em curso norte-americano por correspondência".

Apesar das oportunidades variadas nos grandes centros urbanos, a maior parte dos migrantes descendentes diretos ou indiretos de ex-escravos parece ter ocupado regiões periféricas. Na Bahia, por exemplo, o historiador Walter Fraga Filho acompanhou uma migração de libertos para a Região Metropolitana de Salvador. Em outras regiões, como o Paraná, de acordo com o historiador Leonardo Marques, os ex-escravos migraram para as cidades que ainda eram marcadas por um misto de área rural, com urbanização em crescimento. A primeira geração de migrantes estabilizou-se socialmente nas regiões do entorno, uma vez que ali estavam as

lavouras e as áreas de criação de animais, destinadas ao abastecimento alimentar da cidade. Conhecedores do trabalho braçal no campo, provavelmente ali tenham encontrado seus primeiros empregos. E sobreviviam, desde sempre, atividades e prestação de serviço, em domicílio.

Longe de teses batidas, Coutinho da Costa demonstra que a migração em massa não ocorreu no imediato pós-Abolição. A migração definitiva do Vale do Paraíba para a região metropolitana do Rio de Janeiro ocorreu entre as décadas de 1920 e 1940 e foi empreendida por jovens, em sua maioria homens e solteiros, nascidos nos anos posteriores à Abolição. O mais importante é que eles tomaram a migração como estratégia ativa de melhora de vida e não como um resultado da desestruturação familiar. E a Baixada Fluminense era uma região em ascensão onde era possível aliar o trabalho na lavoura com outros setores também importantes para a mobilidade social, como as escolas.

Para o historiador, o desenvolvimento dos subúrbios e da Baixada Fluminense não foi resultado direto da reforma Pereira Passos e da consequente expulsão da população pobre do centro da capital federal. Foi resultado do crescimento dessas regiões e das oportunidades de trabalho que ofereciam: o bairro de Madureira desde sempre atraía por conta do seu amplo comércio, enquanto Bangu crescia demograficamente em virtude da característica fabril.

A tese de Coutinho da Costa encontra respaldo em estudos que confirmam a lenta e gradual, porém inexorável, ascensão social de negros e mulatos desde o século XVIII. Observe-se, por exemplo, em Salvador, a mobilidade captada por José Lemos de Sant'ana que dizia encarnar um "racismo às avessas":

> Por essa época essas eram, para mim, as mais cultas pessoas conhecidas, só ultrapassadas, na minha imaginação, pela figura do prof. Conceição Menezes, jornalista e professor do Ginásio da Bahia e de outros colégios públicos e particulares, a quem todos nós, não só de nossa casa, como de todo o beco, tratávamos com muito respeito e consideração. Já aí, se por acaso tivesse eu alguma restrição aos pretos e mestiços, ela desapareceria. Mas como eu não tinha restrições, ao contrário, sempre me habituei a tê-los entre os melhores e mais capazes, se plasmou dentro de minha mente a convicção da

> superioridade dos mestiços sobre os brancos – e só mais tarde modifiquei o meu pensamento e admiti a igualdade de capacidade de todas as raças. Entretanto, conservo um reflexo subconsciente que me inclina a julgar entre duas pessoas, em igualdade de estudos, como sendo mais hábil a mais escura [...] transferido para o Ginásio da Bahia [...] lá fui encontrar sumidades mestiças que estudavam e davam curso a colegas da própria turma, com o que se sustentavam, pois, de outro modo, alguns deles não poderiam sobreviver [...]. Muitos filhos de rico terminaram o Ginásio com proficiência, graças aos cursos particulares tomados com mulatos colegas da mesma turma.

Um antirracismo que Sant'ana não perdia tempo em demonstrar, fustigando a intolerância. Ele conta: "Certa vez, entrando em uma das nossas filiais, ouvi um freguês, naquele instante de costas para mim, perguntando alto à gerente, em tom de debique: por que é que seu patrão 'só emprega preta'?" Sant'ana foi para trás do balcão e perguntou ao sujeito se ele era formado. Ao ouvir que não era, e sequer tinha o ginásio, comunica ao freguês que a preta era professora. O sujeito: "embatucou e foi saindo fininho sob o riso dos circunstantes."

Para muitas mulheres que não estudaram, o trabalho doméstico seguiu como a oportunidade de emprego mais viável, o que permitia a mais fácil inserção no meio urbano. No entanto, muitas famílias preferiam as criadas de origem italiana ou alemã, caso da família de Paulo Francis. O fato é que com umas ou outras, mantinham-se práticas do tempo da escravidão: não havia contrato formal ou regulamentação da jornada de trabalho, nem direitos como férias e 13º salário, que só seriam implantados muito mais tarde, em 1962. As relações com as domésticas misturavam hierarquia e paternalismo: eram consideradas da família, mas subordinadas. Delas, esperava-se que obedecessem. Ao se casar aos 17 anos, a avó de Marta Novis foi para uma fazenda em Bom Jardim, Vale do Paraíba e "sua mãe despachou Josefina, a babá, para fazer companhia". Sem mais.

Para José Lins do Rego, a pior herança do tempo da escravidão era a que permitia ao patrão cometer toda a sorte de violência contra um subordinado indefeso: "A tia parecia atuada de raiva. No dia seguinte amanheceu gritando com Virgínia e, com pouco mais, a chinela cantava na carne da pobre. '– Limpa as cadeiras da sala, pamonha!'"

8. TUDO LIMPO? AINDA NÃO...

Apesar do higienismo de Oswaldo Cruz e Carlos Chagas ter se tornado questão de medicina social, a limpeza ainda não batia em todas as portas. A maioria das casas, nas cidades ou áreas rurais, não recebia água encanada e era provida de fossa precária. Em pesquisa recente, Verena Alberti localizou residências com esgoto em percentuais muito reduzidos nos estados de Minas Gerais, Rio de Janeiro, São Paulo e Rio Grande do Sul. Somente a partir de 1950 iriam se registrar mudanças e, ainda assim, modestas. Nas regiões rurais que continham 64% da população só 1,4% dos domicílios teriam água encanada; nas cidades, somente, 39,5%.

Sem água, a boa aparência física, resultado do "corpo moderno", limpo e higienizado, ainda não se democratizara. Havia muita gente que considerava o banho um "mal necessário" no qual se lavava "mais ou menos" o corpo, como assinalou José Itabyr Kandratovich. As crianças se lavavam nas águas umas das outras e os últimos, coitados, em água de enxurrada. Kandratovich conta ainda que, no interior de Minas Gerais, se guardavam os costumes do período colonial: durante a semana, lavavam-se só o rosto e os pés na hora de dormir. O banho de corpo inteiro só aos sábados; os cabelos das mulheres eram lavados uma vez por mês. Em pleno século XX, muitos ainda acreditavam que o banho fazia mal à saúde.

Tal como as cozinhas modernas, os aparelhos sanitários e banheiras eram mais vistos nos anúncios de revista do que nos domicílios. Idem quanto aos metais, louças e azulejos que irradiavam sensação de beleza e funcionalidade. Como resolver o problema? Na primeira metade do século XX, na falta de "salas de banho" e mesmo de água, tomou-se muito banho de rio. E não era brincadeira, mas hábito para se manter limpo. Quem conta é Sant'ana:

> Aí pelos meus 3 ou 4 anos, mamãe deixou que Sinhá Maria me levasse com ela para tomar banho no rio. No banheiro das mulheres. É, pois havia banheiro para os homens como o "chupa caroço" e o "poço das tainhas", e

banheiros para as mulheres, a um dos quais se ia pela rua Nova. Pois é, comecei frequentando o banheiro das mulheres, todas as tardes, acompanhado de Sinhá Maria. Lembro-me bem que logo à saída da casa, tirava a roupa e, ia em pelo, em todo o trajeto [...]. Achava natural tomar banho e ver tanta mulher nua lá no rio e não prestava atenção especial a essa ou àquela, velha ou nova, de modo que não ficou em minha mente nenhum desses aspectos que meus olhos viam com tanta naturalidade. Uma exceção, porém: até hoje tenho diante dos olhos uma mulata, nova, que após deixar toda a sua roupa na areia correu para o rio com a mão direita sobre o sexo e o antebraço e mão esquerdos tentando cobrir os bicos dos seios. Eu, que [...] via entrarem e saírem tantas mulheres de todas as idades, diariamente, sem dar qualquer importância, até hoje não pude esquecer essa pudica figura [...] toda vez que me lembro do fato, sinto que há sensualidade. [...]

Não era assim vovó Mariquinha que, diariamente, cinco horas da manhã ia, com a empregada, tomar seu banho. E o rio passava pertinho do fundo do quintal de sua casa. Senhoras havia que jamais foram a um banho de rio. Mas

Banhos de rio e de mar eram considerados higiênicos.

Vestimentas flutuantes para banho. Pedido de registro de patente do inventor André Cateysson, de 1904.
ARQUIVO NACIONAL.

as mulheres das classes mais pobres e as jovens de todas as classes, essas não dispensavam o seu banho, nuas em pelo, as brincadeiras dentro da água e os mergulhos do galho da ingazeira.

Já os banheiros dos homens estavam sempre movimentados das 5 da manhã até a tardinha ou, no verão, até 9, 10 horas da noite. Papai usava o banho de manhã cedo e nos levava, todos os filhos homens, meninos dos 5 aos

12 anos [...] tirávamos a roupa e colocávamos na ponta de varas curtas que levávamos para enfiar na areia, medida higiênica, pois realmente a beira do rio não era lá muito limpa, dado o costume de se urinar sobre a areia [...]. O fato é que, com toda a naturalidade, nós e ele ficávamos juntos totalmente nus sem que ninguém corasse ou ao menos sentisse qualquer acanhamento.

O banho de bacia, segundo Moacyr Scliar, também foi muito usado no Rio Grande do Sul: "Como outras casas do bairro, carecia de confortos elementares. Não tínhamos água quente, por exemplo. Para o banho, nem sempre diário (o que admito constrangido, dada a minha condição de homem da saúde pública), minha mãe esquentava água numa grande lata de azeite Sol Levante. E não a esquentava no fogão a gás ou elétrico: o que tínhamos era um fogão a lenha. Quem já tentou acender o fogo numa manhã de inverno, com lenha úmida, sabe que isto é o que mais se aproxima de uma missão impossível."

O acesso difícil à água fazia da bacia, dos barris e tanques os aliados de crianças miúdas e doentes. Sant'ana registrou: "A água de gasto [...] era posta em depósitos no quintal, junto à parede da sala de jantar: barris abertos em cima, porrões, dornas velhas, tachas ou mesmo tanques de tijolo e cimento, conforme as posses. Muitas casas possuíam cisterna funda no quintal, para pegar uma água de gasto melhor no lençol de areia subterrâneo, a quatro ou cinco metros de profundidade. Era água para banho e lavagem de roupa, utensílios e chão. Só não servia para beber. Aí se executava a lavagem de muita coisa, inclusive pratos, só não penico, que era lavado lá mais para baixo no fim da cerca [...] era junto ao depósito de água de gasto ou junto à cisterna que menino pequeno, no verão, não estando doente, tomava banho [...]. No inverno banho era dentro de casa, banho de caneco."

A bacia e o penico eram usados em toda a parte e por todo o tipo de gente, não só imigrantes pobres. Humberto de Campos anotou sobre o grande geógrafo e médico maranhense Justo Jansen Ferreira: "O Justo só tomava banho de água morna, em quarto fechado, no qual se conservava até duas horas depois do banho. E quando entrava na água, tapava os ouvidos com algodão. Ele não sentava no urinol ou na sentina sem forrar o assento."

O atraso era grande. O desaparecimento do penico, da latrina de barril ou do tigre estava longe de ser decretado. O escritor Pedro Nava lembra que se usava muito o "cagadouro pênsil" e as "casinhas", ambos perto dos

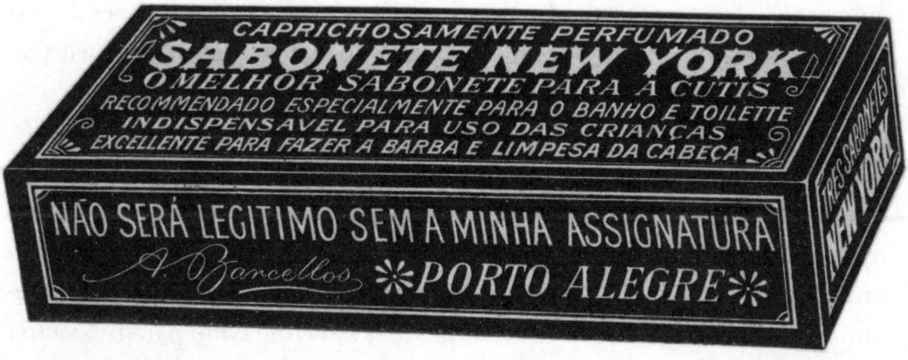

Aos poucos, New York substitui Paris como símbolo de elegância.

Sabonete New York: caprichosamente perfumado. Porto Alegre, [19--]. BIBLIOTECA NACIONAL [ICONOGRAFIA].

chiqueiros, até mesmo nas cidades. Em Recife, 1924, o tio de Gilberto Freyre "ia meio nu, porém de botas de cavaleiro, defecar nas bananeiras". Gregório Bezerra, muito jovem, empregado na casa de um rico fazendeiro, tinha por função esvaziar nas privadas dos moderníssimos banheiros, os penicos que ainda usavam. Otávio Gomes lembra que, à beira do Botas, onde morava, "os banhistas se acocoravam para fazer suas necessidades fisiológicas na beira do rio, as piracanjubas vinham disputar os excrementos para comer, e dando borrifadas de água nos seus traseiros" – um chuveirinho ecológico!

Ao visitar o amigo Coelho Neto, bastante adoentado, Humberto de Campos se chocou, não com a presença do penico. Mas com a do seu conteúdo: "não suporto o cheiro que enche o quarto e que me parece vir do criado-mudo ou de algum urinol, deixado debaixo da cama. O fétido é intolerável, e uma censura surda se forma em meu espírito contra os que permitiam a permanência de um vaso cheio, no quarto de um enfermo."

O banho não foi o único introduzido como obrigatório. Havia tônicos, modeladores, elixires e até aparelhos elétricos imprescindíveis na construção de uma nova individualidade, como sugeriu Nicolau Sevcenko. Mas não eram usados por todos. Afinal, os cremes, loções, pomadas, sabonetes, xampus e tinturas – que serviam para o "apuro da higiene corpórea", estampados nos reclames de revistas – eram custosos.

Eduardo Bueno, autor de livro pioneiro sobre higiene pessoal, esclarece que a ideia de um alto padrão de higiene pessoal foi exportada pelos americanos após a Segunda Guerra. Padrão transformado em obsessão nacional e multiplicado em objetos de consumo. Estar limpo, desodorizado, escovado não só impulsionava a ascensão social como inseria o usuário de escovas de dente, sabonetes e outras novidades no *American way of life*. Bueno conclui que os americanos fizeram uma indústria influente ao inventarem os banheiros modernos – com chuveiro e vaso sanitário – e a maior parte dos produtos de higiene pessoal, bem como a necessidade de um, dois ou mais banhos por dia. E o banheiro se tornou uma espécie de santuário da privacidade, no qual as pessoas se refugiavam para relaxar da vida moderna. Se relaxassem sentados, podiam contar com a ajuda do papel higiênico, difundido pela firma Scott Paper, pioneira na área. A maior dificuldade era convencer os clientes a pagar por um papel que, depois de sujo, seria jogado fora. Houve mesmo recusa em comercializar o produto: não era fácil fazer propaganda e instalar pontos de venda! A ideia só vingou depois que a empresa passou a comercializá-lo em rolos.

Pedro Nava se recorda de que, no internato Pedro II, onde estudou e morou, "o latrineiro" era implacável e "só dava a cada candidato três folhas de papel higiênico. Em situação normal, com muita economia, com esmero e dobrando cada folha duas vezes – eram três limpadelas vezes três, nove, e estava certo. Mas nos dias de diarreia aquilo só dava para início de conversa. E era inútil argumentar". O banheiro era um lugar de privacidade apenas em tese. Seu usuário estava sempre sujeito ao voyeurismo, sobretudo quando havia jovens na casa. Nelson Rodrigues conta a conversa com um amigo: "Moramos numa casa velha [...]. Perto de onde morou um almirante. Não me lembro do nome: um almirante. E ele, baixo, crispado: '– Então, fiz o seguinte. Subi no forro e abri um buraco em cima do banheiro.' Parou, espiando a minha reação; repetiu: '– Bem em cima do banheiro.' Limpa um pigarro e continua: '– Se vê tudo, percebeu? Tudo. Subo lá, de manhã; quando as minhas irmãs vão tomar banho [...]'. '– Queres ir lá? Olha: tu vais e eu faço outro buraco no forro. Dormes lá e, de manhã, subimos e já sabe.'"

Sabões – embora raros e existentes desde o período colonial, fabricados caseiramente até a autorização dada por d. João VI para a abertura de fábricas – só se impõem no século XX. Em 1913, o italiano José Milani, radicado em São Paulo, lançou o sabonete Gessy. O sucesso foi tão grande que a firma se fundiria mais à frente com a poderosa Lever, fundada em 1884, na Inglaterra. E o negócio continuava sendo sabonetes.

Em 1946, os ingleses lançaram no Brasil o sabonete-desodorante Lifebuoy, que passou a concorrer com o Vale quanto pesa ou o Eucalol. Nascia a campanha publicitária que divulgou o termo Cheiro de Corpo ou CC e criou o boneco "O tal", sempre escorraçado por cheirar mal. Programas de rádio eram patrocinados por marcas de sabonete, e a mulher dos anos dourados não dispensava Cashmere Bouquet e Palmolive.

Antes de o produto industrializado dominar o mercado consumidor, Pedro Nava viu sua mãe fabricar muito sabonete líquido Aseptol, para vender entre amigos. A fórmula vinha de um tio e o rótulo indicava: "'Soberano na antissepsia operatória/ o melhor e mais perfumado para a barba, preparado por Viúva Nava.' A teriaga fervia em grandes latas de querosene sobre trempes, no quintal, e eu gostava de alimentar o fogo, de engarrafinhar depois, e colar os rótulos e os timbres. Dava dinheiro, e os arredores inteiros lavavam-se com a milagrosa panaceia."

Outra forma de se estar limpo e perfumado eram os banhos de cheiro, muito usados no Norte e Nordeste. Leandro Tocantins explica que era indústria tipicamente caseira, de preparos diferentes, cada qual oferecendo odores peculiares. As fórmulas, guardadas como segredos de família, usavam como base a priprioca, pétalas de rosa, macacaporanga, jasmim, pau-d'Angola e tantas outras ervas, raízes, raspas, abundantes nos mercados populares. Tais ervas, quando secas, eram acondicionadas em pequenos envelopes de papel de seda, distribuídos nas gavetas e guarda-roupas. "Os próprios homens bem que estimam sentir o aroma em suas camisas", concluía Tocantins. E registrou: "O banho de cheiro é o resumo de todos os anseios de felicidade. Quase ninguém deixa de fazer escorrer pelo corpo a água de perfumes bons, preparada em casa ou adquirida nos mercados ou em casa do ramo." Ensinava o preparo e recomendava: "Deve ser usado nas vésperas de Santo Antônio, São João e São Pedro. Somente depois de lavar o corpo com água pura. A cachaça cheirosa ou garrafada é de uso permanente. Fecha o corpo, as mulheres aplicam no corpo em vez de águas de Colônia ou então se derrama na tina de água para banho de cuia."

Thiago de Mello não esqueceu o perfume de dona Adelaide, a bela negra parteira de Manaus: "Ela entrava lá em casa e a rua ficava rescendendo a priprioca, patichouli, pau-d'Angola, catinga-de-mulata, pó de baunilha, japana, folha de cuia-mansa e vindicá."

O uso do banho com sabonete foi acompanhado do desodorante, inventado pelos americanos para combater o odor de suor. Composto no início por uma mistura de nitrato de potássio e alumínio e, depois da Guerra, de bicarbonato de sódio, que neutralizava os ácidos, os desodorantes prometiam "sensação de asseio". Médicos renomados, como Miguel Couto, Aloysio de Castro e Werneck Machado eram citados como garantia para quem usasse o Magic, um desses novos desodorantes que, como o ODO-RO-NO, prometiam não apenas perfumar, mas desodorizar. E já garantiam proteção por 24 horas. Segundo Bueno, desde os anos 1920, as campanhas publicitárias seguiram os moldes usados nos "reclames" de sabonete: quem cheirasse mal não teria chances de arrumar companhia. Um cônjuge? Nem pensar.

Antes, porém, da invasão dos desodorantes, o CC era chamado simplesmente de catinga. Na boca do povo, ela podia ser identificada como catinga lavada, fresca, salgada, abafada, ardida, rançosa, de bode ou ainda fartum, bodum, inhaca, cheiro de virilha de ovelha etc. Roupas de baixo embabadadas, difíceis de lavar e engomar não favoreciam o asseio das senhoras que detinham o "dom de Tereza, o cheiro da natureza" – conta Hildegardes Vianna.

Recorria-se então aos suadores, semicírculos de fazenda absorvente que tentavam isolar as axilas da roupa. Limão com a cinza quente do fogão era o grande recurso, ou lama do fundo do pote de água, considerada tiro e queda contra a catinga. Expediente infalível era a cebola podre esfregada nas axilas e ali deixada. Ou a simpatia da poeira do assoalho depois de varrido, que passava a ser ótima para secar transpiração. O uso do lenço virgem passado nas axilas também valia. Mas infalível mesmo era limpar o suor com um lenço de defunto fresco e guardá-lo sorrateiramente no bolso da roupa. Água com pedra-ume e álcool canforado era usada por gente mais prática.

E o que dizer de "bocas arruinadas", "gengivas abandonadas" e as imagens da mocinha de nariz torcido, que convidava o noivo a passar no dentista? Era o mau hálito. Os avisos de dores de dente não eram suficientes para muitos cuidarem dos seus. Antes da chegada do sorriso bonito e perfumado, existia o perigo do "mingau das almas": saliva gomosa que muitos sentiam pela manhã. Para eliminá-lo, líquidos para bochechos eram conhecidos há muito tempo, assim como a esfregação dos dentes com o dedo esticado, entre um bochecho e outro. No Nordeste, usou-se muito a folha de juá, que produzia uma espuma farta e refrescante. Tinha também o pauzinho ou areador, vassourinha que visitava a dentadura num movimento rápido de vaivém. Molhado no pão queimado, o pauzinho garantia dentes alvíssimos.

Mas a higiene bucal só teve início mesmo nas primeiras décadas do século XX, graças à dupla escova & pasta de dente. Antes, um creme que misturava sal, pimenta e flores odoríficas. Quando finalmente industrializada pelos americanos, a pasta dentifrícia teve por base componentes alcalinos e flúor. A cor branca remetia ao asseio e prometia dentes igualmente alvos. Feitas em plástico, a partir de 1953, as escovas se tornaram obrigatórias.

Os cabelos também mereceram cuidados. Passou-se a utilizar "xampu", palavra de origem indiana, bem como o produto, cuja finalidade, desde a Antiguidade, era diminuir a presença de graxos produzidos pelo couro cabeludo. "Estar bem penteado" exigia toda a sorte de fixadores e cremes de cabelo como Glostora, Byocreme e Gumex. Thiago de Mello conta: "Cheiro inconfundível era o do perfume enjoado que saía do cabelo das caboclas, que abusavam, para que a cabeleira ficasse reluzente, da brilhantina, da Royal Briar, que era a marca popular da moda [...]. Outro produto de perfumaria muito em voga, com fama de deixar os cabelos sedosos, era o Óleo de mutamba, vendido em pequenos frascos de vidro alongados. A cabeça oleosa contrastava com o rosto excessivamente empoado pelo então famoso pó de arroz Coty, em cuja caixinha amarela vinha impressa, ao estilo Art Nouveau, a figura de uma sedutora dama de vestido longo." Só para lembrar: antes da brilhantina, usou-se muito espermacete, óleo de coco, banha de porco e similares.

Lavar as mãos antes das refeições era costume em algumas casas – explica Miriam Sales. Ninguém ia ao banheiro para fazê-lo, mas era usado um lavatório de ferro, com bacia decorada próximo à mesa. Só depois de enxugar as mãos em toalha impecavelmente limpa, se tinha direito a ouvir: "Bom apetite!"

9. DIVERSÕES DAS CIDADES GRANDES E PEQUENAS

Doravante, na medida do possível limpas e perfumadas, as pessoas tinham a rua como destino. Sim, pois então a vida pública passou a convidar para muitas diversões. A casa deixava de ser o espaço por excelência do lazer, enquanto cinemas, bailes, *footing* e exposições rimavam com distração e modernidade. Mas como tais palavras se deram as mãos na República Velha? A ordem era "música, maestro!". Ou, "todos ao teatro!". A invenção do alto-falante repercutia sons, risos, piadas. Nos bailes, nos espetáculos e nos cinemas, "almofadinhas e melindrosas" se tornaram o símbolo da juventude moderna. Atores e atrizes passaram a ditar a moda no vestir e, imitando-os, os corpos se enlaçavam e se soltavam nas novas danças. Os historiadores Andrea Marzano e Victor de Melo lembram que o contato com a Europa, através do comércio, das comunicações e das viagens, oxigenou as práticas de sociabilidade. Produtos, tecnologias e imagens chegavam aqui como símbolos de novos tempos. A remodelação das cidades somava-se à crença de que as diversões em praças, teatros ou outros espaços deveriam atestar o grau de civilização que o Brasil teria atingido.

Mais importante: a diversificação da sociedade convidava cada grupo a se divertir à sua maneira, de acordo com seus códigos culturais específicos. Entre imigrantes, migrantes, gente do campo ou da cidade, todos tinham suas peculiaridades nessa questão. As formas de diversão podiam ser a oportunidade para afirmar valores de luxo e riqueza, mas também se prestavam à difusão de brincadeiras e de ritmos de grupos desfavorecidos. O lazer foi também uma forma de ganhar dinheiro: teatros, circos, salões, casas de jogos, bordéis, edições baratas colaboraram para a mobilidade social de muitos e para o crescimento da indústria de entretenimento. Na vida privada, porém, sobreviviam formas de lazer arcaicas e, nas famílias ou nos grupos, mantinham-se os papéis hierárquicos. Jogos de adultos *versus* brincadeiras de crianças, entretenimento masculino *versus* diversões femininas.

Vejamos o que diz Carolina Nabuco sobre tais transformações:

> A sociedade patriarcal que eu encontrei, chegando ao Brasil em 1910, alterou-se em grande parte antes do fim da década seguinte. A influência americana fez apagar-se a tradição francesa em que as *jeunes filles* eram relegadas à sombra, enquanto suas mães brilhavam na vida social [...]. Foi no final da guerra e no princípio dos *twenties* que, a exemplo do que sucedia nos Estados Unidos, a juventude começou a reclamar e receber, como direito seu, uma justa parte de atenção. Quer me parecer que as novas danças concorreram muito para isso. A admissão da juventude nos comandos sociais contribuiu para a novidade de se dançar a toda hora e em toda a parte, como, aliás, vinha acontecendo na Europa nos anos de guerra. Os bailes foram substituídos por recepções à tarde, os *thé-tangos*. Exímios dançarinos de ambos os sexos absorviam a atenção geral [...]. Ninguém mais queria saber de valsa, de *two-step*. Até danças recentes, como o *fox-trot* e o *one-step*, cederam lugar ao tango argentino.
>
> No Brasil, além do tango, popularizou-se uma variante do samba que se chamou "o puladinho" e que logo introduziu nos salões o carnaval do povo. Evoluindo nestes ritmos novos, as meninas pareciam se maturizar. Essas danças me parecem ter colaborado para transformar minhas contemporâneas. Foram se afastando do tipo francês, retraído e casto e marchando para o americano, desenvolto e camarada. No fim da guerra, o caricaturista J. Carlos criou duas figuras de estreantes sociais, a melindrosa e o almofadinha, que logo se nacionalizaram enchendo as crônicas dos jornais.

Cabia às músicas – sobretudo às que o rádio ou a radiola RCA Vitor derramavam sobre as pessoas – aproximar regiões do país, pessoas e hábitos. Mas também contar como evoluíam as intimidades amorosas, o apelo dos sentidos: "No maxixe requebrado/ nada perde o maganão/ ou aperta a pobre moça/ ou lhe arruma beliscão." Veja o leitor a letra deste baião, "Batido à viola", vindo do Ceará, mas conhecido até em São Paulo: "Um beijo em mulher medrosa/ dado escondido às escuras/ É a maior ventura/ que a alma do homem goza/ O beijo que é concedido/ com liberdade e franqueza/ parece uma sobremesa/ depois de um jantar sortido/ convém que o beijo se tome/ depois de renhida luta/ como se fosse uma fruta/ comida

A diversão do passeio urbano.

Grupo de pessoas em rua de Belo Horizonte, MG, [1918].

ARQUIVO PÚBLICO MINEIRO.

por quem tem fome/ o beijo de maior sabor/ é quando a mulher nos nega/ porque então a gente pega/ e beija seja onde for." Apesar das intimidades, é retrato do moralismo sempre presente e associado ao ideal da pureza feminina, viajando pelas ondas do rádio.

Havia também os teatros, que Carolina descreveu: "Os teatros nacionais eram somente os de revistas alegres, na Praça Tiradentes. Parece-me a distância que Leopoldo Fróes e Chali Pinheiro foram os primeiros atores a aparecer em companhias de comédia, mas isto já no fim da década de 1910, ou depois. Sempre muito concorridos, eram os espetáculos de companhias estrangeiras – francesas, espanholas, portuguesas – que nos visitavam amiúde. A temporada anual da ópera, com as companhias italianas, enchia o velho Teatro Lírico com uma assistência de casacas e decotes, tão apta quanto a de qualquer país a julgar e apreciar o valor dos artistas. Lá cantaram Caruso e Tita Ruffo, mas o que parece ser o ponto alto da vida social eram as noites das companhias francesas de teatro,

A boemia da cidade pequena.

[*Vistas da cidade de Sena Madureira no Acre*], 1911.
ARQUIVO NACIONAL.

apresentando anualmente dez, 12 récitas. Peças consagradas em Paris eram muitas vezes levadas aqui pelos mesmos artistas que as haviam lançado lá. O Teatro Municipal, antes de sofrer a reforma efetuada para aumentar sua capacidade, tinha um *foyer* de nobres proporções que a assistência enchia de vida nos intervalos e que a reforma reduziu à largura de um mero corredor."

No início do século, em sua coluna de jornal "O Teatro", publicada semanalmente em *A Notícia*, Artur Azevedo dizia ser o teatro gênero de primeira necessidade, cabendo no orçamento do rico e do pobre. Herança do século XIX, no XX, a comédia de costumes dominava os palcos. Muitos textos eram escritos para tal e qual intérprete querido do público. Ou simplesmente para encher a casa. Considerado "ligeiro", o teatro sofria com as críticas que o consideravam decadente. Multiplicavam-se as empresas que exploravam as revistas, operetas, farsas e dramas de capa e espada. Nascia a "comédia brasileira", alimentada pelo espírito nacionalista da época, e que batalhava seu espaço com os grandes espetáculos das companhias estrangeiras.

Mais tarde, espalhados pela cidade, grupos amadores organizavam-se em grêmios, clubes, "palcos", "teatrinhos" e sociedades dramáticas, numa forma de expressão e diversão que envolvia muito mais gente do que apenas seus sócios. Cabiam todos que gostassem do palco: do trabalhador nacional ou imigrante à "madame" da alta sociedade. A historiadora Luciana Penha Franca explica que, no Rio de Janeiro, o teatro amador estava presente nos subúrbios distantes do centro – como Santa Cruz, Jacarepaguá, Realengo e Cascadura – e em alguns bairros mais nobres e com concentração de palcos – como São Cristóvão e Botafogo (com sete cada um) e Riachuelo (com cinco). Era significativa a concentração de grupos amadores na região do centro: mais de vinte deles disputavam plateias com variadas formas de teatro comercial. A diversidade dos espetáculos se estendia aos públicos: a "negrada", as "almas simples", os "portugueses", os "da classe média", a "pequena burguesia", a "elite".

Em São Paulo, o teatro anarquista influenciado por imigrantes italianos tinha público cativo entre os operários das inúmeras fábricas que despontavam. Grupos dramáticos expressavam suas filiações políticas e ideológicas nos nomes: Os Libertários, Pensamento e Ação, Germinal, 1º de Maio, Cultura Social. O regulamento do grupo dramático Teatro Social, fundado em 1906, por exemplo, determinava que sua composição seria de "operários e operárias que pertençam às suas associações de classe e estejam quites com as mesmas". Entre seus fins estava a propaganda "das modernas doutrinas sociais" por meio dos espetáculos teatrais. O teatro procurava mobilizar a comunidade trabalhadora para incrementar sua participação nas entidades associativas de socorro mútuo, recreativas, desportivas e dramáticas. Havia comédias, mas principalmente dramas, tratando de temas diversos: das lutas proletárias e condições adversas de trabalho a preceitos morais e valores familiares. O "teatrinho" não tinha bilheteria nem pagava salários a seus membros amadores, que encenavam por lazer ou pelo ideal de difundir valores ou comportamentos.

Na Pauliceia, Laura Rodrigo Octávio frequentava:

> O Polytheama – velho teatro que vi muitas vezes funcionar como circo de cavalinhos (Frank Brown) com seus acrobatas, suas feras, seus palhaços, a

linda mulher Rosita de la Plata no cavalo branco de largas ancas, vestida de vidrilhos e atirando beijos – por sua ótima acústica também servia de teatro lírico [...]. O final das apresentações do circo consistia na farsa "Polytheama debaixo d'agua", o picadeiro era coberto com lonas impermeáveis inundado de água e aí os artistas nela caíam numa palhaçada que muito divertia as crianças. Foi nesse teatro que ouvi pela primeira vez *Madama Butterfly*. Meu Deus, como chorei! [...] Em geral, o teatro funcionava como "variedades", "café-concerto", aos domingos, havia *matinée* familiar: cômicos ingleses, cachorrinhos ensinados, bailarinas, mágicos, acrobatas, ciclistas e as cançonetistas. Estas vestiam em geral vestidos sem alça, muito ajustados no corpo, a saia abria em ampla roda; tudo bordado de lantejoulas sobre uma quantidade de saias de gaze de cor com muitos folhos e babados, dando movimento ao traje. Como os decotes eram vastos, a polícia exigia decoro em tais funções: lá vinha o pudico cabeção de renda para velar o decote, sem [...] combinar nada com as indumentárias de vidrilhos. Uma das cançonetistas de maior sucesso foi a Angiolina Sin, napolitana, jovem, miúda, bonita, com cabelos cortados como os da Polaire – atriz francesa precursora dos cabelos curtos – e cantando com graça infinita [...]. Também se reuniam as famílias aos domingos no Parque Antártica, onde as senhoras ocupavam mesinhas para tomar gasosa [...]. E todos voltavam de bonde [...]. O mesmo tipo de diversão eram os concertos ao ar livre no Jardim da Luz, à noite, executados pela Banda da Força Pública, sob a batuta do maestro Antão. À volta do lago, em mesinhas, sentavam-se todos tomando gasosa.

Havia, no Rio de Janeiro, os que gostavam de teatro, mas não de pagar entrada. Carlos Imbassahy tece suas recordações sobre eles:

Uma coisa havia em comum no grupo: a falta de dinheiro. Porém isso não os impedia de apreciarem e assistirem a um bom teatro, pois havia sempre meio de conseguirem entrar em uma sala de espetáculos. Não fossem eles membros do O.P.T.L., sigla pela qual era conhecida a "Organização dos Penetras do Theatro Lyrico". Naquela tarde, o Quibate veio anunciar ao grupo que estavam encenando a ópera *La traviata* de Verdi com um elenco dos piores possíveis. Octavinho comentou: "– Bolas! Paga-se caro e não se tem mais espetáculos que prestem. Eu não irei!" Pagar para eles não tinha aspecto monetário: era ter o trabalho de ludibriar o porteiro e engambelar o camarista que arranjaria uma cadeira.

"– Pois eu irei!" – comentou Augusto. "– Quero ver de perto como anda o pessoal da torrinha." A torrinha era o balcão dos "prontos": além de mais barato, não exigia roupa a caráter: qualquer traje decente servia, de modo que os desafortunados apreciadores da arte não encontravam outro recurso senão o de subir ao último andar das galerias.

O que o público masculino adorava eram as chamadas Revistas Carnavalescas, em que o corpo, balançando de forma diferenciada embalado por marchinhas destinadas à folia, acentuava o movimento das cadeiras, no rebolado feminino.

A presença de companhias estrangeiras em turnê pelo Brasil – a francesa, de Madame Rasimi e a espanhola, Velasco – introduziu a valorização em cena de mulheres sedutoras, com braços e seios de fora, sem meias cor de carne. A fronteira entre a cena e os expectadores diminuía. Por meio da Revista, muita coisa ia mudar. No início do século, as fotografias exibiam coristas gordinhas, envoltas em indumentária farfalhante, que pipocavam na introdução ou conclusão da peça emoldurando o desempenho de astros e estrelas. As "gorduchinhas" simbolizavam o corpo feminino desejado. Vestidas? Sim, pois um corpo sem roupas ainda representava mais anseios do que prazer. Eis porque se mostravam apenas algumas partes nuas. Tais partes despertavam desejos ocultos e aceleravam a imaginação: o corpo da corista era vestido exclusivamente para ser despido pelo olhar do espectador.

O Teatro de Revista antecipou o corpo aparecendo com sua vestimenta original: a pele. O silêncio que antes recobria a sexualidade, rotulada como coisa suja e pecaminosa, começou a ser quebrado. As Revistas assumiram, a partir de 1920, um ritmo carnavalesco, adotando marchinhas e músicas da folia. O maxixe invadiu os palcos com requebrados e rebolados que colavam as coxas das mulheres às dos homens. Maquilagem, penteados e unhas vermelhas anunciavam a chegada de um novo corpo sexualizado.

Nada mais se improvisava. Coreógrafos e artistas importados ensinavam as coristas a dançar. Otília Amorim, Margarida Max, Aracy Cortes e outras *girls* abandonavam as gordurinhas e mostravam corpos trabalhados através da dança, que enchiam os olhos gulosos do público. Em meio às nuvens de fumaça e cascatas d'água, elas amontoavam-se, cada vez mais esculturais. Era um imaginário influenciado pela modernidade: pernas de fora, jogos de sedução em cada gesto ou olhar. Era a quebra de tabus anunciando a mulher moderna.

Outra diversão imperdível era o circo. Reunia teatro, acrobacias, danças, música, bonecos e animais, sobretudo ursos, cavalos e cachorros. Artistas das mais diferentes origens e experiências trabalhavam no espaço que combinava palco e picadeiro, esclarece a historiadora Ermínia Silva. A interação de técnicas entre teatro e circo, a utilização da mímica pelos atores, a pista circular que aproximava os espectadores, o pano de boca que abria e fechava sobre cenografias – fortalezas, fortes, lagos, florestas – iluminadas por lamparinas, era o mundo do encantamento! Aumentou o número de agentes produtores, autores, atores, cantores, maestros, instrumentistas, proprietários de espaços artísticos, empresários, técnicos, cenógrafos, coreógrafos. A crítica discutia o que devia ser encenado para formar um público "civilizado". Turnês de companhias circenses internacionais eram frequentes. Com os avanços tecnológicos, "toldos" eram erguidos em terrenos baldios. Zélia Gattai é quem conta:

> O circo era o programa que mais nos enchia de entusiasmo. Íamos apenas aos que erguiam seu toldo [...] em frente ao Cinema América [...] não faltei ao Circo Piolim, ao dos Irmãos Queirolo e a vários outros. Ídolo da garotada, o palhaço Piolim, artista maravilhoso! Também Chicharrão [...] tinha vez no coração da criançada [...] a rapidez e o desembaraço dos mata-cachorros a tirar e a colocar passarelas e tapetes, estrados de madeira, enormes jaulas pesadas, trapézios e fios de aço. A banda do circo mexia comigo: seus dobrados me davam vontade de sair dançando, participar dos números no picadeiro ao lado dos artistas... O melhor de tudo era a propaganda [...] a banda de música alegre e contagiante [...], o palhaço sobre um jumento, sentado às avessas, de frente para o rabo [...] elefantes que levavam em seus dorsos, cobertos de tapetes bordados, gentis trapezistas a distribuir beijinhos [...], cãezinhos amestrados vestidos de bailarina e até jaulas

contendo leões e tigres, colocados sobre pranchas com rodas, puxadas por empregados do circo.

Verissimo não os perdia: “Havia também os circos de cavalinhos [...]. Via de regra eram companhias mambembes, sem feras, o picadeiro pequeno, palhaços sem graça, acrobatas medíocres. De quando em quando, surgia-nos um grande circo [...] com elefantes, tigres e hienas. Quanto aos leões, achava-se entre eles o famoso Menelique, que já havia matado mais de um domador. Os palhaços? De primeira qualidade. O Tony Periquito era o meu favorito. A banda de música era própria e muito boa. Entre os palhaços de minha infância, guardo a grata lembrança de um que era a alma de seu pequeno circo: o Braga, negrão alto e corpulento, natural da Bahia, que tinha aspecto de um chefe de tribo africano. Muito espirituoso, sabia cantar cançonetas, emboladas e lundus [...]. Lembro-me de uma família japonesa de malabaristas a cujas proezas eu assistia de boca aberta.”

10. O ENCANTO DA TELA, DA MÚSICA E DA CONVERSINHA

Nos anos 1920, o cinema passou a ser assunto obrigatório. Algumas revistas foram lançadas exclusivamente para tratar do assunto: *Cinearte* era uma delas. Tal como na *Revista do Rádio*, matérias sobre a vida de atores e atrizes, comentários sobre os filmes em cartaz, fotografias dos ídolos preferidos movimentavam a indústria gráfica. Tipos femininos criados pelas atrizes Clara Bow, Alice White, Colleen Moore incentivavam imagens sobre "garotas modernas", misto de alegria, mocidade, jazz e *cocktails*! Theda Bara e Greta Garbo arrasavam com sua malícia singular, eram o símbolo da mulher-mistério. Carlos Drummond de Andrade dedica à bela Garbo o poema "Os 27 filmes de Greta Garbo": "um dia, não importa em sonho, imaginei, maquiei, vesti, amei Greta Garbo. E esse dia durou quinze anos." Os homens tinham de se mirar em Rodolfo Valentino, Clark Gable, ou Humphrey Bogart para serem percebidos.

Os cinemas influenciavam o imaginário amoroso. Nos musicais – explica Nicolau Sevcenko – o casal amoroso se tornava entidade autônoma, num contexto autorreferido em que tudo o que acontecia só tinha sentido em virtude de sua relação amorosa, cômico-dramática. Como se vivessem à parte da sociedade, tendo como único nexo explicativo seu comportamento e o das pessoas que orbitassem à volta de sua ligação apaixonada. Sucessivamente, eles se indispunham com seus pais e familiares, com amigos e circunstantes, com hierarquias e convenções sociais. Batiam-se, enfim, contra tudo que pudesse interferir na sua relação amorosa. Paradoxalmente, lembra o historiador, o amor se tornava um fermento antissocial, sugerindo a emancipação das cadeias tradicionais de autoridade.

A "máquina de difusão do amor" proporcionou uma espécie de valorização do casal solidário, num mundo em transformação. Eles dançavam, cantavam, sapateavam, se abraçavam, pulavam, flutuavam no ar, enquanto os problemas se desvaneciam. O público chorava, cantava junto,

Cinema, uma diversão para adultos e crianças.

Inauguração do cinema Pathé, 1907.

ARQUIVO NACIONAL, FAMÍLIA FERREZ.

saía do cinema e comprava o disco do musical para ouvir em casa.

Boa parte das salas era acessível. Com assentos comprimidos e ar irrespirável, era baixo o preço de entrada. Inicialmente, as fitas tinham vinte minutos, aumentando a duração ao longo do tempo. Os filmes mudos, em preto e branco, tinham acompanhamento de música ao vivo. Os filmes sonoros só começaram a ser produzidos no final dos anos 1920, e os coloridos, a partir de 1930. "O cinema começou a ser um recurso apreciável, funcionando a toda hora com entrada a dois mil-réis. Os filmes que nos ofereciam antes da Primeira Guerra Mundial não prenunciavam a arte de nossos dias, mas já eram historinhas com enredo. Sempre de pouca metragem, em geral de duas partes, cópias muito arranhadas e sujeitas a se romperem, apresentavam comédias de pastelões, episódios de filmes em série, os *westerns* primeiros estrelados por Tom Mix. Os filmes policiais eram franceses, da fábrica Gaumont ou da Pathé. As dos Estados Unidos ofereciam caos sentimentais em que mocinhas do tipo *sweetheart,* precursoras de Mary Pickford, cercavam o belo Wallace Reid, hoje completamente esquecido. Rodolfo Valentino, dançador de tango, enfeitiçou o mundo feminino em que Theda Bara estilizava papéis de mulher fatal e Pola Negri, os de paixão violenta" – diz Carolina Nabuco.

E Zélia Gattai lembrava-se da discussão em torno da chegada do cinema falado: "Havia um falatório danado, nos jornais e rádio comentavam o fim do cinema mudo e o lançamento do cinema falado. Grandes divergências de pontos de vista em torno do assunto: uns, encantados com o progresso, com a nova invenção; outros amigos nossos, furiosos, falando em infiltração americana impondo a língua inglesa aos brasileiros; uns poucos protestavam contra o desemprego dos músicos que tocavam piano nos cinemas. Até samba deu: 'O cinema falado/ é o grande culpado/ da transformação.'"

Antes mesmo da década de 1920, registraram-se mais de 240 mil espetáculos entre comédias, dramas, concertos e variedades que teriam sido assistidos por mais de 44 milhões de espectadores. Para uma população que girava em torno de 30 milhões, com cerca de 21 milhões de pessoas maiores de 10 anos, calculou-se uma média de duas sessões de cinema por habitante maior de 15 anos no período de 1929. A maior parte dos espectadores estava no Sudeste, mas, na Bahia, no Paraná, em Pernambuco e Minas Gerais, foram mais de cinco milhões, para uma população que não chegava a seis – segundo Alberti.

Em 1915, Humberto de Campos levou a filha pequena ao cinema: "Quando se apagaram as luzes, a pequenina suportou galhardamente a escuridão; mas quando apareceu na tela um automóvel em que embarcavam crianças, abriu a boca num grande choro, querendo, também, entrar nele, a fim de voltar para casa."

A chegada de autoridades era sempre respeitada. A de um presidente de estado, então, nem falar. Sobre o general Siqueira Meneses, quando chegava ao cinema, ele contou: "O Siqueira era apaixonado por cinema. Duas ou três vezes por semana ia em Aracaju a uma dessas casas de diversão, e, quando isso acontecia, era um tormento para os espectadores. Ao chegar à sala de projeções, a fita era imediatamente interrompida, fazia-se luz e a orquestra atacava o hino sergipano. E quando o espetáculo recomeçava, o público se via na contingência de ver o que já tinha visto, pois que o filme, embora, na última parte, voltava a correr de novo desde o princípio."

Recife, Pernambuco, 1924: muitas salas de cinema.

Jornal do Recife, ano LXVII, n. 3, 4 jan. 1924.

BIBLIOTECA NACIONAL [HEMEROTECA].

Sobre as fachadas das salas de projeção, em 1922, Ribeiro Couto, mencionava os: "Encantadores cinematógrafos de bairros! [...] Entregam-se a delírios exteriores de arquitetura: tomam formas complicadas, com torres, tejadilhos, massas ornamentais, tudo pintado a cores gritantes, por inspiração de algum pele-vermelha deslumbrado [...] os rapazes das redondezas, dizendo frases soltas para o ouvido apressado das mulheres que passam [...]. Os cartazes enormes apregoam títulos pomposos de fitas já exibidas no centro. Meninos pobres arregalam-se diante das cenas coloridas [...]. E os meninos ricos vão entrando, de roupinha à marinheira, espertos, gulosos, entre pais respeitáveis, e as irmãs – já moças – que procuram com os olhos os namorados. Então, os meninos pobres enfiam as mãos nas pequenas algibeiras e ficam a olhar, extasiados com vontade de iludir os porteiros, que já os conhecem e os têm sob guarda."

Nas memórias de Zélia Gattai, o cinema era o espaço onde tudo podia acontecer:

> Representava o ponto alto da nossa programação semanal. Próximo à nossa casa, único do bairro, o Cinema América oferecia todas as quintas-feiras uma "*soirée* das moças", cobrando às senhoras e senhoritas apenas meia-entrada. Era nessas noites que mamãe ia sempre, levando consigo as três filhas: Wanda, Vera e eu e também; Maria Negra, que, a bem-dizer era quem mais ia, adorando filmes e artistas, não abrindo mão de seu cinema por nada. Os meninos não perdiam as matinês aos domingos. Papai não se interessava por cinema, preferia o teatro, as óperas e operetas.
>
> O conjunto musical que acompanhava a exibição dos filmes compunha-se de três figuras: piano, violino e flauta. Ano entra, ano sai, o repertório dos músicos era sempre o mesmo. Os primeiros acordes do piano, do violino ou da flauta anunciavam ao público o gênero da fita a começar. Ninguém se enganava. As sessões eram iniciadas com um documentário – o "natural", como era chamado por todos, que mostrava os acontecimentos relevantes da semana. Em geral, logo em seguida vinha a fita cômica. Morríamos de rir com os pastelões voando à procura do alvo, sempre acertando na cara do desprevenido. Os filmes de Carlitos fascinavam a meninada; torcíamos por

JORNAL DO RECIFE, SABBADO 5 DE JANEIRO DE 1924

ROYAL — HOJE ::Hilde Holter::

HOJE — Um maravilhoso programma — **HOJE**

Exhibições de uma notavel producção allemã com todas as qualidades para triumphar desde o rigor da montagem á excellencia do desempenho artistico!

A' MARGEM DA VIDA

Emocionante romance de amor, tendo como principal interpretre:

Hilde Holter

Maravilhosa na formosura e na arte de representar

Aguardem o super-film da GOLDWYN:

Os Horrores do Norte

BREVE:

Loucura de Amor!

9 grandiosos actos!

— Protagonista: **Mary Negri** —

HELVETICA — Cine Theatro

Hoje — INGRESSO 1$100 — PARA CREANÇA 800 RS. — **Hoje**

Um film anciosamente esperado pelo publico

A ultima e monumental creação do REI DOS COMICOS

Charles Chaplin (Carlito) em

PASTOR DE ALMAS

Ao lado do impagavel **Carlito** trabalha o interessante pequeno

DINKY DEAN

Veja o publico **Pastor de Almas**. ... **Pastor de Almas** ... Rio durante 15 dias seguidos!

Abrirá o programma o lindo film natural: **Ascensão**

Segunda-feira:

Intrigas da Opposição ... **Helena Makowska** e pelo sympathico galã **Nino Savi**. ...

Breve — **Zingara (a filha do Saltimbanco) e o REI DA CAMARGUE**

Super-producção **Franceza** em 7 lindos actos

IDEAL — Hoje - 2 Grandes films

DOMINGO: **Semi-Barbaro** — 7 actos da PARAMOUNT

HOJE — Programma Colosso — HOJE

11.º e penultimo capitulo do sensacional film francez:

Os Mysterios de Paris

No mesmo programma: O magistral drama em 7 partes de **Robertson Cole**:

Na Curva do Grande Caminho

E' um possante e suggestivo capolavoro trabalhado por **Henry Walthall**

SEGUNDA-FEIRA: A MASTIGADA PRAÇAS: **Delirando**

UNIVERSAL-CINE — Rua das Calçadas N 278

HOJE — Programma maravilhoso — HOJE

Abrirá o programma — **SÔBRE AS ORDENS SECRETAS** — Drama FAR-WEST cheio de palpitantes aventuras interpretado pelo grande artista ROY STEWART — o grande protagonista do film O REI DO RADIUM. 2.º Film — **O MYSTERIO DO RADIUM** — 8.ª e penultima serie. ... ELLIEN SEDEWICK. ...

Amanhã — O RAPOSA AZUL — 8.ª e ultima serie — Como complemento: A VIDA EM NEW-YORK — 7 actos sensacionaes interpretados pela linda artista ... JACK, O DESTEMIDO — 1.ª serie, ... — «O Primeiro Golpe» — 2.º episodio — «Oito contra um».

1.a Classe 600 rs. Geral 400 rs. ... Nota — A entrada e sahida da Geral é pelo oitão.

Cine-Theatro MODERNO

HOJE — Cadeiras 2$200 - Camarote 3$300 — HOJE

NA TELA: Delicado film da PARAMOUNT, em 7 actos

Escolhendo uma bôa esposa

interpretado por um grupo de escolhidos artistas:

Thomas Meigham — Leatrice Joy ... **Theodore Roberts — Albert Roscoe — June Elvidge — Eva Novak**

NO PALCO — ... NOVOS NUMEROS da extraordinaria Troupe

The Marocco Boys

DANCING AND JUGGLING — ACT — DANÇARINOS — SAPATEADORES e MALABARISTAS EXCENTRICOS

THOMAS MEIGHAM

SEGUNDA-FEIRA !!! SEGUNDA-FEIRA !!!

Approveitando a Opportunidade

com o impagavel **Walter Hiers**

Jacqueline Logan — José Swickard

Scenas de uma graça irresistivel

com um bello GRUPO DE ARTISTAS

6 actos interessantes da PARAMOUNT PICTURES

Cine-PALAIS — CASINO DE 1.ª ORDEM — VEITOSA

Amanhã — Monumental programma em 11 actos

Conclusão do monumental film **policial**:

OS MYSTERIOS DE PARIS

Vence o **Principe Rodolpho** — ...

O Calvario de Martha

Mais um triumpho da casa **MATARAZZO**

POLYTHEAMA — INGRESSO PARA SENHORA 800 RS. — INGRESSO PARA CAVALHEIRO 1$100

PRIMEIRA SESSÃO — NOVIDADES INTERNACIONAES N. 18

Uma creada feita ás pressas

A RAPOZA AZUL

Ao rugir da Tempestade

Admiravel e magnifico film da "Metro Pictures Corporation" com a linda e querida artista — ALICE LAKE.

Amanhã — MAS O AMOR VENCE SEMPRE

ele quando, dono de artimanhas incríveis, derrotava seu rival, o imenso vilão... Aplaudíamos suas vitórias, batendo ensurdecedoras palmas e gritando a plenos pulmões: "Aí, Carlitos!", suspirando de pena ao ver na tela a palavra FIM. Acompanhávamos os seriados durante meses a fio [...]. As luzes se acendiam, e os comentários no intervalo, enquanto todo o mundo se ajeitava e se refazia da emoção sofrida, eram sempre os mesmos: "Vamos ver como vão se safar dessa!" [...]. Refeitos das emoções e suspenses do seriado, partíamos para as fitas de mocinho. Tom Mix, o bonitão, valente como ele só, enfrentando centenas de índios, recuperando tesouros roubados das diligências, seu revólver mágico atirando sem parar até a completa destruição do inimigo... O cinema, repleto de crianças, chegava a tremer durante todo o tempo em que o bangue-bangue permanecia na tela. O barulho diminuía sensivelmente, chegando quase ao silêncio, durante o desenrolar dos filmes românticos, dos dramas de amor, o último da sessão, quando, exaustas, as crianças adormeciam. As mulheres ajeitavam-se nas duras e incômodas cadeiras de pau: por fim era chegada sua hora de chorar.

Outro espectador, Thiago de Mello conta sobre o cinema em sua cidade: "De segunda a sábado, duas eram as sessões: a da tarde, chamada de *matinée*, que começava às quatro horas, e a noturna, que o ranço da influência francesa forcejava por chamar de soirée, que tinha início às sete horas. O filme da tarde era um, o da noite era outro. Aos domingos, havia a matinal com acesso livre à meninada, geralmente com filmes de Carlitos e O Gordo e o Magro. Os filmes eram anunciados em grandes cartazes coloridos, espalhados em pontos estratégicos da cidade [...]. Filmes com grande sucesso ganhavam reprise, e os seriados, como *O Guarda Vingador* e *O Aranha Negra*, eram repetidos, duas, três semanas seguidas. 'Furar' o cinema era proeza na qual os estudantes se aperfeiçoavam a cada dia."

Mas o cinema não era tudo. Multiplicavam-se cassinos e clubes. Jogavam-se dados, bilhar e bacará. Os cafés, casas de chá e restaurantes ofereciam ocasião para conversas e flertes. "E havia ainda os bailarecos no Comercial e na sede social do C. Guarani, aos quais comparecíamos com nossas melhores fatiotas, nossas mais resplandecentes gravatas, cabelos lambidos, fazendo boquinhas, tratando de dançar, com uma riqueza de passos e uma precisão de ritmo, os foxtrotes e o 'passo de camelo', sempre atentos à última moda americana em matéria de danças", contou Verissimo.

De fato, cresceu a movimentação com ampliação e construção de *music halls*, pavilhões, politeamas, variedades, feiras, choperias, tablados, salões e clubes carnavalescos. A indústria fonográfica e os discos introduziram música em toda a parte, até onde não se imaginava, como registrou, com esnobismo, Ribeiro Couto, em 1922:

> Pensas que o Rio é a Avenida, o bar do Leme, o Pão de Açúcar, os cinematógrafos do centro. Nesta parte do Lavradio [...] já os aspectos variam. Aqui vêm encontrar os cabarés da gentalha, os concertos deliciosamente canalhas e perigosos. À esquina de Lavradio e Resende fica um dos principais. Até a madrugada, sobretudo em noites de sábado e domingo, está sempre cheio. Não faltam marinheiros, soldados, choferes truculentos. Ao fundo da sala estreita está o palco, entre bandeirolas de cores vivas. Umas mulatas, a voz fanhosa e o ar pornográfico, dançam e cantam rindo para a assistência. As caixeiras – umas gordas, nojentas, com o cigarro dependurado à boca cínica, outras magrotas, esgrouvinhadas – servem com indolência, sentando-se às vezes pelas mesas dos conhecidos. Discute-se alto, fuma-se, bebe-se... E ama-se platonicamente... Nesses cabarés de gentalha aparece o que há de mais virtuoso no *bas-fond* carioca. Os homens são honestos, amigos da ordem, solidários com a lei e os bons costumes. E as mulheres, apesar de lassas pelo comércio barato, manchadas de sífilis, algumas com marcas de navalha no rosto, são igualmente pessoas respeitáveis e meritórias.

Em 1902, a Casa Edison apresentou ao público uma coleção com 50 modinhas, 81 cançonetas e lundus, 14 discursos, 6 duetos, 4 marchas, 7 dobrados, 9 valsas, 16 polcas, 5 tangos e 5 maxixes. Lançou, naquele ano, o primeiro disco gravado no país, *Isto é bom*, um lundu de Xisto Bahia na voz de Manuel Pedro dos Santos, conhecido como Baiano – um cantor mulato, ator de Teatro de Revista e palhaço do Circo Spinelli. Em 1916, seria a vez de *Pelo telefone*, de Donga, o primeiro samba gravado, cantado por Baiano com instrumental da banda da Casa Edison. E, de novo, o ranzinza Ribeiro Couto: "Os botequins multiplicaram-se. Multidões em mangas de camisa numa policromia de peles suarentas, vozeiam às

Cineteatro de Belo Horizonte, Minas Gerais, 1920.

[*Cinema em Belo Horizonte*]. [1920].
ARQUIVO PÚBLICO MINEIRO.

portas, lendo jornais e palitando os dentes. As vitrolas automáticas (500 réis o disco) executam sambas infindáveis e a voz malandra de uma famosa morena do morro espalha no ambiente o ideal do amor bem instalado, 'num apartamento com porteiro e elevador'."

Thiago de Mello contou também a chegada, na sua Manaus, da música, dos sons, do barulho ensejado pelos que queriam confraternizar e, sobretudo, do alto-falante, difusor de modismos musicais e notícias:

> O centro da cidade ganhava [...] o som das orquestras que tocavam no Bar Americano, que ficava ali na esquina da avenida Eduardo Ribeiro com a Sete, e na Leiteria Amazonas [...]. Orquestras com músicos conhecidos [...]. Conjunto popular, que fazia música dançante de abafar a banca, foi o do

> Wanderley e seus Batutas [...] preto alto e gordo, que não largava da música nem no exercício de sua linda e principal profissão: era carteiro. Entregava as cartas cantando. Cantava rindo e revirando os olhos. O conjunto tinha cordas, percussão e um sax-soprano. Wanderley tocava banjo. Era a sensação nas festas de aniversário e bailes dos bairros pobres, nos Educandos e Cachoeirinha.
>
> Os sons dos alto-falantes [...] em diferentes horas do dia e da noite. Foi por ele que a cidade ouviu a transmissão dos jogos do Campeonato Mundial de 1938, realizado na França, no qual Leônidas fez o primeiro gol de bicicleta da história do futebol. Esses mesmos alto-falantes é que davam para a cidade as notícias do mundo doido se devorando na Segunda Guerra Mundial. Duas vezes por dia transmitiam diretamente os noticiários da BBC de Londres em português. Silenciosos, ficávamos inteirados do avanço das tropas hitleristas na Europa... Muitos choravam com a queda da França. Foi o mesmo alto-falante do 22 Paulista que nos trouxe a alegria da Liberation! (e depois, discos do Ary Barroso, de "Morena boca de ouro"; "Mamãe eu quero", de Vicente Paiva e Jararaca; "Neusa", de Orlando Silva).

Essa foi a época dos clubes de "associativismo dançante" organizados nos bairros suburbanos, que proporcionavam aos moradores uma oportunidade de lazer. A preocupação de alguns era promover festejos diversos, desde que, "morais e honestos". Em Bangu, foram muitos: Flor da Mocidade, Grêmio Recreativo Banguense, Flores de Bangu, entre outros. O Flor da União, por exemplo, tinha composição étnica variada e se preocupava em não discriminar: ao seu quadro podiam pertencer "todas as pessoas, desde que sejam dignas e honestas, sem distinção de nacionalidade, religião, cor etc.". Manifestação de trabalhadores de baixa renda ou não – dançava-se em Botafogo também –, tais bailes desconheciam o ritmo do foxtrote ou o *shimmy:* seus frequentadores rebolavam ao som do samba e do maxixe.

Também uma *jazz band* de 27 músicos animava os bailes. Ritmos africanos, a tradição musical europeia e até tangos argentinos iam até alta madrugada. União entre raças e culturas, cruzamento de influências, tudo isso explica, como o faz o historiador Leonardo de Miranda Pereira, o perfil de cada clube. "O Rio de Janeiro é a cidade que dança", entusiasmava-se o poeta Olavo Bilac. Coelho Neto arrematava: "Todas as criadas, sem exceção das velhas amas, têm os seus ranchos ou cordões onde são rainhas, princesas ou simplesmente cantoras." A maioria delas, mestiças, pardas e mulatas que ganhavam na voz dos compositores populares sua coroa e cetro: "Eu quero ver as moreninhas princesas/ No dia da folia sair a passear/ Seu estandarte é uma beleza/ E lindas poesias a cantar."

Nas pequenas cidades do interior, longe de "modernidades", o lazer era o velho e tranquilo hábito das serenatas, realizadas sem microfone ou alto-falante. Feitas de cantos e música instrumental executadas ao sereno, diante da casa da pessoa a quem se dedicava a homenagem, eram de cunho amoroso ou social. Até as primeiras décadas do século XX, em noites de luar, era comum seresteiros percorrerem as residências de amigos. Mandava o protocolo que portas e janelas ficassem fechadas e fossem imediatamente abertas depois da primeira modinha. Todo o Brasil conheceu as serenatas. Câmara Cascudo, entretanto, garante nunca ter participado de uma, mesmo convidado a fazê-lo e desejoso disso: "Não teria coragem de 'abrir o peito' cantando para tanta gente ouvir. Cantar em casa, em minha casa, no banheiro, cantei muito. Aliás, lá em casa [...] todos gostavam de cantar, desde papai e mamãe ao mais novo dos seus filhos. Penso que meus irmãos experimentaram, uns mais e outros menos, tomar parte numa serenata. Só eu não confiava na minha voz. Conheci muita gente com boa voz, mas também gente de péssima voz, verdadeiras 'tabocas rachadas', cantando em serenata. Alguns cantavam para mostrar a sua boa voz, o que era um direito que lhes competia, outros porém cantavam pelo prazer de cantar, mas o melhor cantor era aquele movido pelo amor de alguma donzela. Esses transmitiam tudo que lhes ia n'alma e, como os que estavam recolhidos em suas casas, tinham também seus corações 'flechados' por algum amor, o sentimento expresso pelo cantar do seresteiro fazia vibrar [...] corações masculinos e femininos, cada qual na sua."

Sant'ana lembra que as serenatas não desagradavam ao dono da casa. "Mas quando o camarada era tido pelo pai da donzela, como malandro inveterado, aí a coisa mudava de figura e, nesses casos, não era raro uma boa bacia d'água lançada, pela janela, na cara do figurante [...]. É possível que algum grupo, alguma vez, se exceda em zoadeira e palavreado licencioso, ao invés de canto, mas às vezes é queixa de pai – ou da própria filha – contrariado com o namoro, ou a pretensão cabulada. Muitas vezes, acordei, alta noite, ouvindo a voz de Françu, tio Zeca, Mundinho [...]. Algumas vezes ouvi serenatas em Salvador, raras e bem longe, só voltando a ouvi-las com mais frequência em Itaberaba. Em todas, só músicas românticas, amorosas, valsas, canções."

Conversar: outro lazer antigo. Ah, as conversas! Que prazer misterioso não se tirava delas. Um clima de conivência rapidamente se estabelecia. Pingava aqui e ali uma confidência inesperada. Nas cidades pequenas, todas as notícias, mesmo as mais íntimas, eram compartilhadas. Havia rituais para contar e ouvir e depois contar o que se ouvira. O mexerico, desde sempre, era lazer, como narrou Otávio Gomes:

> As pessoas da vila, o "zé-povinho", tinham pouco que fazer. Levantavam-se e iam logo para debaixo das mangueiras, saber as novidades. As do sertão vinham "de cavalo" ou de carro mineiro cantador [...]. As pessoas chegavam e se encostavam por ali. Tiravam a palha, pediam o fumo emprestado, picavam-no; faziam o cigarro, pediam o fósforo ou a binga para acender o pito [...] aceso o cigarro, o fumante ia fumegando e proseando [...]. As pessoas mais humildes [...] se sentavam no banco de toras de aroeira. Ficavam ali a ouvir, como quem não quer nada. Ouviam, ouviam; às vezes não diziam nada e saíam. Dali a pouco a vila toda sabia de tudo o que eles ouviram. Ao sair dali, o novidadeiro passava na casa comercial de Hene Fahed e transmitia a notícia. Outro ouvia e levava a novidade para a casa do Rachid, dali para o Garone, para o Deraldino, até chegar na última casa de comércio, do Abdon. Outros bisbilhoteiros faziam o trajeto em sentido contrário: começavam no correio, palestrando com a Maria, filha do Sebastião "Casqueiro", passavam pela casa do Olímpio, dentista, bisbilhotavam telegramas com os telegrafistas da Noroeste, passavam pelo hotel da estação e seguiam rumo ao Fontoura, novamente. Era esse o trajeto do "disse me disse" da vila. Os desocupados às vezes tinham muito o que fazer [...]. O Deraldino, nordestino, analfabeto que se dava importância, assinava *O Estado de S. Paulo*, e era constantemente visto, sentado à porta de sua loja com o jornal, na frente do nariz e de cabeça para baixo.

11. ALA-LA-ÔOO ÔOO ÔOO!

Muita coisa tinha mudado no Carnaval, diversão anual para quase todos. Tinha mudado de lugar e de maneiras de brincar. Em Alagoas, contou Graciliano Ramos, brincava-se como antigamente. As tradições do Entrudo persistiam, sobretudo os banhos de água suja: "moleques armados de bisnagas enormes em bambu" e "indivíduos que traziam em mochilas, pacotes de alvaiade, zarcão, ocre, tintas de todas as cores", molhavam e pintavam os transeuntes. Bailavam pelas ruas os "parafusos", tipos incultos em numerosas anáguas que se iam encurtando. As de cima, eram camisas de crianças. "Esses espantalhos andavam inchados por dentro e por fora, pacholas [...]. Papangus, vagabundos enrolavam-se em sacos de estopa, sujos, as caras escondidas em fronhas, as mãos calçadas em meias. Bobos de máscaras horríveis se esforçavam por aterrorizar os meninos. Gemiam, falavam rouco e fanhoso: '– Você me conhece?' [...] Repetiam-se cantigas de dez anos sem alteração [...]. Alusões a notáveis acontecimentos do lugar, comentários a fatos melindrosos e particulares, mexericos tolos sem graça nenhuma. Criavam-se inimigos. Às vezes se liquidavam contas velhas."

Nos pequenos lugarejos, o Carnaval permitia "fazer as contas", até a pauladas, entre uns e outros, em meio à festa. Já nas grandes cidades, deixava-se para trás as batalhas de flores, as laranjinhas de cheiro e as críticas ao imperador nas músicas dos cordões do século passado. Mas mantinham-se os mascarados, os Zé-Pereiras e o som de instrumentos variados e barulhentos que convidavam os foliões a vir para a rua. Mas qual rua? Na capital, danças de mascarados enchiam, não mais as ruas estreitas, mas as largas avenidas. Encarapitadas nos recém-chegados automóveis, as elegantes davam um toque de "modernidade" às velhas fantasias. Nas revistas, ilustrações misturando erotismo e lirismo, exibiam o Carnaval como uma festa refinada. Comerciantes ricos organizavam desfiles de carros alegóricos, montados por escultores e cenógrafos conhecidos. A erotização da

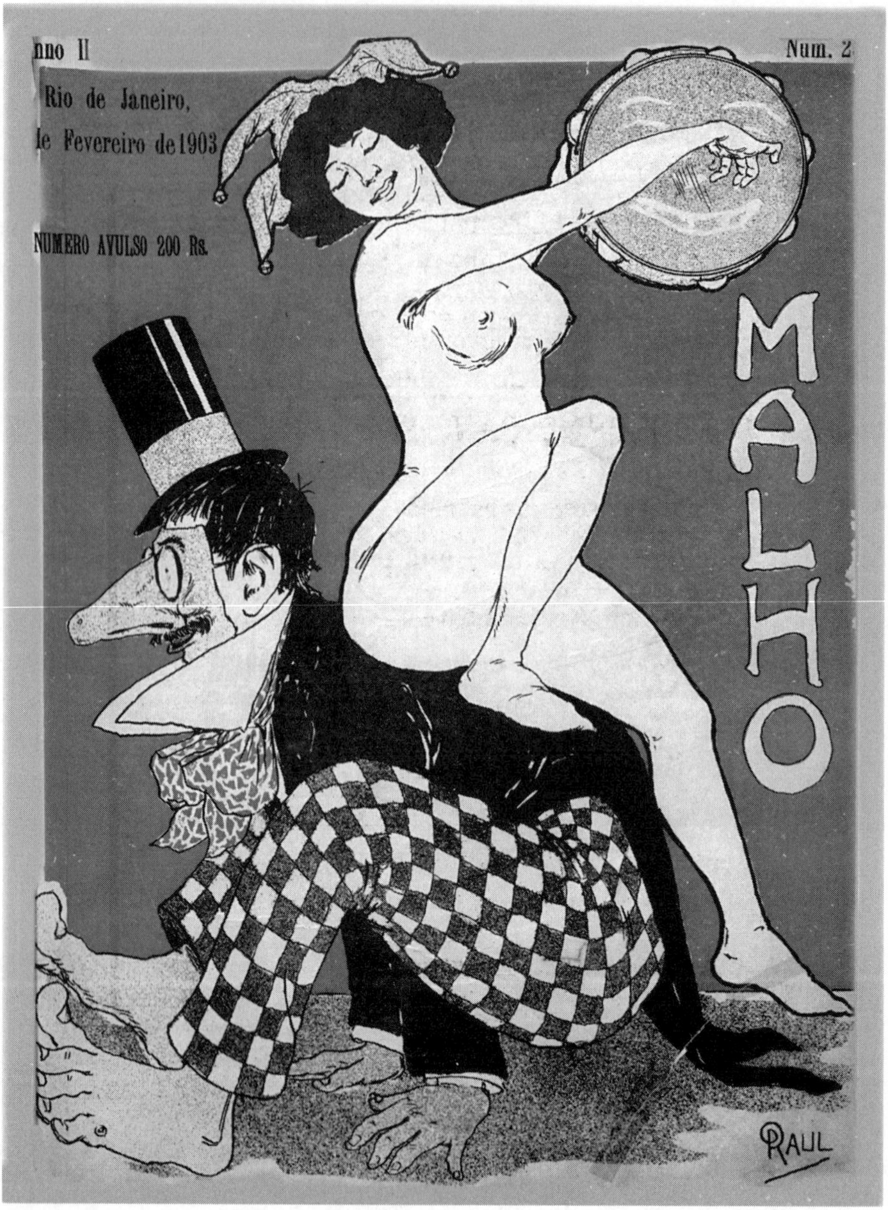

Carnaval: inversão do patriarcalismo?

O Malho, ano II, n. 23, 1903.

BIBLIOTECA NACIONAL [HEMEROTECA].

folia "elegante" e boêmia se opunha aos "instintos brutais" dos foliões de rua, como se via nos desenhos de Raul Pederneiras.

Cantava-se e conhecia-se de cor as músicas de Carnaval. Em estudo clássico, a historiadora Maria Clementina Pereira da Cunha assinalou que tanto o Teatro de Revista quanto o desenvolvimento técnico da imprensa ajudaram a divulgar modinhas e lundus, a vender partituras, além de misturar ritmos "de fora" com "a coisa nossa".

Depois, o Carnaval invadiu as ruas com o desfile dos ranchos. Os primeiros foram de origem baiana. Tinham porta-bandeira, saloios batendo castanholas em ritmo de marcha, pandeiro, cavaquinho e batedores. Disseminaram-se no Rio, considerados uma inovação positiva, contra a balbúrdia dos cordões. O desfile de ranchos, cadenciado por marchas, era assistido com admiração das calçadas e das janelas. Não faltavam rivalidades entre os ranchos compostos por cariocas e migrantes baianos, mas, segundo a autora, os ranchos: "[...] nasceram com toda a aparência de espaços de ordem – amparados pelo apoio condescendente de intelectuais, garantidos pela licença policial, protegidos pela benção de Xangô e do vigário do bairro. Assumiram-se como manifestação folclórica, sossegando a inquietação dos jornalistas desconfiados das folias dos pobres. Estabeleceram bases fixas de organização e aproveitaram a experiência compartilhada de habitações coletivas, da ajuda mútua, dos terreiros de candomblé e do trabalho do porto para consolidar um novo padrão de Carnaval."

Em 1933, foi criada a Associação dos Ranchos Carnavalescos. Também chegara ao Brasil a novidade do lança-perfume. Laura Rodrigo Octávio conta sobre o Carnaval dessas primeiras décadas, em São Paulo:

> Apesar do meu feitio um tanto retraído, gostava do Carnaval. O primeiro de que me lembro foi meio falhado: mamãe preparara com infinito trabalho três palhaços de morim [...]. Eram motivos de alegria carnavalesca, tambores, chapéus, cornetas, sei lá... Depois não nos fantasiamos mais, mas íamos com grande animação para assistir os folguedos da sacada da casa da tia Theolinda [...]. Marietta se aboletava numa sacada e eu, sempre de sacristão, ia lhe dando as serpentinas para jogar com os rapazes na rua. Estes carregavam as serpentinas nas bengalas viradas de cabeça para baixo, encontravam uma

> conhecida, lá ia uma serpentina para a sacada e entabulavam uma troca das tais. Os homens na rua, nas janelas as moças.
>
> No terceiro dia eram os préstitos com mulheres lindas, iluminadas por tochas de cores e que davam que falar à pequena cidade de São Paulo [...]. Aos poucos, devagarzinho, surgiram umas garrafinhas estranhas com líquido gelado e perfumado que pregava susto em quem era alvo de pontaria. Eram pequeninas, não tinham uma tampa atarraxada, fechava-se então com o dedo o minúsculo furo, para poder atacar mais prontamente a criatura visada. Era muito caro, aquele produto vindo da Suíça: Lance Parfum Rodo [...] lembro-me de uma aposta feita na Casa Beethoven por um rapaz, louco para obter uma caixa de um velhote rico que veio atacar as moças ali onde estávamos. O rapaz pediu-lhe uma bisnaga e o velhote disse que daria uma caixa se ele lhe desse dez beijos: o jovem não trastejou, sapecou-lhe os dez beijos; o velhote de óculos azuis deu-lhe a caixa um tanto desenxabido [...] havia as reuniões na praça da República onde se juntava toda a gente conhecida do bairro; namoricos, conversinhas, luta de bisnagas [...]. O Carnaval se deslocou do centro para os lindos corsos na avenida Paulista; alugávamos então um Landau para os três dias e era uma folia a preparar as fantasias [...]. Os rapazes [...] pela rua e as jovens nos carros [...] presos nas serpentinas, o chão cheio de confetes.

E no interior da Bahia, como se brincava? A resposta é dada por Sant'ana:

> Do Carnaval daqueles tempos [...] ouvi falar nas laranjinhas de cera com água perfumada (ou fedorenta) e nos banhos sobre as pessoas que passavam pelo passeio: água lançada pelos moradores, através da janela. Isso já não foi do meu tempo, foi muito antes [...]. No meu tempo, Carnaval era mascarada, fantasia, cordões, grupos e muito cantar, dançar, pular e gritar. Os meninos e rapazes preferiam sair mascarados; as moças, fantasiadas. As mamães fantasiavam os seus menorezinhos. Assisti minhas irmãs, fantasiadas, em "cordões" só de meninas, a desfilar e a cantar e dançar pelas ruas, naturalmente sob a vigilância de alguém mais velho [...]. Fantasias de *pierrot*, colombina etc., os enfeites com "pompons", levando à mão um "mamãe sacode" para passar na cara dos amigos. Muita gente não sabe o que é um "mamãe sacode". Não é mais do que um espanador, feito, porém, de tirinhas de papel de seda

> colorido ao invés de pena ou palha. Confetes e serpentinas também, e lança-perfume. Este vi pouco em Pojuca: coisa cara, só poucos se apresentavam guarnecidos com ele.
>
> Da mascarada [...] tinha medo de "careta". Quero dizer que eu, ainda pequenino, me mascarar, eu gostava, mas tinha medo, "estranhava", como se diz, outro careta. De todos os tipos de máscara, duas me impressionaram bastante e gostava de vê-las passar, embora nos primeiros anos, com a devida distância de segurança, que o medo me dominava: a cabeçorra e o mandu. A cabeçorra era uma cabeça enorme, certamente feita de massa ou papel colado, leve. [...] Aquela cabeçona enorme, com aquele corpinho a dançar no meio da rua! Já o mandu era um tipo mais barato, feito com uma urupema, um lençol e uma vareta.

Em Salvador, os blocos transformavam sucessos de opereta – como *A viúva alegre* de Franz Lehár – em evento carnavalesco. Era moda usar episódios do Teatro de Revista em espetáculos de rua. Os ranchos de negros se apresentavam no Largo de São Domingos, depois na Praça Onze de Julho, com participação vigiada pela polícia, embora muitos grupos, como os "Arengueiros da Mangueira", desfilassem ao som de música, pancadaria e cachaça.

O cineasta Roberto Moura lembra que a gravação do "Pelo telefone" completou a articulação lundu, maxixe e samba, sucesso absoluto nos carnavais. Em 1920, junto ao samba produzido por profissionais, surgiu a "marcha", segundo ele, criativa incorporação carioca de músicas negras norte-americanas como o *one step*, o *ragtime* ou o *charleston*. Por volta de 1928, no Rio de Janeiro, brotaram as primeiras organizações de sambistas no Estácio, em Oswaldo Cruz, no Centro e na Mangueira. O termo "escola de samba" nascia, segundo a lenda, como senha usada pela famosa tia Ciata, organizadora de um pagode na Praça Onze, para driblar a polícia: "O pagode vai ser na escola." O samba, antes considerado "coisa de negro", assumiria o status de símbolo maior da brasilidade, tornando-se, nessa época, o elemento principal de articulação da identidade nacional.

Em Belo Horizonte, Pedro Nava passou seu primeiro Carnaval. Os setores mais animados eram as calçadas do Odeon e a esquina do Narciso. Nas salas do Clube Belo Horizonte, ele viu passar as holandesas, as alsacianas, as tirolesas, as fadas, as castelãs, as *pierrettes*, as colombinas, as flores, todas "dançando decorosamente". Mas o que o impressionou foram os grupos de *apaches* e *gigolettes*: "Eles de casquete, lenço no pescoço e cinta de cetim vermelho. Elas, escandalosamente pintadas, também preto nos vestidos, encarnados nos aventais e nos panos na cabeça. Esse bloco foi duramente censurado, e os moços e moças que nele tomaram parte, indexados, por muito tempo, pela Família Mineira melindrada. Pudera! No Clube! De apache e *gigolette*! Essa mocidade está perdida! Será que os pais não sabem o que é uma *gigolette*?"

Nelson Rodrigues comenta com sua prosa sempre espetacular a aparição de um umbigo feminino: "Os carros abertos passavam, com meninas na capota, nos para-lamas. E, súbito, ouviu-se um silêncio ensurdecedor. Lá adiante, vinha outro carro aberto, e dentro dele, em pé, uma odalisca. Podia ser vinte vezes odalisca e não teria importância. O pior é que havia uma abertura na fantasia, por onde irrompia o cavo e deslavado umbigo [...]. Era uma modesta nesga de carne, insinuada no decote abdominal. Mas esse umbigo revelado era pior do que a nudez absoluta [...], ali, era o impudor público e radiante, era o escândalo insolente, glorioso [...]. As vizinhas cochichavam entre si: 'Sem-vergonha! Indecente!' O carro já ia longe, levando, em triunfo, o insuportável umbigo. E, ao meu lado, as vizinhas ainda cacarejavam. Como era ressentido, furibundo, o pudor daquelas senhoras gordas, honestíssimas e cheias de varizes. Fui puxado, quase raptado: 'Vamos embora! Vamos embora.' Nos dias subsequentes, não se falou em outra coisa, na rua. 'Mas não é possível!', diziam. Eu ia para o fundo do quintal e, lá, sozinho, ficava sonhando. O umbigo tinha qualquer coisa de irreal. E essa nesga de carne, vista, entrevista num segundo fulminante, comoveu e marcou toda a minha infância."

Época de transgressões possíveis, o Carnaval também colocava em cena a sexualidade posta de lado no restante do ano. A Praça Onze, no Rio de Janeiro, ponto alto do encontro de camadas populares, promovia uma festa de "gritos e urros", segundo observadores, ao som de cuícas e pandeiros, onde morenas requebravam "como gatas, felinas e maliciosas, tentando branco e preto, louro e moreno, dançando e rodopiando", descrevia o jornal *O Radical*, em 1933. Não escaparam a Graça Aranha, escritor e diplomata, idealizador da Semana de 22 em São Paulo, as diferenças entre o Carnaval de rua e aquele dos clubes fechados. No primeiro, triunfava a negra e a mulata: "Fura a imobilidade um grupo de baianas, dançando, cantando, saracoteando a grossa luxúria negra, seguidas por gorilas assanhados de beiços compridos, tocando pandeiros, pulando lascivos."

Nos bailes fechados, atos abomináveis se multiplicavam. Éter e cocaína rolavam. Mulheres passando dos 50 se atracavam com "rapazelhos de 18". Noivas esqueciam o compromisso e pulavam nos braços de outros. Não faltava o choro envergonhado da mocinha de boa família, apalpada ou espalmada. Problema dela, afinal, estava fingindo-se de *gigolette*, prostituta parisiense das mais reles. A poetisa Cecília Meireles explicava a opção da fantasia que revelava mais do que escondia: "Senhoras tranquilas sofrem silenciosamente o ano inteiro só com a esperança de aparecerem no Carnaval, vestidas de *gigolettes*." Cronistas acusavam a promiscuidade reinante nos melhores ambientes, levando senhoras casadas a se comportarem como prostitutas: "Muitas são as damas finas que se nivelam as hetairas nos clubes, nos bailes, nos três dias de orgia carnavalesca. Terminada a festa, porém, as prostitutas continuam no seu triste mister; as elegantes, decaídas eventuais, tornam aos seus lares, tomam parte em ligas contra o álcool, deitam o verbo fulminando contra o vício", lia-se na *Revista Policial*, em 1927. Ou na *Fon-Fon*: "Meninas pudicas que não fumam, não bebem, não vão sequer sozinhas ao cinema, nos dias de Carnaval, entram num café barato, como qualquer homem, bebem com um simples desconhecido, praticam toda a espécie de loucura, satisfazem a todos os desejos de liberdade." Já as esposas "que vivem para os filhos, essas podiam ser encontradas no High-Life, no Bola-Preta..."

Humberto de Campos, de origem paupérrima, tinha uma visão elitista da festa e não gostava de interação social, menos ainda de samba: "Segundo dia de Carnaval. A parte que me toca nessa alegria por atacado, é a que me fornecem, de doze em doze meses, às pressas, esse 'choros' carnavalescos, esses pequenos grupos de amadores que armados de violão, clarineta, pandeiro, viola e cavaquinho percorrem ruas ou cruzam as avenidas, tocando as músicas mais populares do ano. E o que mais me espanta e faz meditar é o modo por que aquela meia dúzia de mulatos pernósticos ou de pretalhões analfabetos tiram do seu violão, da sua clarineta ou de sua viola, vozes tão fundas, tão comovidas, que parecem arrancadas do próprio coração.

Os dois lindissimos automoveis com que o agente geral da Fabrica FIAT entre nós, Snr. Alfredo Eliziario Barbosa contribuiu para o brilhantismo do nosso Carnaval, fazendo a mesmo tempo um brilhante reclame aos automoveis FIAT.

A impressão é ainda mais completa quando iniciada a execução do samba, se os vê passar de brincadeiras estúpidas e dos ditos grosseiros a um estado de imobilidade e de êxtase, tirando do simples pandeiro, harmonias imprevistas ao seu violão ou à sua viola, o cafajeste do Rio de Janeiro penetra, parece, os verdadeiros domínios da sua religião."

Carros alegóricos, 1910.

Careta, ano III, n. 89, p. 21, 12 fev. 1910.
BIBLIOTECA NACIONAL [HEMEROTECA].

Confetes e serpentinas, já usados nas batalhas de confetes desde os anos 1910, passaram a figurar na produção das indústrias de papel: a partir de 1930, cerca de 200 toneladas de confete e 600 mil pacotes de serpentina por ano. A partir de 1932, Pedro Ernesto, prefeito do Rio de Janeiro, deu início à oficialização do Carnaval das escolas com subvenções e prêmios, formas de organização dos desfiles e temas da história oficial. Em 1949, a Rádio Continental transmitiu pela primeira vez o carnaval carioca.

Carnaval: para alguns historiadores, uma forma de resistência à discriminação e à opressão sofrida no cotidiano, por meio de músicas jocosas e da desobediência às leis. Para outros, suporte para o samba, que se transformou num dos símbolos nacionais. Ao mesmo tempo, as concessões entre as escolas de samba e a ideologia do Estado varguista transformaram as primeiras em atração turística. Para outros, ainda, ele foi e é espaço para a afirmação de diferentes identidades que, cada qual à sua maneira, procuravam espaço na brincadeira. Na pena dos memorialistas, o Carnaval foi tudo isso e mais, como disse o poeta, "a festa que o povo oferece a si mesmo".

12. FESTAS DE SANTOS AINDA E SEMPRE...

Outros tempos, outra agenda. Segundo Geraldo Holanda Cavalcanti: "Nossa vida, como a de todas as famílias que conhecíamos, pautava-se por um calendário em que todos os pontos de referência eram datas religiosas." De fato, presenças constantes nas melhores memórias de escritores estão o Natal e as festas de santos, especialmente as juninas. Nestas, desde o período colonial, mesclavam-se elementos das culturas índias, africanas e portuguesas. Eram celebradas quando findava a colheita do milho e tinha início o preparo de novos plantios. Os fogos de São João reforçavam relações familiares e comunitárias. No final do século XIX, a Igreja admitia que as festas tinham tomado o país. E o São João tornou-se "a mais brasileira das festas", nas palavras de Roger Bastide, famoso antropólogo francês que viveu em nosso país na primeira metade do século XX. Entre fogueiras, balões, danças, brincadeiras, música e muita comida, sempre sobrava espaço para o santo, representado como menino de cabelos encaracolados, carregando um cordeirinho nos braços. Inocente criança adormecida, que a festa – licenciosa e profana, por mais que a Igreja tente impedir – quer despertar com seus fogos e rojões: "Acordai, João!"

O tradicional casamento na roça, para muitos mera brincadeira, também já foi para valer. "Na região entre Piauí e Goiás, o casamento na fogueira de São João constituía, pelo menos até 1912, um sacramento", anotaram Arthur Neiva e Belisário Pena em seu livro publicado em 1916, *Viagem científica pelo norte da Bahia, sudoeste de Pernambuco, sul do Piauí e de norte a sul de Goiás*. A razão era simples: em localidades isoladas, sem a presença de sacerdotes, o jeito era realizar a cerimônia em torno da fogueira, nos dias do santo, com direito a padrinhos, familiares e convidados. A união, considerada válida pelos fiéis, era abençoada quando um religioso passava pelo local.

A fé do povo.

Igreja Nossa Senhora da Penha.

ARQUIVO NACIONAL, FUNDO CORREIO DA MANHÃ.

"O mês dos santos invernais" era lembrado com saudades, nas grandes capitais. Parecia ser coisa do Brasil interiorano. Ele abrigaria "costumes desaparecidos, como os espelhos mágicos da saudade", lamentava, nostálgico, João do Rio. Junho, segundo ele, era "mês de muito namoro, muitos foguetes e muitos bailes, o encanto do céu todo aceso nas pupilas cegas dos balões soltos". Barraquinhas com cestas de fogos, fogueiras altas para se pular, meninas deitando sortes: a gota de chumbo quente indicando o futuro e a clara de ovo ao sereno mostrando se moças iriam para o altar ou para o cemitério.

Segundo a antropóloga Juliana Chianca, a festa de São João se tornou um acontecimento de sucesso, ligando os dois principais eixos da vida social nas cidades: as ruas e as igrejas. Quem andasse pelos subúrbios e pelas ruas afastadas do Centro ouviria de todos os lados estrondarem os fogos. Veria em todas as esquinas as lanternas vermelhas das lojas, onde crianças iam comprar busca-pés, bombas e rojões. E nos céus, a iluminação dos balões.

Nos dias santificados, as cidades se iluminavam, enquanto o chão das ruas era decorado, e as janelas, enfeitadas com tecidos e potes de flores. As igrejas reuniam o público em encontros para os quais todos acorriam, desejosos de ver e serem vistos, de conversar, assistir às representações teatrais de cantos e danças. No interior, era tempo de fogueira, adivinhas e bailes. Celebravam-se os traços positivos do caipira, do sertanejo ou do Jeca-Tatu. Sua ingenuidade e bom coração eram considerados "mais puros" que os do morador da capital. Sant'ana não esqueceu as festas juninas: "O São João era, em Pojuca, como por certo em todo o interior da Bahia, uma festa de canjica, pamonhas, doces, jenipapo, fogos, fogueiras, balões. Todos faziam a sua fogueira, mesmo os mais pobres. Fogueirona de troncos cruzados dois a dois e cheia no centro de madeira em pé, fogueirinha de paus menores ajeitados num buraco no chão, ou média, arrumada dentro de uma barrica de bacalhau, tudo era a mesma fogueira. O São João era gostoso desde a antevéspera. Desde a antevéspera? Que digo eu! Já nas trezenas de Santo Antônio andávamos a perguntar: Quantos dias faltam?, e a atanazar mamãe sobre os fogos."

Por essas festas, suspirou Consuelo Pondé de Sena – "Ah, como o cheiro de pólvora, o espocar dos traques, o gosto da canjica e do bolo de fubá

RIO
DE JANEIRO
NOSSA SENHORA DA PENHA
FOTO LUCARELLI

me reconciliam com o passado!" – enquanto Humberto de Campos, em pleno Rio de Janeiro da década de 1930, afirmava: "Preparei hoje, com as minhas próprias mãos, no quintal da casa, uma fogueira para divertimento de meus filhos. Eles, em companhia de rapazolas e moçoilas das vizinhanças, assaram batatas e soltaram balões." Carolina Nabuco se lembrava de seu pai, Joaquim – quem diria! – a fazer balões na fazenda do sogro em Maricá: "Meu pai passou o dia fazendo balões para nós soltarmos. Adoramos ver armar a fogueira e vê-la acender à noite. Houve também lançamento de fogos, estes muito modestos porque a fazenda, após o 13 de Maio, entrara em decadência."

À beira do rio Negro, Thiago de Mello não esquecia os rituais de sociabilidade que uniam as famílias: "Durante as festas juninas, era um costume [...] um ritual rigorosamente cumprido, cuja origem desconheço, que criava parentescos entre pessoas, crianças e adultas, que se queriam bem. Depois de três voltas em torno da fogueira [...], as duas pessoas, cada qual dando a volta em sentido diferente, se encontravam, e a cada encontro diziam: 'Santo Antônio disse, São Pedro confirmou que nós vamos ser compadres, porque São João mandou.'" Um abraço selava o parentesco que unia primos, afilhados e madrinhas, todos "da fogueira". Monteiro Lobato, mais sarcástico e criador do Jeca-Tatu, participou do seu jeito: "Noite de são João: 'À fogueira!' Confluem todos para ela [...]. O fogo pega e é a princípio indecisa crepitação acompanhada de leve e discreto fumegar. Depois, estrepitante, estala... Rola em bojos um fumo espesso... Barulham gritos, palmear de crianças, apupos e vivas aos quais os bambus do recheio casam os seus estouros de bomba... O frio fino da noite atrai para a fogueira os fandanguistas de mãos espichadas para o calor irradiante. Mãos e pés. Um dilúvio de pés entanguidos – pés de marmanjões, pés calçados e pés no chão, pezinhos de crianças, pés brancos, pés pretos e pés mulatos – das criadinhas e molecotes, crias da casa – em alegre confraternizar [...] ziguezagueiam pelo chão chiando faíscas como busca-pezinhos de Lilliput [...] o primeiro pistolão de cor: – 'Caminho, gente! E vai fogo!'"

Cassiano Ricardo, na sua São José dos Campos: "Bancava o pequeno chefe dos preparativos, nomeando fulano para capitão do mastro, beltrano para capitão da bandeira, sicrano para capitão da fogueira etc. Todos recebiam o título de 'capitão' como se o filho do patrão, seu Chico Leite, os condecorasse. E, no dia aprazado, cada um cumpria sua tarefa; um capitão trazia o mastro, outro capitão a bandeira, outro armava a fogueira. Entrava eu com os fogos pistolões, balões, traques, estrelinhas chinesas [...] e o meu prazer era ver e escutar o jongo, as danças dos pretos e as toadas dos caboclos; era inventar peripécias como a de acender a fogueira por meio de um telearranjo de dois foguetes [...] uma boniteza, num golpe de magia. O fogo pegava de pronto na lenha ressequida e daí a pouco a labareda subia clareando o terreiro. Quentão e pinga aos convidados, mas pinga uma vez só não deu certo: um jovem preto, nosso camarada de estimação, passa do período róseo ao furioso, e numa discussão fútil crava seu punhal no peito de um pobre caboclo, e acabou-se a festa. No outro dia de manhã espiei o estrado do carro de boi em que o assassinado estava como dormindo. Foi o primeiro morto que vi na vida. A festa de São João voltou no ano seguinte e eu estava lá, incorrigível devoto do *Agnus Dei.*"

Outras festas, outros santos: no litoral, a festa do "Santo Pescador", São Pedro, celebrada com procissões marítimas que formavam um colar luminoso nas águas. Nos braços dos "Pedros", amarrava-se uma fita, e eles eram obrigados a pagar uma bebida na primeira bodega, em homenagem ao santo. Nas casas dos xarás aquinhoados, era comum fincar pau de sebo com prenda na ponta. E na roça, comemorava-se o "Chaveiro do Céu" com foguetório e danças, congregando todos da região, ricos, remediados, pobres, como conta Zé Lins do Rego: "O dia de festa no Engenho se concentrava em São Pedro, aniversário do meu avô. Enchia-se a Casa-Grande de parentes de todos os lados: os de Itambé, os da Várzea e os da cidade. Logo pela manhã, Amâncio começava a fazer a fogueira de angico. Carros de lenha se punham à sua disposição, e ele armava a fogueira pela glória do senhor São Pedro. Os meninos e os moleques esperavam os fogos que o velho Zé Vitor de Timbaúba trazia numa grande caixa de camisa [...] distribuíam-se chinelos para os que chegavam de botas. Formavam mesas de jogo para os ricos. As partidas de lasquinê enchiam uma mesa enorme. À noite, o velho Zé Vitor nos alegrava com a distribuição de fogos, rodinhas, pistolões, busca-pés."

Na festa de Santo Antônio as crianças corriam aos armazéns para comprar papel de seda de todas as cores para os balões, especialmen-

Imagens de Xangô.

[*Fotografias da estatueta de Xangô*]. [S.l.: s.n.], [s.d.]. BIBLIOTECA NACIONAL, COLEÇÃO ARTHUR RAMOS [MANUSCRITOS].

te azul, a cor do santo. Enfeitavam-se os altares com flores de papel crepom. Rezava-se o Responso para achar coisas perdidas e tirar das aflições – o santo era imbatível – contou Miriam Sales. No fim da festa, havia distribuição de pães bentos, que não se comia: guardava-se numa lata de farinha, garantia de casa farta.

No Norte, o ponto alto do calendário religioso era o Círio de Nossa Senhora de Nazaré. A festa nasceu do aparecimento da imagem em 1721 ou 1733, recolhida por um escravo, Plácido, e mais tarde, adorada numa ermida. Da ermida passou à suntuosa basílica feita em mármore, ouro e bronze, iluminada por 53 vitrais. No altar-mor, todo branco, a face negra da Virgem. Na primeira metade do século XX, a festa já reunia milhares de romeiros vindos de todo o vale amazônico. No sábado que antecede o segundo domingo de outubro, enorme procissão invadia as ruas sob a luz de tocheiros, velas e círios. À frente, um carro representando uma fortaleza, despachava fogos, rojões e bombas, secundado por centenas de anjos em outro carro, coletando as promessas – o carro dos milagres. Nas primeiras horas da manhã, mal-refeitos do "antecírio" e da vigília, devotos conduziam a imagem à basílica. Os fiéis que não conseguiam tocá-la se contentavam em tocar as vestes dos que a seguravam. Algo de mágico era transmitido. Atrás da banda de música, os pagadores de promessa carregando cruzes ou vestidos a caráter, com hábitos religiosos ou mortalhas. Ao meio-dia a imagem era colocada no altar e a comida da festa já tinha invadido as ruas, pelas mãos de vendedores de açaí e tacacá com tucupi. Sabores que Leandro Tocantins, nunca esqueceu: "Há o almoço do Círio, comemoração da qual participam os parentes e amigos. Repastos soberbos com quitutes e bebidas regionais. Há os almoços de pagamento de promessa, mesa onde se reúnem dois, três desconhecidos, rigorosamente pobres. Donas de casa ficam na porta de suas residências com pote e bilha d'água para mitigar a sede dos romeiros: pagamento de promessas e mesmo autodeterminação que se repete todos os anos, porque o trajeto da procissão é longo [...] e a sede é grande. Os lares mais modestos melhoram o almoço com um pato no tucupi, uma maniçoba, um vatapá, um caruru. À noite, é a alegria do arraial em frente da Basílica."

Fig. 5 – Xangô (Museu Nacional)

Fig. 6 – Xangô (Coleção do Autor)

Fig. 7 – Xangô e Erê (Coleção do Autor)

No Ceará, a 4 de outubro, celebrava-se São Francisco de Canindé. Em Salvador, comenta o folclorista Alceu Maynard, que dezembro agregava várias festas. No dia 4, Iansã e Santa Bárbara: após missa no Mercado da Baixinha, tinha comezaina. Já dia 8, era Nossa Senhora da Conceição, que reunia, entre outros, pescadores e capoeiras. Na frente da igreja de Conceição da Praia, dançavam, comiam e cantavam. No segundo domingo, após o dia de Reis, a festa do Senhor do Bonfim: enorme fogueira na ladeira da Lenha e caráter nacional, com três dias de feriado. Depois da lavagem do templo, muitas barraquinhas com vatapá, badofe, caruru e refrigerantes tão antigos quanto o aluá, ou a já moderna Coca-Cola. Seguia a festa de d. Janaína, orixá marítimo festejado dia 2 de fevereiro, com lutas de capoeira na praia, e as filhas de santo carregando suas oferendas na forma de barcos que seriam, e ainda são, lançados ao mar.

Em Porto Alegre, festejava-se Nossa Senhora dos Navegantes, também chamada de Festa das Melancias, produto típico do solstício de verão, junto com o butiá, coquinho saboroso, como explica ainda Maynard. Centenas de barcos cumpriam a procissão fluvial. Em Cananeia, São Paulo, em 1908, foi a vez de um padre bretão, padre Angelo Le Marchant, reunir rendeiras e marinheiros em torno da festa que lhe foi inspirada pelos gaúchos. No litoral paulista, o morro de São João parecia um presépio tal a intensidade das luzes que vinham da igreja e das casas: luminárias em panelinhas de barro e gomos de bambu como recipientes para óleo de mamona – exatamente como se usava quando o Brasil era colônia. Na época, leigos também criavam festas. Quem conta é Otávio Gonçalves Gomes: "Anualmente celebravam-se em Rio Pardo, em janeiro, as festas de S. Sebastião [...]. Elas constituíam o acontecimento mais significativo do ano [...]. A importância da festa se avaliava pelo festeiro do ano. Os ricos membros da Casa Fontoura, comerciantes locais, davam uma animação especial mandando vir a banda de música militar de Campo Grande, encomendando fogos de artifício em São Paulo. Traziam o bispo de Corumbá, a sede do bispado. A moçada da família e os amigos de fora organizavam bailes todas as noites e, quando não havia uma reunião dançante extra, eles se cotizavam, pois a banda era contratada para um número limitado de bailes e funções públicas."

Recreador de festas e tradições foi Alexandre de Mello Moraes Filho. Depois de ter se formado em medicina na Bélgica, estabeleceu-se na capital onde redigiu longos trabalhos de etnografia. Seu interesse era encontrar as raízes da identidade nacional. Tudo quanto foi possível recolher entre as classes proletárias, ciganos, negros, velhas pedintes, ele procurava entesourar. Mas não bastava. Junto com Sílvio Romero, Mello Moraes criticava o brasileiro: "Ele não viu nunca o povo no seu trabalho, nem no seu folgar no interior do Brasil. Também não viu ainda o povo divertir-se; não viu um samba com as suas mil cantigas e suas vinte danças diversas, uma festa de casamento na roça, um bando de Congos em dia de Reis, um bando de taieras em dia de Natal e Ano-Bom, um Bumba meu boi feito em regra, uma festança de Mouros, de Marujos, um auto do Cavalo-Marinho, do Zé do Vale, do Antonio Geraldo, do Cego, da Cabrinha etc. etc., ainda hoje representados no Norte, e em menor escala no Sul do Brasil."

Conta Agripino Grieco: "Mas o encanto supremo era organizar, no dia de Reis, uma passeata pelas ruas ladeirentas de seu bairro, cantando, em diálogo com outros, as tiradas da nau catarineta, importadas de Portugal, como quase todas as nossas canções malvistas. Como convém em tais casos, ia Mello Moraes, seguido de Sílvio Romero e outros confrades, bater, violão em punho, à porta de famílias conhecidas, cantando a famosa saudação dos Reis Magos que chegam do Oriente: 'Deus te salve, santa casa – onde Deus fez a morada.'"

No Domingo de Ramos, diz Sant'ana, presença obrigatória nas igrejas e brincadeiras: "Quem viveu o 'Domingo de Ramos' naqueles tempos, certamente lembrará como os meninos se enfeitavam com palmas, aliás, folhas de palmito, fazendo chapéus, cintos, talabartes, espadas e – o mais importante – os apitos. Ah! aqueles apitos! Não eram apitos, eram buzinas! Algumas enormes, quase do tamanho do tocador e buzinando forte e grave. Não sei como mamãe aguentava aquela zoeira, cada menino com seu apito-buzina, mais agudos ou mais graves, a tocarem sem parar. '– Vão tocar lá no quintal!' E, no quintal ou no passeio, ficávamos a soprar, vibrando no bocal [...] a palheta ajeitada com a extremidade da primeira folha de palmito, que fora enrolada em espiral para fazer a buzina. [...] Para felicidade dos mais velhos, uma buzina daquelas não durava muitas horas em mão de menino."

A celebração do Natal, entre ricos ou pobres, era quase tão importante quanto São João. Na primeira metade do século XX, não se via quase "árvore de Natal", só presépio, representando a cena sagrada do divino nascimento em Belém. Na região interiorana de São Paulo, eram obrigatórias 21 figuras. Em Minas, além da cena clássica da manjedoura, pequenos bonecos representavam cenas da vida cotidiana. Em Goiás, tinha sempre a representação de maquinarias de antanho: monjolos, pilões, carros de boi – diz Maynard.

Carlos Heitor Cony se recorda do pai que: "Preferia armar presépios e tinha guardado o conjunto que comprara na Casa Cruz na rua Ramalho Ortigão [...]. Ali se abastecia de papel de seda sueco para os balões. Ali comprara o conjunto principal do presépio, São José de cajado à mão, Maria de cabeça baixa, a manjedoura de palha com um menino dentro, de braços abertos, coisa simples, cafona, imediata. Comprava também carneirinhos, galinhas, patos, uma vaca pelo menos. Depois, passava dias armando o presépio. Um pedaço de espelho que uma empregada havia quebrado servia de lago, no qual nadavam os patinhos de celuloide. Muito algodão recebia tinta verde e marrom para fazer os acidentes de terreno em volta da gruta de Belém. A estrela [...] era colocada em cima. Ao contrário das festas de Santo Antônio, em que ele gastava até o que não podia, no Natal era econômico, o presépio saía pobre, capenga, mas era um presépio e era um Natal."

Carolina Nabuco confirma as características da festa: "Já disse que o Natal de nossa infância era simples e modesto [...] os presentes que ela (a mãe) colocava nos galhos eram uns nadas, mas eu corria pela casa mostrando-os um por um aos criados [...] vibrávamos com a modesta árvore que minha mãe arrumava secretamente num quarto fechado. Na véspera, ela era introduzida, também secretamente, na sala de jantar. Chamavam-nos então para gozá-la [...]. A emoção religiosa própria do Natal limitava-se a termos consciência de que nascera o menino que era de Deus. Íamos visitar o presépio na igreja mais próxima... ficávamos longamente embebidos olhando a cena do estábulo."

As revoltas e quarteladas atrapalhavam as celebrações, como se vê no diário de Cecília Assis Brasil, em 1927: "Não temos festa de Natal em casa há seis anos. Os chimangos (acólitos de Borges de Medeiros) surrupiaram a velha roupa de São Nicolau e destriparam os enfeites da árvore, alguns mais velhos do que eu."

Em Alagoas, Graciliano Ramos comparou a festa sagrada a uma feira profana: desafios de violeiros, cavalhadas, cheganças, reisados, leilões, pastoris e fandangos, de 23 de dezembro a 6 de janeiro. Tudo regado a muita cachaça, vinho branco e bozó. Do outro lado do país, em casa da avó, em Porto Alegre, Lya Luft, em vestido novo e sapatos de cetim, conta que: "giravam solenes numa pinha de ferro sobre uma caixa de música, uns discos de metal com lasquinhas levantadas tocadas por uma agulha. O som metálico em canções natalinas, o pinheiro enfeitado rodava em câmara lenta [...] depois os adultos tomavam champanha, havia brindes e presentes e alguém tocava piano e todos cantavam."

Pobres passavam o Natal a seco. Conta Gregório Bezerra: "Chegou finalmente o Natal de 1905. Para a nossa família, o Natal foi triste e pesado. Quase nada tínhamos para comer. Nem mesmo tomamos um gole de café." E quantos não passavam a data do mesmo jeito... Maynard assinalou outras tradições que iam desaparecendo. No Natal, até 1930, entre famílias conhecidas, enviavam-se bandejas com guloseimas, retribuídas no Dia de Reis. Havia a terrível crença: quem armar um presépio terá que armá-lo por sete anos seguidos, senão acontecerá uma desgraça!

Papai Noel, só depois da Segunda Guerra e, como outras modas, *made in USA*.

13. DO *SPORT* AO ESPORTE

Na Inglaterra, França e Estados Unidos, os *sports* que se organizaram no decorrer do século XIX tinham relação direta com o crescimento das cidades, o desenvolvimento de uma cultura urbana e as preocupações com a saúde, a higiene e o corpo. Aqui não foi diferente, e desde seu aparecimento, na Belle Époque, as modalidades esportivas se organizaram com sucesso – o turfe e o remo – ou se consolidaram, caso do ciclismo e do atletismo. A presença de imigrantes, notadamente os ingleses, foi decisiva para a difusão da prática esportiva.

A descoberta do futebol.

Sabonete Foot-Ball: Cia Usina de Productos Chimicos. Rio de Janeiro, [19--?].
BIBLIOTECA NACIONAL [ICONOGRAFIA].

A historiadora Mônica Schpun explica que o esporte foi também a expressão privilegiada de um imaginário nacional, típico do período: permitia a exibição das qualidades de uma juventude plena do desejo de vencer e, consequentemente, promovia a imagem de um país jovem e vitorioso. O espetáculo dos esportes, e mais particularmente do futebol, oferecia a possibilidade de laços coletivos muito fortes. Quanto aos gêneros, a prática esportiva tocava mais aos homens do que às mulheres. Esportistas, os *sportmen*, ou torcedores, acompanhavam mais eventos, ocupavam mais frequentemente o espaço público, vivenciavam mais as emoções coletivas e identificavam-se com as representações projetadas da "essência masculina". Para mulheres, o esporte era a possibilidade de desenvolver a beleza das formas, a graça dos movimentos e gestos, uma cultura corporal que, enfim, falasse da "essência feminina".

O fato é que, graças a ele, as coisas mudaram para valer. O corpo ia ficando mais à vontade, sobretudo com a moda da natação. Não se economizavam elegâncias esportivas de beira-mar. Os homens de camisa listrada e de calças até os tornozelos; senhoras e moças, de grossas baetas azuis que as cobriam do pescoço ao tornozelo. Nos banhos de rio, era comum nadar

desnudo e havia, em Recife, um ritual intitulado "passamento da festa", que consistia em nadar pelado depois de festas, pastoris, danças e teatro, nos subúrbios elegantes à beira dos rios como o Monteiro, o Caxangá e o Apipucos.

A presença feminina nos banhos de mar mexia com a cabeça dos homens. Era comum, nas casas de banho, encontrar cartazes anunciando: "É expressamente proibido fazer furos nestas cabines a verruma; os encontrados nesta prática devendo ser entregues à ação da polícia." E nos jornais, observações como: "Curioso ver uma moça, quando é bem-acabada, entrar e sair do mar [...] quando sai, e aí está o busílis, a roupa adere ao corpo [...] se nota muito a cintura bem-feita, o seio bem contornado." Nas competições de remo, os homens exibiam músculos e coragem de afrontar as águas do mar ou de rios. O encontro dos sexos em ocasiões esportivas era, sem dúvida, signo de mudança nas relações sociais.

Multiplicavam-se os ginásios, os professores de ginástica, os manuais de medicina que destacavam as vantagens físicas e morais dos exercícios. As ideias de teóricos importantes como Sabbathier, Amoros, Tissot ou Pestalozzi corriam o mundo. Uma nova atenção voltada para a análise dos músculos e das articulações graduava os exercícios, racionalizando e programando seu aprendizado. Não se desperdiçava mais força na desordem de gesticulações livres. Os novos métodos de ginástica, potencializando as forças físicas, distanciavam-se do maneirismo aristocrático da equitação ou do esgrima, ou da brutalidade dos jogos populares.

Mulheres começaram a pedalar ou a jogar tênis, voga importada da Europa. Não faltou quem achasse a novidade imoral, uma degenerescência e, até mesmo, pecado. Perseguia-se tudo o que pudesse macular o papel de mãe dedicada exclusivamente ao lar. Era como se as mulheres estivessem se apropriando de exercícios musculares próprios à atividade masculina.

Algumas vozes, todavia, se levantaram contra a satanização da mulher esportiva. Médicos e higienistas ligavam histeria e melancolia – as grandes vilãs do final do século – à falta de exercícios físicos. Confinadas em casa, diziam, as mulheres só podiam fenecer, estiolar, murchar. Era preciso oxigenar as carnes e alegrar-se, graças ao equilíbrio saudável do organismo. O esporte seria até uma forma de combater os adultérios incentivados pelo romantismo. Afinal, encerradas ou aprisionadas, só restava às mulheres sonhar com amores impossíveis ou tentar seduzir o melhor amigo do marido.

A elegância feminina começou a rimar com saúde. Nascia uma nova mulher. E a crítica. "Hoje em dia, preocupada com mil frivolidades mundanas, passeios, chás, tangos e visitas, a mulher deserta do lar. É como se a um templo se evadisse um ídolo. É como se a um frasco se evolasse um perfume. A vida exterior, desperdiçada em banalidades é um criminoso esbanjamento de energia. A família se dissolve e perde a urdidura firme e ancestral dos seus liames". São palavras de um editorial da *Revista Feminina*. Sim, a mulher abandonara os penteados ornamentais com ondas conseguidas graças aos ferros de frisar para cortar os cabelos à *la garçonne*: "A beleza só pode coexistir com a saúde, com a robustez e com a força", alardeava, em 1918, o autor de *A beleza feminina e a cultura física*.

No dia 8 de fevereiro de 1920, na piscina do Fluminense Football Club, ocorreu a primeira competição em piscina com três provas femininas. Nadaram Edith Julien, Maria Augusta Lopes, Mirian Antunes e Adélia Caldas Brito. Tudo indica que, desde 1919, quando a piscina do Fluminense foi inaugurada (a primeira no Rio), sócias do clube já participavam de aulas de natação. Na piscina do Flamengo, por exemplo, a arquibancada vinha abaixo com gritos de "Boa", "Boa", cada vez que a escultural Neusa Cordovil subia à raia para disputar uma prova. Em São Paulo, treinando no Tietê, destacou-se a grande nadadora Maria Lenk, autora de *Natação, coroa dos exercícios físicos*, livro no qual explica que nadar "não prejudicava as virtudes femininas de graciosa fragilidade impostas pelo machismo dominador". Revistas louvavam a natação: "Devemos destacar a prova em que Vera Oiticica, qual sereia encantadora, olhando o teto da piscina com o sorriso da vitória nos meigos lábios entreabertos, venceu a já famosa Veroneze [...]. Como nadadora excelente que é, empolgou ainda mais pela elegância do estilo [...]. Que Vera ofereça ao mundo um exemplo da pujança da nossa raça", exortava a revista *O Tricolor*, em 1929.

Bem mais tarde, o fácil acesso às praias de Copacabana e Ipanema – desde 1949, a ligação pelo então túnel Carioca, hoje túnel Novo, ganhara uma segunda galeria – chegou com nova invenção: o biquíni. Entre os homens, o desafio não chegava a ser a travessia do canal da Mancha, mas a da baía de Guanabara, como conta Carlos Imbassahy: "Anualmente, havia esta célebre prova [...]. Naquela época, ainda não existia o campo de Aviação Santos Dumont, e a praia da chegada, no Rio de Janeiro, se estendia do Cais dos Pharoux, ao lado do Forte de Villegagnon [...] e da praia de Santa Luzia à da Glória. Neste ponto estava instalada a comissão de chegada. Havia duas espécies de medalha: para o 'fita azul', colocação do primeiro lugar, premiando os três melhores, e de honra para os que conseguissem realizar a proeza da travessia [...]. Cada concorrente era acompanhado de um barco, sendo o barqueiro, ao mesmo tempo, fiscal e socorrista [...] dos que perdessem o fôlego. O barco recolhia o desistente, fazia o trasfego para a lancha de comando, acabando aí sua missão, ou então acompanhava o nadador até o fim da prova, quando não baqueava."

O ciclismo, que tinha passado de enormes velocípedes que chegaram ao Brasil em 1860 para a bicicleta, foi uma das modalidades esportivas que fez adeptos apaixonados, que se identificavam com os esportistas europeus. Laura Rodrigo Octávio conta: "Meus pais e outros amigos adeptos do novo esporte iam com suas máquinas fazer exercícios na larga avenida, sem ninguém que os perturbasse. As moças usavam uma calça bombacha, coberta por saia fendida, apesar de usarem bicicletas especiais e chapéu *canotier*, em palha – chapéu bilontra – e a criançada ficava na calçada de espectador."

Na revista *A Bicycleta*, publicada em São Paulo, havia uma seção denominada "Às cyclistas", que descrevia comportamentos e modelos de roupas adequadas às mulheres ciclistas. Mas a bicicleta serviria para passeios, nada de provas. As pernas separadas pelo selim despertavam o humor grosseiro e a desconfiança de muitos, como se vê em charges de jornal. Tanto em São Paulo quanto em Porto Alegre, lugar do Sport Club Internacional e onde nasceu a União Velocipédica de Amadores, multiplicavam-se os esportistas. A bicicleta representava um esporte capaz de trazer contribuições para a juventude brasileira. O Velo Club do Rio de Janeiro era considerado pioneiro da modalidade: "ali se encontra o que há de

Anno I — S. PAULO, Domingo, 6 de Setembro de 1896. — N. 11

a Bicycleta

SEMANARIO CYCLISTICO ILLUSTRADO

Proprietarios: OTTO HUFFENBÄCHER & C.
ESCRIPTORIO:
Rua Victoria, 78. - S. Paulo

ANNO Capital	12$000
» Estados	14$000
» Estrangeiro	16$000
Numero avulso	$300

Galeria d' A Bicycleta

A Bicycleta nada mais faz que render homenagem áquelles que se esforçam na propaganda do cyclismo em S. Paulo.

Era pois justo o motivo que nos leva hoje a retratar em nossa galeria o Presidente interino do Veloce Club Olympico Paulista.

Batalhador assiduo, é Alipio Borba, um esforçado esteio do nosso Club que vê no seu digno Director um dedicado capaz de todos os sacrificios.

E de facto todos têm visto e apreciado a direcção brilhante que Alipio Borba tem dado ao Veloce Club, interessando-se por tudo quanto diz respeito á sua prosperidade e engrandecimento, e fazendo activa propaganda em prol da idéa cyclista assim tem conseguido angariar grande numero de adeptos e neo-admiradores de suas bellas qualidades. O Veloce Club tudo espera de quem com tanta sympathia e amor iniciou a sua presidencia, na certeza de que justiça será feita ao joven amador que tão bem tem dirigido os destinos do Club e que tanto tem trabalhado para a reclidade do cyclismo em São Paulo.

Dr. Alipio Borba.

Veloce Club.

Com um programma *non plus ultra* realisou domingo ultimo o Veloce Club mais uma magnifica corrida, tendo sido todos os pareos como de costume bem disputados, merecendo Rochet o *turuna* as honras do dia, obtendo 2 primeiros logares.

A concurrencia foi mais que regular, achando-se como sempre as archibancadas quasi cheias do que ha de mais elegante na nossa alta sociedade e repletas estariam, se não fosse a ameaça constante de chuva que reinou durante todo o tempo das corridas.

Ao realisar-se o ultimo pareo chegou inesperadamente a commissão norte-americana, de cuja visita em outro logar d'esta folha damos a devida descripção.

— Como bem previramos, o pequeno Nero, que anda bom, ao contrario do seu homonymo romano, ganhou este pareo seguido de Anadyr. Scylla sustentou o 3. logar.

Por fallarmos n'este pequeno amador achavamos mais justo que elle se limitasse por emquanto a inscrever-se em juniors de 2. e não nos de 1., para não fazer a má figura que fez domingo ultimo no 2. pareo, tendo logo depois da 2. volta *arrendo*. Ainda que leve vantagem não vemos o que n'isso pode ganhar; Scylla não deve esquecer-se de que *de vagar se vae ao longe!*

— O 2. pareo foi brilhantemente ganho por Cubrion, nosso favorito, que na ultima volta luctou tenazmente com os seus adversarios passando-os, e chegando pri-

Ciclismo, tão popular que chegou a ter um semanário especializado.

A Bicycleta, ano I, n. 4, 12 jul. 1896.
BIBLIOTECA NACIONAL [HEMEROTECA].

mais chique e elegante no *high life* fluminense", lia-se no *Jornal do Brasil*. Antonio Prado foi o primeiro brasileiro a participar de competições internacionais e do Comitê Olímpico do Brasil e, depois, Internacional. Estabelecimentos "velocipédicos" se multiplicaram, e o esporte – útil, salutar e higiênico – serviu até para vender remédios. A propaganda de um tônico dizia: "Na pista do Velo Club, chegou na ponta Joãozinho, porque bebeu Emulsão da Farmácia Abreu Sobrinho."

Até o início do século, a maioria das mulheres acompanhava os desportos como plateia. Em algumas modalidades, todavia, já participavam em igualdade de condições. É o caso do tênis e do hipismo, com prática mista, sem divisão de papéis, com uma camaradagem que alimentava os laços sociais. No Rio de Janeiro e em São Paulo, o tênis foi introduzido por ingleses, também responsáveis pela construção das primeiras quadras. Duplas mistas exibiam-se no que era mais um estilo de vida, uma marca de classe do que

Esporte e emancipação feminina.

O Malho, ano XXXIV, n. 96, 4 abr. 1935.

FUNDAÇÃO CASA DE RUI BARBOSA.

um desporto que exigisse superação. Carolina Nabuco contou a respeito do Tênis Club, que fervilhava de animação: "Os moços distraíam-se com o jogo [...]. Entre os mais assíduos amigos da raquete, contava-se o famoso Santos Dumont [...]. Era visto de todo lado, acompanhado pelo seu policial alemão, um bonito cão [...]. Pequeno, magrinho, grisalho, Santos Dumont era lépido como um *terrier* ao correr atrás da bola, mas seu jogo não era da classe ali praticada. Era atrasado pelo menos uma geração em métodos de jogar e em velocidade. Nunca batia bolas do alto para baixo, fosse no saque, fosse na rede [...]. Os bons jogadores esquivavam-se de jogar com ele."

Em 1924, competições e torneios se tornaram regulares. A ideia era praticar o esporte, sem parecer fazer esforço. Contar pontos era secundário, e uma atitude elegante, de conivência e graça, se impunha às competências e à força do esportista. Era elegante jogar tênis, e era preciso ser elegante para praticá-lo.

A canoagem, por sua vez, já tinha conquistado grande popularidade. Alguns valores típicos dessa prática esportiva: o desafio, a manutenção da saúde, uma nova estética corporal em que músculos eram valorizados, e a probidade moral dos que se envolvessem com esportes. Segundo o historiador Victor Andrade de Melo, o remo atendia ainda a imagens de modernidade: ventilação, aeração, iluminação, limpeza, organização, eficiência. O homem, com sua própria força, fazia mover o barco, desafiando as forças do mar. Antes, simples corridas de canoas, agora, o *rowing* virava febre com a importação de embarcações – *outriggers e gigs* –, competições, escolinhas de esporte e até jornais especializados como *Sport Nautico* e *A Canoagem*, que tinha Olavo Bilac entre seus articulistas. Diferentemente do tênis, praticado em clubes fechados, as regatas atraíam multidões às praias e aos rios, com a participação das classes populares como remadores, torcedores e apostadores. Remava-se do Rio a Manaus, como observou Thiago de Mello: "O Manaus Ruder Klub, fundado pelos alemães [...]; o Clube Amazonense de Regatas, com sede vasta, armada sobre pilares de pedra [...]: os barcos envernizados e compridos desciam a rampa nos ombros dos próprios remadores [...]. As regatas, que atraíam muitos aficionados, eram disputadas no Rio Negro, em domingos de águas tranquilas, num percurso que ia de São Raimundo até o Paredão; ou no próprio igarapé dos Educandos."

A popularidade do remo foi abalada por nova prática esportiva: o futebol. De Belém do Pará ao Rio Grande, no Rio Grande do Sul, a bola rolaria nos capinzais do litoral, os primeiros chutes desferidos por marinheiros de navios ingleses. Não demorou, certo mr. John ou mr. Hugh teria juntado operários brasileiros e funcionários em gramados improvisados. O *football* já reinaria nas escolas de elite onde estudavam os filhos dos barões de café. Mas a difusão do esporte foi desconexa: Charles Miller, em São Paulo, Oscar Cox, na capital, Zuza Ferreira, em Salvador, ou Guilherme de Aquino Fonseca, em Recife, trouxeram de suas experiências estudantis na Europa uma bola, um par de chuteiras, o grito de *goal* e um livro de regras. Assim contou Carolina Nabuco: "O futebol já despertava entusiasmo, mas era ainda apenas de amadores, principalmente grã-finos. Foi só quando veio o profissionalismo que o jogo nacional captou o interesse absorvente do povo e que as figuras dos grandes jogadores assumiram as atuais proporções gigantescas."

Aqui, a visão de Laura Rodrigo Octávio sobre os primórdios do futebol, em São Paulo: "A certa altura dessas performances, surgiram no campo uns ingleses jogando uma bola, o que parecia mera brincadeira. Explicaram então ser aquele um jogo inglês, muito interessante que queriam introduzir no país. A coisa tomou impulso, fundaram-se uns clubes: São Paulo Athletic Club, o Club Germania, o Sport Club Internacional, o Sport Club Mackenzie e ali, no Velódromo, o Club Athletico Paulistano. Os *teams* se compunham de elementos das melhores famílias. O Paulistano jogava lindamente, mas [...] nos desempates, os ingleses ganhavam a taça. Que desespero! [...] Na extrema direita havia uma parte reservada à família Prado, proprietária do recinto, e cada fila tinha uma portinha interceptando a entrada. As mulheres da família eram elegantes, viajadas, trazendo sempre as últimas novidades de Paris, e eu achava tudo aquilo uma beleza. A saída depois do jogo era longa [...] vínhamos a pé por um caminho mais alto, o pessoal rico, em suas carruagens, com lindos cavalos."

No Rio de Janeiro, clubes originalmente dedicados às regatas viam crescer a hegemonia do futebol, caso do Club de Regatas Vasco da Gama ou do Clube de Regatas do Flamengo. Ao mesmo tempo, a bola rolava em outros gramados, na periferia, em Cascadura ou Aldeia Campista. Em 1906, Leonardo de Miranda Pereira contou mais de trinta clubes. Em São Paulo, longe dos *footballers* do Mackenzie ou do Paulistano, operários se reuniam no final da linha do *Tramway* da Cantareira para jogar. Era a Várzea do Carmo que deu origem ao sinônimo de futebol humilde: "o de várzea", feito de pegas, corridas loucas atrás da bola, fintas, seguidos pelos gritos e pelo entusiasmo das torcidas. Equipes se organizavam e clubes populares também. Zélia Gattai frequentou um deles: "Instalada ao lado de casa, funcionava a sede do Esporte Clube Palmeiras– que nada tinha a ver com o Palmeiras de hoje, naquele tempo Palestra Itália. Clube modesto, o Palmeiras, meu vizinho, realizava todos os domingos, depois do jogo [...], uma vesperal dançante, animada por um conjunto de *jazz band*: Os Batuta Godói, de seu Godói e quatro filhos moradores do bairro."

Pedro Calmon, um dos meninos jogadores em Salvador, conta que, no início, ensaiavam o esporte debaixo das mangueiras. Seu primo Inácio, em 1916, escreveu numa carta ao pai, em viagem no estrangeiro: "Domingo teve uma partida de *football* aqui em casa entre o Independência F.C., que

se compunha de Pedrinho, Fernando, eu e Achico e o S.C. Globo que se compunha dos três filhos do Terto e Jerônimo, saindo vencedores nós."

Corridas de automóveis, um novo esporte.

Circuito da Gávea, Rio de Janeiro, 1937.

ARQUIVO NACIONAL, CORREIO DA MANHÃ.

No Sul, na cidade portuária de Rio Grande, o alemão Johannes Christian Moritz Minnemann resolveu criar um clube de futebol congregando compatriotas, outros estrangeiros e brasileiros. Nascia o supranacional Sport Club Rio Grande. Aproveitando-se das conexões entre o porto e as ferrovias, tornou-se um semeador de bolas pelos pampas, como bem sintetizou o historiador Fábio Franzini. E integrou jogadores negros aos seus quadros, como, aliás, o faziam o Bangu, o Vasco, a Ponte Preta. Enquanto em São Paulo circulavam comunicados interditando "como amadores nesta liga as pessoas de cor", em Pelotas, o

Esporte Clube Brasil, primeiro campeão gaúcho, tinha negros entre seus atletas. Multiplicaram-se clubes e ligas.

Em 1910, explica Franzini, o futebol, institucionalizado ou não, fazia-se presente em quase todo o país. Gente rica ou gente pobre, todos jogavam. Faltava um ponto de convergência que congregasse ligas e federações e que representasse o Brasil junto à The Fédération Internationale de Football Association (FIFA), fundada em 1904. Problema resolvido com a fundação, na capital, em 1915, da Confederação Brasileira de Desportos.

Na primeira Copa do Mundo, realizada em Montevidéu, em julho de 1930, a atuação da seleção foi pífia: sexto lugar. Seguiu-se longa discussão sobre profissionalização ou amadorismo dos jogadores – havia quem achasse que o dinheiro deturpava o ideal do esporte. Na Itália, em 1934, a equipe foi eliminada no único jogo que fez contra a Espanha: 3 a 1.

Na terceira Copa, em 1938, a "pátria, enfim, calçou as chuteiras para não tirá-las nunca mais", como resumiu Franzini. O "Pai dos Pobres" – como se autointitulava Getúlio – concedeu alta subvenção para que a delegação fosse à França. Depois de recebida e cumprimentada pelo presidente, a equipe seguiu viagem, retratando nossa democracia racial, ideal propagandeado pelo Estado Novo. O embarque da seleção no cais Mauá foi acompanhado por milhões de cidadãos torcedores.

Com Leônidas machucado, o Brasil ficou em terceiro lugar: "Desgraça nacional", segundo o próprio Getúlio. Mas a equipe foi recebida, no retorno, como campeã moral. E os jogadores, em desfile em carro aberto, saudados como heróis.

O gingado dos jogadores levou Gilberto Freyre a cunhar a expressão "*football* mulato", que mais tarde se firmaria como "futebol-arte". Dizia ele que, enquanto o "futebol europeu é uma expressão apolínea do método científico e de esporte socialista em que a ação pessoal resulta mecanizada e subordinada à do todo, o brasileiro é uma forma de dança, em que a pessoa se destaca e brilha". Nosso time afro-brasileiro expressava não só o abrasileiramento do esporte inventado pelos britânicos, mas nossa singularidade: a mestiçagem. O resultado era nosso maior ídolo, Leônidas da Silva, um craque apelidado de Diamante Negro, assim descrito pela revista francesa *Paris Match*: "cabelos esticados, pele escura como um grão de café torrado, pequeno de corpo. Mas sua velocidade é verdadeiramente desconcertante, sua velocidade insuperável [...]. Quando Leônidas faz um gol, pensa-se estar sonhando!"

Junto com a popularidade de esportes como o futebol crescia o controle do Estado. O projeto era consolidar a "raça brasileira" e fazer do esporte o contato entre povo e dirigentes. Em 1938, o Decreto-Lei 526 criou o Ministério da Educação e Saúde. O órgão visava tanto à "propaganda e campanha em favor das causas patrióticas e humanitárias" quanto à "educação física". Foi instituída a Comissão Nacional de Desportos, composta de cinco membros indicados pelo presidente para estudar os problemas do esporte no país. Em 1941, nasceu o Conselho Nacional de Desportos, para fiscalizar e orientar a prática de desportos em todo o país. Submetia clubes e federações, controlando desportistas e entidades esportivas.

Tanto o esporte quanto as festas cívicas criadas durante o Estado Novo serviram como ferramenta a ser utilizada pelo Estado, como demonstrou o historiador Maurício Drumond. Teatralizavam a imagem da "nação feliz e longeva". Comemoravam o "novo": novo governo, novo regime, nova raça. Enterravam o passado arcaico e saudavam o futuro promissor. Nos estádios de futebol desfilavam crianças uniformizadas, bandeiras à mão, em coreografias que homenageavam a pátria. Retratos de Getúlio eram distribuídos. Os estádios de futebol serviram a inúmeras dessas comemorações. Aos desportistas se juntavam, além de escolares, trabalhadores, representantes de sindicatos e da política. O Dia do Trabalho tantas vezes foi comemorado em estádios: Pacaembu, em São Paulo, ou São Januário, na capital. Sem dúvida, Vargas aproximou o esporte de aspirações que circulavam nos meios populares.

14. NO ESPELHO, ESPELHO MEU, ELAS E ELES

A moda era usar chapéu.

Maria Augusta Rui Barbosa, 1907.
FUNDAÇÃO CASA DE RUI BARBOSA.

Sobre os corpos femininos, o século XX imprimiu suas marcas, e a brasileira viveu diversas transformações físicas. Viu ser introduzida a higiene corporal. Acompanhou a invenção do batom, em 1925; do desodorante, nos anos 1950. Cortou os cabelos à *la garçonne*, gesto sacrílego contra as bastas cabeleiras do século passado. O aprofundamento dos decotes levou-a a aderir à depilação. O espartilho diminuiu e se transformou em sutiã, possibilitando maior movimentação dos braços das trabalhadoras. Manter a linha tornou-se um culto. A magreza ativa foi a resposta do século à gordura passiva da Belle Époque. Com o desaparecimento da luva, essa capa sensual que funcionava ao mesmo tempo como freio e estímulo do desejo, surgiu o esmalte de unhas.

Diante do espelho, elas se perguntavam: "Como dar um ar mais sedutor a esse rosto apagado?" Um produto seroso, feito à base de amêndoas doces e aromatizado com essência de rosas, garantia lábios pouco coloridos, porém apetitosos. Pós e lápis pretos, feitos com carvão, terras escuras ou outros colorantes escuros, delineavam, sem exagero, os olhos. Ela abandonara os penteados ornamentais, cortara os cabelos. O esporte tornara-se indicativo de mudanças. A revolução dos costumes começou a subir as saias, que brigavam com as botinhas de cano alto responsáveis por esconder o pedaço da canela exposta.

A cintura de vespa, herdada do século anterior, continuava aprisionada em espartilhos. O dissimulado instrumento de tortura, causador de danos irreparáveis – feito de pano forte e varetas de barbatana de baleia, tão rígidas que sacrificavam o fígado e os rins –, era, agora, feito de varetas flexíveis de aço. A partir de 1918, ao final da Primeira Guerra, as chamadas "exuberâncias adiposas" passaram a ser contidas pelo "corpinho" ou pela cinta elástica.

Os concursos de beleza.

Concurso de miss [1920].
ARQUIVO PÚBLICO MINEIRO.

Artigos sanitários anunciavam o fim do tabu da menstruação nas revistas femininas. Vendidos à dúzia, eram complicadas "toalhas higiênicas com franjas", "*serviettes* esterilizadas", "calças sanitárias em borracha e *marquisette*, rematada com debruns de borracha", "cintos para *serviettes*". Catálogos de roupas brancas revelavam que a vida no quarto de vestir e de dormir ganhava novos contornos. Contrariamente às antepassadas, capazes de passar os dias em roupão e desgrenhadas, a mulher dos anos 1920 parecia querer seguir à risca os conselhos da *Revista Feminina*, em que a articulista Henriette admoestava: "Como então, há algumas leitoras que andem em casa sem meias? Há pelo menos 60% de senhoras casadas que até a hora do almoço

ficam com o chinelo com que se levantam, o cabelo amarrado com uma fitinha e um roupão 'saco' à vontade do corpo! Devemos lembrar-nos que nós, mulheres, fomos criadas para a fantasia. Todas as vezes que nos mostrarmos muito materiais, perdemos o encanto que nos acham os homens."

Para além do corpinho e de cintas, o corpo começava a se soltar. Teve início a moda da mulher magra. Não foi apenas uma moda, mas também o desabrochar de uma mística da magreza, uma mitologia da linha, uma obsessão pelo emagrecimento; tudo isso temperado pelo uso de roupas fusiformes. Da Europa, de onde vinham todas as modas, a entrada da mulher no mundo do exercício físico, do exercício sobre bicicletas, nas quadras de tênis, em piscinas e praias trouxe também a aprovação de corpos esbeltos, leves e delicados. Carolina Nabuco dá sua visão do que eram as normas: "Em moça, eu nunca ouvira falar em banho de sol. Não se admiravam as peles tostadas e, por isso, todas evitavam queimar-se. Também não era moda usar vidros escuros contra a excessiva claridade. Qualquer tipo de óculos era julgado desfigurante e posto de lado como apanágio das vovós e dos míopes. [...]. Nossa defesa contra o sol eram apenas as sombrinhas. Eu gostava especialmente de uma vermelha, porque roseava minha palidez e me servia de cosmético num tempo em que não se admitia rosto pintado."

Bonita ou feia, Carolina? "Ninguém me dizia se eu era bonita ou feia. Talvez não soubessem mesmo, ou não pudessem julgar, pois a visão dos velhos sobre a geração de seus netos é alterada por uma névoa de encantamento [...]. Lembro-me, por exemplo, de ter estranhado meu pai – que devia ser infalível em tudo – cometer um erro desse gênero, dizendo a uma senhora que ela parecia irmã de sua filha. Ouvi também esse tolo clichê aplicado a mim e à mamãe, nos meus 17 anos, por um embaixador de barba branca. Soou aos meus ouvidos como o absurdo dos absurdos, ainda mais porque mamãe, nesse tempo, já começara a ganhar peso [...] ignorar o alargamento da cintura com o passar dos anos parecia um erro grosseiro."

Alguns médicos se rebelavam contra a moda de tendência masculina, associando ideias feministas ao desprezo pela maternidade. Os cabelos curtos, as pernas finas, os seios pequenos eram percebidos por muitos homens como negação da feminilidade, endossados pela opinião das próprias mulheres: a escritora Júlia Lopes de Almeida era uma delas: "Basta ver um jornal feminista para toparmos logo com muitos retratos de mulheres célebres, cujos paletós, coletes e colarinhos de homem parecem querer mostrar ao mundo que está ali dentro um caráter viril e um espírito de atrevidos impulsos. Cabelos sacrificados à tesoura, lapelas (sem flor!), casacos escuros, saias esguias e murchas, afeiam corpos que a natureza talhou para altos destinos da graça e da beleza [...]. Médicas, engenheiras, advogadas, farmacêuticas, escritoras, pintoras etc. [...] por que desdenhar [...] a elegância feminina e procurar nos figurinos dos homens a expressão da sua individualidade?"

Depois de Júlia, Hildegardes Vianna confirmaria que a "masculinização do traje" mostraria a sua força maior, anos mais tarde, quando a Escola Comercial Feminina começou a preparar moças para a luta pela própria sobrevivência. "Casacos de corte masculino, blusa camisa de riscado, gravata de manto com nó de praxe e um chapéu coco, daqueles usados por Rui Barbosa [...]. Telefonistas e costureiras (ajudantes de costureiras, aliás), podiam ser identificadas pelas saias de casimira azul marinho e a blusa branca [...]. As telefonistas, com melhor situação social, andavam enchapeladas, mesmo que o chapéu houvesse se transformado no que o vulgo chamava de cuscuzeiro ou masmorra [...], com o uso, a aba entortava. Mas nenhuma abandonava o chapéu. [...]. Era um cartão de identidade de procedência social. Uma mulher de chapéu era uma mulher de classe, uma mulher de trato."

As estudantes de medicina aderiram ao uniforme para caracterizar sua posição acadêmica e também para justificar ao público sua permanência entre a rapaziada. Adotaram saia e casaquinho verde com blusa branca. As de direito portavam uniforme vermelho, blusa creme e laço preto fechando o decote, e as da Politécnica, farda azul.

O movimento, contudo, estava lançado. Regime e musculação começavam a modelar as compleições longilíneas e móveis que passavam a caracterizar a mulher moderna, desembaraçada do espartilho e, ao mesmo tempo, da gordura decorativa. Insidiosamente, a norma estética afinava, emagrecia, endurecia, masculinizava o corpo feminino.

A despeito da presença de mulheres nas raias das piscinas ou nas quadras de tênis, o mundo onde elas, de fato, estavam presentes era o da casa. Sua vida doméstica ganhava, contudo, valores de consumo nunca antes vistos no Brasil. Certos produtos de beleza começavam a ser industrializados. Quem podia, cedia aos encantos do produto importado. Guerlain e Coty eram as marcas mais procuradas. Pequenas oficinas domésticas produziam cremes e pós para o rosto, perfumes, produtos para os olhos e maquiagem em geral, vendidos de porta em porta para consumidoras de camadas médias. O pó de arroz "contra o qual antigamente alguns pais de família se insurgiam, é o único auxílio de que lançamos maos, mais ainda como um complemento de *toilette* que o uso torna indispensável [...] não só atenua o luzido da pele afogueada por uma temperatura quase sempre alta, como também suaviza, refresca e, aromatiza" – ensinava Júlia Lopes de Almeida. Ele seria "o véu benévolo para os rostos de 40 anos". Proibido, porém, para donzelas.

No tribunal de Nuremberg

(Conclusão da pág. 64)

garia sôbre Hitler sua própria culpa. Nem êste argumento os inocenta, pois a própria lei criminal do Código Militar Alemão declara culpado de crime aquêle que executa uma ordem sabendo-a criminosa.

A única explicação para o embotamento de consciência que permitiu o planejamento e execução metódica de tais atos, que não são delitos de guerra mas crimes contra a humanidade, é o fanatismo cego que destruiu nestas criaturas o último vestígio de senso moral e o mais elementar respeito aos direitos humanos. E êste fanatismo só é possível nos regimes totalitários, quando, suprimida a opinião pública como fôrça de contrôle, as aberrações mentais de alguns indivíduos tomam fôrça de lei e a justiça é substituída pelas fôrças policiais.

Um "imortal" no reino...

(Continuação da pág. 66)

penadas sinceras e fortes, a realidade da terra dos canaviais. Diz êle da sua tristeza em rever a capital de sua provincia, o Recife, dos rios mansos, e dos coqueirais. "Nós, os pernambucanos velhos, é que não nos enganamos. Sabemos muito bem que sob aquela modernidade de cenário de opereta, o Recife só faz apodrecer e degradar-se, a despeito de belas iniciativas de particulares e de corajosos esforços isolados de alguns diretores de departamentos do govêrno" — diz Gilberto. E mais adiante êle nos conta que os bondes estão se desmanchando de podres. Que a água de beber da cidade pouco falta para ser igual às águas das cidades abandonadas. O seu artigo, que é uma magnífica reportagem, constrange a todos aquêles que amam Pernambuco, que gostam do seu povo bom e franco, como êste repórter, por exemplo. Garante-nos o consagrado sociólogo que "a luz está sempre faltando às casas e às ruas do Recife". Mostra-nos êle uma triste fotografia da linda e famosa capital do nordeste. São suas as palavras: "Os telefones constantemente se tornam surdos-mudos". E é verdade: para se obter uma ligação com Boa Viagem espera-se mais de um quarto de hora. Diz o articulista que "a carne de que a população é obrigada a servir-se se não é podre é quase sempre de boi doente" e que "o peixe é mais caro do que no Rio". O trabalho de Gilberto Freyre poderá chocar a sensibilidade de alguns pernambucanos, mas é simplesmente aquilo que os bons pernambucanos gostariam de dizer, para ver se os seus governantes tomam uma providência que resulte em benefício coletivo, em benefício da cidade. E se o Sr. Barbosa não é o responsável por êsse estado de coisas, é pelo menos o homem para quem apelam os homens de tôdas as classes de sua terra.

"Difícil situação a dêsse governador elegante e ilustre", completa Gilberto — "ideal, talvez, para dias normais mas não para os de crise dura e terrível que o Estado de Pernambuco atravessa depois da ruína a que o reduziu a Ditadura. Para uma crise dessas, só um administrador de mangas de camisa. Capaz de atitudes corajosas. Capaz de desobedecer o seu pequeno e degradante rei — isto é, o chefe estadual do seu partido — para melhor servir o seu povo."

Triste destino para um acadêmico educado, para um jornalista tão brilhante, para um homem de descendência tão ilustre. Tenho um amigo, o deputado Inácio Lemos, eleito pela cidade de Vitória de Santo Antão para a Assembléia Estadual, que outra coisa não deseja senão ver Pernambuco no caminho da ordem e do progresso. Inácio estuda apaixonadamente os problemas locais, e numa viagem que fizemos juntos do Recife a Vitória, êle me contou fatos espantosos:

— "A situação econômica de Pernambuco é bem diversa daquela que se apresenta aos visitantes. As pessoas que chegam, impressionam-se com as belezas naturais da cidade do Recife e não chegam a entrar em detalhes sôbre o real panorama econômico do Estado, panorama ,que sòmente aquêles que mantêm contato com a zona rural são capazes de ter uma noção exata da sua realidade. Pernambuco decresce assustadoramente a sua produção agrícola desde 1937, quando foi instituído o Estado Novo. Afora outras fontes de renda agrícola que quase desapareceram, convém ressaltar a queda da produção algodoeira que é atualmente cêrca de 25% da que era em 1936. Doze anos portanto depois, quando em contraste com o aumento sucessivo da população, ela se apresenta com 75% menos".

A limousine de Inácio avança pela estrada de cimento, e êle continua:

— "Em 1930, quando estava na Secretaria da Agricultura, o atual deputado

(Conclui na pág. 84)

Batons: armas da sedução.

O Cruzeiro, ano XXI, n. 26, p. 68, 19 abr. 1949.
ARQUIVO O CRUZEIRO/EM/D.A PRESS.

No interior, pior... Pintura no rosto era coisa de mulher dama, conta Gilberto Amado: "Por que cara de mulher pintada me excitava mais do que cara sem pintura? É que era pecado, chocava a minha moral, que era 'sã' [...]. Em Itaporanga, nos dias de feira, para fazer suas compras semanais, nos cargueiros já conhecidos que arriavam seus caçuás em nossa calçada, minha mãe vinha para a porta da casa acompanhada por nós crianças e pelos criados. A certa hora dizia, com um ar triste, mas alto: 'Meninos, para dentro!' Ela própria entrava a correr e as criadas começavam a fechar as janelas. Eu ficava espiando como podia. Eram as mulheres-damas que passavam em fila, a caminho da feira, de charuto na mão ou na boca, rosa-palmeirão nos cabelos, esteira debaixo do braço, pintadas de fazer medo. Maria Jeroma, a mais impressionante, recorta-se no fundo da minha infância com algo de sobrenatural, como a expressão do 'mal'. Muitas das moças de Pernambuco se pintavam como Maria Jeroma: demais. Daí a sua atração para o adolescente que chegara de Itaporanga."

A moda também se desenvolvia. As lojas de luxo importavam vestidos e moldes. Algumas ofereciam serviços dos ateliês de costura para consertos e ajustes, ou para fazer roupas íntimas. Costureiras e chapeleiras de origem estrangeira se instalavam. Vitrines e manequins enfeitavam grandes lojas como o *Mappin Stores* de São Paulo, cujos produtos eram também vendidos por meio de catálogos, de encomendas por telefone e correio e de serviço de entrega. Não faltavam as clientes vindas do interior, como a mãe de Erico Verissimo: "Minha mãe foi uma mulher bonita, quando moça e tinha a dignidade das mães de família de sua época [...]. Vestia-se bem. Quando meu pai ia a São Paulo efetuar compras anualmente, ela o acompanhava e refazia seu guarda roupa. Vaidosa como toda mulher, sabia apresentar-se. Talvez a mulher que melhor se vestia na vila."

Anúncios em francês visavam atrair a clientela mais sofisticada, apregoando *robes d'aprés midi et de soirées* – vestidos sociais e de gala. A inovação de saldos e liquidações permitia às camadas urbanas médias adotarem roupa de gente rica. Mais do que consumir os milhares de novos produtos expostos em vitrines, as mulheres imbuíam-se de nova preocupação: a apresentação física, que as introduzia na vida urbana de maneira conveniente. A palavra de ordem, portanto, tornou-se beleza! A feiura devia ser banida.

O olhar masculino não perdoava, como se vê através do de Verissimo: "Costumávamos dar alcunhas nem sempre lisonjeiras às moças da cidade. 'Viste a Gazela Desengonçada?' – 'Lá vem vindo o Presunto da Colônia.' – 'Faz tempo que não vejo a Baixinha de Olho de Peixe.' Como uma das beldades locais tivesse cortado o cabelo à *la garçonne* e andasse com o pescoço raspado a navalha, passamos a chamá-la Mlle. Cou Rasé."

A percepção da beleza feminina transformava-se em algo palpável. Os concursos de beleza, recém-inventados, chancelavam essa preocupação, bem como as centenas de imagens femininas que invadiam a imprensa, como "conselheiras de beleza". Todo tipo de melhora devia ser estimulado. O misto de beleza e elegância, apanágio do romantismo, começava a ceder às formas de exibição do corpo feminino. O discurso higienista estimulava a vida das mulheres ao ar livre, menos cobertas e mais fortificadas. O hábito dos esportes, a fundação de clubes, a ênfase na dança, estimulada pela recém-inventada indústria fonográfica, instigava a exposição dos corpos. A medicina passava a sublinhar a importância de exercícios e vida saudável para preservar, não somente a saúde, mas a frescura da tez, a pele saudável, o corpo firme e jovem. Acreditava-se que os defeitos físicos poderiam ser corrigidos, não à custa de toneladas de maquiagem ou qualquer outro artifício, mas por meios salutares, como a vida saudável, disciplinada e moderada. Eis o conselho da *Revista Feminina*, de outubro de 1920: "As feias [...] não devem fingir-se belas [...] tratem de educar seu espírito, de viver higienicamente para adquirir saúde, de nutrir-se convenientemente, de ser simples, bem-educadas e meigas. A vida higiênica, a boa nutrição, os esportes garantir-lhes-ão a saúde, a boa pele, os bons dentes, a harmonia das formas, o desembaraço dos gestos e a graça das atitudes; a leitura sã, o cultivo do espírito, dar-lhe-ão inteligência, e à fronte a bondade, a simplicidade, a meiguice torná-las-ão perturbadoramente simpáticas. Deixarão de ser feias; [...] valerão mais que as belas, terão mais prestígio pessoal, impor-se-ão às simpatias gerais."

Tipos femininos criados por Clara Bow, Alice White, Colleen Moore incentivavam imagens de garotas modernas: alegria, mocidade, *jazz* e coquetéis! Exigia-se controle rígido da apresentação pessoal. A "boa aparência" impunha-se: os bons casamentos dependiam dela. Olhos e boca, agora passavam a ser o centro das atenções. Com um batom e o aparato colocado a serviço da beleza corporal – receitas domésticas, produtos farmacêuticos, artifícios de maquiagem – surgia a possibilidade de tornar-se bela, mesmo não sendo. Havia salvação!

A *coquetterie* constituía-se num investimento, desdobrando-se em cursos de maquiagem, cuidados de pele e cabelo, massagens e tratamentos, cursos para aprender a caminhar e a gesticular. Feia? Só quem quisesse. Em julho de 1920, lia-se na *A Cigarra*: "A *coquetterie* é a qualidade mais admirável na mulher. Graças a ela muitas mulheres feias parecem bonitas, e as bonitas – encantadoras. É a *coquetterie* que acentua a graça aos cabelos que beijam a nuca ou sombreiam a fronte; é a *coquetterie* que imprime sorrisos de glória à linda curva do seio; por ela os olhos expressam languidez ou triunfo, os corpos, com trajes artísticos, fazem ressaltar a harmonia das formas. A *coquetterie* rodeia a mulher como uma *allure* graciosa ou grave [...]; rege as modulações da voz e a harmonia do rosto."

Palavras francesas como *coquetterie*, literalmente "a preocupação de se valorizar para agradar", e *allure*, distinção de porte, somavam-se a outras em inglês, influência do cinema: *sex appeal* e *it*. A primeira dispensa tradução; a segunda referia-se ao "quê" de sedutora que havia em cada mulher. "*It* é um dom de atração [...] qualidade passiva que atrai a atenção e desperta o desejo. A mulher deve possuir *it* para atrair o homem", explicava o articulista de *Cinearte*, em 1928. Já o *sex appeal*, segundo o mesmo cronista, definia-se pelo físico "atraente e perfeito, pelas atitudes provocantes, no olhar liquefeito e perigoso, no andar lento e sensual, nos lábios contornados e convidativos. Das que têm (isso) os homens seus escravos são". A estética cinematográfica sugeria outro ingrediente do sucesso feminino: a malícia.

Graças ao cinema norte-americano, novas imagens femininas se multiplicavam. A moda, diz a historiadora Fernanda Bicalho, foi uma das principais articuladoras do novo ideal estético imposto pela indústria cinematográfica norte-americana. Não era mais Paris quem a ditava, mas os estúdios de Hollywood. Nas páginas de revistas como *Cinearte*, podiam se encontrar, às dezenas, artigos com títulos sugestivos como: "O que as estrelas vestem?", "Cabelos curtos ou compridos?", "A volta das saias compridas", "A mulher e a moda, segundo a opinião de Esther Ralston", "As moças devem ou não usar meias?", "Por que as estrelas fumam?" etc.

Numa matéria de revista – "Não se vistam como nós" –, o articulista constata com certa ironia que, após a exibição de "um filme com uma mulher perigosa, toda vestida de cetim [...] voluptuosa e tentadora", é inevitável que, "dias depois, nos escritórios das cidades [...] as datilógrafas entrem, perfeitamente vestidas de cetim, com imensos brincos, com o penteado daquela artista". Se possível, imitando-a. Em jogo, estava a transformação do corpo feminino em objeto de desejo fetichista. Se, por um lado, a estética cinematográfica representava a mentalidade moderna e um domínio em meio ao qual a mulher podia tomar iniciativas, por outro, a sensualidade de sua representação a transformava em objeto de consumo. O fato é que o poder de sedução de estrelas do cinema marcou toda uma geração de mulheres, servindo de modelo para a imagem que elas queriam delas mesmas.

Ao aparecimento desses rostos na tela – jovens, maliciosos e sensuais –, somaram-se outros fatores cruciais para a construção de um modelo de beleza. Data dessa época o banimento de cena da mulher velha. Se até o século XIX matronas pesadas e vestidas de negro enfeitavam álbuns de família e retratos a óleo, nas salas de jantar das casas patrícias, no século XX, elas tendiam a desaparecer da vida pública. Envelhecer começava a significar perda de prestígio e afastamento do convívio social. O autor de *A arte de envelhecer* aconselhava a não se ter o objetivo de não parecer velha, graças a "pincelinhos, camurças, óleos, tintas e esmaltes". Devia-se padecer com resignada calma às gradações da mudança. Identificava-se gordura à velhice; era a emergência da lipofobia. O redondo das formas das "cheinhas" não sinalizava mais saúde, prazer, a pacífica prosperidade burguesa que permitia comer muito, do bom e do melhor. A obesidade tornou-se critério determinante de feiura, representando o universo do vulgar, em oposição ao elegante, fino e raro. Esbelteza e juventude se sobrepunham: "É feio, é triste mesmo ver-se uma pessoa obesa, principalmente se se tratar de uma senhora; toca às vezes as raias da repugnância", advertia a *Revista Feminina*, em 1923.

Os novos tempos exigiam corpos ágeis e rápidos. A magreza tinha mesmo algo de libertário: leves, as mulheres moviam-se mais e mais rapidamente, cobriam-se menos, com vestidos cada vez mais curtos e estreitos, estavam nas ruas. "Mulher velha se vestia como velha", assegura Miriam Sales. Proibidas as cores fortes, os decotes, as saias curtas. Tecidos pesados, para durar. Cores: preto, cinza, marinho, marrom, branco. Vermelho, nem pensar! Sapatos tinham que ser tipo botina de salto baixo. Os cabelos, presos em coque, sem sofisticação. Quem quisesse, tinha direito ao *fichu*, mantilha comprida, leve e preta.

Vitória da silhueta reta? Não! Ilustrações e charges dão pistas para o gosto masculino em relação às formas femininas. Elas seguiam arredondadas, valorizando quadris e nádegas, seios pequenos e pouco salientes. Resumindo: quatrocentos anos de morenas e mulatas sinuosas, da consagrada "morenidade" descrita por Gilberto Freyre, resistiam com bravura aos modelos importados e aos avanços das beldades escandinavas, ditados pelo higienismo ou por influência hollywoodiana, imposta pelo cinema.

E eles?

No início do século XX, a moda era uma obsessão nas grandes capitais, e não só entre as mulheres. Muitos homens sonhavam em ser *chic* ou ser *smart*. Queriam desfilar com vestimentas e acessórios da última moda. Nos jornais, as colunas sociais ditavam as normas de comportamento e vestuário para a fina sociedade. A campanha civilizatória chegou aos homens: por lei, os cidadãos deviam usar paletó e vestir sapatos, para circular pelo centro da capital. Andar descalço ou em "mangas de camisa" dava prisão.

O fraque era a peça para ser usada no período da manhã e da tarde no cotidiano social – informa o pesquisador de história da moda, Marcos Sabino. À noite, o *smoking* era usado em eventos *black tie*, como premiações, cerimônias e festas a rigor. A casaca preta era traje a rigor para a noite, acompanhada de calças pretas, camisa branca de peito engomado, cartola preta de mola, sapatos pretos de verniz, luvas e gravata-borboleta branca. Confeccionada em casimira, a casaca possuía lapelas em cetim ou seda e era levemente acinturada. Herança do século XIX, camisas e coletes podiam ter botões em pedras preciosas. Os suspensórios, antes de tiras de tapeçaria, passaram a ser feitos em veludo e lona. O modelo usado até hoje é do início do século: duas tiras frontais passando pelos ombros, terminando em Y nas costas, presas por botões ou clipes: os jacarés. Lenços, abotoaduras, gorros e boinas de dormir integravam o guarda-roupa elegante.

Na capital, a rua do Ouvidor era o maior centro do comércio sofisticado. Os artigos importados eram os mais cobiçados. Logo, as tradicionais sobrecasaca e cartolas, símbolos da sociedade patriarcal e aristocrática do Império foram substituídas pelo paletó de casimira clara e o chapéu de palha. Chapéu tipo coco ou palheta, como informou Carolina Nabuco: "O comedido e o moderado que caracterizavam a atitude dos brasileiros, sobretudo os de idade, parecia trazer algo da goma que lhes endurecia os colarinhos. Não existiam naqueles tempos camisas esporte, e o colete era parte do terno, hoje reduzido a duas peças [...]. Também nenhum homem, de senador a operário, saía sem chapéu. Era coco ou palheta."

Do interior, ia-se fazer compras na cidade: "O professor, seu Pimenta, às vezes se dava ao luxo de dar um passeio nas férias de fim de ano. Ia ao Rio de Janeiro, São Paulo, e trazia terno novo, sapato, gravata, coisas da última moda, pois que o velho solteirão era vaidoso. Naqueles tempos já pintava os cabelos, coisa desconhecida na vila", contou Otávio Gonçalves.

A historiadora Márcia Pinna Raspanti lembra que a figura do dândi, apesar de estar presente na Europa desde os Oitocentos, ainda fazia sucesso no Brasil no início do século XX: homens que se preocupavam com a aparência e não tinham pudores em demonstrá-lo, vestindo-se com apuro e lançando moda. Um deles foi Alberto Santos Dumont, que, além de construir balões e aviões, tinha a preocupação de vestir-se com esmero. O inventor estava sempre bem-vestido, mesmo quando trabalhava sobre motores ou protótipos em madeira. Seu guarda-roupa era formado por ternos de risca de giz, camisas de colarinho alto e engomado, sapatos com salto para parecer mais alto e chapéu com aba abaixada. Apesar da fama, o inventor sofria de depressão crônica, que o levou ao suicídio.

Anúncios de jornais cariocas exibiam as últimas criações para o verão 1915-1916 na Casa Colombo, avenida Rio Branco: "costume caçador em brim branco, artigo sólido e elegante." Na rua Uruguaiana, a Casa New York oferecia "ternos sob medida de lindas casimiras inglesas de pura lã. Corte americano, fino gosto e elegância." Já a Fábrica Confiança, produzia "colarinhos, punhos, camisas e outros artigos e roupas brancas para homens". Tais modas circulavam pelo Brasil e não eram apanágio da capital.

Terno e chapéu, independentemente da idade.

O Malho, ano VII, n. 322, p. 47, 14 nov. 1908.
BIBLIOTECA NACIONAL [HEMEROTECA].

No Norte, também havia moda masculina e cuidados com a roupa, como narra Thiago de Mello: "Nos dias da semana, a maioria dos homens se vestia de branco. O jaquetão cruzado, de seis botões, ou o paletó e o colete. Mas era nos domingos que o branco tomava conta da cidade, traje de festa, de solenidade e de aniversário. Quem podia usava os linhos da Irlanda, o H.J e o S-120. A maioria envergava mesmo era brim nacional. Havia lavadeiras especializadas em lavar e, sobretudo, engomar a ferro de brasa os fatos brancos. Porque antigamente, o caboclo não dizia terno, dizia era fato, como aprendeu com o português, no tempo em que cabide era cruzeta. Muitas esposas, minha mãe [...] uma delas, se orgulhavam de engomar, elas próprias, na água rala da mandioca, suando em cima dos ferros, as fatiotas brancas dos maridos [...]. O fino era o fato branco, a camisa de palha de seda e o chapéu de palhinha."

Nas décadas de 1930 e 1940, não houve novidade para a moda masculina. Verissimo detestava suas roupas: "Nos meus tempos de Cruzeiro do Sul, uma das fontes do complexo de inferioridade que me perturbava eram as minhas roupas. A fatiota cinzenta domingueira era obra do pior alfaiate de Cruz Alta, que devia ser um dos piores do mundo. Num tempo em que estavam na moda casacos muito compridos e cintados e calças tão estreitas que nas partes inferiores mais pareciam perneiras, eu saía aos domingos com o meu 'casaquinho de pular cerca', as calças com boca de sino, os pés metidos nuns sapatos de bico rombudo, quando o último grito eram os calçados com solas de borracha pontiagudos como torpedos."

Na sapataria, além dos bicos pontudos, chegavam modelos de bico quadrado ou arredondado, em couro bicolor ou, última novidade, os tênis de lona. O arsenal de peças no guarda-roupa agora incluía pulôveres, suéteres, blazers, camisas sociais e de mangas curtas, trajes de banho em lã, inteiriços ou sungões, explica Raspanti. A roupa em escala industrial tornava-se uma opção para quem precisava das mais baratas. Era o *prêt-a-porter*.

Historiadores da moda, João Braga e Luís André do Prado lembram ainda que a maior parte das confecções pioneiras de vestuário derivou de pequenos ateliês e alfaiatarias familiares, muitas fundadas por imigrantes. No Censo Industrial de 1920, realizado pelo IBGE, o segmento "indústria do vestuário" integrado por confecções, fábricas de calçados e artefatos em tecidos contava 1.988 estabelecimentos, ocupando o terceiro lugar em produção, superado apenas pelas indústrias da alimentação e têxtil. A cadeia se desdobrava em fábricas de botões, chapéus, gravatas, roupa branca, bonés; tinturarias, lavanderias, engomadeiras e outros serviços ligados ao vestuário. Modelos usados pelos cantores Vicente Celestino ou Orlando Silva eram copiados. E a guerra derrubou o preconceito contra o tecido *made in Brazil*.

A boa aparência era obrigatória nos escritórios, repartições e redações, que se multiplicavam. Para pedir emprego ou "estar colocado" era obrigatório um traje impecável. Humberto de Campos assim se vestiu quando foi "se colocar" no jornal *O Imparcial*: "um fraque cinzento, um chapéu-coco da mesma cor, um colete vistoso, e uma bengala de muirapinima de castão dourado, que deixava muito azinhavre na mão."

Para dormir, segundo Zélia Gattai, pijama era para gente rica, sofisticada. "Em casa, os homens jamais haviam usado pijama! Papai e os meninos dormiam de ceroulas e camiseta de malha." Ainda sobrevivia o antiquado camisolão, como usava o marido de Maria Isabel Silveira, retratado com o filho recém-nascido nos braços: "Nada mais engraçado do que um homem alto, magro, enfiado numa comprida camisola branca, ninando, desajeitadamente, um bebê chorão." Havia quem recebesse convidados em pijamas, sobretudo quando doente. Manuel Bandeira, sessentão magro e moreno, usava o seu de listras finas e suaves, em cores quase apagadas, quando abriu a porta de seu apartamento na avenida Beira-Mar, na capital, a Alberto da Costa e Silva e Antonio Carlos Villaça, para uma entrevista.

Um primo de Verissimo foi "o primeiro sujeito em Cruz Alta que saiu à rua sem chapéu, chocando os nativos. 'Que desaforo! – exclamavam as comadres'. 'Que desrespeito para com as famílias!'". E o que dizer das bengalas? Segundo Gilberto Amado, em seu tempo, em Sergipe, ela era: "mais do que a calça comprida, o atributo da idade viril [...]. Na calçada de Nobre de Lacerda, juiz seccional, onde se sentava à tardinha todo o partido Cabaú, dez, doze, quinze homens para conversar política e bater papo, como se diz hoje, todos tinham bengala. As vozes misturavam-se no meu espírito aos movimentos que faziam, porque se uns descansavam a bengala entre as pernas e a cadeira, a maior parte a brandia no curso da discussão [...]. Homens de posição nunca vi sem bengala em Aracaju." No Rio, viu a mesma cena: "coalhava-se a avenida de verdadeiras tulhas de deputados, senadores, repórteres, parasitas, curiosos [...]. Fraques, sobrecasacas e algumas cartolas escureciam o fundo. As bengalas – fora Quintino Bocaiúva e Rui Barbosa –, todo homem, eminente ou obscuro, usava-as – batiam nas pedras pontuando a conversação."

A mudança chegou nos anos 1940, quando o *jeans* desembarcou. Então conhecido como calça rancheira ou faroeste, podia ser usado com a barra dobrada. Outro item, *made in USA*, era a camiseta branca usada por baixo da camisa social. Impulsionados pelo cinema, os modelos masculinos de beleza e virilidade e os heróis, notadamente os soldados que haviam lutado na guerra, assim vestidos, faziam suspirar as moças da plateia. Do *cinema far west*, vieram junto com o jeans, a camisa quadriculada e os chapéus de aba larga.

Também surgiram os *zoots*: rapazes usando figurinos de cantores de *swing*, um tipo de *jazz* dançante, assinala Marco Sabino. Terno branco ou quadriculado, com amplo paletó acinturado, com ombreiras, calças justas e sapatos de verniz, relógios de corrente, gravata e lenço de cor viva no bolso. O *look* transgressor foi adotado por Verissimo: "A maneira como nos trajávamos então me faz rir agora: chapéus pretos e peludos, metidos na cabeça e quase tocando as sobrancelhas; camisas de tricoline nas cores mais espalhafatosas, com gravatas de tope, estreitas como cordões de sapato; casacos cintados de um botão só; calças afuniladas que nos davam um trabalho danado para vestir; sapatos de bico pontiagudo."

Mas isso tudo era para os que tinham informação, dinheiro e acesso ao comércio. A diferença entre os *smarts* e a "gente encarangada", viu-a de perto Verissimo, na elegância do jornalista e escritor Manoelito de Ornellas: "A primeira vez em que vi Manoelito de Ornellas foi numa tarde de inverno em 1928. Atravessava ele a praça principal de Cruz Alta, envergan-

do um sobretudo preto transpassado, de corte elegante, com gola de veludo, a bela cabeça coberta por um chapéu gelo claro. Caminhava teso, com passadas firmes e cadenciadas, o queixo erguido. Via-se logo que não era uma pessoa qualquer, mas uma personalidade. Parecia um diplomata, um ministro plenipotenciário que, por engano, tivesse desembarcado naquela cidade serrana [...] onde o inverno trouxera para as ruas velhos ponchos, palas e casacões veteranos, bem como a gente encarangada e pitadores de palheiros com barbas de dois dias."

Outro estilo, mais "moderno", foi o de Mário de Andrade, que deixou para seu biógrafo, Moacir Werneck de Castro, um retrato colorido de quando morou no Catete, Rio de Janeiro, em 1938: "Se vestia a capricho com audácias estudadas." Tinha um suéter bariolado. Usava meias de losangos coloridos – arlequinal – e gravatas que inspiravam protestos, especialmente uma em amarelo-canário. Usava pijama roxo e ternos de tecido inglês, casimira ou linho branco S-120; para noites de gala, *smoking*. O chapéu de feltro marca Ramenzoni acabou abandonando por conta da "bagunça carioca". Trazia no bolso uma folha de papel de seda com pó de arroz, quc passava no rosto para atenuar o tom ocre da pele. Não dispensava água de colônia nem perfume francês. Como se vê, a moda – como bem resume Márcia Raspanti – era instrumento masculino para definir a posição do homem diante dos outros e de si mesmo.

Elegância masculina inspirada em filmes norte-americanos.

Civis não identificados, Recife, 1930.

ARQUIVO PÚBLICO MINEIRO.

PARTE 3

O RELÓGIO DA VIDA: NASCER, AMAR, PERDER

1. DUZENTOS E SETENTA DIAS MAIS OU MENOS

PÁGINAS 392 E 393
Os postais do amor.
ROSA, Francisca do Carmo. *Votos de feliz Ano-Novo.* [16 jan. 1905 a 5 jan. 1910]. FUNDAÇÃO CASA DE RUI BARBOSA, ARQUIVO GONZAGA DUQUE.

Duzentos e setenta dias: desde sempre, hora do parto. Sinais? Pingos de sangue e as primeiras dores – nos livros de médicos do século XVI ao XX, chamadas de "puxos". Entre gente simples, era a "perrengada", o "despacho" ou o "rodiadô", quando as mulheres davam à luz em casa. "Finalmente, depois de 16 horas de sofrimento, risos, cantoria e ginástica, às 14h50 do dia 3 de maio de 1906, senti dores violentíssimas me rasgarem as entranhas [...]. Ai, aaaaai! Gritei desesperada agarrando-me ao pescoço de Valdomiro, enquanto a criança entrava no mundo, escura, quase asfixiada pela luta que tínhamos travado juntas. Rapidamente a parteira a pegou, deu-lhe bofetadas e mergulhou alternadamente em bacias de água quente e fria até que um chorinho assustado se fizesse ouvir", registrou Maria Isabel Silveira.

Parir era assim mesmo. Muito comum a qualquer gestante fechar-se no quarto, portas e janelas cerradas, somente avós, tias e vizinhas no recinto. Daí a pouco um choro anunciava a chegada de mais um membro da família. Banquinhos baixos, gamelas, o colo ou o pescoço do marido ou de uma mulher forte, cordas passadas por portas e traves em que gestantes se penduravam, parto de cócoras, de joelhos, de pé com as pernas abertas e fletidas – enfim, desde a noite dos tempos, não houve variações nas posições em que se dá à luz.

Em áreas rurais, no lugar de remédios de farmácia, partes untadas com azeite de mamona ou gordura de animais, beberagens e banhos para diminuir a dor foram eternamente ministrados. Desde o século XVIII, a erva-de--são-joão fazia parte da receita analgésica, junto com o chá de cordão-de-frade e agripalma. Para expulsar a placenta? Ingerir três grãos de feijão. Depois, era preciso juntar a "mãe do corpo", ou seja, "os ovários, o útero, tudo o que a mulher usa para reproduzir", explicou uma parteira. Elas, no interior, falavam com a "mãe do corpo": "Coloco o dedo no umbigo e aperto, quando não bate ou bate fraquinho é porque a mulher está doente." O remédio era a massagem com óleo de andiroba, cânfora ou azeite. Mas nem sempre dava certo.

Um retrato fiel dos partos em casa, em pleno século XX, deixou-nos José Lins do Rego: "No outro dia de manhã começaram a aparecer as dores tão esperadas na força da lua. Foram correndo à procura da velha Alexandrina no São Miguel. A casa-grande voltou-se inteira para o quarto de tia Maria. Horas seguidas. Parara tudo. As negras da cozinha não se mexiam [...]. Ouvíamos de longe os gritos da tia Maria [...]. Até que se ouviu um grito: 'Viva Nosso Senhor Jesus Cristo!' E chorava o menino. As negras gritavam depois: 'É uma menina.' Mais tarde passou Pia com a secundina, os restos do parto para enterrar. Abriam a destilação. Garrafas de mel de abelha misturavam-se às canadas de aguardente. A mulher parida não podia ver ninguém ainda!"

No interior de Minas Gerais, como explicou Rubem Alves, "não se falava em mulheres grávidas [...] era uma obscenidade, uma grosseria. As mulheres não ficavam grávidas, ficavam em 'estado interessante' [...]. Acho que a palavra grávida trazia associações ao ato ridículo que se encontrava nas suas origens. Imaginar aquela 'excelentíssima senhora' de pernas abertas sendo cavalgada pelo seu 'excelentíssimo marido', de traseiro nu para cima, era realmente ridículo. Mulher não paria. Ficava doente. Quando a parteira era chamada, dizia-se 'dona Leonina adoeceu'".

Diante da violência e da precariedade da maioria dos partos, lançou-se mão de uma revolução sanitarista que buscava abafar o passado "atrasado". A herança do colonialismo e da escravidão tinha de ser substituída pela "modernidade". Ou seja, a transformação da mulher em máquina de fazer filhos, sobretudo, cidadãos e soldados, para o bem da pátria. Nascia a "maternidade científica", que seria acompanhada por médicos e amparada pela mamadeira com leite artificial – invenção americana dos anos 1890 – e pela promoção da mulher como auxiliar dos médicos na luta por uma sociedade mais saudável. Organizações filantrópicas ajudavam. Mulheres de classe média e alta organizavam programas de assistência às mães pobres. Palestras sobre higiene infantil e saúde pública promoviam a atuação feminina na "ascensão física e moral" da população brasileira.

O esperado bebê.

Felicitações de aniversário, Pimpim e Sinhá Velha. 19 fev. 1909.
FUNDAÇÃO CASA DE RUI BARBOSA, ARQUIVO GONZAGA DUQUE.

O papel social preponderante era ser mãe, e Adalgisa Nery estava impregnada desta mentalidade: "Eu não podia conceber a ideia de passar pela vida sem ser mãe. Um filho para mim era um motivo independente de um casamento feliz ou não [...]. Um dia, deslumbrada, verifiquei que meu corpo preparava-se para a maternidade. O encantamento que experimentei foi tão grande quanto o que constatei no amor [...]. Todos se ocupavam no enxoval para o ser que eu guardava no ventre. O meu primeiro filho nasceu normalmente numa quente manhã. Era um menino como tantos outros."

Mas a fertilidade do casal e a capacidade de reproduzir atingiam os homens, também. Eles desejavam filhos e eram incitados, segundo a historiadora Rosa Maria Barbosa de Araújo, a dar apoio à grávida e, depois, à parturiente: "Para nós o maior acontecimento de 1935 foi o nascimento de nosso

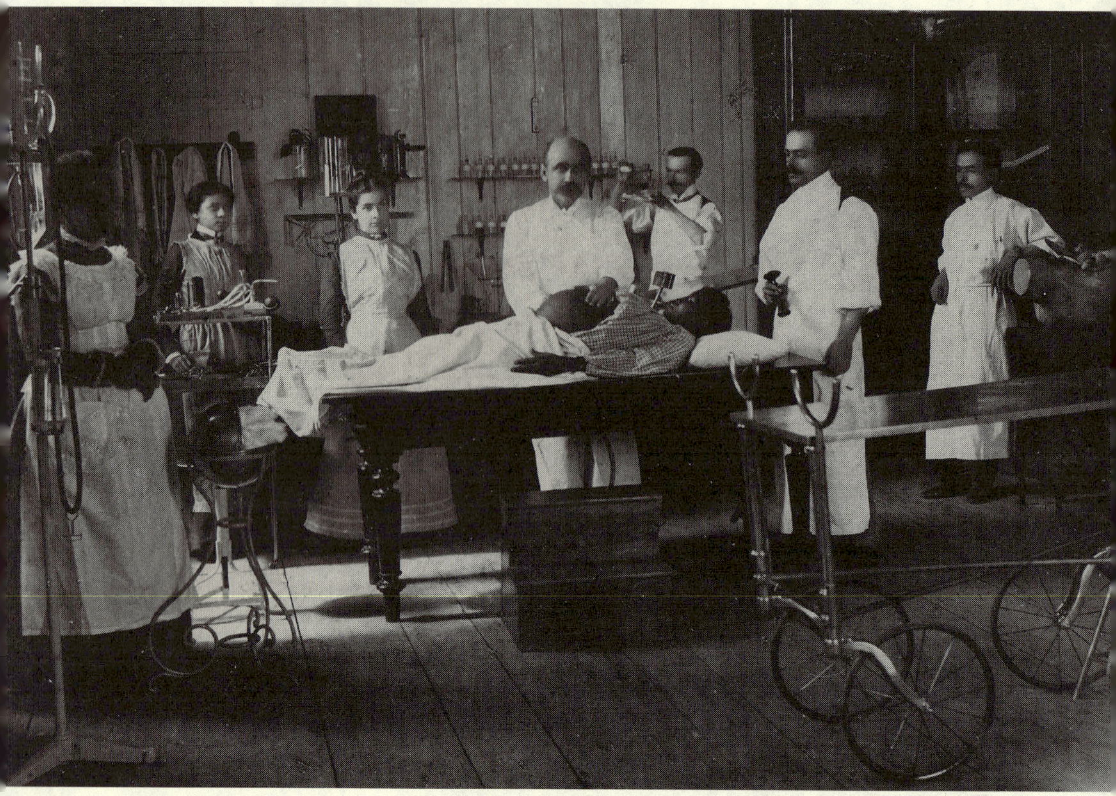

Obstetrícia: parteiras são substituídas por médicos.

Faculdade de Medicina da Bahia, gabinete de obstetrícia, 1903.

ARQUIVO NACIONAL.

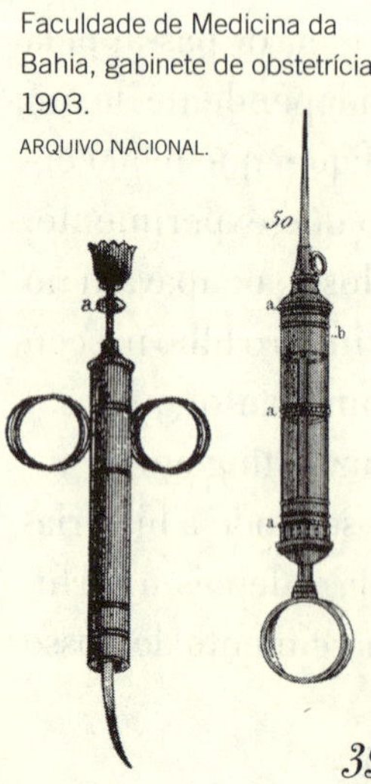

primeiro filho, uma menina. Nos primeiros três anos de nossa vida de casados, minha mulher e eu, que mal podíamos esconder nossa tristeza e nossa decepção por não termos filhos, entretínhamo-nos com os filhos alheios, que pedíamos 'emprestados' a vizinhos e amigos", confirmou Erico Verissimo.

A maioria dos pais esperava o nascimento do lado de fora do quarto, aguardando a boa notícia: um filho! Uma filha! Seguiam-se as visitas de cortesia. O assunto era a semelhança física da criança com algum membro da família. Ao dar `a luz em casa, as sofredoras ainda tinham que se conter para não assustar o cônjuge ou os familiares. O pudor era obrigatório: "Por ocasião dos partos –

e foram 14 – Coelho Neto ficava nervosíssimo e enchia a casa de amigos... Imagine a minha situação nesses momentos, em que toda a mulher deve ter o direito de expandir sua dor, os seus sofrimentos, eu não podia nem gemer, pois os rapazes estavam todos no gabinete do Henrique, fumando, bebendo, palestrando, separados de mim, às vezes, por uma porta!", queixou-se dona Gaby, mulher de Coelho Neto à senhora de Humberto de Campos.

Os partos em domicílio eram feitos pelos médicos, se estivessem por perto. Veja-se o relato de Afrânio Peixoto a Humberto de Campos, sobre o seu primeiro parto:

> Quando me formei, minha mãe me ofereceu uma bonita caixa de ferros para parto. Um dia, mandaram-me chamar... Peguei a caixa e fui... Pelo caminho, vinham-me à lembrança todas as providências recomendadas pelos mestres na faculdade... E se fosse uma placenta prévia? Seria o insucesso, o desastre da carreira... Quando penetrei no quarto, encontrei a mulher estendida soprando uma garrafa... Ninguém, no interior, nasce sem o auxílio de uma garrafa que a parturiente sopra a fim de fazer força e expelir a criança. A minha cliente já estava exausta de soprar. Peguei-lhe da mão, acalmei-a, mandei que descansasse um pouco: "– Minha filha, isso não é nada; dentro de uma hora está tudo acabado." Não foi preciso tanto; eu estava começando a distraí-la quando a parteira gritou: "– Seu doutor, lá vem criança!" Foi um sucesso! Toda a gente ficou absolutamente certa de que eu salvara a criança.

E depois, vinha o "tempo de resguardo". Após o parto, confiado às mãos amorosas das competentes parteiras, as mulheres atravessavam largo período de cuidadoso descanso, que durava coisa de quarenta dias. Parentas e amigas chegavam para cuidar da criancinha e poupar esforços à mãe, que passava os dias deitada e recebia alimentação especial, na base de canjas, mingaus de caridade, caldo de galinha gorda, caldo de mulher parida. "Um menino batia à porta [...]. '– Aqui está o frango que mamãe mandou para o resguardo de dona Josefa.' Não podia faltar era a Água Inglesa Granado, vinho reconstituinte, nem a marmelada Colombo. Em compensação, às visitas frequentes durante quarenta dias do resguardo, era servido mijo de criança: vinho do porto ou aluá de abacaxi, com sequilhos de araruta", observou Thiago de Mello.

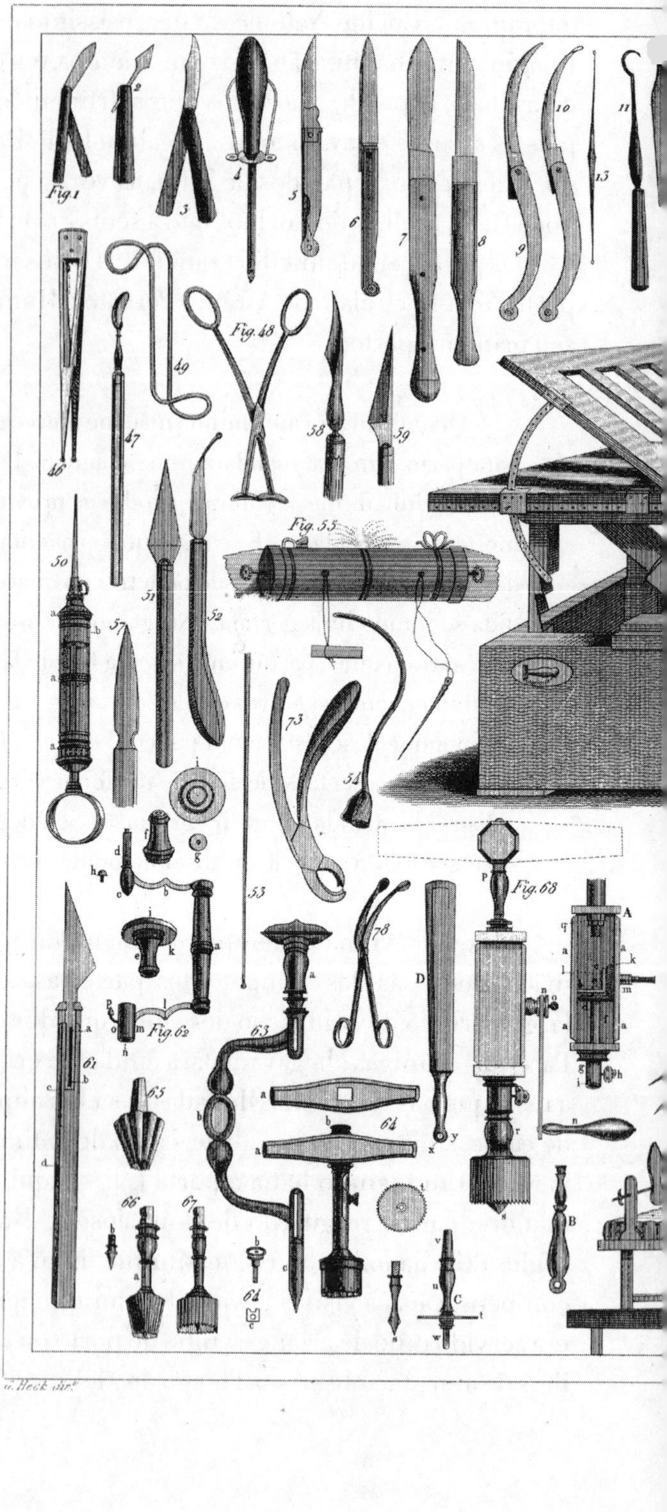

Instrumentos cirúrgicos que protagonizaram as operações hospitalares até o século XX.

HECK, Johann Georg. *Bilder Atlas*. 1871.

COLEÇÃO PARTICULAR.

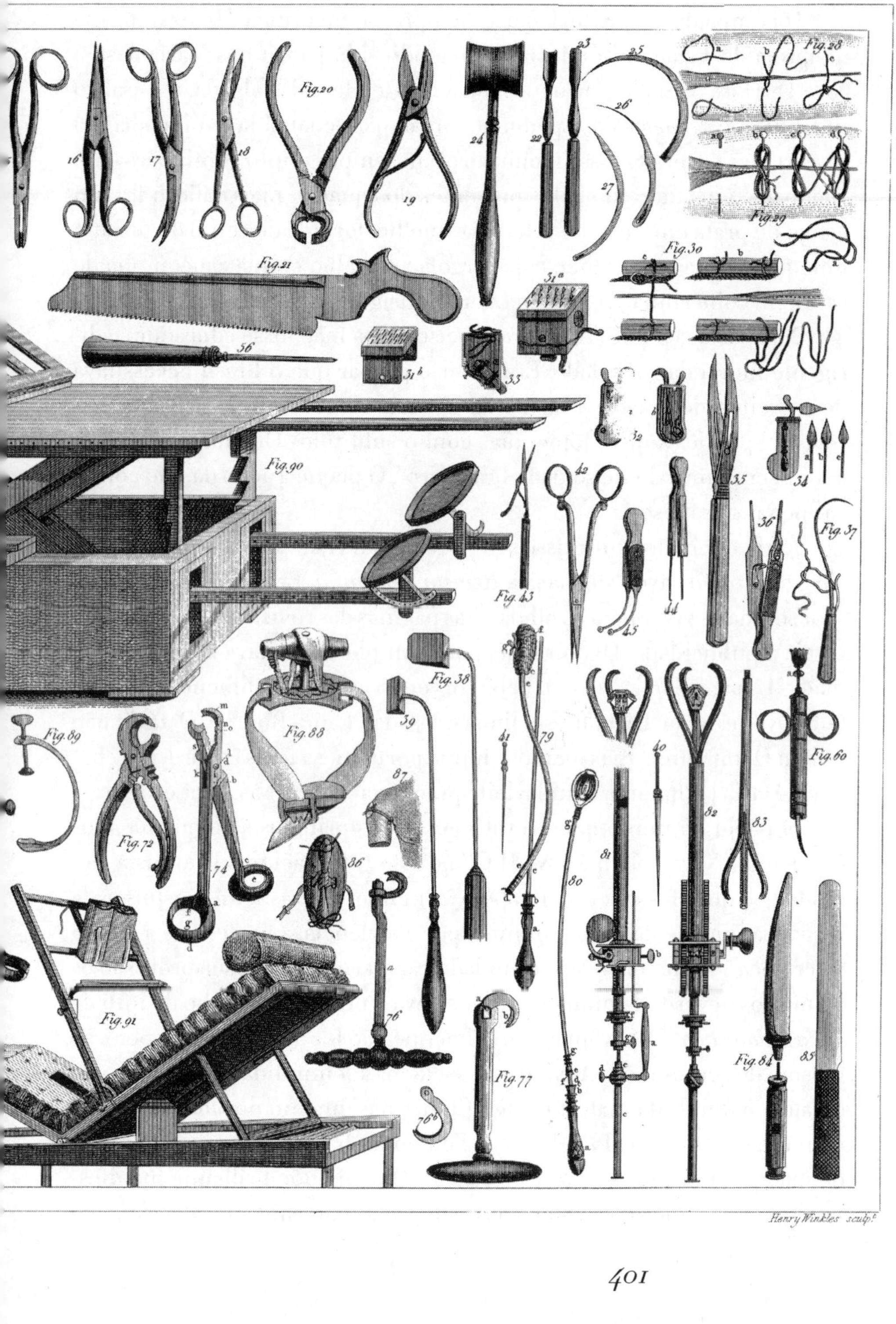

Henry Winkles sculp.t

O compadrio espiritual, desde sempre, se mantinha: "Batizaram-me na igreja do Estácio, Rio de Janeiro, tendo sido padrinhos Maria José e José Ferreira Vaz, ele português, negociante, de vida folgada. O casal só tinha filho e d. Maria José pediu a mamãe para chamá-la para madrinha se a criança esperada fosse menina. Foram sempre muito gentis para com a afilhada, enviando-lhe belos presentes dos quais o mais valioso foi um estojo de prata em caixa de veludo vermelho, forrada de cetim do mesmo tom que constava de talher, copa, argola, chocalho e uma canequinha de café com colherinha", registrou Laura Rodrigo Octávio.

Não bastava gerar filhos. Era preciso que a mãe fosse educadora e dirigente moral da sociedade. Era preciso pensar que o Brasil necessitava de exércitos, de braços. A nova mãe deveria ter sentimentos cívicos. Nas revistas, publicavam-se fotografias com o subtítulo "Quando eu tiver 20 anos... serei um valente soldado brasileiro". O pequerrucho da foto contava apenas seis meses!

Ai de quem descumprisse seu "dever maternal". Com filhos, o divórcio seria impensável, afirmava a *Revista Feminina*. Era preciso sacrifício, "por ser mãe e viver para os filhos". Nas páginas das revistas, a maternidade servia à publicidade. Ovomaltine, por exemplo, anunciava-se com a chamada "Uma mãe feliz": ela e o bebê sorvendo gulosos o alimento à base de leite, ovos e cacau. Dizendo-se "linda e rosada", Laura Rodrigo Octávio não tomou Ovomaltine, mas mamou "numa portuguesa feiosa e sardenta chamada Maria [...] quem não tinha leite precisava recorrer às amas de leite".

O papel feminino que prevaleceu nesses primeiros cinquenta anos do século XX foi o de mãe. No II Congresso Internacional Feminista, defendeu-se que "fosse feito um apelo às mulheres brasileiras, visto ser da responsabilidade do sexo feminino, por excelência, a proteção e a defesa da criança". "A maternidade, o cuidado e os carinhos com sua prole são os primeiros deveres da mulher", admoestava o número de junho de 1916 de *Vida Doméstica*. E prevenia: "A mulher que não for boa mãe deixa por isso mesmo de ser mulher." Atributos associados à feminilidade reforçavam o caráter "natural" da maternidade. "Com o nascimento dos filhos, o papel da mulher já nobilitado pelo amor aumenta", lia-se na *Revista Feminina* de maio de 1923. E na *Vida Doméstica*: "Que virtude brilhante manifesta a mulher como mãe." Só o casamento e a maternidade salvavam, até mesmo de moléstias: "Eu dormia na cama com tia Naninha [...] um fato desagradável. Ao amanhecer, notei manchas de sangue nos lençóis. Corri para a tia e ela me deu um puxavão: Deixa de besteira, menino! Ficou vermelha como a malagueta. Vim a saber depois que eram coisas de mulher. Sofria muito a tia Naninha de dores [...] procurava pílulas para minorar os sofrimentos. 'Coisas de moça – dizia Firmina –, isto sai com o casamento'", contou Zé Lins do Rego.

A "nova mãe" deveria tudo aprender: a maternidade era uma "ciência". O médico higienista, dr. Fontenelle, garantia estar absolutamente provado ser a ignorância das mães a mais importante causa da mortalidade infantil. Só a instrução permitia-lhes colaborar para o desenvolvimento do país. Em junho de 1929, foi criada em São Paulo a Escola de Economia Doméstica, para "formar boas mães de família, que, por sua vez, darão à Pátria filhos valorosos e fortes, inteligentemente educados na moral". Importou-se da Suíça uma professora para ministrar os cursos: Mlle. Girodat.

A puericultura entrou na moda. O "ensino vivo" da higiene, também. O livro do pediatra Antonio Wittrock, *Guia das mães*, tornou-se leitura obrigatória. Ensinava que era preciso abandonar as crendices do passado e confiar no médico. Distribuíam-se conselhos e ensinamentos sobre medicina doméstica e doenças infantis, desmame e alimentos adequados. Anunciavam-se produtos: a Camomilina, a farinha láctea Nestlé, os mingaus Dr. Oetker. Especialistas condenavam o uso da chupeta e os mimos excessivos – crianças assim criadas resultariam em adultos medíocres. Viva a moderação! Pediatras ocupavam colunas em revistas femininas lembrando mais uma vez que apenas a "alimentação racional dos filhos" os fazia "fortes e sadios", concorrendo para "elevar bem alto o nome de nossa querida Pátria". O medo da morte dos pequenos, justificado pela alta mortalidade infantil, ajudava a consolidar o papel da "nova mãe". O Primeiro Congresso Brasileiro de Proteção à Infância, realizado no Rio de Janeiro, em 1922, elegeu dois heróis salvadores do país: os médicos e as mulheres!

A fertilidade feminina era assunto discutido nas famílias, esmiuçado à boca pequena. A esterilidade, sempre condenada, como lembrava Zélia Gattai: "Tia Dina também não podia ser mãe, coitada. Ela tinha oveiro seco. Nunca tivera filhos. Soube disso por uma conversa ouvida entre mamãe e tia Margarida. Mamãe dizia que só podia ser oveiro seco, porque tia Dina estava no segundo marido e... Nada! Tia Margarida dizia que podia também muito bem ser matriz virada."

Nas cidades industrializadas, crescia o número de mulheres operárias. Como cuidariam dos filhos? Patrícia Galvão, a Pagu, foi a primeira a denunciar, em seu romance *Parque industrial*, a situação perversa em que elas viviam. Na voz de uma personagem "revolucionária", fomentadora de greves, ela denunciava: "Nós, à noite, nem força temos para acalentar nossas crianças que ficam sozinhas e largadas o dia inteiro, ou fechadas em quartos imundos, sem ter quem olhe por elas!"

Os poderes públicos se preocupavam com a participação feminina no movimento operário. Quando se tratava de pedir aumento de salário, de protestar contra a elevação dos impostos e do custo de vida, mulheres iam para as ruas. Um exemplo: em outubro de 1902, paralisaram fábricas de tecido no Bom Retiro, em São Paulo, contra os maus-tratos de mestres de teares. Paralisações se sucediam. O movimento por melhores condições de vida se alastrou entre as trabalhadoras.

Uma das soluções foi criar um discurso normativo que as tirasse das ruas e as fizesse voltar para a vida doméstica. Os médicos colaboravam. Um Concurso de Robustez, que premiava a mãe operária e pobre que amamentasse até o sexto mês, encheu as capas dos jornais. Boletins de "Conselhos às mães" eram gratuitamente distribuídos. Era preciso convencer a mulher de que o amor materno era inato, puro e sagrado, e que apenas por meio da maternidade e da educação dos filhos ela realizava sua "vocação natural". Sanear a sociedade por intermédio das mulheres era a meta. Mas que mulher? Somente a esposa e mãe.

"A mulher que contrai casamento deve ser convencida das leis naturais e morais que a obrigam a exercer o círculo completo das funções de mãe. Se a isto se recusar, é que há uma falsificação de sentimentos contrariando as manifestações naturais e sacrificando o dever", acusava o dr. Moncorvo Filho. Não foi só a medicina, entretanto, que tentou, cientificamente, "moralizar" a mulher. Durante o Estado Novo, Getúlio Vargas concedeu uma série de favores à Igreja, e um "pacto moral" selou novo acordo entre Estado e Igreja. Esta se tornaria uma grande aliada na consolidação de uma ética cristã baseada na valorização da família, do bom comportamento, do trabalho e da obediência ao Estado. Com esse esforço, multiplicar-se-iam "mães e esposas". Aquela que não preenchesse os requisitos estipulados pela "natureza" era identificada como "anormal", pecadora e criminosa. Não amamentar, não ser esposa nem mãe significava desobedecer à ordem natural das coisas. Punha em risco o futuro da nação!

Na representação santificada da mãe-esposa-dona de casa ordeira e higiênica, a sexualidade só aparecia associada à procriação. A ascensão da figura da mãe inibia a sexualidade conjugal. A mulher destinada à maternidade não podia procurar prazer, e a ideia do orgasmo materno se torna escandalosa, impensável. O amor aos filhos deveria ser o principal fator de união dos casais.

> A maternidade é um instinto que brota naturalmente de cada mulher, precisando antes ser sufocado nos seus impulsos de exagerada ternura, do que desenvolvido por meio de teorias e discursos eloquentes. É até uma forma de egoísmo observada em criaturas más, que de outra forma não sentiriam o doce palpitar da afeição humana. Mas o filho representa um pedaço delas mesmas, feito com seu sangue, continuação de sua existência – e a mulher ruim, a ladra, a vagabunda até a assassina adoram o seu pequeno tão ardentemente como qualquer alma transcendental. É uma posse animal, espontânea, muito forte, que vem lá do fundo das entranhas femininas, e não se analisa, não se define, não se discute. É o amor de mãe. Ensiná-lo pareceria até um pleonasmo.

O texto é de março de 1905. Escreveu-o para *A Semana* a escritora Carmen Dolores, pseudônimo de Emília Bandeira de Melo, autora de crônicas para *O País*, importante diário da República Velha, para o *Jornal das Senhoras* e para o *Correio da Manhã*. Presença forte num território exclusivamente masculino, fez parte das pioneiras que lutaram pela educação da mulher, a favor do divórcio e do sufrágio feminino. Abraçava ideias então consideradas escandalosas, antecipando conquistas que só viriam nos anos 1980: "O casamento representa uma experiência, bem ou malsucedida. A maternidade é uma aliança de doçuras e amarguras, e o divórcio, uma necessidade."

Outra figura notável do nascente feminismo foi Maria Lacerda de Moura. Focada em conscientizar as mulheres de sua então condição de servidão à família, de reduzir-lhes o peso das superstições sobre a sexualidade e a tendência de conservarem-se "caladas e sofridas", publicou, em 1932, *Amai e... não vos multipliqueis*, onde afirma que: "A família verdadeiramente constituída será a que se basear na maternidade consciente, na livre escolha da mulher escolher o pai para seus filhos, ou o companheiro do seu amor. Essa é que há de ser a base das relações sexuais do amor no novo ciclo da evolução humana [...]. E um e outro pensador [...] e algumas mulheres heroicas reivindicam para a mulher o direito e o dever de se ser mãe fora da lei e das convenções sociais."

A mãe de Adalgisa Nery concordaria. Para ela, a maternidade foi um sofrimento: "Minha mãe [...] gastava a sua vida com a família, que aumentava todos os anos. Não me recordo de tê-la visto, senão esperando um filho. Tinha um ar abatido e frágil [...]. Penteava seus cabelos em duas grossas tranças que deixava caídas como cobras. Eu tinha a impressão que o peso de sua cabeleira a fatigava demais. Queixava-se constantemente de dores, de canseiras e tinha as impaciências naturais de uma mulher com filhos pequenos e problemas de família e talvez seu ar triste fosse o traço de lamentações pelos seus desconhecidos e perdidos sonhos."

Vivia-se o período entre as duas Grandes Guerras mundiais, e não escapava a Maria Lacerda que a política de expansão demográfica desejada pelo Estado getulista tinha a ver com o desejo de engrossar o Exército brasileiro. Fazer filhos para a pátria? Não, as mulheres não deviam se prestar a produzir "buchas de canhão": "Mas a expressão usada na literatura, no jornalismo, na cátedra, no púlpito para dourar a pílula engolida pela idiota milenar não será 'fabricar carne para canhões' [...] e sim [...] 'maternidade sagrada', 'direitos das mães', 'deveres para com as mães', 'dia das mães', 'rainha do lar', 'educadoras dos cidadãos de amanhã', todas essas chapas convencionais a fim de arrastar a deusa e santa, através dos filhos para o açougue canibalesco..."

Neomalthusianismo e pacifismo andavam de mãos dadas em seus textos. Trabalhar pela paz em tempos de fascismo, não fazer filhos para a guerra, exigir melhores condições para criá-los e tirar dos ombros das mulheres, sobretudo das pobres, a responsabilidade da sobrevivência da família eram suas bandeiras.

Na vida privada prevalecia a assimetria: a mulher, reduzida ao papel de mãe e esposa; o pai, dedicado ao trabalho, à posse da mulher e à fiscalização dos filhos. Às mães, porém, cabia punir com "surras e cascudos tudo o que era considerado 'indesejável'". Ou com pressão psicológica. As ameaças de retirada de afeto, de abandono e solidão ("Moça assim não casa..."), os castigos do Céu, o remorso ("Quando eu morrer, você vai ver a falta que vou fazer...") ou a culpa abatiam-se sobre as costas dos filhos, que deveriam ser sempre alvos de elogios.

Médicos orientavam as mães. Só se esqueciam de precaver esposas contra as doenças venéreas de seus maridos mulherengos. A avó de Marta Novis foi contaminada: "Uma gravidez difícil e um parto mais difícil ainda, realizado por tio médico e pelo avô dele, também médico [...]. Por sorte nasceu um menino saudável [...]. Mas foi o único. A doença a tornara estéril."

Para fazer "vingar os filhos", descobriu-se que o leite de vaca era mais rico em proteína do que o leite materno. A partir daí, as descobertas do leite pasteurizado e condensado, da evaporação do leite de cabra e o estudo da composição do leite humano favoreceram a produção do leite artificial. Nas primeiras décadas do século XX, portanto, indústrias americanas já se destacavam na produção do substituto do leite materno. Maria Isabel Silveira, com dificuldades de amamentar e vendo partir Valentina, a ama de leite italiana que "certa noite sumiu", não teve dúvidas. Adotou para sua filha "a mamadeira de Horlicks Malted Milk". Nesse período, havia desestímulo ao aleitamento materno.

Longe das explicações científicas ou dos cuidados psicológicos atuais dedicados aos irmãos, o recém-nascido era sempre uma surpresa. Ele era "trazido pela cegonha". Quem conta é Lya Luft: "A mãe deitada, como se no meio da tarde decidisse descansar um pouco. No ar um cheiro de remédios, estaria ela doente? [...] ela parecia cansada, mas feliz, e apontou o berço que tinha posto ali há algum tempo, mas eu não dera muita atenção. Esquecera uma conversa sobre a cegonha que a qualquer hora, talvez voasse por cima da casa e pousasse na janela trazendo no bico, numa cestinha de ouro, o bebê que eu queria tanto [...]. Cheguei perto do berço, coração aos pulos, seria possível... Estava lá. Tinha cabelo escuro e chupava o polegar fazendo ruído de animalzinho faminto." Para muitas crianças, era assim que chegavam os bebês...

2. OS PRIMEIROS ANOS, OS PRIMEIROS PASSOS

Amizades na infância.

[Retrato de meninos]. 1900.

ARQUIVO NACIONAL.

"Infância: na vida do ser humano, período que vai do seu nascimento à adolescência", informa o dicionário Aurélio, acrescentando à definição "meninice". Educadores e médicos se perguntavam sobre o lugar adequado à criança na família e na sociedade. Pequeno adulto ou ingênuo? Na prática, tão logo adquiria algum desembaraço físico, misturava-se aos adultos. Nas classes altas, segundo Rosa Maria Barbosa de Araújo, participava dos programas de lazer da família, dentro e fora de casa. Iam ao cinema, aos cafés, ao circo, frequentando divertimentos noturnos e até mesmo bailes. Nem todos concordavam que tal agenda fizesse bem. Afinal, petizes eram incômodos. O ideal era que ficassem circunscritos ao espaço doméstico e aos programas adequados à infância.

Para a maioria dos memorialistas, a primeira infância era o espaço da privacidade e da família. O Estado não entrava portas adentro: ali reinavam as relações entre pais e filhos, a ajuda mútua na vida cotidiana e na realização das tarefas diárias. Tampouco interferia na maneira como as crianças extraíam prazer e alegria das artes de brincar. Diante das mudanças da vida adulta, a meninice é mais do que uma simples relíquia. Os verdes anos, em seu país jovem, parecem lembrar não o adestramento, mas as raízes. Ou a expressão da memória afetiva, estampada nas palavras de Pedro Calmon: "A lembrança mais longínqua que conservo é a do afago da mãe preta, aflita com a falta de apetite da criança débil [...] a levava para comer à casa próxima, de d. Herondina, onde me recebiam carinhosamente."

Em família, a memória se traduzia na descrição das pessoas que cercavam a criança, nas experiências vividas em comum, na posição dentro dos laços de filiação, nas regras de funcionamento familiar, nas trajetórias dos costumes e saberes técnicos, nas imagens e sentimentos que tendiam a se modificar somente quando a criança se tornava adulta e deixava sua família para formar outra. E tais recordações aparecem como pontos no bordado da biografia individual. Contou Verissimo:

> Vejo-me, ou melhor, sinto-me deitado num berço, num quarto em penumbra. Sentada numa cadeira ao meu lado, minha mãe me aplica uma cataplasma de linhaça que me queima o peito, ao mesmo tempo que um odor acre me entra pelas narinas. Noutra ocasião as mãos maternas me esfregam as costas com um linimento de cheiro penetrante. Mas há outro momento ainda mais nítido em minha memória. É noite, d. Bega me canta uma canção de ninar, e eu com o indicador e o polegar da mão direita seguro sua aliança, fazendo-a rolar dum lado para outro no dedo dela, como quem dá corda no relógio. Fazia isso todas as noites para conseguir encontrar a porta do sono. Imagino que nesse tempo eu não teria mais de dois anos de idade. Estou convencido de que meu primeiro contato com a música, o canto, o conto e a mitologia se processou através da primeira cantiga de acalanto que me entrou pelo ouvido [...] aquele conjunto ritmado de sons não passava de um narcótico para me induzir ao sono. Essa canção de ninar falava no Bicho Tutu que estava no telhado e que desceria para pegar o menino se este não estivesse dormindo.

Para muitos, porém, a infância foi um tempo de obrigações e trabalho. Entre os que não tinham recursos, a criança raramente tinha um mundo próprio. No espaço exíguo das casas de subúrbio, nos cortiços e favelas ou nas fazendolas, ela começava a trabalhar desde cedo. Como conta Elpídio Reis, em 1924:

> O segundo fato mais remoto que minha memória registra é este, relativo à primeira obrigação que meus pais me deram, a título de trabalho. Eu tinha quatro anos. A frente da casa de meus pais em Jaguaretê, município de Ponta Porã, dava para os fundos da casa de meus avós maternos, vovô Silveira e vovó Amália, que nós, crianças chamávamos de pai velho e mãe velha [...]. De uma casa se avistava a outra por sobre um banhado intransponível.
>
> Nos fundos da casa de minha avó havia um pessegueiro. Quando minha avó desejava mandar qualquer coisa à minha mãe, às vezes um simples recado, colocava um pano vermelho estendido num galho do pessegueiro. Era o sinal combinado. Minha mãe já sabia o que fazer: colocava-me no lombo de um cavalo velho, manso, manso, que até parecia ser ensinado para aquele tra-

Meninos trabalhadores.

FERREZ, Marc. *Jornaleiros.* Rio de Janeiro, 1899.
INSTITUTO MOREIRA SALLES, COLEÇÃO GILBERTO FERREZ.

balho... e lá ia eu, a cavalo como gente grande, desempenhar minha primeira obrigação na vida. A primeira tarefa era trazer o leite pela manhã... Às vezes, eu fazia três ou quatro "viagens" por dia, de uma casa à outra [...]. Homenzinho, já com 5 anos. Recebi a incumbência de cuidar das galinhas com os pintos [...] tinha que evitar que as galinhas e os pintos sumissem mato adentro, pois se entrassem, não voltariam. [...]. Quando fui atingindo 8, 9 anos, o terceiro emprego [...] ir ao campo, no final das tardes, a cavalo, recolher as vacas leiteiras, colocar os bezerros num curral menor e as vacas num curral maior onde dormiam. Na manhã seguinte eu era o ajudante de minha avó, que se levantava ao clarear do dia, para tirar leite. Depois do trabalho com as vacas [...] era eu o responsável pela manutenção da água no cercado de porcos. A água era trazida de balde, lá do pocinho, isto é, uma fonte de água cristalina, distante uns 50 metros.

E, pior... Para sofrimento do menino, o balde era furado.

Cassiano Ricardo também ajudava na faina doméstica e aprendia os gestos de trabalho dos mais velhos: "Minha infância se dividiu entre a pequena fazenda de meus pais, modestos lavradores, chamada Fazenda Santa Teresa, em Vargem Grande, além do Paraíba e do Buquira e a cidade de São

José (dos Campos), onde nasci a 26 de julho de 1895 [...]. Na roça aprendi a apanhar café em balaios, derriçando dos galhos os frutos vermelhos ou ainda amarelos com as mãos, fazendo concorrência afoita aos adultos. De vez em quando comia um fruto de café maduro, era gostoso."

Havia, ainda, o trabalho para sobreviver, como o que experimentou Gregório Bezerra que, ao completar 4 anos de idade, ouviu de sua mãe: "'– *Meu fiinho. Tu intera hoje 4 aninhos. Já tá um home, tá bom de trabaio. Manhã tu vai trabaiá cum nói. Limpá mato no roçado.*' Meu pai colocou um cabo numa enxada velha, gasta pelo trabalho e pelo tempo e fez o mesmo com um cacareco de foice e falou: '– *São teus. Toma conta e zela. Da manhã invante, tu vai aprendê a trabaiá cum nó em tudo*'. Foi minha escola, durante os primeiros anos de minha vida. E foi uma excelente escola."

No comércio e nos serviços, as crianças começavam cedo: "De regresso a São Luís, quero rever os lugares em que passei uma parte de minha infância triste e trabalhosa. Passo em frente à antiga Mercearia Dias de Matos, onde pesei açúcar e lavei garrafas", lembrou Humberto de Campos, caixeiro do pai. E louvando os filhos da lavadeira que, em uniforme, transportavam trouxas de roupa na cabeça: "Heroizinhos de quatro palmos, que na idade em que os filhos dos remediados constituem um peso na economia paterna, são um auxílio já na sua casa do morro ou da vila." Nelson Rodrigues dizia ter feito sua "iniciação jornalística aos 13 [...]. Eu era tratado, desde os 13 anos, como um pequeno gênio". Mais precoce ainda foi Murilo Melo Filho que, aos 12 anos, já escrevia sobre esportes para o *Diário de Natal*.

A infância era marcada por rituais impostos pelos mais velhos e respeitados sem discussão. Em caso de falha, castigos. A criança cumpria suas obrigações, sem maiores resistências, como contou Thiago de Mello:

> Devia andar pelos 10 anos. Acordava às seis da manhã e com o caboclo Augusto, meu bom irmão de criação, descia até a beira do rio, a recolher a lenha para o fogão da casa. Voltava, ia regar as plantas do jardim de minha mãe. Terminava essa tarefa e saía correndo à esquina da José Paranaguá, em busca do *Jornal do Commercio* para o meu pai. Regressava, meio correndo, tomava o meu banho, vestia o uniforme escolar, tomava o meu café com macaxeira cozida (bom mesmo era quando parava à porta da casa o vendedor de

> cuscuz de milho) e então, saíamos, eu e a mana Maria Júlia, para as aulas [...]. Um dia fui buscar o jornal e o jornaleiro ainda não chegara. Cheguei em casa sem o jornal e dei o motivo. Meu pai, homem de gênio severo, de rompantes ásperos, duvidou de mim: ergueu-se raivoso e me bateu forte, em pleno rosto. Sentado numa cadeira de balanço, um varão muito digno... Era meu avô... levantou-se lento e alto, e com sua mão solidária pousada no meu ombro, disse a meu pai essas palavras que nunca esqueci: "– Pedro, se você acha que deve castigar seu filho, castigue. Mas castigue com amor."

Mas a maior parte dos castigos vinha com desamor mesmo. Correias, cintos, varas de marmelo corrigiam com violência. Quem se queixa é Graciliano Ramos: "Meu pai fora um violento padrasto, minha mãe parecia odiar-me e a lembrança deles me instigava a fazer um livro a respeito da bárbara educação nordestina." Gregório Bezerra confirma: "Meu pai tinha um hábito ruim, o de juntar as faltas que os filhos cometiam, para surrá-los todos de uma vez." E a vara de marmelo cantava. Para fugir à violência, o menino se escondia pelos matos, noites a fio. A sova era punição internacional, pois o pai de Paulo Francis nunca o poupou: "Os pais europeus batem nos filhos. Se privilegiados, mantêm distância deles. Lhes impõem uma estrutura fixa e externa de comportamento que nos parece ditatorial, na era do dr. Spock." Sem contar os castigos psicológicos como os sofridos por Adalgisa Nery:

> O período em que estive sob a orientação de minha madrasta foi a continuação de velhos desentendimentos [...] fui uma menina difícil. Obedecer maquinalmente era o pior a que podiam me obrigar [...]. A minha madrasta foi, quando menos podia ser, áspera e desumana ao extremo [...] A linguagem [...] atingia uma dureza espantosa e a sua intenção boa em corrigir-me tornava-se contraproducente. Ela era ela. Todos deviam ser semelhantes e subordinados à sua vontade ou à sua orientação. Um dos martírios de minha vida de menina, era vestir-me de acordo com o seu gosto, que era justamente o inverso do meu. Eu gostava de cintura no lugar. Ela obrigava-me a usar cintura alta. Eu não gostava de vestidos pesados, de enfeites e de cores misturadas. Ela preferia os modelos requintados em pregas, babados, bordados, fitas, rendas e flores. Eu me sentia infeliz e ridícula toda a vez que usava um vestido

novo [...]. Mas "criança não tem gosto nem vontade", dizia ela. Eu gostava de apostar corrida com os meninos. Lembro-me que ela tinha uma forma dura de corrigir-me dessa brincadeira: "Não é decente uma mulher correr e mostrar as pernas." Eu pensava magoada e confusa: "Mas eu ainda não sou uma mulher." Comecei a ter um pudor inexplicável pelos meus joelhos tão descoloridos e desengonçados como os de qualquer menina de 11 anos. Todas tinham a mesma idade que eu e corriam livres "sem pernas de mulher".

Crianças-anjo? Não necessariamente. Confessou, sem culpa, Agripino Grieco: "Venham lá falar-me na bondade e na delicadeza das crianças! A rigor não passávamos de uns bons tratantes. Vaiávamos os mendigos antipáticos ou que não possuíssem direito ao físico da profissão, que não estivessem bem caracterizados como os mendigos de teatro. Maltratávamos igualmente os bichos, apedrejando os sapos, azucrinando os burros pacíficos que esperavam a carga, presos a uma árvore."

Cassiano Ricardo enumerava as maldades: "A perseguição aos pássaros, malvadeza, os filhotes a gritar; implumes [...] que se aproximassem do meu bodoque; as ninhadas de ratos que havia sob o milho depositado no paiol, e que eu matava a fogo e querosene; os sabiás e sanhaços que aprisionei no pomar em armadilhas e alçapões."

E havia também maldades de meninos contra outros meninos, como sofreu Augusto Frederico Schmidt na escola: "Alguns eram cruéis, mais fortes do que eu e nada acolhedores. Nos primeiros meses do internato, a obrigação de tomar banho de água salgada na piscina constituía uma espécie de pesadelo [...]. Os mais adultos divertiam-se a empurrar os menores, em dar-lhes caldos até fazê-los estrebuchar."

Contra os meninos maus, havia os bons. Geraldo Holanda Cavalcanti foi um deles: "Menino ainda, eu quis ser santo. Santos têm uma grande capacidade de fazer bem às pessoas. Curam as doenças, acham coisas perdidas, salvam os náufragos." Mas ele sabia também algo sobre bênçãos e veneração de relíquias: "Por essa razão resolvi começar a providenciar meu próprio estoque. Não queria privar seres futuros da oportunidade de se beneficiarem com a minha santidade. Procurei no armário de remédios de minha mãe um vidro que estivesse vazio e comecei a juntar as aparas das minhas unhas, único excesso de meu corpo sobre o qual eu tinha alguma espécie de controle, pois os cabelos ficavam pelo chão da barbearia do Carmo, varridos com os cabelos menos milagrosos de outros clientes, pelo seu Elpídio, o barbeiro magricelo."

Brincadeiras: as de meninas ou as de meninos? Elas não se diferenciavam tanto, segundo Adalgisa Nery. O importante era brincar ao ar livre: "Eu tinha aparência de uma criança comum, gostando de correr, de gritar, de cantar, de subir nas árvores, de espiar o ninho dos pássaros nos grandes sapotizeiros do quintal, que gostava de soltar papagaio com os meninos, de brincar de roda, de deitar no chão de terra e conversar com as nuvens que passavam apressadas."

Crianças se divertiam mais com brincadeiras do que com brinquedos. Elas aprendiam a jogar e jogavam, aprendendo convenções e regras da vida social. A rua, o quintal, o chão de terra eram o campo onde ricas e pobres podiam atravessar as barreiras de classe: brincavam juntas. O ambiente convivial, a descarga de tensões, o riso de si e dos outros facilitava estar junto e em grupo. "O ritmo, o riso, os giros e as vozes [...]. Fazer parte, pertencer, ser igual", no sentimento de ser criança, segundo Lya Luft. E as brincadeiras coletivas se impunham, como narrou Zélia Gattai: "Na casa dos Bertini havia sempre muitas crianças: os folguedos eram tantos que o dia passava rápido. Cantávamos canções de roda [...]. Como de hábito, havia entre as crianças, rivalidades e partidos, vivíamos de arengas, brigávamos muito."

Contou Verissimo: "Quase todos frequentávamos a mesma escola. Jogávamos todos futebol na rua com bolas feitas dum pé de meia cheio de trapos. Era uma alegria se algum de nós aparecia com uma bola de borracha. Uma festa de gala quando surgia alguém – em geral um menino rico – com uma bola de couro. Às vezes o dono da bola era um chato que tínhamos que suportar e adular com a maior paciência, a fim de que ele nos permitisse usar o precioso balão [...]. Brincávamos também, no largo da praça, de diabo rengo e de chicote-queimado."

Brinquedos existiam, mas importados da Europa, de fábricas na Inglaterra, Alemanha e França. Desde o século XIX, de lá chegavam bonecas de porcelana, trenzinhos de lata e soldadinhos de chumbo. Eram, todavia, privilégio de poucos, apenas da classe alta. A produção nacional começou com os imigrantes europeus, que logo montavam pequenas fábricas de produtos artesanais, ou oficinas de fundo de quintal, que reproduziam

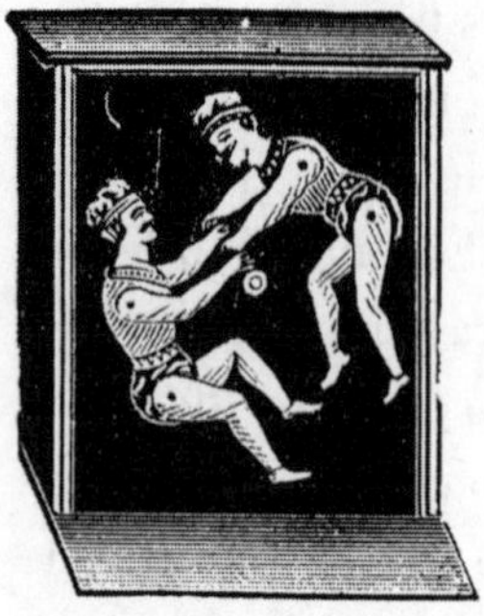

objetos da vida adulta – uma maneira de iniciar a criança nas profissões que iriam exercer no futuro, diz a historiadora Ludmila Érica Cambusano de Souza. Para os meninos, pequenos jogos de ferramentas, caldeirinhas de fábricas e trenzinhos. Para as meninas, objetos que as preparassem para a futura vida doméstica – bonecas, panelinhas e fogões. Durante a Primeira Guerra, as dificuldades para a importação de produtos europeus alavancou diversos setores da indústria nacional, entre eles o de brinquedos. Apenas em São Paulo, nas primeiras décadas do século XX, havia perto de oitenta pequenas fábricas de brinquedos.

Na rua São Bento, a Fábrica de Brinquedos e Quinquilharia Grand Bazar Parisien vendia "pequenos objetos necessários à diversão da infância". Ao final do ano, por conta do Natal, as casas comerciais anunciavam, em jornais e revistas, a chegada de novidades. Algumas ofereciam cartões para sorteio de brinquedos mais caros, como uma bicicleta. Para melhorar a educação musical, a Ypiranga passou a produzir pianos de tamanho infantil. A partir dos anos 1930, o anunciante era o próprio Papai Noel: "Brinquedos para todos os preços, ho, ho, ho!" Nessa época, duas fábricas se destacaram: a Metalma, de 1931, e a Estrella, de 1937. A primeira era uma divisão das Indústrias Reunidas Francisco Matarazzo (IRFM). A principal matéria-prima eram sobras de folhas de flandres utilizadas para a fabricação de latas da indústria alimentícia.

Quem não podia comprar brinquedos, inventava-os. Como Moacyr Scliar: "Passei parte da infância na oficina de móveis do meu tio. Como não podia comprar brinquedos em lojas [...] eu próprio os fabricava, com a madeira que sobrava dos móveis. Confeccionava assim, aviões e navios de guerra, todos com muitos canhões, cada canhão representado por um prego, ficava fácil criar um grande poder de fogo."

Brinquedos nasciam da criatividade e da imaginação também de Sant'ana:

> Brincando se aprendia muitas outras coisas. Fazer uma "guia" para roda com "arame do telégrafo" exigia [...] aquelas dobras no tamanho certo, senão

"a guia" não prestava. Fazer uma "fieira" para pião, torcendo os fios e depois esfregando a "fieira" em volta de um pé de mesa, exigia cuidados e paciência, só perdendo a paciência as mães quando viam seu pé de mesa com aquela lanhada desabonadora. Quanto ao pião, levando a madeira e o prego, seu Mané Lizarte fazia por trezentos réis. E vamos jogar pião: na roda, pra "cascar", ou no chão para vê-lo rodar, "dormir", na mão ou até na unha. Já para o badogue, se não havia muita dificuldade para o couro e a forquilha [...], a borracha não era fácil [...] havia pretas e vermelhas – mas havia um bocado de "ciência" na feitura do bodoque, nos furos do couro e nos cortes rebaixados nas extremidades da forquilha [...] menino pode não saber explicar, mas faz direitinho vendo outro fazer. Havia também outros brinquedos como o "berra-boi", feito com uma tabuinha fina e retangular presa a um cordão [...] a girar perigosamente, por ser cortante, o corrupio. Esses eram brinquedos um tanto limpos, pois os outros, na areia, a correr, a virar marias-combonda, a puxar "trens" feitos das mais variadas coisas, e, mais do que todos, a picula, deixavam os meninos sujos da cabeça aos pés.

Mãos de crianças também faziam bruxas de pano, segundo Thiago de Mello, "o corpo da boneca era recortado em morim branco [...] costuradas as bordas, eram recheadas com algodão ou trapos, as mais bem-feitas tinham dedinhos; as sobrancelhas, os olhos, o nariz e a boca eram bordados à mão com linhas de cores adequadas. Finalmente, os vestidos de chita colorida, antes a fabricação cuidadosa da cabeleira em tiras de tecido negro, algumas vezes dispostas em tranças delicadíssimas, uma de cada lado. Havia também os bruxos, de calça e paletó. Festa de criança incluía casamento de bruxos". E havia meninas que não gostavam de bonecas, como Carolina Nabuco:

Entre os presentes de bonecas não posso deixar de incluir uma que veio acompanhada de maleta, trazendo enxoval completo, feito por minha prima [...]. Nunca me interessei por bonecas. Faltava-me paciência para vesti-las, afagá-las, brincar maternalmente com elas. Maiorzinha, porém, pelos 11 ou 12 anos, comecei a recortar crianças nos jornais de modas. Entre as figurinhas eu criava parentescos e amizades; dava-lhes nome e voz e distraía-me incansavelmente em romancear ou dramatizar-lhes a vida. Falava por cada uma, estabelecendo brigas ou simpatias, amizades e aversões. Às vezes, recortava também uma bonita figura de moça para exercer o papel de mãe [...]. Esse mundo de papel que morava em caixa de sapatos era rigorosamente feminino, pois as revistas de moda não ofereciam naquele tempo estampas que pudessem figurar papai ou maninhos.

Tempo de brincadeiras, mas tempo de respeito irrestrito aos mais velhos, como gravou Thiago de Mello: "Tempo de benção. Os filhos tomavam a benção aos pais, com beijo na mão e na face [...]. Marmanjos de barba, mulheres já casadas, nunca deixavam de pedir a benção aos pais – e aos tios e padrinhos – fosse em despedida caseira, fosse em breves encontros nas ruas [...]. As frases tão breves vinham impregnadas de uma significação transcendente: 'Deus te abençoe.' 'Deus te faça feliz.'"

Sant'ana não dormia sem bênçãos: "Bença, papai do céu, bença, mamãe do céu, bença o santo do meu nome, bença, meu santo anjo da guarda, bença todos os santos da corte do céu e da terra, em nome do Padre, do Filho e do Espírito Santo, amém. Assim terminava a oração na hora de dormir. Oração feita em conjunto, mamãe dizendo e nós repetindo ajoelhados sobre a cama, já de camisola para dormir. Começava com o 'Pelo Sinal', mão do mais novinho, guiada pela mão de mamãe. Seguia-se um 'Padre-Nosso' e uma 'Ave-Maria' e encerrava-se com aquele lindo final que transcrevi. Mal acabada a oração, cada um ia se deitando no seu lugar, à grande cama e dizendo: '– Bença, mamãe.' O seu 'Deus lhe abençoe' saía um a um, para cada, pacientemente [...]. Sabia que cada um de nós

queria ouvir distintamente o seu 'Deus lhe abençoe', sem o que, certamente, não seríamos capazes de conciliar o sono [...]. A seguir, gritávamos 'Bença, papai' e de lá de outro aposento da casa vinha o seu 'Deus lhe abençoe'."

Os mais velhos eram transmissores de tradições e valores: com eles se aprendia sobre quem se era. Fanny Abramovich registrou sobre sua avó Anita: "Lembro-me de como ficávamos horas brincando de cama-de-gato, trançando o barbante em voltas, semivoltas e reviravoltas. Ou como ficava ajudando a enovelar a sua lã colorida [...]. Entoava em iídiche canções ou poesias rimadas para mim. Me ensinava a rezar rezas hebraicas, que eu repetia antes de adormecer, sem ter ideia do que eu dizia."

Só orações, canções e poesias? Não. Pais e adultos em geral eram também transmissores de informações práticas sobre a vida, a sexualidade, os chamados "assuntos sérios". Diga-o a conversa entre Humberto de Campos e o filho, de 8 anos, pedindo ao pai que "falasse sério" sobre um assunto: como é que a gente nasce – "Esse negócio de vir do céu na cestinha eu já sei que é mentira, por isso não vale a pena vir para o meu lado com essa história." Humberto pai fez um breve discurso sobre natureza, descartando a ideia de imoralidade (que o filho não aventara) e revelou: "A gente nasce da barriga das mulheres." Humbertinho se ajeitou na poltrona, resolvido a continuar o interrogatório: "– E como é que a gente entra pra lá?" Humberto se faz de desentendido ("Para onde?"), mas tem de responder: são os homens que "botam"; à pergunta "Como botam?", responde evasivamente que "Os homens juntam-se com as mulheres e nascem as crianças", arrependendo-se de ter embarcado na conversa do menino, mas sem ver possibilidade de recuar. E segue o interrogatório:

– E como é que os homens e as mulheres se juntam?

– Encostando-se uns nos outros.

– E como é que a criança passa do homem para a barriga da mulher?

– Por um canudinho.

– Pelo xixi?

– Pelo xixi.

– E onde é que o homem bota o xixi dele?

– Bota no xixi da mulher.

– E como é que a criança passa? É como a água?

– É. É uma água que passa do homem para a mulher, e que, chegando na barriga da mulher, se transforma em uma criancinha pequenina, e começa a crescer.

– Que cor tem essa água?

Meu filho mais velho, que assistia ao inquérito sorrindo, maliciosamente, intervém:

– É verde-amarela... Bandeira nacional...

– É, papai?

Resolvo passar das respostas a uma explicação séria, evitando quanto possível as particularidades que convidam à malícia, Ao concluir, digo-lhe, gravemente:

– Eu acabo de desvendar à sua inteligência de criança uma verdade que ninguém conta aos meninos da sua idade. Não se trata, porém, de uma vergonha, de uma indignidade, mas de uma lei da natureza. E você acaba de saber aos 8 anos uma coisa que só vim saber aos 16.

Meu filho sorri:

– Mas, isso, como o senhor está me contando, eu já sabia... Já sabia desde os 7 anos...

E malicioso:

– Eu perguntei, agora, ao senhor, só para saber se era assim mesmo... Eu pensei que o negócio era ainda de outra maneira...

E levantou-se brejeiro como quem acaba de liquidar um caso de consciência.

Os verdes anos eram o tempo de ouvir contar ou ler histórias. Relata Cassiano Ricardo: "Não era só na roça que se acreditava em assombração, ouvindo a história do 'lobisóme', da caapora, da mula sem cabeça, do pretinho de uma perna só e outros fantásticos cidadãos do mato. Na cidade também [...] vi uma aparição estranha no jardim da praça [...] um homem bexiguento sentado no banco ao lado de uma grande mala de viagem e saí correndo chamando outros meninos para que viessem ver o que eu tinha visto... Certa noite vi um cachorrão preto deitado na calçada numa rua deserta; o cachorrão deu um salto por cima do muro de 2 metros de altura caiado de luar e lá se foi para seu reino misterioso."

Esse foi tempo de viajar nos livros, como fazia Humberto de Campos, ainda criança e simples caixeiro do pai. Seu maior desejo era ter um exemplar da *História do Imperador Carlos Magno e dos Doze Pares de França*: "Li-a aos 10 ou 12 anos, em Parnaíba. Devorei-a em poucos dias... E ainda hoje tenho na memória a luta cavalheiresca entre Oliveiros e Ferrabrás, a morte de Roldão e, mais vagamente, o episódio em que as cobras saem da caveira de Cunegundes, e o da torre em que figura o Almirante Balão. Nenhum, porém, me comoveu tanto e tanto me abalou, como o do heroísmo inútil de Roldão em Roncesvalles. Eu o vi lutar, desbaratando sozinho as ondas de inimigos que se lançavam contra o desfiladeiro... até que o vi morrer, coberto de golpes, tendo antes partido nas pedras a sua espada, a sua Duridana, a sua companheira de toda a vida."

Os primeiros livros de imagens folheados por Manuel Bandeira foram *João Felpudo* e *Simplício olha pro ar*. A primeira obra a lhe evocar emoções foi *Cuore*, do autor italiano de Amicis, lido no semi-internato do colégio Marques Carneiro Leão: "Para mim, não era um livro de estudo. Era a porta de um mundo, não de evasão como o da *Viagem à roda do mundo numa casquinha de noz*, mas de um sentimento misturado, com a intuição terrificante das tristezas e maldades da vida."

Para tantos memorialistas, fonte de heróis e aventuras infantis, de bruxas e fadas encantando e desencantando crianças, os livros foram – e são ainda – a porta do mundo.

3. PRIMEIRAS LETRAS

O prazer da leitura.
[*Nelson Werneck Sodré com sua mãe*]. Cambuquira: [s.n.], [1918].
BIBLIOTECA NACIONAL [MANUSCRITOS].

Durante o Estado Novo, a educação não escapou de se tornar mais um item no controle da sociedade. E item importante. A historiadora Maria Helena Capelato lembra que ela se tornou mesmo uma forma de propaganda política: "As imagens e os símbolos eram difundidos nas escolas com o objetivo de formar a consciência do pequeno cidadão. Nas representações do Estado Novo, a ênfase no novo era constante: o novo regime prometia criar o homem novo, a sociedade nova e o país novo. O contraste entre o antes e o depois era marcante: o antes era representado pela negatividade total, e o depois era a expressão do bem e do bom."

O historiador José Baia Horta acrescenta que a educação serviria como meio de melhoria de vida para a população, serviria para nacionalizar os estrangeiros que vinham para o país, e seria uma forma de integrar os habitantes do interior do Brasil. Explica ainda Marinete dos Santos Silva: a educação tinha como bases ideológicas a exaltação da nacionalidade, críticas ao liberalismo, ao comunismo e uma forte valorização do ensino profissional. No século anterior, o ensino brasileiro beneficiava apenas os filhos dos grandes senhores de terra, ou seja, privilegiava o setor agrário. Com o desenvolvimento das atividades urbanas – e, por conseguinte, das atividades industriais –, o trabalhador das fábricas começou a ganhar atenção: o processo de industrialização desencadeado a partir de 1930 passou a requerer maiores contingentes de mão de obra especializada.

Antes, porém, dessas preocupações estruturarem a vida escolar, as crianças aprendiam a escrever e ler em casa. Às vezes, a primeira professora era a mãe, caso de Osvaldo Orico:

> A primeira (mestra) foi quem me revelou o segredo gráfico daqueles caracteres que eu via pintados nos caixotes de sabão que nos chegavam da mercearia.
>
> – Que quer dizer isso?
>
> Minha mãe, apontando para as letras, explicava-me:
>
> – SABÃO MARAVILHA.
>
> Depois destacava o S, o A, o B, o A, o O, formando pacientemente o jogo das letras até conduzir-me ao abecedário. Aprendi, assim, o alfabeto em um caixote de sabão, tentado pela sugestão daqueles símbolos e ajudado pela paciência de minha mãe que, de vez em quando, desviava os olhos da máquina de costura em que cosia roupas, para esclarecer-me [...]. Reunindo todos esses pedaços, compunha uma palavra cuja significação excedia a vaidade do fabricante do produto, para marcar na minha curiosidade uma nota indelével. Maravilha não queria dizer para mim a marca do sabão, mas o jogo de sinais, com que era possível formar uma palavra, traduzir desse modo uma ideia. Afeiçoei-me àquele caixote [...] às letras que ele me revelava.

E também Carolina Nabuco: "Aos 5 anos começou a deliciosa aventura de estudar com minha mãe. Ganhei uma carteira de colegial para meu tamanho, mas em cujo banco cabíamos as duas. Lembro-me, como se fosse hoje, da emoção que me assaltou no dia em que, tendo mais ou menos aprendido o alfabeto, eu subitamente descobri como se fazia a fusão das letras e exclamei exultante: '– Ah! É assim? Então, sei ler!' Eu tinha verdadeira avidez de aprender tudo o que me quisessem ensinar. Minha mãe familiarizou-me desde cedo com o francês, que era para

mim uma segunda língua materna. Abriu-se com isso o acesso à delícia dos livros da Condessa de Ségur. De todos os presentes que recebi na infância o que maior alegria me causou foi trazido por meu pai [...]. Pareceu-me um verdadeiro milagre receber de uma só vez quatro livros [...] da pena da minha querida Condessa de Ségur. Meu pai deve ter tido, naquele dia, um inesperado reforço de suas finanças, que eu bem percebia não serem boas."

À medida que escolas privadas e públicas ou grupos escolares rurais se multiplicavam, as mães eram substituídas por mestras, as "professorinhas ou normalistas". Segundo os pressupostos pedagógicos da época, seriam menos severas e mais sorridentes. Foram cantadas em prosa e verso no cancioneiro dos anos 1930: "Vestida de azul e branco/ trazendo um sorriso franco/ num rostinho encantador/ minha linda normalista/ rapidamente conquista/ meu coração sem amor." Considerada "operária divina", a professorinha devia levar vida correta, ser limpa e executar o papel regenerador então esperado das mulheres. Laura Rodrigo Octávio conheceu de perto uma delas, sua irmã Marietta:

> Era no Bexiga, bairro distante [...]. Lembro-me como se fosse hoje: eu menininha, num vestido novo cor de rosa, com faixa de fita de cetim, duas tranças caindo nas costas. Era fevereiro de 1900: Marietta seria a professora [...]. Eu tinha loucura para aprender, mas já era tímida diante de gente nova: não mudei. A classe grandona, carteiras individuais e Marietta me dirigindo: que satisfação! A maioria eram meninas italianas, gente de classe modesta, daquele bairro [...]. Tudo se ensinava conversando, e Marietta se revelou extraordinária, metendo naquelas cabeças xucras das italianinhas, não só as primeiras letras, como cantos, lindas músicas de autoria do maestro Elias Lobo. Nunca iniciamos um período de aula sem uma canção [...]. Marietta conseguiu de suas alunas uma exposição de camisas, [...] a primeira peça do vestuário feminino. Havia aulas com tornos, tecelagens e a geografia física ensinada em grandes tabuleiros de areia! Como era divertido!

Apesar de gentil, a educadora tinha função corretiva sobre crianças tidas como desviantes ou inadaptadas. Condenado como coisa do passado, o castigo corporal, nas suas inúmeras variantes, não deixou de ser exercido. Zélia Gattai o conheceu: "Minha professora não batia nos alunos, nem os punha de joelhos sobre milho ou feijão; tentava manter a disciplina na classe utilizando-se de réguas – mantinha sobre a mesa pelo menos uma dezena de réguas enfileiradas – que atirava na cabeça da criança [...]: segurava numa das pontas, fazia pontaria e... Jamais errava o alvo."

A régua era o menor dos castigos. A bola de cera, presa por um barbante e arremessada à cabeça da criança arrancando-lhe mechas de cabelo era mais temida do que os bolos, beliscões, bordoadas e outros castigos para os pequenos na escola, e também em casa. José Lins do Rego provou da irritação do mestre:

> Meu primeiro mestre me ensinava as letras, a princípio com agrado. Aos poucos foi se aborrecendo e chegou até a gritar: "– Menino burro! [...] É muito rude", ouvi-o dizendo à dona Judite. "– Nunca vi menino mais rude." Em casa perguntei à tia Naninha o que queria dizer rude: "– É gente sem inteligência." Os dias se passaram e o doutor perdia ainda mais a paciência. Certa vez passou-me a régua na cabeça, deixando um galo na testa [...]. Sei que fui logo conduzido para a escola de dona Donzinha [...].

Todos estudávamos em voz alta. Correra a notícia de que a mestra tinha diploma e aquilo lhe dera fama na redondeza. Uma moça formada de anel no dedo podia ensinar as meninas até o curso secundário. Podia até ensinar francês se quisesse. A escola de dona Donzinha continuava na mesma tirada. Meninas cantando as lições, e eu rude [...]. Botava a cartilha e a tabuada por baixo do travesseiro para ver se entrava alguma coisa na minha cabeça. E não comia queijo. Queijo fazia ficar rude.

Muitos homens também eram mestres, como conheceu Zé Lins: "O mestre era um negro vindo do sertão, homem de calibre, homem que não abria a boca para sorrir. A palmatória era sua vara de condão [...]. Mandaram-me para a escola de João Cabral, aula pública para meninos. Morava João Cabral na própria casa da escola. Era uma sala cheia de bancos onde só havia uma cadeira de palhinha que viera do engenho para mim. Havia meninos de pé no chão, a maioria filhos de gente da vila. Poucos de fora."

Na pequena Rio Pardo, Otávio Gonçalves Gomes tinha um professor vindo de longe:

> Nortista do Maranhão, tinha [...] um nome pomposo. Francisco Augusto de Aguiar Pimenta. Era letrado, bem falante gostava de fazer discursos. Circunspecto [...] era o orador obrigatório das festas sociais. Tinha a mania das declamações. A mais famosa era uma poesia francesa, que ninguém entendia, claro. Imagine-se um lugarejo em que a maioria mal sabia ler, e o nosso professor a declamar "Le Monde Marche"... [...]. Era a escolinha do "seu" Pimenta. O regime era o de antigamente: decorar e soletrar cantando: um mais um, dois. Dois mais dois, quatro [...]. Havia a palmatória, a "santa Luzia" de cinco olhos – cinco furos. O terror da meninada, dos vadios, dos menos inteligentes, dos meninos rudos, como se dizia. Rudos eram as crianças que tinham dificuldade em aprender. No sábado havia arguição com rodada de palmatória. Um aluno arguia o outro sobre a tabuada. O que não sabia, levava bolo de palmatória do outro. Havia aluna que apanhava de ficar de mãos inchadas. Não havia sanitários. Os alunos saíam para satisfazer suas necessidades nos terrenos da esplanada da estação [...]. Quando um aluno saía, levava a pedra redonda que estava sobre a mesa. A ordem era sair um de cada vez. Os intestinos e a bexiga eram regulados pela pedra.

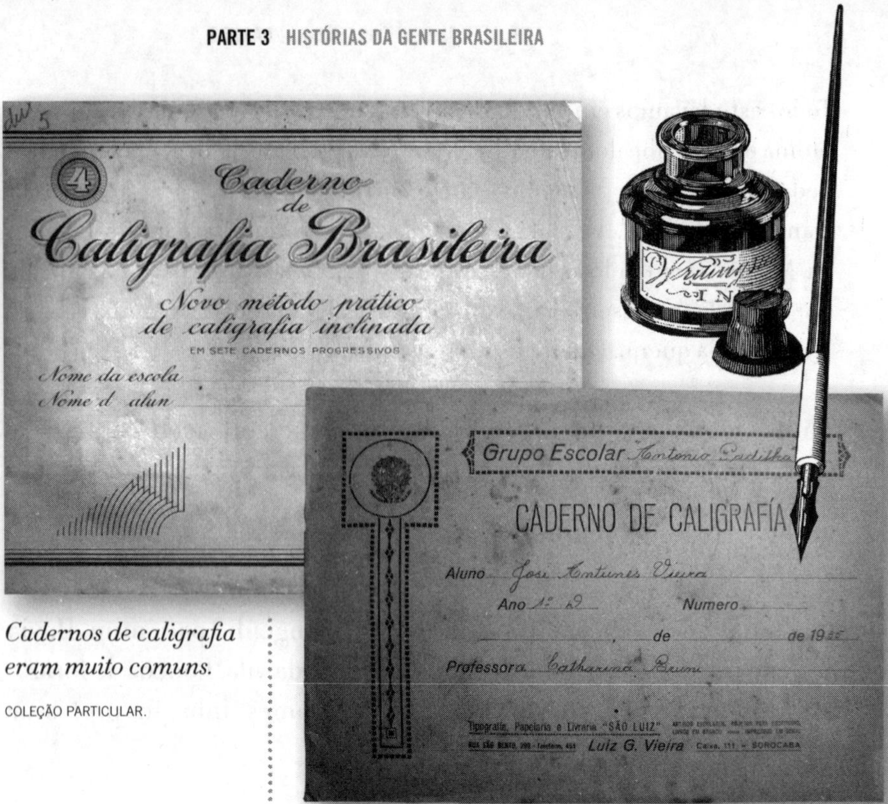

Cadernos de caligrafia eram muito comuns.

COLEÇÃO PARTICULAR.

Escolas primárias em casa ou em salas alugadas, com abecedário, a soletração e a tabuada como lições de rotina, as pequenas lousas individuais, o mobiliário escolar improvisado – barricas, caixões, pequenos bancos – alunos pelo chão estirados de bruços sobre papéis de jornal, eram o cenário que muitos memorialistas encontraram.

A educadora Clarice Nunes explica que os alunos que não podiam apresentar certidão de nascimento eram matriculados pelo exame de dentes. A troca de dentes de leite pela dentição constituía prova suficiente de idade escolar. A higiene, em muitas escolas, era precaríssima, e não poucas se tornavam focos de doenças. Faltava água, luz e ar. Sobrava varíola, gripe, tuberculose, meningite. Muitas crianças se afastavam da escola por terem de trabalhar, mudarem de endereço ou terem medo de apanhar. Quem passou por tudo isso foi Sant'ana, que se perguntava:

> Ainda se usa hoje o ensino da "caligrafia inclinada" após a "caligrafia vertical"? No meu tempo havia os caderninhos especiais. Usava-se a pena nº 9 12

(100 réis cada) ou uma outra mais barata, de duas por cem réis, porém mais ordinária, que engarranchava ligeiro. Se a pena "engarranchava", nós sabíamos "desengarranchar" [...]. É um processo que só vendo para se aprender: com ele se conseguia fazer a pena retomar a funcionar perfeitamente. Tinta? [...] Houve muitas outras depois, mas, no meu tempo, só a tinta Sardinha era considerada boa. Havia até uns folhetozinhos de propaganda que diziam: "Que letra bonita/ Que tem a Zizinha/ Porque só escreve/ Com tinta Sardinha."

E os erros na cópia ou no ditado? Copiar dez vezes a palavra tal ou qual [...] cinquenta, cem ou até duzentas ou mais vezes, quando o aluno teimava em reincidir no erro [...]. Arguição à palmatória [...]. É, havia disso [...]. Não que o professor ou a professora usasse a palmatória, mas o próprio aluno no outro aluno. À pergunta feita e não respondida, a professora passava adiante, e o primeiro que respondesse certo tinha direito de dar um bolo de palmatória em cada um daqueles que não souberam.

Mas a palmatória também cantava [...], manobrada pela professora, quando o aluno era indisciplinado [...] uma reguada no braço do aluno que estava a brincar, ao invés de prestar atenção à aula, era coisa normal [...] ajoelhar no chão ou ficar de pé de frente para a parede. Alguns professores chegavam até ao ajoelhar sobre milho – havia meninos terríveis! – e, até isso, com o acréscimo de braços estendidos, segurando um livro em cada mão [...]. Parece exagero. Pois não é exagero, e esclareço: não vi isso em Pojuca, não. Vi mesmo em Salvador.

Sant'ana conta das lapiseiras que apareceram à época – um simples tubo onde se engastava o lápis –, que viravam armas em sala de aula: "Os meninos mastigavam pedacinhos de papel até formar uma massa umedecida, que era socada dentro da lapiseira, numa das suas extremidades [...]. Em seguida, mais massa umedecida colocada na outra extremidade [...] era só apontar a lapiseira na direção do alvo, empurrar para dentro, com o lápis, a última massa colocada, e, logo após certa pressão, estourava a massa encravada inicialmente, indo como um projétil direto ao alvo: o cangote de um colega ou a cara do mestre. Pode-se imaginar o tamanho do castigo, no último caso."

Na outra ponta, Pedro Calmon estudou em excelente escola, onde a moral, a higiene e a estética – propostas dos educadores desde a década de 1910 – eram a preocupação. Dizer sempre a verdade, escovar os dentes, tomar banho, brincar ao ar livre, tomar um copo de leite, não cuspir, lavar as mãos, mastigar bem a comida, entre outros mandamentos, modelavam a vida infantil.

Os estrangeiros que chegavam desde o século XIX procuraram manter idioma, religião, tradições e, muitas vezes, instituições comunitárias que garantiam a escolarização. Nasciam as "escolas étnicas" ou comunitárias – como explica o educador Lúcio Kreutz – que acolhiam imigrantes com alto nível de alfabetização. Alguns exemplos dos que entraram pelo porto de Santos: os alemães, 91,1%; os japoneses, 89,9%; italianos, 71,3%; portugueses, 51,7; e espanhóis, 46,3. Esses recém-chegados encontravam uma população que, até o final dos Oitocentos, tinha 80% de analfabetos. Tais escolas foram extintas no auge das guerras e do nacionalismo do Estado Novo: as crianças filhas de estrangeiros iam sendo lentamente integradas às escolas brasileiras, sobretudo nos grandes centros. Eis a experiência que nos conta Zélia Gattai: "Dona Carolina nos comunicou um dia, ao chegarmos à sala de aula: – Amanhã teremos dois coleguinhas novos. São dois meninos recém-chegados de Portugal. Eles ainda não sabem falar direito a nossa língua, mas são meninos inteligentes e educados. Eu peço a vocês, por favor, que não caçoem; eles têm um sotaque carregado, falam muito engraçado, mas a gente precisa ter educação [...]. Eu não ri nem uma vez deles, embora achasse graça de sua maneira de falar. Fiquei contente de entender quase tudo o que diziam."

Verissimo também conviveu com filhos de imigrantes, segundo ele, "russos": "Havia a Aula Mista Particular da famosa professora d. Margarida Pardelhas. Havia na aula de d. Margarida muitas meninas e meninos judeus que se tornaram meus camaradas [...] naquele tempo eu não tinha a menor ideia da existência dessa raça, religião ou conjunto de tribos. Aqueles Russowskys, Filchtiners, Milititskis, Nisensons para mim eram todos russos."

Alunos negros, proibidos na época da escravidão de frequentar escolas, já se sentavam lado a lado com brancos. Gilberto Amado estudava ao lado de Isabel Rainha de Espanha, "uma retinta, beiçudinha a não poder mais, com uma carapinha entrançada como ninho de carrapicho [...]. Ouvi várias vezes a pretinha ser chamada e responder: 'Presente.' Ninguém estranhava, ninguém ria". Eram ambos alunos de Sá Limpa, professora de colégio particular e organizadora do Mês de Maria, o mais bonito de Itaporanga, em Sergipe.

A mencionada Frente Negra Brasileira já dava especial destaque ao projeto de tomar para si a educação coletiva dos negros "do curso primário até as noções necessárias para as lutas do trabalho cotidiano". Mais tarde, oferecia aos alunos negros aulas gratuitas de Engenharia, Biologia e Comércio, proferidas por professores nomeados pelo governo, atendendo ao objetivo da FNB de desenvolvê-los intelectual e moralmente. Muitos estudaram em escolas beneficentes – quando educação e assistência social andavam juntas, como explica o educador Luiz Alberto Oliveira Gonçalves, lembrando que, nesse tempo, lideranças negras discutiam, em São Paulo, a possibilidade de criar sociedades de socorro mútuo a exemplo dos imigrantes. Foi um momento em que as relações inter-raciais passavam por mudanças no Sudeste. Tudo indica que, no Nordeste, havia melhor entrosamento entre brancos e negros.

Alberto da Costa e Silva estudou com os irmãos maristas numa escola onde se misturavam "brancos à brasileira. Desses cujos pais rasgam ou escondem no fundo das gavetas os retratos dos avós negros, caboclos, cafuzos ou mulatos [...]. Nela se confundiam católicos, judeus, espíritas, batistas e presbiterianos, filhos de imigrantes e de famílias tradicionais, brancos, pretos e pardos".

Escolas mistas já existiam e – tal como Isabel Rainha de Espanha e Gilberto Amado – Geraldo Holanda, no jardim da infância, dividiu o banco num colégio de freiras com Ana Olympia, que, "certa vez, fez xixi no banco e me molhou as calças".

Os alunos pobres estavam em toda a parte, como conta Thiago de Mello: "Estudantes pobres, quase todos só tínhamos uma única farda de grosso cáqui cinza escuro. Para vários de nós, era o traje de gala, com o qual comparecíamos a aniversários, enterros, casamentos [...]. Na sexta-feira, quando chegávamos para o almoço, as mães dos ginasianos já estavam com a tina de madeira cheia, à espera das fardas que ficavam de molho. Quantas tardes de sábado minha mãe não passou, ela e tantas outras, vergada sobre a mesa, o pesado ferro em brasa rubra na mão, engomando a farda que o filho ginasiano deveria usar na semana seguinte!" No interior, a coisa era ainda mais complicada. Quem lembra é Elpídio Reis:

Até meus 10 anos de idade, era analfabeto, porque onde eu morava, no interior de Ponta Porã, escola, nem pensar! Para o deslocamento de um lugar para outro era só a cavalo, de carreta ou, às vezes, em caminhões, mas sempre em cima de bolsas de erva-mate. Quando vim estudar em Campo Grande, já com 16 anos, morava lá nos altos da rua 15 de Novembro tendo que vir com sol ou chuva a pé até o Ginásio Municipal Dom Bosco. Eu vinha a pé. Por quê? Era porque ônibus não existia, nem a palavra ônibus, quanto mais o veículo. Tomava café com leite pela manhã, certamente com leite azedo, sobretudo nos dias de calor, porque em matéria de geladeira eu não conhecia nem a palavra [...]. A agricultura de nossas fazendas era a chamada doméstica, para uso interno. Não havia exportação. Nos dias de chuva, vinha ao colégio amassando lama porque calçamento não havia. Vivíamos isolados do mundo porque rádio era objeto de luxo, a imprensa era paupérrima. Faculdade? Apenas umas poucas no Rio, São Paulo e em algumas outras capitais de estado.

E já existia bullying, de que Carlos Heitor Cony foi vítima: "Tudo por causa do diabo da minha dicção. Eu não pudera, até então, frequentar regularmente os colégios. Além de criar problemas com os colegas – que caíam em cima de mim, maltratando-me, fazendo com que eu me habituasse à solidão que no fundo eu ainda não desejara –, os professores desanimavam de me ensinar a pronunciar certos ditongos, perdiam a paciência, chamavam o pai, aconselhavam que me arranjasse outro colégio. Depois de várias experiências, sempre malsucedidas, o pai deixou-me ficar em casa, vez por outra me passava uns exercícios, explicava alguma coisa de história ou de geografia, mas sem método, sem finalidade, acho que adiava o problema, sem saber exatamente o que faria comigo. Minha ideia de ir para o Seminário foi providencial..."

Assim como nas escolas particulares, em casa também havia preocupações com higiene e práticas de adestramento, com seu pai no comando: "O quadro-negro, o giz, o apagador, os cadernos, tudo fazia parte de uma técnica especial e inédita até para ele: De como ensinar em casa um filho retardado a fazer exames... Eu deveria acordar, lavar o rosto, escovar os dentes, pentear-me, colocar uma espécie de uniforme, sapato e meia, arrumar minha pasta com os livros e cadernos do dia, postar-me ao lado de sua escrivaninha. Verificar se o quadro-negro estava corretamente apagado, o apagador limpo."

Mas como sanar as dificuldades do aluno atrasado? Da mesma forma como acontecia nas escolas: com castigos e humilhações. "Houve momentos trevosos, em que saía até pancadaria. Sobretudo na hora das contas. Certa vez, numa extensa divisão de frações, havia um erro no resultado [...] o pai me avisou do erro, mas queria que eu o descobrisse sozinho e o corrigisse. Fiz e refiz as contas várias vezes, mas não atinava com o erro. Até que ele perdeu a paciência, o erro estava na minha cara, eu não o via. Agarrou-me pela nuca, encostou meu rosto em cima de um oito fatal e me fez apagá-lo com o nariz", gravou o jornalista.

Para a maioria das pessoas, a leitura, assim como a alfabetização, começava cedo e em casa. Contou Verissimo: "Meu pai tomara para mim uma assinatura da revista carioca *O Tico-Tico*. Através delas fiz amizade íntima com Chiquinho e seu cachorro jagunço. Muito mais tarde, desapontado, vim a descobrir serem ambos uma adaptação brasileira de personagens de um magazine norte-americano." Outro gaúcho, Dyonélio Machado, começou a ler aos 8 anos e seu terceiro livro de leitura foi a *História do soldadinho de chumbo*: "Suas proezas assumiam para a criança o porte de fatos históricos." Narra que encontrou o prazer da leitura na biblioteca do Clube Comercial de Quaraí. Ali, também mais tarde, descobriu Eça de Queirós, Edmond Rostand e João do Rio.

O resultado da leitura precoce é contado por Verissimo: "Aos 7 anos eu havia sido matriculado no Colégio Elementar Venâncio Aires. Como já sabia ler passavelmente, pude saltar por cima da cartilha primária de uva, ovo, avô e cair num livro que começava com a estória de duas irmãs, Guiomar e Júlia [...]. Aquelas fábulas de duas irmãs me eram insuportavelmente aborrecidas, a ponto de provocarem bocejos [...]. No Colégio Elementar eu era um aluno bem comportado sempre fechado no meu silêncio, retraído nas horas do recreio [...]. Na Seleta em Prosa e Verso havia um trecho literário em que se descreviam as funções do carteiro, que andava de casa em casa com a sua boceta cheia de cartas, que tanto podiam ser portadoras de alegrias como de tristezas. De todos os muitos alunos de minha classe eu era o único que conseguia ler a palavra boceta sem sequer sorrir ou mudar o tom de voz."

10
CARETA
4-2-1933
A NOVA BIBLIOTHECA DAS MOÇAS
Os livros que falam de esperança, que falam de soffrimentos, que falam de alegria - Os livros que falam de amor! Para todas as mãos, mesmo as mais puras; para todos os espiritos, mesmo os mais exigentes.
VOLUMES JÁ PUBLICADOS:
W. Heimburg — A querida do meu coração
Concordia Merrel — Casamento por vingança; A maltrapilha; O homem sem piedade; Adão e algumas Evas; Casada por dinheiro
John Golden — O setimo céo
Hughette Garnier — Quando eramos dois
Charlotte M. Brame — Arremessada ao mundo
Eveline Le Maire — O noivo desconhecido
Bertha Ruck — Esposa que não foi beijada; A ladra
T. Trilby — Uma moça de hoje; Sonho de amor
Elinor Glyn — Cegueira de amor; Seu unico amor
Emma Southworth — A sogra
M. Delly — Vencido!
CADA VOLUME: Brochura 3$000 5$000 Encadernado
Em brochura: volume simples 3$000, volume duplo 4$000
Encadernado: volume simples 5$000, volume duplo 6$000
Cia. Editora Nacional
Rua dos Gusmões, 26-28 - SÃO PAULO
A VENDA EM TODAS AS LIVRARIAS DO BRASIL

As leituras das moças...

Careta, ano XXVI, n. 1285, p. 10, 4 fev. 1933. BIBLIOTECA NACIONAL [HEMEROTECA].

Atividades extraescolares faziam parte do processo de educação. Na elite, o esporte era obrigatório. Carolina Nabuco conta sobre sua juventude em Petrópolis: "Atribuo à minha educação inglesa meu gosto por todas as formas de exercício físico, pelas partidas de tênis, os passeios a cavalo. As ruas eram como as de um parque, ainda não calçadas com paralelepípedos. Para galopar, procurávamos o lado mais próximo dos rios, onde a terra solta era macia aos pés dos animais. Prazer igual ao da montaria matinal encontrava eu jogando tênis à tarde. Quando a chuva impedia, lançava-me com meu irmão Maurício a longas caminhadas em que ele marcava o compasso de suas passadas largas e eu conseguia segui-lo. Ida e volta à Cascatinha, por vias diferentes, era passeio de duas horas e meia, sem qualquer cansaço."

E Zélia Gattai ia a aulas de dança:

> As aulas de Madame Poças Leitão eram ministradas a rapazinhos e mocinhas de família de bem, gente distinta, em dias úteis à tarde... A professora [...] com forte acento quando não se expressava na própria língua materna iniciava suas aulas por uma revisão preliminar da limpeza e elegância dos alunos: "Cabelos bem penteados? Camisa limpa? Colarinho engomado? Nó de gravata bem-feito? Axilas perfumadas? Sapatos engraxados? [...] Agora, todos perfilados." Os jovens alinhavam-se de um lado, as mocinhas em frente, separados por alguns passos de distância: "*Un, deux, trois*! Um, dois, três." Madame marcando com energia o compasso. "Os jovens *en avant.*" Os rapazes avançavam em direção às meninas, paravam, mão esquerda às costas, dorso curvado, mão direita estendida [...]. A dama [...] oferecia ao cavalheiro as pontas dos dedos, e lá se iam os pares em fila dando voltas pelo salão, sob o olhar exigente da professora, antes de começar a dança.

4. ADOLESCÊNCIA: DESCOBERTAS E "DESEJOS EM BOTÃO"

Poucos estudos históricos sobre a adolescência permitem uma definição diferente da do dicionário de Antônio Houaiss: "processo de amadurecimento." Nessa fase, não se passava de criança a adulto, sem considerações específicas, como querem alguns pesquisadores. Tudo indica que havia marcos. E a descoberta da sexualidade era um deles. Se os pais, aparentemente, estavam concentrados em duas questões para seus filhos adolescentes – casamento e profissão –, não era assim para os jovens, que desvendavam como podiam as transformações de seus próprios corpos. Zélia Gattai narra um episódio que a deixou "baratinada":

> Nena não era da minha idade, talvez um pouco mais velha; eu não ia muito com a cara dela, e indo ao Brás, escondia-me para não vê-la... Não gostava de seus modos e muito menos de suas conversas de menina metida a sabichona. Certa vez, Nena me perguntou:
>
> – Ei, Zélida! Você tem laranjinha?
>
> Não entendi o que ela desejava saber:
>
> – Laranjinha? Que laranjinha?
>
> Nena soltou uma gargalhada de deboche diante de minha ignorância, de meu espanto.
>
> – Puxa vida! Você é mesmo uma trouxa!
>
> – disse-me com ar de malícia
>
> – Laranjinha nasce aqui, olhe!
>
> – Mostrou-me o lugar dos seios.
>
> – Começa com um botão que dói pra burro, depois vai crescendo, vai crescendo até ficar peito de mulher...
>
> Fiquei baratinada com essa revelação, nunca havia pensado na transformação do corpo, passei a me apalpar de vez em quando. Aquelas crianças do Brás eram muito avançadas. Sabiam coisas de arrepiar, diziam palavrões, cheias de malícia.

Com Tônia Carrero, a chegada da puberdade também provocou um misto de surpresa e repugnância:

> Até que um dia realmente, no banheiro, a calcinha aparece com uma mancha. Não parece sangue como falaram. Quer dizer, parece sim, mas já escuro, como envelhecido. Susto. E agora? Chama a mãe, chorando. Não consegue falar. Vai dizer que já sabe? Ela vai ficar furiosa. Então chora, ali na porta do banheiro, perdida, a calcinha manchada entre as mãos. Mancha de culpa? (Mãe, me alivia pelo amor de Deus!) A mãe ciosa vai explicando num jeito de quem dá receita à cozinheira. "– Olha, põe esta toalhinha assim dobrada entre as pernas. Prende com um alfinete. Assim. Viu? Pronto, você ficou moça. Agora já sabe que é assim. Ser mulher é uma cruz. (Suspira.) Uma chatice. Todo mês, até o fim da vida."
>
> A menina se sente estúpida. Ouve tudo sem abrir a boca. E se fecha no banheiro, desorientada. Ali, falando com a mãe sobre "essas coisas", dando uma intimidade involuntária, entregando o jogo, que remédio? O coração bate tanto! Chora por isso. A mãe pensa que é pudor. Talvez até fosse. Não pelo assunto, mas sim por ela.
>
> Agora desce a escada com essa coisa entre as pernas, todo mundo vai ver o morundu. Não sai do quarto. Vaga, deitada, olhando o teto. Pelo menos não chora mais, o coração apaziguou. Aquela "coisa" foi com ela pra escola no dia seguinte. Todas as amigas souberam. Falou livremente, feliz.

Rose Marie Muraro de nada sabia e tomou o maior susto: "Eu nem estava preparada para a primeira menstruação. Nenhuma mulher da família me contou, nem a minha mãe, nem as freiras. Ninguém. Quando aconteceu meu primeiro período, estava numa aula de ginástica e desmaiei [...] achei que ia morrer. Aí as freiras acharam graça e me mandaram para casa." Quem explicou o sucedido foi a babá.

A menstruação era um rito de passagem. Ontem menina, hoje mulher. Assunto entre as jovens na recreação da escola – quem já tinha ou não ficado "incomodada"? –, no mais, era cercado de silêncio.

"Naqueles dias", muitas se isolavam por se considerarem pouco limpas. Mas para esconderem o "*morundu*", e sentirem-se naturalmen-

As armas da conquista.

O Cruzeiro, ano XV, n. 4, p. 20-21, 21 nov. 1942.

ARQUIVO O CRUZEIRO/ EM/D.A PRESS.

te protegidas, começaram as soluções. Nada de antiquadas toalhinhas higiênicas: "Miss" ou "Modess". As revistas femininas se enchiam de anúncios: "Compre a caixa de 36 para maior economia." "Fantástico!" "Todas preferem Miss porque é produzido mecanicamente e embrulhado, unidade por unidade, sem nenhum contato manual... Não irrita e é invisível sob vestidos leves." "Dê à sua filha dias inteiros de bem-estar." Com o advento dos absorventes, as mulheres adquiriam novos hábitos de asseio e passaram a tomar contato mais direto com o próprio corpo. As moças tinham o conforto de produtos higiênicos, porém sem jamais quebrar o tabu: "Imagine se uma mulher podia dizer que ficou menstruada! Era uma vergonha. A palavra jamais era pronunciada. Uma moça de família, mesmo em situações mais íntimas, deveria usar metáforas, como 'estou de Chico' ou 'naqueles dias'. E o melhor mesmo é que não dissesse nada" – confessou Marta Novis.

Além da menstruação, o aparecimento dos seios também era severamente vigiado, pois denunciava o crescimento dos pelos púbicos. E vigilância exercida tanto pelas mães – que viam na transformação do corpo todos os riscos de ceder às tentações da carne – quanto pelas próprias

O desenvolvimento das roupas íntimas das mulheres.

Lingerie Valisère: contacto que é uma carícia. Rio de Janeiro. [193?].

COLEÇÃO PARTICULAR.

jovens, cuja feminilidade permitia distinguirem-se das outras. Afinal, os rapazes apreciavam mais a peituda – conta Tônia Carrero: "Puxa, ela tem cada seio grande, né? Letícia diz que ela fica aflita não é por Luzinha ser magra, é que tem esqueleto franzino demais. Não adianta a mãe fazer sutiã matelassé com pasta de algodão. Os vestidos sempre rodados, franzidinhos. Não disfarçam nada. Ela não é 'boa'. Os cadetes dançam com ela, namoriscam um minuto e já somem." Paulo Francis lembra ser comum entre rapazes a expressão "nada de peito e nada de costas" para definir as magrelas, sem formas e, por isso, desinteressantes.

Considerados altamente eróticos, os seios, mesmo os maternos eram escondidos, como conta Geraldo Holanda Cavalcanti: "Certa vez em que o cromo que acompanhava a *Revista da Semana* representava uma negra amamentando um bebê, a revista sumiu nos arcanos do baú onde mamãe guardava tudo o que pretendia esconder de nossos olhares inocentes."

Assim como no passado rural, mesmo nas cidades, o convívio com animais dava ideias libidinosas, comprovadas por Verissimo: "Havia também bichos no pátio e naquelas casas: cachorros, gatos e, clandestinamente, ratos. Os animais faziam amor ao ar livre, à vista de todos, ao passo que os rapazes e raparigas escondiam-se atrás das portas ou no fundo dos porões. E eu, que ainda era virgem, vivia em permanente excitação ante aqueles espetáculos eróticos." Dali para a experimentação era um passo:

> Mas... como se processava a minha educação sexual? Ora, nisso eu não era diferente dos outros meninos da minha idade. Nossos companheiros viviam a contar uns aos outros "estórias de safadezas". Por outro lado, en-

treouvíamos as conversas obscenas dos mais velhos. Nossas próprias criadas adultas encarregavam-se de fazer diante de nós referências veladas ou claras, e quase sempre de natureza jocosa, ao sexo e ao ato sexual. Mais de uma vez os componentes de nosso grupinho empenhavam-se em torneios fálicos, para verificar qual de nós era "o mais bem armado". Essas liças processavam-se em nossos esconderijos, sob risadinhas mal-abafadas [...]. Agora precisamos ver a coisa das mulheres – sugeriu um dos companheiros. E daquele momento em diante nos transformamos em espiadores de vulvas [...]. Contentávamo-nos com conjeturas: É só uma racha... com cabelos em roda, quando a mulher é grande – dizia um. Outro adiantava: ouvi dizer que parece um figo aberto. E um terceiro: "Dizem que as chinesas e as japonesas tem a coisa enviesada, como os olhos."

Verissimo continua lembrando: "Eu não saberia dizer com que idade me alistei como soldado na legião de Onan. Mas me lembro – isso, sim – de meu harém imaginário composto de retratos de artistas de teatro e de cinema que as revistas do Rio de Janeiro principalmente a *Eu Sei Tudo* me forneciam... Por muito tempo a minha favorita foi a brava Pearl White [...] porque usava ousados maiôs de banho que lhe deixavam um bom palmo de cada coxa à mostra [...]. Estava eu um dia escondido num canto, empenhado num ato desse amor proibido, quando notei que de meu sexo esguichava um líquido de aspecto leitoso... Imaginei que aquela perda seminal me ia deixar terrivelmente debilitado. Lera, em publicações protestantes contra a masturbação, que uma gota de esperma valia uma gota de sangue... Era voz corrente que aqueles jogos manuais acabavam deixando o jogador reincidente sem memória, fraco da cabeça e até meio idiota."

De fato, as doenças decorrentes da masturbação eram, desde sempre, listadas por médicos e padres con-

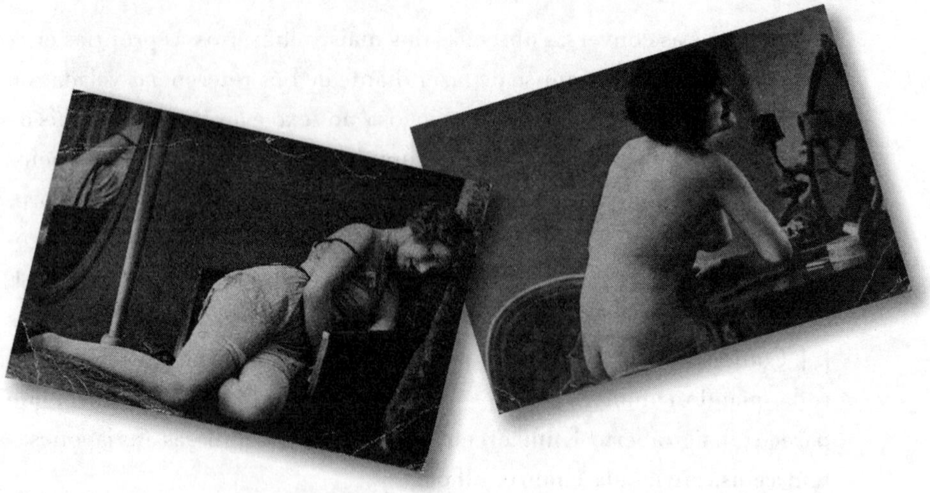

O nu feminino é mais explorado.

Cartões postais, s.d.
ABEILLE-CARTES, EDITIONS LYNA--PARIS.

fessores. Gilberto Freyre contou que, aos 15 anos, fez a leitura do livro *Sexology*, em que um médico admoestava que "perda de memória, indolência e declínio da inteligência" eram marcas visíveis do pecado solitário. Nos colégios internos, como o que frequentou Pedro Nava, os alunos que tinham lapsos de memória eram identificados pelos professores como "punheteiros". Os "livrinhos de putaria", comprados livremente nas bancas de jornais, estimulavam a imaginação juvenil. O problema era escondê-los. Agripino Grieco recorria a outras imagens: "Nesse tempo, as carteirinhas de cigarro costumavam trazer figuras de lindas mulheres nuas, em atitudes mais ou menos provocadoras. Pois o meu maior prazer era roubar dinheiro na gaveta de casa para ir adquirir às dúzias essas carteirinhas."

Ao formar-se no tradicional Colégio Pedro II, em 1916, Nava dizia ter conquistado com louvor o "diploma do terceiro grau" de sua educação pornográfica: posições, descrição dos órgãos, doenças venéreas, palavras impudicas, as matérias eram inúmeras. Banheiros, carteiras e paredes se enchiam de desenhos obscenos. Segundo ele, tudo colaborava para descomprimir o ambiente sufocante onde tudo era recalcado. O jovem confraternizava com o proibido, igualava-se, gratificava-se. O historiador Paulo Sérgio do Carmo sublinha que, ao ser educada em moldes tradicionais, a juventude seguia acreditando, como seus avós, que o corpo era algo impuro, devendo na medida do possível ser ocultado, pela vestimenta e mesmo negado. Além disso, eram tidas como "inferiores", "vergonhosas", "baixas" e "sujas" as partes corporais vinculadas à sexualidade.

Segundo tais normas morais, explica Do Carmo, os órgãos genitais não deviam ser tocados ou contemplados. Os jovens deveriam se comportar como se o sexo não fizesse parte de sua vida. Por outro lado, o despertar da sexualidade masculina mereceria tratamento diferenciado daquele que se reservava às mulheres. Contra o ideal de castidade das moças, a iniciação sexual precoce valorizava os rapazes. Tal como no passado, a admissão de doenças venéreas, quase obrigatória, era valorizada como prova de virilidade. A mentalidade machista e patriarcal da sociedade incentivava os jovens a todos os excessos, enquanto as moças não podiam ter qualquer liberdade.

Essa era a tese: uma sociedade repressiva onde as moças não ousavam. Não ousavam porque rapidamente eram colocadas de lado, com a pecha de "perdidas". Como dizia Nelson Rodrigues: "Eu poderia fazer, aqui, todo um capítulo sobre o pudor. O comportamento do homem e da mulher até princípios de 1919 era medieval, feudal ou que outro nome tenha. Psicologicamente, ainda não ocorrera para nós a abertura dos portos. A mulher que ia ao ginecologista sentia-se, ela própria, uma adúltera." Muitas, porém, ultrapassavam as barreiras. Deixavam-se tocar, eram curiosas. Vejamos o que nos diz Tônia Carrero:

> Querendo descobrir sempre mais e se fazendo de sabida, deixa os primos maiores tocá-la por sobre a calcinha. Sente um calorzinho. Outro senta ela no colo, num pulo se levanta. Decididamente eles têm que entender – ela é séria. Está interessada é na pesquisa. Não é sem-vergonha. O jeito é talvez contar pro padre. Porque a família decidiu que Luzinha devia fazer junto com o irmão do meio a primeira comunhao. Que bom. É como vestido de noiva. Ajeita o véu, os sapatinhos vão aparecer bem com a saia comprida, mamãe? E luvinhas... Divino. Mas e por dentro? E da alma, cuidou? Semanas de catecismo, piedosa, imitando as freiras no passo compassado ao entrar na fila com as outras meninas na igreja (Tudo, qualquer sacrifício, contanto que me deixem fazer essa primeira comunhão). "Tem que escrever um verso para o Senhor", mandou a madre. "Meu Deus, meu coração se inflama de amor por

> Vós", e depois... que mais? Tem que rimar, dizer mais alguma coisa. O quê? Anda pelo quintal, perambula, procurando se concentrar no amor divino. Que não vem [...]. O que vem, e muito, é o padre. Tenta se descartar desta memória – não consegue. Isso é pecado? Se é, a quem contar? O calafrio daquela voz por trás da gradinha, bem perto do ouvido dela. Sente o bafo. Aquela voz baixa, grave, pede detalhes.
>
> – O primo apalpou você? Com a calcinha? Ah, pelo lado, é? Você gostou, minha filha? Então é pecado maior. Que mais você fez de feio? [...]
>
> Meu Deus, e no domingo seguinte o que mais vou contar? Que coisa delirante. Aquele homem interessado nas coisinhas dela. Será que a mãe sabia? [...] Não me falou nada sobre isso. Ela mesma nunca perguntou, imagina! Confessar era quase tão bom ou melhor que os abraços do pai. Mas não alivia nada. Dá é uma culpa danada. Não pode confessar a ninguém suas confissões... E rubra e tonta, zonza, um zum-zum no ouvido, a voz do padre com sotaque perguntando: "Que mais?" E respirando fundo. Fungando. Se ela soubesse inventava, mas inventar o quê? Esgotou-se o repertório.

Ou a desassombrada prima de José Lins do Rego: "Eugenia voltara de Cabedelo. E nem parecia a mesma. Uma tarde, porém saímos todos em passeio. Eu e Eugênia nos adiantamos bastante do grupo. Ela me puxou pelo braço e nos escondemos numa moita de cabreira: '– Vamos fazer porcaria' – e levantou o vestido, sem calças. Vi tudo outra vez como numa iluminação, vi-lhe as partes sombreadas e ela me arrastou para perto de sua carne nua. Roçamos os nossos desejos em botão. Saímos a correr a estrada afora e paramos à espera dos outros na porta do Pinheiro. Os meninos nus espiavam para nós com olhinhos compridos. Eugenia não revelava o menor estremecimento. Estava como viera [...]. A prima e aquele gesto de suas mãos para que pudesse sentir de perto o calor de suas partes escondidas. A periquita da prima da cidade [...] aquela periquita que era o segredo do mundo."

O ideal era a moça virginal, a que não sabia ou fingia nada saber, como a namorada de Pedro Calmon: "No final da rua, habitava o primeiro amor. Era Vivi Caymmi, tão pequena que cabia no patamar da janela. Desabrochou vagarosamente no portão de ferro, onde conversávamos as futilidades e os ideais da adolescência que chegava com seu trinado de primavera [...] noites perfumadas de jardim e inocência."

E houve aquelas que foram forçadas a aprender, como relatado, em 1930, por Humberto de Campos, sobre uma jovem que ficou dos 14 aos 17 anos interna no Colégio Notre Dame de Sion, em Petrópolis, região serrana do Rio de Janeiro: "Ao fim de algum tempo quando os parentes iam visitá-la no colégio, a pequena caía em choro repentino... Concluído o curso, voltou definitivamente para a companhia da família – quando confidenciou: – Há no colégio um capelão, o padre Magalhães, que é o homem mais infame do mundo. Esse miserável não podia encontrar uma de nós, as maiores, sem nos apalpar, dizendo-nos as coisas mais indecentes. Mesmo no confessionário, ele fazia e dizia tudo o que é possível imaginar para perverter uma menina. Ao final do ano, levava as preferidas para a capela, tirava a custódia do santuário e fazia-nos sob, pena de perder a nossa alma, jurar que não contaríamos em casa o que ele fazia."

Apesar das restrições e tabus, a juventude banhava em sexo. Da consequente excitação em observar os animais, passava-se a praticar sexo com eles. O coito com bichos estava disseminado, sobretudo, nas áreas rurais onde, segundo Do Carmo, sobrava pouco tempo para os devaneios que levavam à masturbação. A zoofilia, aliás, foi praticada por séculos em todas as partes do mundo. Em estudos, o crítico literário Antonio Candido confirma que, até meados do século XX, no coito com animais, abusava-se das criações domésticas mais acessíveis – cabras, porcas, galinhas. E vacas também, como contou José Lins do Rego, confirmando a prática de "*encostar no barranco*": "Sabiam demais os primos de Santo Antônio. Sabiam tanto que não havia segredo para eles [...] andavam pelo cercado em libertinagem com as vacas. Havia uma vaca chamada Selada, com defeito na espinha. Quando ia chegando a boca da noite, os moleques corriam com os primos para os fundos do curral [...] chegava-se para junto deles a pobre Selada. E começavam a servir-se dela uns atrás dos outros. A vaca não se movia do lugar enquanto Silvino ou Zé Moreira subia no barranco para cobri-la. Depois, passei a fazer parte do grupo dos libertinos [...]. Aconteceu que o primo Silvino não mais se contentava com a mansidão da escolhida e procurou seduzir a égua branca que viera do engenho Fazendinha [...]. O animal sacudiu as patas num coice que derrubou o primo no chão, desacordado."

Mas se o aprendizado sexual passava pela masturbação e a zoofilia, a experiência era adquirida nas zonas de meretrício, confessou Verissimo: "Durante esses meses de verão, vinham-me com frequência cada vez mais urgente desejos de amor físico, mas eu não ousava bater à porta das 'chinas reservadas', as quais, além de caras, tinham lá seus coronéis. Apesar das minhas leituras realistas, eu temia cometer no ato sexual algum erro técnico que me causasse embaraço ou mesmo lesão física. Tinha a impressão que ao penetrar a mulher eu seria fatalmente submetido a um doloroso dilaceramento, como o da circuncisão. Havia ainda o temor das doenças venéreas. Eu esperava ainda o cumprimento da promessa que me fizera meu pai de me levar à casa de uma 'mulher da vida' para a minha iniciação no ato do amor carnal."

Para chegar lá, era preciso ser taludo, como explicou Humberto de Campos: "Que é um menino taludo? Uma criança taludinha? É o menor cujo membro viril já vai tomando expressão e vai caracterizando o homem." A essa ideia de virilidade somava-se outra: a da disponibilidade sexual das mulheres, aliás, bastante machista: "Eu devia ter meus 13 anos, ou pouco mais, quando começou a se caracterizar em mim o instinto genésico. As conversas que eu ouvia de companheiros mais velhos davam-me a entender que todas as mulheres só esperavam a oportunidade para se entregarem aos homens. Certa vez, eu fui passar uns tempos em casa de umas tias solteironas que me deram o quarto ao lado. Eram duas moças quase quarentonas, uma das quais, minha madrinha. Que ideia me havia de vir à cabeça? Esta, apenas: de fazer-me de sonâmbulo e, empurrando a porta, ir deitar-me com elas. Ficava horas, a espiar pela fresta da porta a hora em que elas mudavam de roupa; e alta noite, preparava-me para fazer o sonâmbulo. Mas quando chegava junto à porta, adeus coragem! E eu me deitava suando frio, deixando a aventura para a noite seguinte."

Apesar dos experimentos vividos às escondidas, a repressão era forte, e a ênfase no pudor, uma obsessão. E havia quem fosse contra ou a favor. "A nossa educação está errada. Todo o domínio sexual está envolto em um mistério que não é natural, entre véus de excessivo pudor", dizia um manual intitulado *Leitura reservada*, em 1913. Já congressos e trabalhos científicos sobre a importância dos anos "púberes" multiplicavam-se, preocupados em impor à família "uma reação doméstica coletiva, no sentido de combater o despudor".

O assunto era tão sério, que deveria passar por uma política de Estado, segundo o jurista José Gabriel de Lemos Brito: "A puberdade acarreta para os jovens de ambos os sexos perigos não só de ordem física, mas ainda de ordem moral, cumprindo ao Estado preservá-los o mais possível de tais perigos. A revelação dos segredos da procriação deve ser feita de modo elevado, e paulatinamente, aos menores, sendo o silêncio até hoje adotado, no caso, prejudicial. Este silêncio, da parte dos pais e dos mestres, não impede o conhecimento do que se pretende encobrir, sendo que a aprendizagem feita por intermédio de companheiras ou companheiros viciados leva o cunho da imoralidade e degrada o caráter dos jovens, os quais, ainda na mais tenra idade, se fazem obscenos e se entregam geralmente à prática de atos condenáveis. O ensino deve orientar-se de modo que aos impúberes se ministrem noções de história natural, fisiologia e higiene, e aos púberes se alarguem gradativamente os conhecimentos de molde a evitar-lhes as surpresas desta perigosa fase da vida."

Martelava-se uma só mensagem: era preciso envergonhar-se diante das coisas de natureza sexual. Estampar decência nos gestos, olhar, palavras. Lutar contra quem dissesse o contrário: "O pudor é o perfume da virtude: pudor é um recato físico ou moral, pejo de mostrar certas partes do corpo, desagrado em proferir ou ouvir expressões sobre misérias materiais ou morais da vida. É produto do meio, de preconceitos, de convenções, de hábitos adquiridos [...] o pudor é consequência da civilização, um atestado moral dos tempos, uma fórmula de consideração e respeito para consigo mesmo e para com os outros [...] o encanto do amor, a beleza da educação."

Difícil era adequar a norma à prática. Enquanto juristas e educadores argumentavam em favor do pudor, jovens se esfalfavam no quarto das empregadas, como conta Paulo Francis: "Me servi das empregadinhas, residentes e itinerantes. Estas apareciam ninguém sabe de onde e os meninos formavam fila, na escuridão da rua Icatu, onde moram hoje alguns amigos do autor, e elas nos praticavam o que os padres da Idade Média resolveram desencorajadoramente apelidar de *fellatio*, sexo oral."

Quando o colega de colégio contou a Geraldo Cavalcanti que tinha "comido a empregada na véspera", ele se assustou: "Fiquei estarrecido e sem saber como reagir àquela inesperada e brutal admissão de um ato de canibalismo. Sem saber o que dizer, procurei informar-me como pudera ele fazer isso sem ser notado por ninguém em casa e o que tinha feito com os restos da morta." *Sancta Simplicitas*!

Verissimo foi mais longe e procurou uma prostituta: "Antes de deitar-se, Déa diminuiu a intensidade da luz do lampião. Deduzi que não queria despir-se com o quarto iluminado. Mas não se despiu. Estendida na cama ergueu a saia e disse: 'Vem.' Fui. Procurei comportar-me como um veterano experimentado e não como um neófito. Tudo aconteceu muito depressa: o sonhado orgasmo veio pálido, rápido, sem espasmos e quase sem gozo. Déa teve a honestidade de não fingir que sentia prazer comigo."

Requintes foram descobertos por Gilberto Freyre, estudante em Waco, Estados Unidos, que não esqueceu "de louríssimas anglo-americanas, sôfregas de sugarem de um adolescente moreno o que uma delas me disse ser 'a seiva dos trópicos'". Concluindo, "dizem-me que no Brasil a felação é prática repelida pelas próprias prostitutas brasileiras, quando jovens; é por elas deixada só às 'francesas' e às 'polacas' velhas e demasiado gastas pelo tempo e pelo uso e abuso dos homens". Freyre frequentava "*necking parties*" – festas de beijos e carinhos – onde *girls* eram "sábias na arte de carícias no escuro, na qual as pontas dos dedos e as bocas realizam prodígios". Segundo o futuro sociólogo, tais práticas significavam uma revolução sexual e afastavam os rapazes das prostitutas. Muito sadio!

Em 1935, Sebastião Mascarenhas Barroso lançava o livro *Educação sexual, guia para os pais e professores: o que precisam saber, como devem ensinar*. O sumário explicava os "intuitos" necessários e úteis: higiene e resguardo dos órgãos sexuais. Para evitar "atos errôneos e inconvenientes à saúde e à moral" até 12 anos. Para preparar sem surpresas nem desmandos para a puberdade. Dos 12 aos 18 anos, para evitar ao rapaz e à rapariga vícios e aberrações da genitalidade. Para precaver-se contra doenças venéreas. A quem e quando se passariam tais noções? Os pais, eles mesmos, as começariam a passar logo que a criança começasse a fazer perguntas. "Sempre em tom de conversa, nunca com ares de lição." Menos ainda dando ares de mistério, mas sempre mostrando a importância do assunto. Na ausência dos pais, a tarefa cabia aos professores primários. Para tal, na escola ou no ginásio, os alunos passavam por uma bateria de testes de higiene. Seus órgãos genitais podiam ser examinados em "gabinete reservado". "Uma ou outra vez, no recreio, no meio de uma lição, a um pretexto qualquer, será abordada a questão dos sexos de modo rudimentar", explicava o manual.

Mas o fantasma da virilidade, numa sociedade patriarcal, acompanhava os meninos até o final da vida. "Quando eu era menino, aí pelos 9 ou 10 anos de idade, fui, em Pojuca, iniciado num segredo importante: havia, no mato, uma determinada folha, que, esfregada debaixo do sovaco e em outras partes menos visíveis, nascia 'cabelo' depressa. Não sei se por medo ou por desconfiança, não cheguei a usar tal folha [...] certamente não houve tempo do segredo cozinhar no meu cérebro e fazer nascer o desejo de experimentá-lo. Certa vez, estava no Poço das Tainhas tomando banho, quando vi um senhor idoso, após enxugar se, esfregar qualquer coisa em determinada parte do corpo. '– Que é aquilo?' perguntei a outro menino. '– Não tá sentindo o cheiro de fumo? Ele está esfregando fumo nos ovos para não perder o tesão!'" José Lemos de Sant'ana registrou a cena.

5. NAMOROS: OS "SÉRIOS" E OS OUTROS...

Segundo o antropólogo Thales de Azevedo, pioneiro entre nós nos estudos sobre o namoro, a modernização das grandes cidades e a maior liberdade de ir e vir entre jovens mudaram os hábitos amorosos. O bonde elétrico socializou os namoros. A praça do Ferreira em Fortaleza, as alamedas de São Paulo, a rua XV de Novembro em Curitiba, a rua Chile, em Salvador, a rua da Praia em Porto Alegre, o largo do Palácio em Florianópolis, a avenida Rio Branco, no Rio, eram as artérias por onde circulavam milhares de moças e rapazes entre o *footing* e o *flirt*. Passear de um café ao outro, de uma loja *chic* a outra de uma praça a um jardim era ocasião para um primeiro encontro de olhares, aparentemente casuais, de sorrisos, de gestos significativos. Seria a primeira vez que as moças se expunham deliberadamente à conquista, ainda que de modo dissimulado, tendo em vista o namoro. Caminhando ao lado de outras jovens, em geral de mãos dadas ou braços dados, a moça interessada em arranjar namorado via diferentes rapazes, avaliava seus tipos, tentava decifrar seus sinais e signos exteriores, comparava-os até decidir-se por um deles e estabelecer – quase sempre furtivamente – sem que as companheiras percebessem, uma relação preliminar. Nas cidades do interior, nos domingos, após a missa, ia-se "tirar uma linha", e começar um namoro sério.

Palavra de muitos significados, no *flirt* cabiam várias práticas que, no início do século, João do Rio teve a pachorra de classificar: "Há o *flirt* do *bond* com contatos misteriosos e frases breves sem olhares. O maior prazer do amor é tocar, é pegar. Há o *flirt* imperativo que começa por ódio e que acaba no prazer delicioso de duas carnes que se correspondem. Há o *flirt* passatempo, quando não se tem o que fazer e se espera o outro. Há o *flirt* casado. Oh! Esse! É possível esperar tudo? Há o *flirt* solteiro, sem ponto terminal. Há o *flirt* contínuo, o sujeito que algumas damas trazem como as luvas, sempre opacos, sempre ácidos, sempre tristes. Há o *flirt* exasperante que alguns chamam branco e toma às vezes a cor da congestão. Há o *flirt* galanteio: – Como está bonita, hoje! – Acha? – Acho. Há o *flirt* má-língua, o *flirt* inteiramente puro, ela e ele admirando a beleza e procurando um meio de senti-la; há o *flirt* poliglota, em que ele estudou na Áustria, na Suíça, na Inglaterra e ela por lá passou depois de ter frequentado o Sion. Há o *flirt* outonal, o último *flirt* da idade de amar, já sem reflexão, dos 40 anos loucos de paixão."

Uma vez captada atenção, o candidato passava a exibir uma variedade de sinais, por meio dos quais se comunicava a distância com sua bem-amada: flores à lapela do paletó, lenço disposto de maneira convencionada no bolso do peito, movimentos com a bengala. Ela respondia com flores e cores diferentes do vestido. Baforar um charutão significava "não te dou bola"; limpar o suor do rosto: "quanto trabalho me dás"; passar com a ponta da bengala para cima: "estou de ponta contigo"; braço em decúbito: "dor de cotovelo"; coçando o nariz: "lá vem gente." Botão de rosa com espinho: "temo, mas espero." Lírio: "começo a amar." A tulipa: "declaro-me." O mirto: "amo-te!" Chamava-se a esta fase do namoro "estar na chumbação".

O próximo passo era um baile, uma festa, onde pudessem se encontrar e mais... Tocar-se. O narrador é Olavo Bilac:

> Ele e ela agora dançam juntos e, juntinhos no vão da janela, estão agora continuando a conversa começada durante a dança. Na sala, continua a dança, ou há conversas animadas; muitas velhas namoradeiras aposentadas e muitos rapazes invejosos murmuram, olhando o par feliz; "Descaramento! Aquela sirigaita e aquele sujeito não têm vergonha: estão dando sorte à vista de todos!" Ele e ela, porém, não escutam essa murmuração malévola, e continuam a conversar, baixinho, num zum-zum de besouros. Juramentos, protestos, promessas, entrevistas combinadas, a janela ouve tudo isso discretamente, como uma cúmplice complacente e muda. Daqui a pouco tudo aquilo acabará na igreja, se não houver briga que atrapalhe os planos do casal de pombinhos, e se o pombo-calçudo não abandonar a rola incauta, deixando-a naquela triste situação que a faria ameaçar: "– Se me esqueceres, bebo um copo de ácido fênico."

A este estágio do namoro chamava-se "grelação". João do Rio, por sua vez, definia o *flirt* como um brinquedo torturante, no qual "o homem deseja, mas teme as responsabilidades; a mulher quer, mas recua diante da desilusão". Afrânio Peixoto, no romance *Esfinge*, publicado em 1911, retrata namoros nas rodas mais aristocráticas, nos quais a excitação residia em não ser descoberto. As trocas de olhares, os meios sorrisos, os ditos irônicos, as declarações, os passeios por matas e ruas desertas – a estória se passa em Petrópolis – as dissimulações diante dos mais velhos e dos abelhudos, as mãos dadas, os beijos roubados, os abraços de despedida: eram aventuras perigosas que davam ao namoro um calor mais intenso do que a aproximação prudente dos namoros comuns.

A transição do *flirt* para o namoro propriamente dito não era sempre uma consequência daquele; havia moças que se deliciavam e se divertiam simplesmente flertando sucessivamente e até simultaneamente com mais de um rapaz. A passagem, explica Thales de Azevedo, fazia-se a partir de um contato direto, quando se deduzia o assentimento pelo fato de a moça concordar em conversar, permitindo, depois, ser acompanhada na rua. Por último, era marcado um novo encontro à porta, à janela ou a certa distância da casa. Esse primeiro passo, às vezes necessitava da ajuda ou da mediação de uma alcoviteira, ou onze-letras – na Bahia também chamadas de cocada, noutros lugares, de pau de cabeleira, no Rio Grande do Sul, de doce de pera –, que se empenhava em facilitar a comunicação, os contatos, os encontros. Uma tia, uma prima ou madrinha podia ser a mediadora. O processo podia se acelerar com beijos furtados nas matinês dos cinemas e, mais fundos, nos quintais. Mas beijos furtados, mesmo!

Ilustração para anúncio de maillot da Jantzen, década de 1940.

COLEÇÃO PARTICULAR.

Do namoro ao casamento: um curto intervalo.
Casal Braz Ferrara e Maria Amorim, Belo Horizonte, MG, 1916.
ARQUIVO PÚBLICO MINEIRO.

Ariovisto de Almeida Rêgo conta que seu neto suou até conseguir um beijo correspondido no portão da casa da namorada: "Isso não, Antero!", dizia ela, que resistiu por meses! No seu tempo, beijos só na mão! Gilberto Freyre os provou exclusivamente na boca de moças americanas: "Beijei Helen na boca. Sugando-lhe a boca como se fosse um supersexo." Aqui, com as conterrâneas, nada...

Quando o namoro amadurecia e chegava a ser conhecido da família da moça, assumia o caráter de compromisso, condicionado pelo consentimento dos pais. Houve tempo em que, nessa altura, o rapaz tinha que se declarar, exprimindo verbalmente seu amor, paixão, intenção de casar-se. Todo um dispositivo de controle se colocava, então, em funcionamento no sentido de preservar a reputação e a honra da moça, representadas pela virgindade, bem supremo de troca no matrimônio burguês. Para evitar tentativas eróticas, os passeios eram acompanhados e só duravam até 9 horas da noite, limite para voltar para casa. O tiro das nove, disparado num velho forte de Salvador, por exemplo, era um marco para os namorados da cidade se recolherem. No caso de defloramento ou gravidez, o "desastre" era punido com casamento imediato ou sentença judicial. Qualquer condescendência com experiências sexuais antes do casamento que tivessem resultado num "passo falso", numa "queda", mesmo com o próprio namorado ou noivo, reduzia ao mínimo as possibilidades de casamento ou gerava o abandono da noiva. Daí a ênfase na pureza da moça, como queria Pedro Calmon: "A convivência [...] revelou-me as qualidades da moça com quem, em 1922, na amurada da praia do Flamengo, olhando as luzes da Exposição do Centenário, trocara o patriótico aperto de mão de Sete de Setembro.

Atraiu-me sua formação religiosa, a que as humanidades bem estudadas davam um realce de inteligência e graça, aqueles requisitos de doçura e recato que idealizamos como as virtudes belas da mulher, ligadas a uma sisudez natural, de caráter mais propenso à solidão do que à ostentação, projeto de freira diluído na mocidade."

Ai das que não estivessem dentro do tal "projeto de freira"! Sobre esse assunto, Antonio Candido asseverara sobre a mulher que perdia a virgindade: com muito poucas exceções, ou ela conseguia manter o sucedido em segredo – e tudo lhe corria bem –, ou só tinha três alternativas: a prostituição discreta, se fosse pobre; o celibato; ou um casamento arranjado.

Essa era a época dos namoros sem riscos, como os que viu Laura Rodrigo Octávio. Tudo a distância, inclusive o par: "O namoro no princípio do século era a coisa mais distante que se possa imaginar: passava o jovem de bonde, ou a pé, cumprimentava a moça e esta o seguia com o olhar. Às vezes, essa manobra se repetia, o rapaz como que montando a guarda na calçada, a moça na janela ou no terraço. Outras vezes tomavam o mesmo bonde depois do teatro ou do jogo de futebol, e então se estabelecia uma simpatia entre ambos. Foi assim que, ao cabo de algum tempo de namoro nesse gênero, Marietta ficou noiva de um rapaz muito bonito, morador de nosso bairro. Ele nem ao menos dançava; poderiam assim ter tido mais convivência."

Tais namoros a distância levavam a descobertas nem sempre agradáveis: "Na primeira vez que se encontraram em casa de uma amiga comum, Marietta teve um choque tremendo: o rapaz, que era bom e bonito, não tinha um assunto de conversa. Marietta, viva, graciosa, ledora infatigável, sentiu como uma punhalada em seu íntimo. Voltou tristonha e, por essa altura, o rapaz queria ficar noivo. E assim foi, mas que noivado triste! Ademais, Marietta era torcedora fanática do Paulistano, e ele pugnava pelo Internacional [...]. A choradeira foi aumentando; havia em São Paulo, no momento, uma companhia lírica e, cada noite de espetáculo, aparecia o noivo muito bem-posto na sua casaca, e a noiva chorando no quarto. Que divertido para a família! A certa altura, tio Horácio resolveu entrar em cena e propôs a Marietta escrever, para ela copiar, uma carta delicada desfazendo o compromisso. Aquilo não podia continuar.

Verissimo também namorou de longe: "Um anoitecer, de banho tomado, de barba feita, brilhantina nas melenas, vesti minha roupa azul-mari-

Je t'attends
A bientôt
Toutes
Revenez vite
LE SECRET
Ne partez pas
Ayez confiance
246

ensées
Pour toujours
Je t'aime
Un bonjour
DES TIMBRES
sers
Tendre souvenir
Je reviendrai

nho de jaquetão, dei um nó caprichado na gravata, perfumei o lenço com loção Maderas do Oriente, de Myrurgia, apanhei a bengala de junco e me declarei pronto para descer a rua do Comércio, rumo à casa de uma nova namorada, com quem ficaria conversando por algum tempo – ela debruçada na sua janela, a uns 2 metros do nível da calçada, e eu parado em cima desta, olhando para cima: o famoso 'namoro de gargarejo'."

Imperava o distanciamento, a dificuldade de comunicação, o mito da amada ausente, a ponto de se usarem os jornais para mandar recados ou declarações de amor como as que leu Humberto de Campos: "Leio aos domingos, nas páginas de anúncios nos jornais, os bilhetes que se mandam, anonimamente, os namorados venturosos ou sem ventura. Quanta alma, quanto coração às vezes, num daqueles recados..."

A vigilância dos pais era permanente e, para que sua irmã namorasse, Zélia Gattai, por exemplo, tinha que acompanhá-la:

> Wanda andava apaixonada. O namorado chamava-se José do Rosário Soares, filho de portugueses. Haviam se conhecido numa das festas do Divino Espírito Santo, da igreja do Calvário, na Vila Cerqueira César – hoje, Pinheiros [...]. O jovem rondava a casa todas as noites, na esperança de ver a bela, dar-lhe um adeus de longe ou, quem sabe, ter a ventura de uma rápida conversa. Seu Ernesto não permitia que a filha namorasse, não estava na hora, muito cedo ainda. Dona Angelina, mais condescendente, partia do princípio de que na idade da filha já estava casada. Consentia no namoro, às ocultas do marido, "Deus nos livre e guarde que ele descubra!" – com a condição de que jamais saíssem sozinhos. Deviam ter sempre alguém a pajeá-los, um pau de cabeleira... Wanda conseguiu convencer-me a acompanhá-la, usando métodos diversos: do carinho e da adulação às ameaças [...]. Detestava sair à noite, atrás dos dois namorados, pelas ruas desertas e escuras, iluminadas apenas por lampiões de gás. Nas noites frias, em pleno inverno, me encostava em papai depois do jantar, tentando me garantir, impedir a convocação. Wanda me rondava à caça de um encontro de olhares... e... lá me ia eu.
>
> O lugar predileto dos dois namorados era a rua Haddock Lobo, logo abaixo da alameda Santos. Ficavam à sombra de enorme paineira, na rua sem calçamento, pouco transitada. Eu me distanciava um pouco e ia espiar, embaixo do lampião, as figurinhas de *O Tico-Tico* que o Zé Soares me oferecia uma vez

por semana. Muitas vezes, sentia sono, sentava-me sobre a grossa raiz da paineira e dormia... Só despertava com o pregão anunciador de Quatrocentão, que vendia pamonhas, pipocas, paçocas e amendoins torrados... Tempo curto para o namoro, no melhor da festa lá vinha o negrão, voz tonitruante, bocarra escancarada, pregando as delícias que trazia numa cesta coberta por alva toalha.

PÁGINAS 458 E 459
O amor escrito em francês.
COSTA, Joana. *Manifestação de estima.* 25 dez. 1915 a 25 dez. 1918.
FUNDAÇÃO CASA DE RUI BARBOSA, ARQUIVO HEITOR MODESTO.

No extremo sul do país, em fins de 1927, Erico Verissimo também vai precisar de uma cunhada para o namoro, que assim descreve: "Uma menina de olhos azuis que morava na casa fronteira à da minha farmácia [...] vim a saber que ela mal havia completado 15 anos, uma criança, portanto... Quando aparecia na janela fingia que não me enxergava, mas, por fim, olhava na minha direção. Finalmente aproximei-me de Mafalda Halfen Volpe. Além dos encontros de janela, grotescas paródias de *Romeu e Julieta*, havia os de bailes e os de cinema mudo com seus iluminados intervalos entre as partes do filme, muito convenientes aos namorados. Mais tarde começamos a sair juntos em curtos passeios pela rua central. O pai exigia que os lugares por onde andássemos fossem sempre bem iluminados e nunca desertos. Acompanhava-nos sempre Lucinda, a irmã mais moça de Mafalda."

Mas o controle não vinha apenas dos pais e da família. Quem, na década de 1930, militasse nas organizações clandestinas de esquerda era obrigado a manter uma tenebrosa disciplina interna. Namorados de facções diferentes, tal como Romeu e Julieta? Proibido. Quem provou a amarga experiência foi Lélia Abramo que, apaixonada, teve de enfrentar o tribunal do partido. Ela trotskista, e ele, afiliado ao PCB: "Instintivamente ocultamos de nossos líderes partidários nossos sentimentos e adotamos uma conduta discreta." Encontros, só em ruas desertas. Temiam ser reconhecidos por outros militantes. "Chegou o dia em que ele me disse que deveríamos esclarecer nossa situação e enfrentar o partido, porque desejava casar-se comigo. Tentei convencê-lo de que o PCB jamais daria permissão. O partido costumava ser intransigente em relação à aproximação com trotskistas." O romance veio à tona, e o julgamento também: "Se confirmasse o namoro, N. seria expulso." Com o casamento marcado para o final de novembro de

Histórias de amor passaram a estampar capas de revistas.

O Idílio, Rio de Janeiro: Editora Brasil-América, 1948, 1949 e 1953.

COLEÇÃO PARTICULAR.

1934, o noivo "optou por acatar a decisão do PCB. Aliás, eu jamais aceitaria que ele fizesse o sacrifício de deixar a militância no partido... Tínhamos nossas ideologias, a elas pertencíamos". Fim do romance!

Ao final dos anos 1930, alguns avanços tinham sido feitos. "Entre as netas e sobrinhas trazidas por meus pais, vinha uma morena que não reconheci à primeira vista, pois crescera, botara corpo e se fizera linda. Procurando saber de quem se tratava, não pude conter o espanto ao ser informado que não era outra senão Anita, filha de minha falecida tia Milô... Na hora de tomarmos a condução para casa, convidei-a para o carro em que me encontrava, convite discretamente recusado que não desarmou meu assédio. Pouco saliente com as garotas, surpreendia-me com a desenvoltura com que me comportava com a priminha... Guardo desse domingo uma lembrança inapagável, por ter sido nele que dei o primeiro beijo na priminha. Devo esclarecer que não foi um beijo roubado, mas consentido em meio a calmo passeio pelas ruazinhas do antigo povoado praieiro", contou Wilson Lins.

O memorialista vivia em cheio as novidades trazidas pela urbanização e a industrialização entre os anos 1930 e 1940. Novidades impostas de forma desigual em todo o país, somadas ao êxodo campo-cidade, acabavam por diluir as redes tradicionais de sociabilidade, democratizando as relações afetivas. Antonio Candido soube resumi-las: "Impondo-se a participação da mulher no trabalho da fábrica, da loja, do escritório, a urbanização rompe o isolamento tradicional da família brasileira, rica ou pobre, e altera de maneira decisiva o status da mulher, trazendo-a cada vez mais para perto dos homens. As consequências imediatas podem ver-se nos novos tipos de recreação e de namoro que, atualmente, implicam contato muito mais frequente e direto entre rapazes e moças, tanto entre gente comum quanto na burguesia. O hábito de ir a danças, ao cinema, e o costume universal do *footing* estão destruindo (pela substituição por processos mais íntimos), a organização tradicional do namoro com bilhetes, palavras bonitas, serenatas, *chaperons*. E, acima de tudo, estão modificando a iniciativa para o casamento, transferindo-a dos pais para as próprias partes interessadas, uma vez que, com a dissolução do sistema de parentesco, está se tornando cada vez mais uma questão individual e não de grupo."

Os meios rurais não ficaram atrás. A convivência aumentava em toda a parte e era o fim dos namoros por sinais, que em Pernambuco, no início do século XIX, causaram admiração à viajante inglesa Maria Graham. O namoro pulara a janela. Fora para a rua. O contato físico se estreitava, embora algumas regras continuassem respeitadas. "Menina-moça só cavalgava em cilhão, para evitar a indecência de cavalgar de perna aberta, mas também para evitar que a pressão rítmica da sela sobre as partes secretas viessem a lhe causar prazeres proibidos", explicou Rubem Alves.

No cinema e nas revistas, multiplicavam-se fotos de artistas, olhos nos olhos, perdidos de "paixão". Nas telas, os beijos eram sinônimo de *happy end*. Beijos se tornavam mais demorados. Uma verdadeira arte da sucção bucal se instalara, e todos a imitavam. O de Regis Toomey e Jane Wyman em "You're in the Army now", de 1941, demorou 3 minutos e 5 segundos: um recorde. Beijar também passou a ser sinônimo de namorar. O carro tornou-se um substituto para os hotéis onde um casal só entrava exibindo atestado matrimonial. Mas, mesmo nos círculos mais modernos, permaneciam algumas diferenças: a do namoro sério, para casar, e o outro, onde a satisfação imediata era o objetivo. O fato é que houve mudanças.

No final dos anos 1940, as pessoas começaram a beijar-se, a tocar-se e a acariciar-se por cima das roupas. Em Salvador, conta Miriam Sales, "as coladas", ou beijo de língua, eram vigiadas por guardiães da "donzelice" da moça. A anágua e a combinação eram obrigatórias para dificultar o trabalho de pesquisa das mãos masculinas. E tudo o que parecia por um fim à sexualidade culpada convivia, infelizmente, com conveniências hipócritas, com a vergonha do próprio corpo.

No outro lado da moeda, avesso das "puras", as "mundanas" e "artificiais" eram sinal de problema. Festas e bailes sem medidas, a frequentação de lugares fechados, a promiscuidade de contatos físicos ou a excessiva coqueteria feminina horrorizavam os médicos higienistas, preocupados, então, com uma nova percepção dos corpos, voltada para a vida ao ar livre, natural e saudável. É deles a ideia de perseguir os "artifícios", especialmente os cosméticos, utilizados para esconder "defeitos físicos" que pudessem interferir no momento da escolha de uma namorada. As "mundanas", que faziam o possível e o impossível para atrair atenções, eram alvo de reprimendas vindas de todos os lados. Eram consideradas "artificiais" as que usavam recursos externos como trajes da moda e cosméticos, mas também as que tinham um comportamento corporal – poses e gestos – considerado excessivamente estudado. A hostilidade diante dos abusos dos artifícios vinha da vontade de limitar os apelos sexuais da aparência.

Nossos homens continuavam presos aos tradicionais esquemas: aqueles que achavam muita facilidade por parte de suas escolhidas se desencantavam. No século da velocidade, lembra Thales de Azevedo, as mulheres muito "dadas", "pensando que ao dar muito, muito agradam", acabavam sem atrativos nem mistérios: "Quanto amor desperdiçado, que desilusão tremenda! Tudo gasto no noivado, não resta nem um bocado, que nos atraia ou nos prenda." A longa espera, as dificuldades, a recusa em nome da pureza eram os ingredientes que atraíam o sexo masculino.

Depois da Segunda Guerra Mundial, o país viveu um momento de ascensão da classe média. Ampliavam-se, sobretudo para as populações urbanas, as possibilidades de acesso à informação, ao lazer e consumo. O carro se popularizou, assim como a piscina nos clubes, o cinema, as excursões e as viagens. Jovens podiam passar mais tempo juntos e a guarda dos pais baixou. Mas a forma de aproximação e compromisso, o flerte – agora aportuguesado – continuava como o primeiro passo de um namoro mais sério. Regras mínimas para os encontros eram bem conhecidas, segundo a historiadora Carla Pinsky. O rapaz devia buscar a moça em casa e depois trazê-la de volta – mas se ela morasse sozinha, ele não poderia entrar; o homem sempre pagava a conta; moças de família não abusavam de bebida alcoólica e, de preferência, não bebiam; conversas ou piadas picantes eram consideradas impróprias; os avanços masculinos, abraços e beijos deviam ser firme e cordialmente evitados; a moça tinha que impor respeito.

Não importavam os desejos ou a vontade de agir espontaneamente, o que contava ainda eram as aparências e as regras, pois – segundo conselho das tais revistas –"mesmo se ele se divertir, não gostará que você fuja dos padrões, julgará você leviana e fará fofoca a seu respeito na roda de amigos". Durante os chamados Anos Dourados, explica Carla Pinsky, aquelas que permitissem liberdades "que jamais deveriam ser consentidas por alguém que se preze em sua dignidade", acabavam sendo dispensadas e esquecidas, pois "o rapaz não se lembrará da moça a não ser pelas liberdades concedidas". O tempo de namoro seguia alguns padrões, não devendo – como no início do século – durar muito, levantando suspeitas sobre as verdadeiras intenções do rapaz, nem tão pouco precipitar decisões sérias e definitivas.

O de Carlito Maia com a jovem Inês era "na porta até às 9:30 da noite às quartas-feiras e fins de semana. Não podíamos namorar dentro d'água, quando estivéssemos na praia!" Além disso, o namoro muito longo comprometia a reputação da moça que se tornava alvo de fofocas maldosas. A opinião do grupo era tão importante quanto a do namorado ou namorada. E a cobrança da sociedade para que os pombinhos se decidissem também contava pontos: "O homem que não pensa em casar-se [...] não merece outra coisa a não ser o respeito e a indiferença das mulheres, principalmente daquela que foi enganada em seus sentimentos mais puros [...] se ela o despede não faz mais do que adiar um rompimento inevitável [...] a atitude que toda a mulher deve tomar diante deste homem é de repúdio imediato e enérgico", alertava o *Jornal das Moças*.

No interior, as instâncias do coração encontravam menos obstáculos, segundo Graciliano Ramos: "A fase preparatória é rápida. O agente fungando, ronca em minutos uma declaração de amor. O elemento conquistável, de olhos baixos, responde com interjeições e movimentos de cabeça. Se está de acordo, bem, tudo se arranjará depressa."

O noivado já era o compromisso formal com o matrimônio. Era um período de preparativos mais efetivos para a vida em comum. O ideal? Usar coroa, véu, grinalda e cauda quilométrica como Grace Kelly, cujo casamento circulou o mundo, graças à fotografia. Durante o noivado, o casal, se sentindo mais próximo do casamento, poderia tentar avançar nas intimidades. Cabia especialmente à jovem refrear as tentativas desesperadas do rapaz, conservando-se virgem para entrar de branco na igreja: "Evite a todo custo ficar com seu noivo [...] a sós quando se deixam levar pela onda dos instintos para lastimarem mais tarde, pela vida toda [...] vocês cometem o crime de roubar ao casamento, sensações que lhe pertencem correndo o risco de frustrar a vida matrimonial", sublinhava *O Cruzeiro*, em 1955. Era terminantemente proibido ter relações sexuais. Nada de "cair" ou "proceder mal" – eufemismos para o ato. Quer por confiar no noivo, quer por temer que ele fosse se "satisfazer nos braços de mercenárias". O resultado era sempre ruim: "do romance tão auspiciosamente começado restarão pessoas desiludidas e infelizes."

Nas mesmas páginas de revistas, liam-se as críticas às liberdades do cinema, do *rock'n roll*, dos bailes de Carnaval e das "danças que permitem que se abusem das moças inexperientes". Valorizavam-se as fitas que ressaltassem bons costumes e personagens bem comportados circulando em lugares bem frequentados. Em alta: "A juventude saudável que sabe se divertir – sem escandalizar – e a brotolândia que dá exemplo de amor aos estudos e à família." No mundo adulto, perseguiam-se as transformações juvenis e a rebeldia. A preocupação era com "meninos e meninas que bebem cuba-libre, frequentam o Snack Bar em Copacabana, usam blusa vermelha e blue jeans, mentem para os pais, cabulam as aulas, não pensam no futuro e não têm base moral para construir um lar". Temiam-se as "lambretices e escapadas para a escuridão do Aterro [do Flamengo, no Rio de Janeiro]".

Regras e advertências não foram suficientes para barrar algumas pioneiras que fugiam ao padrão estabelecido. Transgrediam fumando, lendo coisas proibidas, explorando sua sexualidade nos bancos dos carros, discordando dos pais e... abrindo mão da virgindade – e por vezes do casamento –, para viver um grande amor. Algumas escaparam à pecha de levianas e malfaladas, de serem chamadas de "vassourinha" ou "maçaneta" mantendo as aparências de moça respeitável. Outras sofreram e foram abandonadas em consequência de comportamentos "indevidos ou ilícitos". Tais comportamentos podiam até mesmo inspirar muitos admiradores, mas essas jovens não casariam, pois "o casamento é para a vida toda e, nenhum homem deseja que a mãe de seus filhos seja apontada como doidivanas". Já as que se comportavam como "moças de família", não usando roupas sensuais, evitando ficar a sós no escuro, saindo só na companhia de um "segurador de vela", essas teriam mais chance de fazer um bom casamento.

A moça de família manteve-se como modelo e seus limites eram bem conhecidos, embora as atitudes condenáveis variassem das cidades grandes para as pequenas, nos diferentes grupos e camadas sociais. Carolina Nabuco sabe bem como era ser moça de família: "A vida social era uma continuação da familiar [...]. A grande cerimônia no trato, que existiu até o fim da Primeira Guerra era especialmente aparente nas saudações entre os sexos. O cumprimento com beijo, hoje corrente, só apareceu após a Segunda Guerra. Muitos, mas não todos, usavam o beija-mão [...]. Eu dava 'senhor' aos rapazes da minha idade, e eles davam 'senhora' às meninas como eu. A maneira e o sorriso podiam, é claro, transformar o senhor em você."

Em contrapartida, relações sexuais de homens com várias mulheres não só eram permitidas, como frequentemente desejadas. Tinha-se horror ao homem virgem: inexperiente. Os rapazes procuravam aventuras com as "galinhas ou biscates" onde desenvolviam todas as familiaridades proibidas com as "moças de família". Sua virilidade era medida pelo número e desempenho nessas experiências. Como registrou a socióloga Maria Helena Trigo: "Ir à zona era preservar a menina de sociedade [...] o que o namorado não podia fazer com a namorada fazia lá. Tinha que ser lá, não podia ser com a namorada. E as meninas sabiam disso [...] naquela época, [...] não tinha ciúme nem nada. Pensava-se: é uma fulana da vida, é menina da zona, [se] separava bem a vida que ele pudesse ter lá e essa aqui."

Havia também o fantasma do "aproveitador", que abusaria da ingenuidade feminina, deixando, ao partir, o coração – e pior, a honra – em pedaços. Outro horror era o "mulherengo", já comprometido, mas insaciável nos seus apetites. A contrapartida da moça de família era o "bom rapaz", "bom caráter, correto e respeitador" que jamais passaria dos limites da decência. Mas, se os ultrapassasse, estava perdoado: afinal, era a "natureza do homem" falando mais alto.

6. FELIZES OU INFELIZES PARA SEMPRE?

Desde sempre, o sacramento do casamento se traduz numa festa: enxoval, convidados, comida, tudo se junta para a celebração. José Lins do Rego conta o que viu nos preparativos, no interior:

Viera o italiano Vicente, da Paraíba, com mala cheia de tecidos da Europa. A tia Maria escolhia padrões, peças de linho, cassas bordadas. As costureiras não paravam. Mãos de fada bordavam os lençóis e as fronhas, abrindo letras sobre o linho puro. Bordadeiras e rendeiras só trabalhavam para o Corredor. Abria meu avô a gaveta para pagar tudo sem um gemido ou um nome feio [...]. Depois, foi a viagem ao Recife para as grandes encomendas: o vestido de noiva, os sapatos finos, os frascos de cheiro.

Preparava-se o engenho para o casamento. Montavam iluminação de carbureto na casa-grande, os canos de chumbo se enroscavam pelas paredes e um grande lustre de cristal pendia do madeirame da sala de visitas [...]. Henrique trouxera do Outeiro uma máquina para engarrafar o vinho francês que chegava nos quintos [...]. Os mestres do engenho trabalhavam nos reparos e pinturas da casa da vila [...]. Marchava o casamento a toque de caixa. Havia pintores do Pilar e da Paraíba para limpeza da casa. Os retratos da parede desciam para um banho de ouro-banana nas molduras. As cadeiras da sala de visitas ficavam no alpendre com o negro Nubiã no verniz. O jardim todo tratado com roseiras florindo e crótons a vicejar. A negra Generosa já se manifestava contra o cozinheiro encomendado de Recife. Homem na cozinha só mesmo coisa de dona Marocas. As caixas de champanha entulhavam-se na despensa. Viera louça nova em barricas enormes [...]. Aparecera também um retratista [...]. Parecia um homem importante. A sua grande máquina de tripé fora guardada no quarto do meu avô. Começaram a chegar parentes de mais longe [...]. A casa-grande já não cabia de tanta gente. A mesa da sala de jantar era posta duas a três vezes para o almoço [...]. Na cozinha dominava o cozinheiro do Recife. Até grade ele armou na porta da copa. Ali só ele e as negras. Já tinham raspado o chão [...] o vermelho dos tijolos brilhava como novo. Enquanto tudo isso, na beira do rio matavam-se porcos e carneiros. A água quente para ajudar a pelar os bacorinhos fervia-se em latas em cima de trempes de pedra. Gemiam os porcos na quicé. Tristeza me deixava o sacrifício dos pobres carneiros brancos criados em casa. Perus e capões gordos esperavam a hora.

Em *História do amor no Brasil*, mostrei que, diferentemente do século XIX, a escolha do cônjuge já era então assunto dos enamorados. Mas só em tese, pois na prática a influência familiar e do círculo de amigos era fortíssima. Acreditava-se que dificilmente um casamento realizado contra a vontade da família daria certo. O "bom partido" era o rapaz honesto e trabalhador, capaz de manter a família com conforto. Ainda assim, nem mesmo essa era receita certa de sucesso, como contou Verissimo: "Nunca pude compreender por que tia Regina aceitou sem amor a corte que lhe fazia um caixeiro-viajante de origem alemã, homem de bem, mas destituído de atrativos físicos e intelectuais. Mais de uma vez eu os vi ou entrevi de noivado na sala de visitas do sobrado, sentados num sofá, ele tentando agradar a sua bem-amada com palavras, gestos e presentes; ela sentada e silenciosa, a cara fechada, não perdendo oportunidades para manifestar o desagrado que lhe causava a presença do pretendente. Mas casaram-se. A noiva não sorriu no dia da boda. Um ano e pouco mais tarde, morreu de parto."

Não faltou quem desafiasse as restrições familiares, caso de Adalgisa Nery: "Um dia, como um dia para toda adolescente, eu senti que amava um homem. Conheci então uma nova paisagem da minha alma [...] havia um abandono alegre no meu ser acompanhando a causa misteriosa [...]. Por minha culpa ou não, começaram a surgir atritos entre a minha família e o homem que eu amava com todo o esplendor dos meus 14 anos [...]. Esse homem também não desejava outra coisa senão casar-se comigo [...] depois de lutas e lágrimas, meu pai consentiu. Ninguém da minha família compareceu ao meu casamento, como se eu fosse uma desviada e reprovada pela minha gente. Tinha eu 15 anos [...]. O meu marido foi meu primeiro amor [...]."

Nem quem contrariasse os casamentos endogâmicos, valorizados nos grupos de imigrados. Boris Fausto registra a história de certo sr. Levy, "uma das primeiras pessoas do pequeno mundo sefardi a romper uma interdição básica, casando-se com uma 'Cristiana' [...]. A decisão assustou a pequena comunidade de Rio Preto, pois, além de tudo, o sr. Alberto, filho de rabino, desmentira o ditado de que filho de peixe, peixe é". Não foi o único, apesar dos esforços de tantas "fazedoras de casamento", características da comunidade.

Hermengarda Takeshita também fez escolha difícil na época e ouviu da mãe: "O que pretende? Vai se arrepender. Raça diferente, costumes diferentes. [...]. Parta com o japonês e não se queixe. Seu pai vai ser grande problema."

Não faltava preconceito contra as que punham um fim ao matrimônio. O divórcio, segundo a *Revista Feminina* de abril de 1929, era "porta aberta para os que não se entendem, a verdadeira infelicidade". Era um "desmoronar da sociedade"! A culpa? A baixa idade com que as jovens se casavam. Em vez de estudar, preferiam "o encanto de fazer o enxoval, de receber as prendas, de vestir o vestido branco". E prossegue o articulista: "O noivo é um dos rapazes com quem dançam e jogam o tênis, e muitas vezes pouco se lhes dá que seja aquele ou outro; o que lhes deslumbra é a parte fútil desse ato tão sério na vida de uma mulher. É culpa das raparigas essa maneira de ver as coisas? Não. A culpa é das mães, que não sabem educá-las para sua verdadeira função na vida." Sem estudo, a maioria das jovens investia nas "prendas domésticas."

Sant'ana se recorda que, na venda de seu pai, só os homens entravam sozinhos, as mulheres, "quando não vinham acompanhadas de uma amiga, vizinha ou parenta, vinham com o irmão ou o marido ou um filho [...] a vontade feminina é que impunha – aos maridos restava pagar [...] havia exceções, muito poucas, resquícios de épocas anteriores – senhoras que de modo algum iam às lojas. Mandavam buscar, pela empregada, as amostras dos tecidos para escolherem em casa".

Moça que andava só suscitava comentários, como o que ouviu Verissimo de sua avó, "debruçada na janela, quando viu passar pela calçada uma jovem senhora que, segundo a voz do povo, costumava enganar o marido com outros homens. D. Maurícia fez um sinal na direção da moça e me

Vibradores: uma novidade.

Fon-Fon, ano III, n. 49, p. 5, 4 dez. 1909.
BIBLIOTECA NACIONAL [HEMEROTECA].

disse: 'Parece que essa aí também dá comida para fora... .'"

"Um amor e uma cabana", só na música. "Se a fome batesse na porta, o amor pularia pela janela." O amor era, sim, importante para a vida em comum. Mas não só. Embora fosse senso comum que as mulheres vivem para o amor, e que o romantismo e a sensibilidade são características eminentemente femininas, restava perguntar, qual amor? Que amor era esse? A herança de séculos se impunha: um amor domesticado, feito de razões. Nada de paixões que violassem a lei e a ordem. Impossível romper com os moldes tradicionais da felicidade ligada ao casamento legal, aos filhos. Alguns deslizes podiam ser tolerados em nome da abnegação feminina, mas errar por paixão? Nunca. O amor verdadeiro e digno era feito de juízo. A paixão, sentimento insensato que jamais poderia se concretizar numa união legal.

O próprio relacionamento entre casais era feito de comedimento e compostura, como relata Carolina Nabuco sobre seus pais: "Não chegara ainda a época dos cônjuges empregarem a cada instante termos afetivos. Naquela geração decorosa, 'querido' ou 'meu bem' eram palavras reservadas às crianças. Aliás, minha mãe, por temperamento, pouco usava as expressões de carinho. Na hora do nosso despedir noturno [...] ela não fazia mais que nos ensinar a pedir sua benção e a beijar-lhe a mão. [...]. No entanto, o tom com que se dirigia a meu pai, chamando-o sempre de 'meu marido', nunca de 'querido' nem de 'Joaquim' encerrava uma ternura integral, acrescida do orgulho que sempre sentiu em ser a esposa de Joaquim Nabuco."

Milhares de histórias tristes, nas revistas e filmes, inspiradas na "vida real", se encarregavam de bombardear as pretensões de quem quisesse fugir à norma. Raros os que se casavam com as defloradas por outro. No próprio Código Civil se previa a anulação do casamento no caso de o noivo ter sido "induzido a erro essencial". Mesmo quando apaixonados, os rapazes temiam que a moça tivesse dado a outro os carinhos que agora lhe dava.

Uma vez "unidos pelo matrimônio", os ajuizados cônjuges viviam uma relação assimétrica. Vejamos sobre isso o que aconselhava *O Cruzeiro*, em abril de 1960: "A felicidade conjugal nasce da compreensão e da mútua solicitude entre os esposos. Em uma união feliz, os cônjuges se

"O VEEDEE"

Vibrador para massagem

TRATAMENTO CASEIRO — FACIL, RAPIDO E EFFICAZ — PARA EMMAGRECER POR MEIO DA MASSAGEM VIBRATORIA.

Os movimentos da massagem vibratoria, já tem sido indicados como um meio local summamente efficáz para baixar os tecidos adiposos, e com o apparelho mechanico *Veedee*, esse processo radical pode praticar-se com toda a facilidade pelo proprio paciente em quasi todas as partes do corpo.

A grande quantidade de pessoas que soffrem de obsidade nos induzio a consagrar-lhe este artigo, estando certos de poder-lhe dar um valioso conselho. Ha entre ellas muitas que se preoccupam constantemente com o seu exagerado peso, sua gordura, sua falta de agilidade e de seu anti-estetico. Tratando-se de um homem, vê-se quasi sempre entregue a um regimen alimentar ou a exercicios molestos e incompativeis com a sua corpulencia. Quasi sempre, pode-se dizer, não conseguem o que tentam, sem prejudicarem de um ou outro modo a sua saude; mas em compensação não ha como a satisfação que tem ao ver alguma reducção no seu peso.

Ainda peior torna-se o caso com as senhoras, pois quando essas são muito gordas, lutam com a eterna preoccupação de emmagrecerem e como isto até agora não tem sido cousa facil de conseguir, depois de terem experimentado todos os meios possiveis sem resultado, tratam de dissimular a sua obesidade. Com esse fim opprimem e maltratam o corpo com os corsetes, afim de comprimir-se o mais possivel para parecerem mais esbeltas; porem como só os espartilhos não são sufficientes para o seu fim ainda terão que fazer uso de faixas abdominaes. O resultado de tudo isso é que as senhoras gordas soffrem uma verdadeira tortura durante todo o tempo em que estão em trajes de passeio ou visita.

Do ponto de vista da belleza das formas, pode-se dizer que não ganha absolutamente a mulher, que desliza pelas ruas ou pelos salões sem liberdade nenhuma nos seus movimentos e com a mesma rigidez como se estivesse inteiramente empacotada. Porem o caso é ainda peior do ponto de vista hygienico, pois todas essas faixas — muito ao contrario do que costumam affirmar os orthopedicos — longe de ter a vantagem de reduzir o volume do corpo, contribuem em muitos casos para augmental-o. Demais esses reiterados abusos trazem com o tempo, como consequencia inevitavel, diversos transtornos physiologicos emanados das frequentes congestões locaes, que provocam essas compressões antinaturaes.

Ora bem! em vez de andar applicando esses artificios prejudiciaes á saude, em vez de estarmos occultando e comprimindo cruelmente as nossas carnes, em vez de procurar solver o problema pela simples apparencia, não acham todos que soffrem de obsidade que é muitissimo mais sensato tentar um procedimento racional e logico, pelo qual se pode obter em poucas semanas a reducção do peso ao qual devia ser, fazendo desapparecer o excesso de gordura, diminuindo o volume, augmentando o vigor muscular, fomentando a saude e recuperando a elegancia dos movimentos?

Já se comprehenderá que tudo isso se amolda sem exageração alguma, dentro da orbita das conquistas do *Veedee*, segundo se tem podido constatar em milhares de casos correctos. Eis a razão: o movimento da massagem vibratoria tem um effeito tal sobre o organismo que exerce uma acção directa e immediata sobre todos os apparelhos da economia chegando ao ponto de provocar nelles profundas modicações. Por esse motivo, e dada a sua poderosa influencia regularisadora sobre systema nervoso, sobre a circulação do sangue e lymphatismo, sobre o movimento muscular, sobre as funções visceraes, sobre as secreções e excreções, nada tem de anormal que ella provoque a rapida combustão das massas gordurosas que por varios motivos se accumulam anormalmente ao redor do coração e dos rins, na cavidade abdominal e especialmente em todo o tecido subcutaneo.

Concluiremos estas linhas, recommendando aquelles que desejarem diminuir a sua gordura excessiva, que adquiram o apparelho *Veedee* applicando-o elles mesmos, durante duas ou tres semanas — tempo mais que sufficiente para convencer-se dos surprehendentes resultados que dá a massagem vibratoria.

Depositarios geraes no Brazil: **Orlando Rangel & C.**

AVENIDA CENTRAL, 140 — Rio de Janeiro

Agentes em S. Paulo: **BARUEL & C. — 1 Rua Direita**

SOLICITEM FOLHETO EXPLICATIVO N. 1

complementam, porque cada um tem o seu papel naturalmente definido no casamento. E, de acordo com esse papel natural, chegamos a acreditar que cabe à mulher maior parcela na felicidade do casal; porque a natureza dotou especialmente o espírito feminino de certas qualidades sem as quais nenhuma espécie de sociedade matrimonial poderia sobreviver bem. Qualidades como paciência, espírito de sacrifício e capacidade de sobrepor os interesses da família aos interesses pessoais. Haverá mulheres de espírito avançado que recusem essa teoria sob pretexto de que o casamento, nesse caso, não é compensador. A estas [...] responderiam as esposas felizes – provando o quão compensador é aceitar o casamento como uma sociedade em que a mulher dá um pouquinho mais."

O bem-estar do marido era a medida da felicidade conjugal, que seria consequência de um marido satisfeito. E qual a fórmula para tal bem-estar? O primeiro componente eram as "prendas domésticas". Afinal, a mulher conquistava pelo coração e prendia pelo estômago. Outro quesito: a reputação de boa esposa e de mulher ideal, ou seja, a que não criticava, que evitava comentários desfavoráveis, a que se vestisse sobriamente, a que limitasse passeios quando o marido estivesse ausente, a que não fosse muito vaidosa nem provocasse ciúmes no marido. Era fundamental que ela cuidasse de sua boa aparência, embelezar-se era uma obrigação: "A caça já foi feita, é preciso tê-la presa" ou "Um homem que tem uma esposa atraente em casa, esquece a mulher que admirou na rua".

A tia de Verissimo seguia à risca as recomendações: "Pela manhã, passava longas horas no quarto de vestir, diante do espelho, maquilando-se e usando de um verdadeiro regimento de cosméticos, penteando-se, colocando sobre os cabelos a redinha, metendo-se nos mais finos e bonitos vestidos, enfiando meias de seda e calçando seus melhores sapatos, dando a impressão que se preparava para uma festa. No entanto, fazia isso apenas para o marido."

Outra regra: jamais discutir por questões de dinheiro. Aliás, o melhor era não discutir por nada. A boa companheira integrava-se às opiniões do marido, agradando-o sempre: "Acompanhe-o nas suas opiniões [...] quanto mais você for gentil na arte de pensar, tanto maior será o seu espírito no conceito dele. Esteja sempre ao seu lado, cuidando dele, animando-o [...] reconhecendo seus gostos e desejos", aconselhava o *Jornal das Moças*, em outubro de 1955. "A mulher tem uma missão a cumprir no mundo: a de completar o homem. Ele é o empreendedor, o forte, o imaginoso. Mas precisa de uma fonte de energia [...] a mulher o inspira, o anima, o conforta [...] a arte de ser mulher exige muita perspicácia, muita bondade. Um permanente sentido de prontidão e alerta para satisfazer às necessidades dos entes queridos." E martelavam os decálogos na imprensa:

> Não telefone para o escritório dele para discutir frivolidades.
> Não se precipite para abraçá-lo no momento em que ele começa a ler o jornal.
> Não lhe peça para levá-la ao cinema quando ele está cansado.
> Não lhe peça para receber pessoas quando não está disposto.
> Não roube do seu marido certos prazeres, mesmo que estes a contrariem, como fumar charuto ou deixar a luz do quarto acesa para ler antes de dormir.

Insatisfações femininas eram desqualificadas. Certa Yolanda dos Santos escreveu para *O Cruzeiro* queixando-se da falta de assistência do marido. Eis o que obteve como resposta: "É da natureza do homem, principalmente daquele que é bem-sucedido em seu trabalho, viver mais para a carreira do que para o lar. Procure suprir com seu equilíbrio e bom senso a lacuna deixada pela falta de assistência do marido. Não lhe guarde rancor [...] ele não faz isso para magoá-la [...] e certamente confia muito em você."

Brigas entre o casal? A razão era sempre do homem. Se razões houvesse, melhor para as mulheres resignarem-se em nome da tal felicidade conjugal. A melhor maneira de fazer valer sua vontade era usar o "jeitinho": o marido cedia, sem saber. E nada de zangar-se. Nada de enfrentamentos, conversa entre iguais ou franqueza excessiva. Se quisesse comprar um vestido, realizar uma viagem ou recuperá-lo depois de um caso extraconjugal – dele, bem entendido! – que usasse o jeitinho. Nada de ser exigente ou dominadora. O melhor era sempre colocá-lo em primeiro lugar, agindo de forma essencialmente feminina. O temperamento poligâmico dos homens justificava tudo: "Mantenha-se no seu lugar, evitando a todo o custo cenas desagradáveis que só servirão para exacerbar a paixão de seu marido pela outra [...] esforce-se para não sucumbir moralmente, levando, tanto quanto possível, uma vida normal, sem descuidar do aspecto físico." No entender dessas conselheiras sentimentais, "o marido sempre volta."

A grande ameaça que pairava sobre as esposas, como já visto, eram as separações. Pesavam a favor do casamento a qualquer preço não só o aspecto afetivo e as necessidades econômicas – a maioria das mulheres de classe média e alta dependia do provedor – mas também o reconhecimento social, pois as separadas eram malvistas.

Lembra ainda Carla Pinsky que outra máxima do casamento, versão anos 1950, era "Liberdade para os homens!". Maridos não deviam ser incomodados com suspeitas, interrogatórios ou ciúmes por suas esposas. Permitir que eles saíssem com amigos, relevar as conquistas amorosas e aventuras, atraí-los com afeição eram procedimentos aconselhados para quem quisesse manter uma boa vida conjugal. Os conselhos vinham do *Jornal das Moças*: "Mais do que o orgulho, o seu dever é mais forte [...] passe uma esponja sobre um desvio, uma leviandade tão próxima dos homens. Caso contrário, quando ele a abandonar, acha que seu ataque de nervos, a sua crise de orgulho secarão suas lágrimas?"

Mas houve quem não quisesse ser infeliz para sempre. A mãe de Verissimo foi uma dessas esposas. Ele contou: "Eu não queria que o casal se separasse, mas compreendia que minha mãe tinha razão, pois sua intenção era salvar a família de desastres maiores [...]. No dia seguinte, fizemos nossas malas e as trouxas e nos mudamos para a casa de nossos avós maternos [...] se levarmos em conta a época, o tamanho e os preconceitos da cidade em que vivíamos, a resolução tomada por d. Bega de abandonar o marido foi um ato de admirável coragem moral [...] desde o primeiro momento minha mãe deixou claro que dali por diante ela arcaria com toda a despesa da casa em matéria de alimentação e que pagaria o salário da cozinheira. Naquele mesmo dia mandou buscar os móveis da casa que abandonara, e que lhe pertenciam."

Ou o relato de Humberto de Campos sobre o fim do casamento de um amigo, o poeta Pereira da Silva, em que fica visível a falta de "entendimento" físico entre os cônjuges. Antes de acontecer mal maior, o marido concedia à esposa o direito de voltar para a casa dos pais: "Imagine que se casou com uma criatura a quem queria bem, a filha de Rocha Pombo. Pouco a pouco, depois do casamento, foi sentindo que ela o evitava de toda

A continuidade da família patriarcal.

Família Lopes de Azevedo, Sabará, MG, 1908.

ARQUIVO PÚBLICO MINEIRO.

a maneira. Até que um dia, ela, em pessoa, lhe confessou a sua situação. Consultando o seu coração, havia ela verificado que não o amava mais. E como viver a seu lado seria uma hipocrisia e um sacrifício, pedia-lhe que a deixasse ir para a casa de seu pai [...]. E o Pereira, com o coração alanceado, deixou-a ir."

Nos anos 1950, enquanto muitas delas se esfalfavam para mantê-los felizes, eles não se privavam das tradicionais liberdades: "casos" ou "cachos" com os quais se encontravam em hotéis da capital, como o Serrador, em bares e clubes, cafés frequentados por putas como o *Cu da mãe*, os puteiros famosos como o Bucetinha de Prata, na rua Alice, os demais na Correa Dutra e Conde Lage, a meio caminho entre o Centro e a Zona Sul – tudo na capital –, a paixão pelas "certinhas" do Stanislaw Ponte Preta, mulheres curvilíneas com biquínis minúsculos, as vedetes do Teatro Rebolado, cujas peças sugeriam um mundo diverso daquele proposto pelo *Jornal das Moças*: "Tem bububu no bobobó", "Vem de ré que eu tô em primeira", as "jambetes" desenhadas por Lan. Gilberto Amado tinha sobre tais hábitos olhar afiado:

> Nosso sistema familial não é, em substância, o sistema monogâmico. Monogamia não existe em nossa organização social. Por isso não há divórcio no Brasil. Por isso a maioria dos homens influentes não concebe sequer a ideia de admitir a dissolução completa do vínculo conjugal. E pode-se notar a propósito como a Igreja é iludida entre nós quando combate, por ortodoxia, a instituição do divórcio. Divórcio é, para a Igreja, poligamia. Não é, porém – e isto me espanta –, o que a Igreja testemunha entre nós, o que todos vemos e que os padres não podem deixar de ver. Na realidade, a única diferença entre as antigas sociedades orientais muçulmanas e a nossa – é que o serralho, o harém, não está na casa do sultão, no mesmo edifício, como nos países árabes. As mulheres, odaliscas ou escravas brancas, não se acham reunidas no mesmo compartimento na residência do marido. Espalham-se por várias casas – *rendez-vous*, bordéis, pensões, *garçonnières*. O marido brasileiro quando volta para casa, de tarde, do escritório, do armazém, do consultório, do clube... já passou na casa da "amiga" (se é rico e a tem teúda e manteúda) ou pelas casas de mulheres e pensões, espalhadas em várias ruas da cidade. Divórcio para quê? As odaliscas estão distribuídas em diversos serralhos ao alcance das bolsas, sem complicações e responsabilidades.

Já as esposas infiéis não deveriam esperar nenhuma compreensão, nenhum gesto de ajuda, nenhuma indulgência. Elas eram fortemente criticadas, quando não punidas. O crime passional enchia as páginas de jornal, sobretudo quando se tratava de "gente de bem", sem contar que a infidelidade feminina estava associada a instintos maternos de péssima qualidade. Adúlteras eram mães ineptas para criar seus filhos: "que atitude deve tomar um marido que se sabe enganado? Permanecer ao lado de quem o atraiçoa seria indigno de sua parte [...] mesmo porque não se pode exigir de um marido que viva com uma mulher que lhe é infiel. Não pode haver harmonia num clima de indignidade. Nesses casos, o pai tem de fazer da fraqueza das crianças a sua armadura de coragem para enfrentar sozinho as responsabilidades que deveriam ser enfrentadas a dois."

A "amigação" e o concubinato resolviam, há quinhentos anos, as uniões nas camadas menos favorecidas. Quem conta é Zélia Gattai: "Um gigante, tio Gígio podia até ser um bonito homem – cabelos pretos encaracolados, olhos azuis – não fosse tão relaxado. Seus negros caracóis jamais viam a cor de um pente, andava desgrenhado. Depois de um casamento que durou pouco, amigara-se várias vezes. Nunca teve filhos. Vivia sempre sozinho, à cata de nova companheira com quem juntar os trapos. Não era amigo do trabalho, preferia ler poesias... Mamãe não se conformava: 'Como pode um homem tão romântico apaixonar-se por mulheres tão horrorosas e ignorantes?' Uma delas, nhá Catarina, cabocla de cabelo nas ventas, mais velha do que ele, uma bruxa feia, viúva, trouxera de quebra para o casamento uma filha boba. Depois veio nhá Belarmina, depois nhá Ana e muitas outras [...] com nhá antes do nome, indicando a condição de matutas. Nenhum de seus incompreensíveis casamentos foi bem-sucedido."

E, desde sempre, concubinatos seguiam jogando água na mestiçagem da população. Veja-se o caso contado, com tintas de intolerância, por Humberto de Campos:

> A 8 de dezembro do ano último, faleceu Carlos de Laet, o maior publicista do Brasil atual. Monarquista literário e católico praticante, tornou-se notável, em particular pela severidade de seus costumes e pela energia com que, na imprensa, atacava os vícios alheios. Morreu aos 82 anos.
>
> – Queres ver quem era o Laet? – pergunta-me Félix Pacheco, e vai contando: uma das minhas irmãs é professora pública na Escola do Largo do Machado. Um destes dias, ao serem reabertas as aulas, apresentaram-se de luto três mulatinhas, que já haviam frequentado o ano anterior. A mais velha tem 11 anos e a mais nova, 7. Ao vê-las de preto, minha irmã indagou se estavam de luto, e a mais velha respondeu que sim.
>
> – Quem morreu de vocês?
>
> – Foi o papai...
>
> – Aqui no Rio?
>
> Sim, senhora. A senhora, com certeza ouviu falar na morte dele... Saiu em todos os jornais...
>
> E ante o espanto da professora:
>
> – A senhora nunca ouviu falar no dr. Carlos de Laet?
>
> E Félix concluiu:
>
> Com 80 anos, aquele catão tinha uma amante, uma enorme mulata de Botafogo!

Fotonovelas difundiam-se, alimentando o romantismo principalmente das mulheres.

Grande Hotel, Rio de Janeiro, editora Vecchi, 1955.

COLEÇÃO PARTICULAR.

A afinidade sexual parece ter sido um fator menos importante no ideal de felicidade conjugal. A esposa era antes de tudo o complemento do marido no cotidiano doméstico. O bom desempenho erótico de uma mulher casada estava longe de contar. As revistas silenciavam sobre o assunto. Apenas a *Querida* assinalava que a independência financeira e o maior acesso às informações favoreceriam o interesse feminino pela "satisfação física". Nas páginas de *O Cruzeiro*, por exemplo, faziam-se breves alusões ao "ajustamento sexual da união feliz", seguida de considerações do tipo: "É tolice pensar que a satisfação sexual solucionará todos os problemas da vida do casal, pois que, na verdade, a harmonia sexual é que depende de outras condições." A certa mineira queixosa, a conselheira lembrava que "não adianta ser apenas boa dona de casa e mãe devotada", deixando de "cumprir com os deveres conjugais". Com ou sem a eterna desculpa – a dor de cabeça –, esposas tinham um débito conjugal a pagar.

Humberto de Campos registrou: "Uma senhora muito amiga contava-me há dois dias que uma sua amiga, tida como esposa de um membro da Academia Brasileira de Letras, vive com este em frequentes desinteligências. Quando sucede ficarem brigados por alguns dias, o acadêmico, sentindo saudades do corpo da companheira, e não querendo falar com ela, prega no espelho da cama um papel com este aviso: 'Hoje tem sessão.' A mulher assim prevenida, vai esperá-lo à noite na cama de casal, de onde se retira duas horas depois, sem ter trocado palavra." Evitava assim que ele fosse buscar o prazer na rua e ela que engolisse o sapo.

O autor nos dá ainda um instantâneo sobre um governador pernambucano: "Imagina, menino, que a senhora do E., dois dias depois de os dois terem chegado ao Recife foi procurá-lo no seu gabinete. À porta, o contínuo deteve-lhe os passos: '– Madame, me desculpe, mas não pode entrar' – disse. '– Eu?', estranhou a senhora, espantada. E com arrogância: '– A mulher do governador do Estado pode entrar a qualquer hora no seu gabinete. Abra essa porta!' Apavorado, o contínuo abandonou a porta e desapareceu. A senhora abriu a porta e atravessou a sala deserta. Adiante, uma porta encostada. Empurrou-a e, abrindo-a sem rumor, quedou imóvel. O E., de joelhos no tapete, de costas para a porta, os olhos fechados, rugindo e uivando, tinha diante de si uma mocinha, a qual, sentada na cadeira de rodízio, dessas de mola, se atirava para trás, cabeça e braços abandonados, no maior prazer do mundo!"

A única possibilidade de separação dos casais nos anos 1950 não dissolvia os vínculos conjugais nem admitia novos casamentos. Em 1942, foi introduzido no Código Civil o artigo 315, que estabeleceu a separação sem dissolução de vínculo, ou seja, o desquite. Desquitados de ambos os sexos eram vistos como má companhia, mas as mulheres sofriam mais com a situação. As "bem-casadas" evitavam qualquer contato com elas. Sua conduta ficava sob a mira do juiz e qualquer passo em falso lhes fazia perder a guarda dos filhos. As posições antidivorcistas, como já vimos, eram maioria. Uma "segunda chance" tinha pouca chance de se efetivar. Mesmo assim, a proporção de separações cresceu nos censos demográficos entre as décadas de 1940 e 1960. Na burguesia, também se tornou mais comum que cônjuges separados seguissem tocando a vida, reconstituindo seus lares por meio de contratos formais ou uniões no exterior.

7. AMORES À MARGEM, AMORES PROIBIDOS

Amores proibidos.
O Rio Nu, p.5. 5 nov. 1904, BIBLIOTECA NACIONAL [HEMEROTECA DIGITAL].

E que dizer dos homens que amavam homens e as mulheres que amavam mulheres? Discretos quando não perseguidos e vítimas de toda a sorte de preconceitos, estes grupos tiveram que viver seu amor nas sombras, pelo menos até os anos 1960. Não faltaram tratamentos médico-pedagógicos que eram sugeridos, junto com a religião, como remédios para a "inversão sexual". O transplante de testículos, por exemplo, era uma dessas receitas "científicas" para o "problema". Outra era a convulsoterapia, ou injeção de insulina, para "curar" o que se considerava, então, um comportamento esquizofrênico. Outra, ainda, o confinamento em hospícios psiquiátricos. A despeito do sofrimento e da incompreensão a que eram submetidos, homossexuais buscaram espaço para seus relacionamentos e, na medida do possível, para viver seus amores. Ouçamos o depoimento de Zazá, "pederasta", como se dizia nos anos 1930 e que, ainda menino, veio morar em São Paulo: "Comecei a amar um rapaz moreno, de olhos negros, gracioso! E a minha paixão foi crescendo! Eu ia morrendo de amor. Que coisa sublime o amor! Mais que amor, mais que loucura, eu tinha por ele! Quantos ciúmes! Até da sua sombra! Se eu brigava e me separava dele, era por umas horas apenas, porque eu não resistia à separação e logo corria a implorar-lhe que não me deixasse. Eu morreria se ele abandonasse a mim."

O interessante – sublinha o historiador James Green – é que entre a década de 1930 e a de 1960 houve alterações significativas na composição e no desenvolvimento das subculturas homossexuais em grandes centros como Rio e São Paulo, centros que acabavam por atrair migrantes homossexuais de todo o Brasil. A pressão que sofriam em suas localidades de origem levava muitos homossexuais a profundas crises familiares ou de saúde, obrigando-os a partir rumo à cidade grande. Buscar trabalho e, sobretudo, escapar à pressão familiar eram as principais metas.

A ambiguidade do amor proibido.

O Riso, ano I, n. 17, p. 10, 14 set. 1911.

BIBLIOTECA BRASILIANA, USP.

Em "Frederico Paciência", escrito em 1924 e revisto várias vezes antes de sua publicação póstuma em 1947, Mário de Andrade narra a estória romântica de dois estudantes que se separaram sem consumar seus desejos, exceto por alguns beijos e abraços furtivos. A distância geográfica põe fim na relação, e o autor expressa, num dos personagens, o alívio diante da contingência de não ter de se assumir como homossexual. Alívio de muitos que se viam constrangidos por seu meio familiar e social. Alívio, segundo vários autores, autobiográfico.

Como descrevi em *História do amor no Brasil*, nesses anos, multiplicaram-se as opções de vida noturna, com bares e pontos de encontros exclusivos. Casas apropriadas para encontros já existiam na capital, em Salvador, Recife, São Paulo e Porto Alegre. Os chamados invertidos se exibiam em *dancings*, cabarés e cinemas. Mais tarde, tais espaços evoluiriam: no Rio, a chamada Bolsa de Valores, na praia de Copacabana em frente ao hotel Copacabana Palace, ou o Alcazar agrupavam os jovens que se exibiam, escolhiam, conversavam e namoravam. Em São Paulo, o Pari Bar e o Barba-Azul agregavam jornalistas, intelectuais e estudantes, numa fauna animada e sem preconceitos. Os cinemas como o Art-Palácio ofereciam um espaço onde homossexuais podiam achar um parceiro para encontro furtivo. Ou eles iam "à caça", em territórios como o Largo do Arouche e Paissandu ou na Nossa Senhora de Copacabana, onde banheiros públicos abrigavam amores rápidos. Fãs-clubes de cantores de rádio e artistas de cinema aproximavam os casais que iam torcer por Marlene, Nora Ney ou Emilinha Borba. Travestis glamorosos encantavam a imprensa e o público nos bailes de Carnaval. Apesar de poderem circular livremente e de desenvolverem uma rede de sociabilidade bastante animada, a "fechação" ou qualquer manifestação de afeto era reprimida em público. Sobravam os pequenos apartamentos onde se recebiam amigos, namorados ou casos.

No cenário urbano se encontrava todo o tipo de parceiro. A preferência pelo bofe ou "homem verdadeiro" que não assumia a identidade homossexual era marcante. "Gosto ainda da praia do Flamengo. Mais bofe, mais homem do que em Copacabana, mais humilde, mais gostoso" – dizia um homossexual a um pesquisador, nos anos 1950. Para muitos,

A bella E. com a sua predilecta fantasia que tanta sorte deu nos salões dos nossos clubs.

o alvo era o tal "homem verdadeiro", "quente" e o desafio consistia em tentar seduzi-los, com drinks ou dinheiro. Invertendo o papel tradicional de passivos, os homossexuais na luta para conquistar sua presa investiam todo seu potencial sedutor.

Convencer uma pessoa a fazer sexo era apenas uma etapa do processo de sedução. Depois, era preciso encontrar um lugar para ir. Os que não tinham um teto eram obrigados a usar os espaços públicos. "Não havia hotéis específicos para gays como tem agora. Transava-se em hotéis improvisados, mas também frequentados por heterossexuais. Hotéis mais baratos sempre permitiam hospedar dois caras por uma noite, às vezes passava-se o final de semana. Na rua 7 de Setembro, lembro, havia um hotelzinho chamado São Tião, a gente ia com muita discrição e ficava hospedado com um cara", narrou um depoente.

Houve quem se prostituísse e contasse depois, em memórias, como fez Carlos Machado. Era nos anos 1930, e muitos gaúchos tinham vindo para a capital na esteira da revolução. Para sobreviver, Machado arrumava encontros de turistas com garotas. Ou outros...

> Um dos problemas que nos afligia era o da indumentária. Não só pelas condições climáticas, como também por certa dose de vergonha acrescida, posso confessar, pelo receio das constantes brigas que aconteciam com os boêmios cariocas, reforçados pelos atléticos remadores do Botafogo, Flamengo, Boqueirão e os do Icaraí, que atravessavam a baía da Guanabara em busca de qualquer tipo de diversão. Estávamos precisando de roupas elegantes, mas onde arranjá-las se o nosso dinheiro não estava dando nem para comer? O nosso Capitão Galeguinho, elemento bastante observador, descobriu que estava hospedado no nosso hotel um bailarino português de nome Francis, que se apresentava no Teatro Recreio com uma importante companhia de revistas. O tal de Francis era um efeminado, dono de um sensacional guarda-roupa. O plano do nosso capitão era simples e eficiente. Haveria um sorteio e o infeliz ganhador teria de conquistar o português, passá-lo nas armas e requisitar seus ternos, camisas, sapatos, gravatas etc. Fui o sorteado e, como ordens são ordens, cumpri rigorosamente o plano traçado. No dia seguinte estávamos todos elegantemente trajados, desfilando pelas ruas da capital federal. Foi a única experiência

homossexual de minha vida e certamente minha mais ativa participação na Revolução de 1930.

A distinção feita pela medicina entre pederasta "ativo" e "passivo", sendo o primeiro identificado com o "macho", é que permitiu a Carlos Machado a experiência sem culpa. Na tradição patriarcal da sociedade, ele continuava homem para valer!

Na década de 1930, explica Paulo Sérgio do Carmo, havia uma íntima troca de informações entre polícia e médicos. Em São Paulo, os "invertidos" pobres eram encaminhados ao laboratório de Antropologia Criminal do Instituto de Identificação, onde médicos desenvolviam estudos sobre as causas da homossexualidade. Surgiam os primeiros estudos, assinados por sexólogos e peritos médico-legais, que se posicionavam contra a posição severa da Igreja católica. Era preciso mais tolerância em relação aos portadores de "desvios sexuais". Em 1935, o famoso médico Leonídio Ribeiro endossava: a homossexualidade estava além do controle individual. Haveria "disfunção do sistema endócrino" capaz de impelir esse comportamento desviante. Esses pobres "enfermos", destituídos de responsabilidade sobre seus atos, só poderiam ser salvos graças à medicina. Mereciam compaixão! Por outro lado, como demonstrou o historiador Kenneth P. Serbin, a hierarquia eclesiástica tentava esconder ao máximo as aventuras sexuais de seus sacerdotes, transferindo-os de paróquia em paróquia.

Casamentos, nessa época? Num trabalho de 1947, *Homossexualismo masculino*, apresentado num seminário sobre medicina legal, o autor Jorge Jaime, apesar do caráter preconceituoso – "Coitados! Infelizes, só adoram machos e por eles se apaixonam" –, propõe algo inédito: os homossexuais deveriam ter o direito de se casar. "Existem milhares de invertidos que vivem maritalmente com indivíduos do seu próprio sexo. Se fosse concedido o casamento entre homens não se criaria nenhuma monstruosidade: apenas, se reconheceria por um estado de direito, um estado de fato [...]. A união legal entre doentes é um direito que só os países ditatoriais negam. Se os leprosos podem casar entre si, porque devemos negar esse direito aos pederastas? Só porque aos normais repugna um ato de tal natureza?"

Tinha uma lógica curiosa, o Jorge Jaime. O casamento entre homossexuais teria outras vantagens além de sinalizar a anormalidade do casal: evitaria a prostituição masculina, impedindo, ao mesmo tempo, que jovens inocentes se casassem com "invertidos". Em tom liberal, Jaime defende: "Um uranista só é feliz na convivência dos homens que lhes saciam os instintos. E muitos homens sentem-se mais felizes quando têm relações com uranistas do que com mulheres. Então, por que não os proteger legalmente? O direito foi posto na Terra para regular interesses recíprocos. Hoje mais do que em época alguma, tem evoluído muito o conceito de família e já se acha mais importante a felicidade que a moral." Mas a pá de cal não tarda. Jaime prossegue implacável: "Mas haverá realmente felicidade onde existem fissuras anais e líquidos contendo gonococos?" Seus argumentos são os mesmos de seus colegas, da geração anterior. Homossexualidade seria doença.

Os rígidos códigos morais da época acentuaram, entre casais e pelo menos até os anos 1960, a dupla "ativo & passivo" ou "bofe & boneca". As bonecas estavam em busca de bofes ou rapazes como parceiros e companheiros, sabendo que a maioria de seus "maridos" acabaria por deixá-los em troca de casamento e filho.

"Em algumas relações de bichas e bofes, o casal se juntava só nos fins de semana, ou se reunia à noite na casa de um amigo ou num hotel para ter relações sexuais. A maioria não morava junto. A bicha era a dona da casa. O bofe fazia coisas de homens, consertos. A bicha cozinhava, arrumava a casa. Alguns bofes não eram tão bofes assim, e ficaram junto com bichas durante muitos anos. Outros bofes se casaram, mantendo relações sexuais eventuais por serem casados. Gostavam ou da pessoa ou da relação homossexual. A meu ver, eles tinham tendência homossexual, só, mas devido à sociedade tinham medo de se declarar", relembra Agildo Guimarães, editor do jornal *O Snob*.

Dentro desse mundo de bonecas e bofes a ideia de dois homens praticando sexo era tão repugnante para as bonecas quanto para a população heterossexual. Era incompreensível para as bonecas que dois homens quisessem se amar. "Bicha era bicha. Bofe era bofe. Bicha não podia ser bofe e bofe não podia ser bicha. Mas conhecemos um casal, onde os dois eram bofes. Era um escândalo, um absurdo. A bicha sempre tinha que ficar passiva", explicava Guimarães sem, aparentemente, se dar conta de que a rigidez dos papéis vigorava também no mundo dos amantes heterossexuais. E também nesse outro mundo não faltavam os decálogos de conselhos amorosos:

Os dez mandamentos da Bicha:

1- Amar todos os homens.
2- Nunca ficar com um só.
3- Evitar falar no futuro.
4- Quanto mais intimidade na cama, melhor.
5- Fingir sempre que ama um só.
6- Nunca esquecer os bofes casados.
7- Beijar todos os bofes.
8- Evitar falar em dinheiro.
9- Não querer as mariconas.
10- Casar só por uma hora.

Os amores homoeróticos proliferavam, encontrando espaços para sua realização; as páginas de jornal se enchiam com escândalos. O caso de Febrônio Índio do Brasil, que gerou enorme comoção, correu o país. Condenado como "louco moral" foi acusado do estupro e morte de menor, vivendo, segundo a imprensa, "no vício da pederastia". Uma aberração: "No caso desse monstro, lamentamos não haver a pena de morte", dizia a manchete.

Os "escandalosos" casos de João Francisco dos Santos, vulgo Madame Satã, no Rio de Janeiro, ou de José Augusto do Amaral, o Preto Amaral, em São Paulo, jogaram luz sobre indivíduos que médicos julgavam "atentar violentamente contra as normas sociais". Suas fichas criminais repletas de acusações de furto, porte de arma, agressões, ofensas públicas ao pudor coloriam o passado dos condenados. O encarceramento foi a solução não só para os considerados criminosos, mas também para várias famílias que não admitiam a homossexualidade de seus membros. O Sanatório Pinel, em São Paulo, recebeu nos anos 1930 diversos desses "pacientes".

Crescia a grande publicidade. E, junto com ela, a homofobia. Humberto de Campos comenta em suas memórias sobre um amigo: "Esse jornalista, que é meu amigo, principiou a aparecer há alguns anos [...] em companhia de rapazes, mais ou menos bonitos, que tomava à sua conta, sustentando-os. Fazia-se acompanhar por eles, vestindo-os da melhor roupa, levando-os às corridas, tratando-os com zelo, o ciúme, os cuidados que os homens só dispensam aos amantes. E logo a notícia correu e o boato se

A literatura proibida.

O Riso, ano II, n. 48, p. 1, 18 abr. 1912.

BIBLIOTECA BRASILIANA, USP.

fixou, de que esse meu amigo se entregava à pederastia ativa."

A homofobia alimentava, como sempre, a violência. E certo dr. Bruxellas, em São Luiz do Maranhão, a encarnou. Numa segunda-feira de Carnaval, encantou-se com certo "corpinho todo branco, com dois seios aprumados clamando por amores e carícias voluptuosas [...] abraçou o dominó, procurando, atacado de cio, o bico dos seios que julgava duros e encantadores da rapariga de 18 anos [...] a suposta mulher, também embriagada, falou ao natural com sua voz grossa de homem: '– Não me aporrinhe seu frango, que eu sou é macho.'" Depois de muitos socos e bofetadas foram ambos levados à presença do delegado de polícia.

Não faltavam as então chamadas tríbades. Cenas de homossexualidade feminina já tinham sido sugeridas em *Mademoiselle Cinema*, romance de autoria de Benjamim Costallat. Outra obra, *Vertigem*, assinada por Laura Villares, conta os amores da *cocotte* francesa, Liliane Carrère, pela paulista Luz Alvarenga. Outras publicações, não muitas, mas não menos importantes, apresentam personagens também em dupla: "as viciadas", lésbicas em tempo integral, as eventuais, heterossexuais que, de tempos em tempos, se entregavam a uma mulher. Para além da literatura, pouco se sabe sobre o universo amoroso das homossexuais femininas, e mesmo Luiz Mott, autor de livro pioneiro sobre o assunto, reconhece a falta de informações para a época. O preconceito contra a homossexual era brutal: perda dos filhos, no caso das casadas; insegurança econômica, no caso das remediadas, brutal pressão familiar para que arranjassem namorados, noivos e maridos.

Mulheres brilhantes como Lota de Macedo Soares e Elizabeth Bishop tiveram de viver sua relação às escondidas. Muitas burguesas fugiram para o interior. No estado do Rio, Petrópolis acolheu alguns casais. Não foram poucas as espancadas por pais, maridos ou filhos revoltados com a situação. Não foram poucos os suicídios em que um bilhete deixado aos parentes revelava o desespero de jovens massacradas com a intransigência familiar.

Nelson Rodrigues inspirou-se no ambiente de internatos femininos para, em *Álbum de família*, contar sobre o pacto de amor de Glória e Teresa que, depois de beijos e juras, são expulsas para não contaminar as demais "inocentes".

ROMANCES DA NOSSA ESTANTE

ESTÃO Á VENDA :

Album de Cuspidos 1ª Serie.	600 réis	Barrado................	600 »
Album de Cuspidos 2ª Serie.	1$000 »	Horas de Recreio	600 »
Diccionario Moderno... ..	500 »	Variações d'Amor..	800 »

Todos esses romances custam mais 400 réis pelo correio

Comichões

Ja está a venda

Preço.... $800 —)(— Pelo Correio 1$200

ALBUM SÓ PARA HOMENS

Encontram-se ahi as mulheres mais bellas em seus misteres de alcova.

CUSTA SIMPLESMENTE 1$000 RÉIS

VARIAÇÕES D'AMOR — Por si só o titulo indica o quanto de bom se reune nesse livrinho onde as gravuras são verdadeiras *muquécas.*

Preço .... 800 – Pelo correio mais 400

Vantajosa commissão aos agentes

ACHA-SE A VENDA

A FAMILIA BELTRÃO

Grande conjuncto de sensações amorosas que fazem levantar até o mais bojudo frade de pedra. Retumbantes gravuras feitas do natural e das scenas mais saborosas.

8. DE CAMA: INFECÇÕES, DOENÇAS E OUTROS MALES

Remédios da família.

Agua Rabello: Hydrolato de Corneiba e Eucalyptus composto. O remédio da família. [S.l.: s.n.], [19--].
BIBLIOTECA NACIONAL [ICONOGRAFIA].

Desde sempre o Brasil bracejou contra epidemias violentas que atacavam a população, sobretudo as camadas mais desfavorecidas. E, desde sempre, para as pestes ou as doenças corriqueiras – que jogavam as pessoas na solidão da cama – faltavam médicos. Quantas guerras o corpo não travou, sozinho, contra o ataque das dores e das febres? Os memorialistas não as esqueceram.

Em setembro de 1918, um navio inglês, o *Demerara*, vindo do Senegal, parou em Recife, Salvador e Bahia. Marinheiros desembarcaram doentes. As autoridades não deram importância até começar a morrer gente. Por que chamar de "espanhola" uma gripe vinda não se sabia exatamente de onde? A historiadora Adriana Goulart explica: a imputação do nome espanhola tem raízes políticas, devendo-se à posição de neutralidade da Espanha durante a Primeira Guerra Mundial, assim como às demonstrações de simpatia pelos alemães por parte de uma facção do governo espanhol. A alcunha atribuída à moléstia – espanhola – ganhou amplitude política, principalmente por iniciativa da Inglaterra.

Carolina Nabuco também tinha uma explicação: "Quase coincidindo com o fim das hostilidades, alastrou-se e deu a volta ao mundo uma epidemia mortífera chamada 'gripe espanhola', por haver começado na Espanha. Fez em pouco tempo mais vítimas do que os cinco anos de guerra. O Rio foi um dos locais mais vitimados no mundo. A cidade tomou um aspecto trágico. Houve ocasiões em que nem se podiam enterrar os mortos. [...] num só dia mil e cem óbitos. Os cadáveres esperavam na calçada à porta de casa para o caso de aparecer transporte [...] os raríssimos bondes que ainda circulavam passavam quase vazios. Toda a população estava doente em casa."

Não só faltavam condutores de bondes. Também não havia "quem fabricasse caixões, quem os levasse ao cemitério, quem abrisse covas e enterrasse os mortos. O espantoso já não era a quantidade de doentes, mas o fato de estarem quase todos doentes, a impossibilidade de ajudar, tratar, transportar comida, vender gêneros, aviar receitas, exercer, em suma, os misteres indispensáveis à vida coletiva", complementou Pedro Nava. Em outras cidades, nos jornais lidos à noite, espalhavam-se as notícias dos horrores por que passava o Rio de Janeiro.

Nelson Rodrigues chamava a gripe espanhola de "a morte sem velório. Morria-se em massa. E foi de repente. De um dia para outro, todo mundo começou a morrer. Os primeiros ainda foram chorados, velados e floridos. Mas quando a cidade sentiu que era mesmo a peste, ninguém chorou mais nem velou, nem floriu. O velório seria um luxo insuportável para os outros defuntos. Era em 1918. A morte estava no ar e repito: difusa, volatizada, atmosférica; todos a respiravam. Na minha janela, da rua Alegre, eu olhava a rua. As casas, tristes, inconsoláveis [...] durante toda a Espanhola, a cidade viveu à sombra dos mortos sem caixão".

A doença dava medo. Tinha-se temor de sair à rua, pois em caso de mal-estar dependia-se da caridade alheia, de ser recolhido por um camburão policial ou rabecão de alguma funerária! Em São Paulo, especialmente, quem tinha condições deixou a cidade, refugiando-se no interior, onde a gripe não tinha aparecido. Se, para a maior parte das pessoas, imperava a visão de que se tratava de doença corriqueira, uma simples "limpa-velhos", como se dizia então, logo saltou aos olhos o número de óbitos e a ineficiência das estruturas sanitárias: faltavam leitos, ambulâncias, material médico e profissionais adequados. Embora não fosse novidade, a falta de condições das instituições de saúde para socorrer a população foi o primeiro dos muitos problemas agravados pela epidemia. Na falta de soluções, reapareciam velhas receitas pelos jornais: pitadas de tabaco, caldo de galinha com limão ou folhas de alfazema queimadas para evitar o contágio e desinfetar o ar. Com o avanço da pandemia, distribuiu-se sal de quinino à população. Adiantou? Não...

A historiadora Adriana Goulart lembra ainda que a epidemia só fez explodir uma raiva acumulada durante anos contra o desmazelo que o governo tinha para com a saúde de um modo geral. Ninguém lhe desculpava a inércia. A limitação do socorro público foi compensada pela iniciativa de instituições privadas: igrejas, escolas, clubes e a Cruz Vermelha Brasi-

NAS PÁGINAS 496 E 497
Pacientes com gripe espanhola internados no Hospital do Méier.
Careta, Rio de Janeiro, n. 522, ano 1, 23 nov. 1918.
BIBLIOTECA NACIONAL [HEMEROTECA].

PÁGINAS 498 E 499
Cadáveres se acumulavam e eram sepultados em valas comunitárias.
Fon-Fon, Rio de janeiro, n. 44, ano 12, 2 nov. 1918.
BIBLIOTECA NACIONAL [HEMEROTECA].

leira. Quarentena? Isolamento? Não adiantava, respondiam os médicos de mãos vazias.

Já as autoridades preferiram censurar a imprensa. Nada de más notícias! Mas pessoas morriam como moscas, o desabastecimento das capitais aumentava, as cidades em pânico e os serviços públicos, parados. Pedro Nava testemunhou: "Verdadeiros ou falsos os boatos, era como se fossem realidade pelo impacto emocional que causavam. Descrevia-se a fome. Os ataques às padarias, armazéns e bodegas por aglomerados de esfomeados e convalescentes esquálidos, roubando e tossindo. Dizia-se de famílias inteiras desamparadas – uns com febre, outros com fome; de criança varada, sugando o seio da mãe morta e podre; dos jacás de galinhas reservados para os privilegiados, para a gente da alta e do governo, passando sob a guarda de praças embaladas aos olhos de uma população que aguava. Seria verdade? Era. Posso testemunhar contando o que passei, o que passamos na casa onde estava – pura e simplesmente a fome. Conheci esta companheira pardacenta."

A ira popular se abateu sobre diversos personagens do governo. O próprio presidente Venceslau Brás e o então diretor da Saúde Pública, Carlos Seidl, foram os principais alvos. Carlos Chagas teve então papel preponderante: à frente do Instituto Oswaldo Cruz, liderou a campanha para combater a gripe espanhola, implementando cinco hospitais emergenciais e 27 postos de atendimento à população, em diferentes pontos do Rio de Janeiro. Em São Paulo, conta o historiador Cláudio Bertolli, foi a vez de a sociedade civil se organizar, tratar seus doentes, enterrar seus mortos. Graças a uma intensa mobilização coletiva, em poucos dias a cidade contava com 9.336 leitos distribuídos em oito hospitais permanentes, além dos leitos instalados nos 31 hospitais provisórios. Entraram em funcionamento também 44 postos de socorro que forneciam gratuitamente consultas, remédios e alimentos. No auge da crise, alguns desses postos transformaram-se em enfermarias.

Em Belo Horizonte não foi diferente: foram fechadas as escolas e as faculdades de direito e medicina, clubes e casas de diversão. Eventos foram suspensos e se alguém espirrasse, os demais se afastavam rápido. Sem

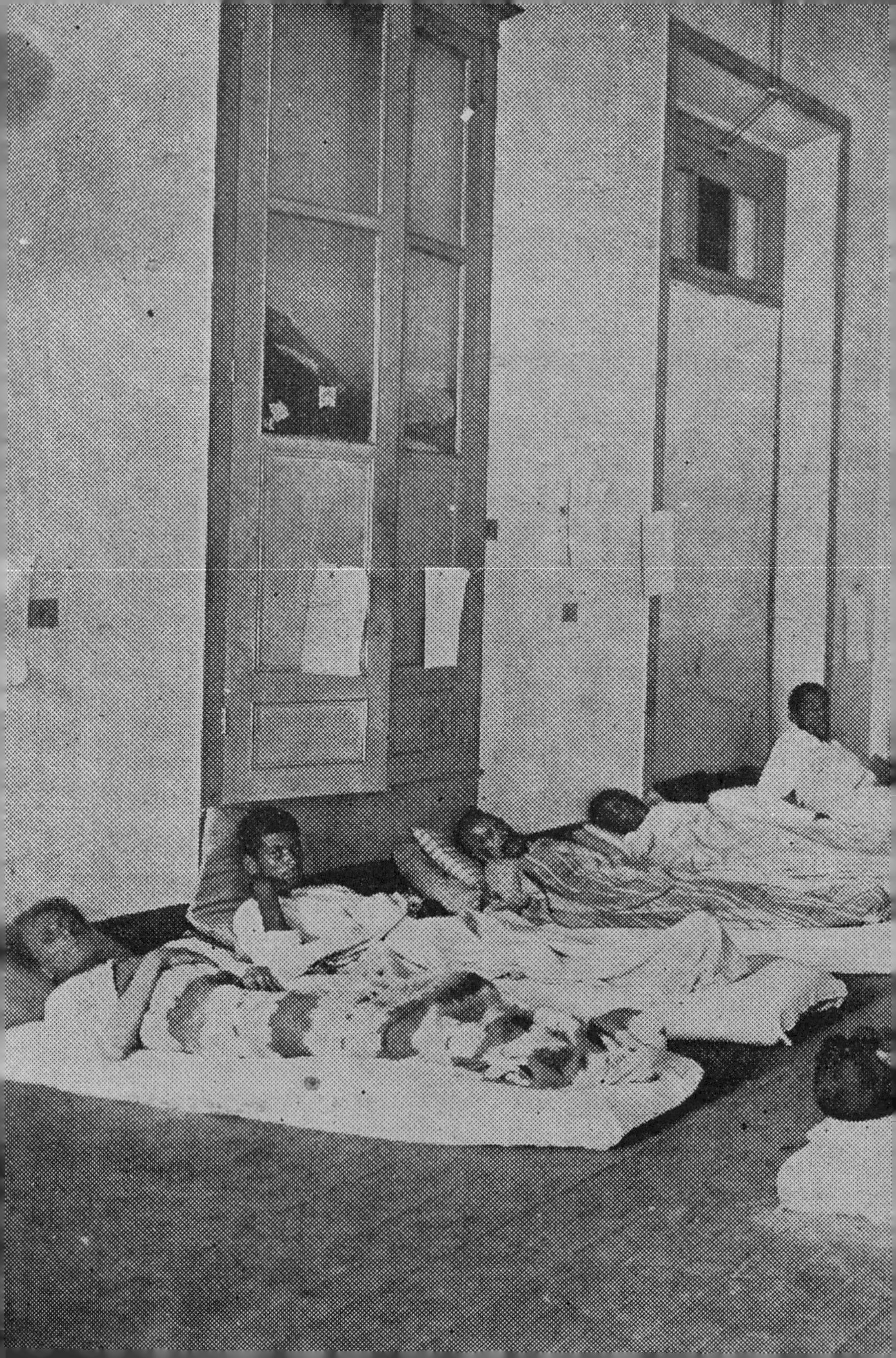

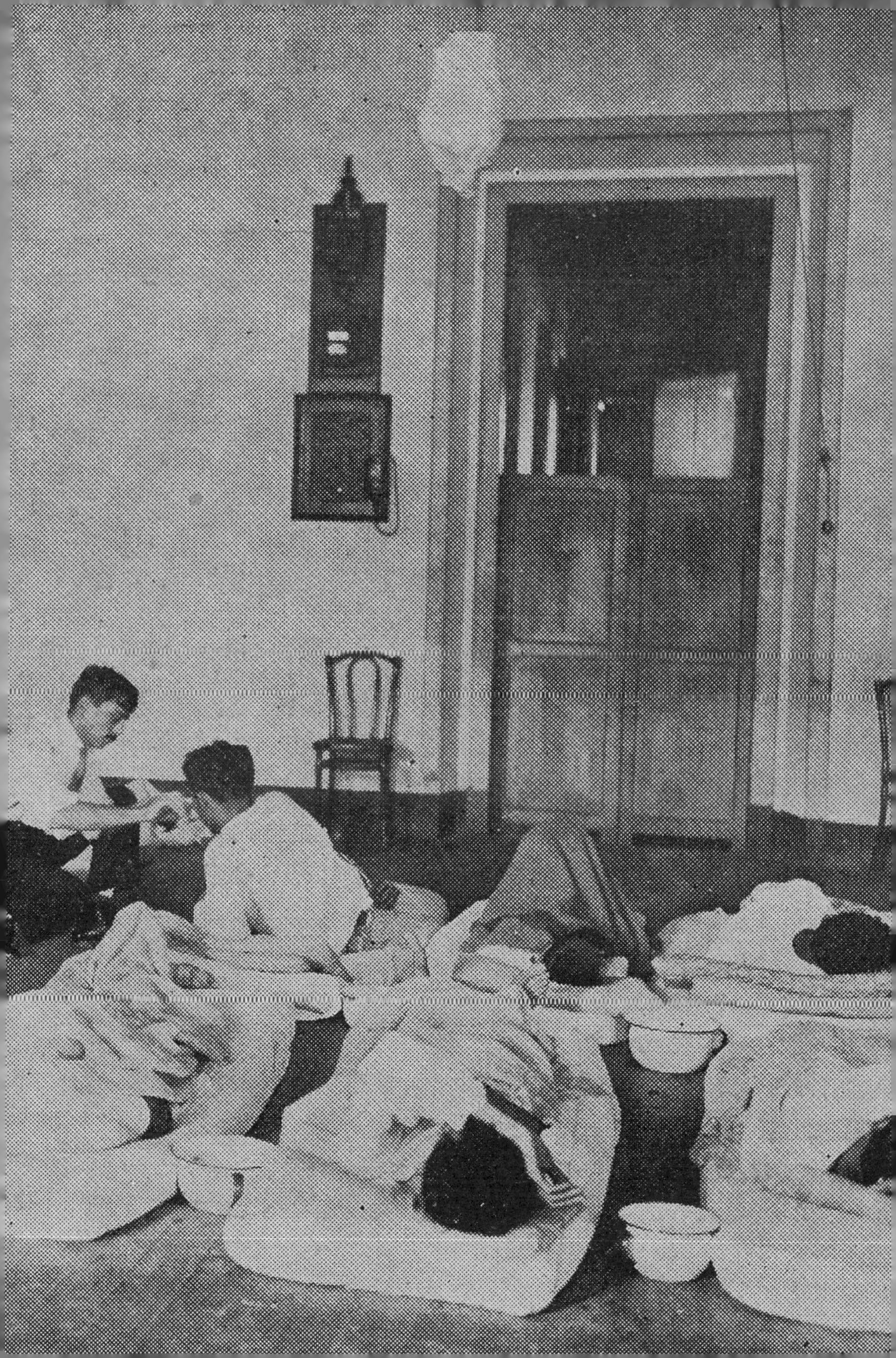

comércio, nem empregados, crescia a especulação e a carestia. E como nas outras capitais, prevaleceu a solidariedade no socorro das vítimas. A historiadora Anny Silveira destaca a forma ativa com que as colônias italiana e espanhola ampararam patrícios e contribuíram no tratamento dos enfermos da capital. Não há números exatos, mas estima-se que, entre outubro e dezembro de 1918, período oficialmente reconhecido como pandêmico, 65% da população tenha adoecido.

Outra moléstia que não se apiedava das pessoas foi a tuberculose: a temida "peste branca". Sua letalidade? Em Porto Alegre, por exemplo, 60% dos óbitos do início do século lhe eram atribuídos: ela matava uma pessoa por dia! Infecção tão antiga quanto a humanidade, ela permitia que o sangue se alojasse nos pulmões, contribuindo para sua putrefação. Os sintomas eram conhecidos desde a Antiguidade: sons anormais produzidos no peito, dor torácica intensa, tosse frequente, escarro grosso e purulento, respiração trabalhosa, rouquidão da voz, rubor facial e empelotamento da língua. Mais tarde, o inchaço dos pés e joelhos, a profusão de suores, as unhas curvas e a diarreia intensa eram sinais da proximidade da morte para o doente do peito. Quem isolou o bacilo da moléstia foi o alemão Robert Koch que, desde 1876, recebeu apoio do Estado germânico para desenvolver suas pesquisas. Em março de 1882, o bacteriologista leu perante a Sociedade de Fisiologia de Berlim uma dissertação de sua autoria em que comunicou ter descoberto o "agente causal" da tuberculose.

Um ilustre tuberculoso nosso foi Manuel Bandeira: "Quando caí doente em 1904, fiquei certo de morrer dentro de pouco tempo: a tuberculose era ainda a 'moléstia que não perdoa'. Mas fui vivendo, morre-não-morre e, em 1914, o dr. Bodmer, médico-chefe do sanatório de Clavadel, tendo-lhe eu perguntado quantos anos me restariam de vida, me respondeu assim: 'O senhor tem lesões teoricamente incompatíveis com a vida; no entanto, está sem bacilos, come bem, dorme bem, não apresenta em suma nenhum sintoma alarmante. Pode viver cinco, dez, quinze anos... Quem poderá dizer?' Continuei esperando a morte para qualquer momento, vivendo sempre como que provisoriamente."

Sanatório era uma palavra que acompanhava o diagnóstico. O de Clavadel, na Suíça, era o destino de quem tinha dinheiro. Acreditava-se que os bons ares das montanhas ajudavam a limpar os pulmões. E os dos

O importante bacteriologista Robert Koch.

Selo, s.d.

COLEÇÃO PARTICULAR.

Alpes, então?! Era "a utopia da viagem salvadora", como bem denominou a historiadora Ângela Porto. Ela explica que o isolamento para evitar contágio era regra. Os sanatórios propunham um ambiente carcerário e monacal, o contato permanente com a doença e a morte, enquanto ofereciam as mais avançadas técnicas de cura: o ouro intravenoso, a tuberculina, o pneumotórax e vários tipos de cirurgia. Se não curavam, tais cuidados ajudavam o organismo a se defender dos desgastes causados pela doença.

Se retraído, em casa, o acesso ao quarto do doente era restrito, a comida, preparada em separado, e nenhum contato com objetos coletivos. "Escondiam-se os acamados, considerados pessoas sensíveis, dotadas de gênio especial: 'Em mim, o poeta é a tuberculose'", explicava Bandeira. Rachel de Queiroz, aos 16 anos de idade, chegara a ansiar pela tísica, tendo em vista os dotes intelectuais e interessantes que a doença supostamente proporcionava.

O médico era o grande chefe da orquestra de silvos e miados que tocava no peito do doente. Olhá-lo nos olhos, dar-lhe tempo de descrever suas dores, fazer perguntas que não fossem banais, eram marcas de atenção. Nelson Rodrigues homenageou o que lhe atendeu, o dr. Brauner:

> Bem sei que a medicina é, hoje, um voraz, um escorchante sacerdócio. E Brauner nunca me cobrou um tostão, nunca. Vinha da Tijuca, o que era

Sanatório de Leysin, Suíça, década de 1919.

Cartão postal publicitário.

COLEÇÃO PARTICULAR.

quase outro país, quase outro idioma. Eu me lembro da primeira vez em que entrou lá em casa. Era de uma bondade grave, quase triste. Pôs o ouvido nas costas, de um lado e de outro. Eu o vejo, ainda mais grave e ainda mais triste, dizendo: "Sinais discretos." [...] O que se escondia, ou, por outra, o que não se escondia por trás da suavidade da voz e das maneiras, era uma doença mortal. Eu estava tuberculoso. E o dr. Brauner foi, na minha vida, um momento da bondade humana. Ao entrar na sala, vira a miséria; no corredor, a miséria; no quarto, a miséria. Falou com o radiografista, que não cobrou a chapa; falou com o Aloízio de Paula, que também não me cobrou a consulta. E ainda arranjou remédios, tudo de graça [...]. Naquela época, os jornais chamavam a tuberculose pelo nome nupcial, voluptuoso e apavorante de "peste branca". Hoje, não. Hoje, há lesões que somem em 15 dias. Em 1934, porém, havia ainda o terror. Lembro-me de um vizinho que apanhou, como então se dizia, uma "fraqueza". Ao saber que estava tuberculoso, chorou três dias e três noites. Nem começou o tratamento. Ao amanhecer do quarto dia, meteu, como Getúlio, uma bala no peito. E seu feio medo descansou na morte. Se me perguntarem por que fiquei doente, diria apenas: fome. Claro que entendo por fome a soma de todas as privações e de todas as renúncias [...]. Eu não tinha roupa ou só tinha um terno; não tinha meias e só um par de sapatos; trabalhava demais e quase não dormia; e quantas vezes almocei uma média e não jantei nada? Tudo isso era a minha fome e tudo isso foi a minha tuberculose. Bem. Agora não é assim.

Alberto da Costa e Silva depois de examinado consolou-se com o que ouviu do especialista: "– O seu caso não é grave. Você descobriu a doença logo no início. Em pouco tempo estará de volta à vida normal. Por enquanto, paciência. Repouso absoluto. Só se levante da cama para as refeições. Banho, uma vez por semana. Nada de leitura. Mas pode ouvir um pouco de música." Tendo melhorado, num sanatório em Campos de Jordão, interrompeu as aplicações de estreptomicina. "Continuava com o PAS e uma dezena de cápsulas, a cada refeição. E passei para um regime de repouso mitigado. Poderia ler na cama ou numa cadeira de repouso na varanda durante uma hora, pela manhã e outra à tarde, conversar normalmente, escrever uma carta por dia e dar um passeio, curto e sem cansar-me, pelos arredores, antes do almoço. No resto do tempo, leito."

Casada com um tuberculoso, Adalgisa Nery acompanhou o marido ao sanatório: "As manhãs eram um espetáculo de fim. Os vizinhos doentes surgiam mansamente das suas casas [...] deitados em espreguiçadeiras de lona, esquálidos, enrolados em pesados agasalhos respiravam mais do que necessitavam, o oxigênio das montanhas. De mãos esqueléticas e transparentes, rostos pálidos, olhos fundos, nucas descarnadas, pescoços finos eram as figuras que faziam a procissão matinal diante de minha janela. O que mais me afligia era a diversidade de tons de tosse. Uns, pareciam que no esforço descolavam o pulmão. Eu ficava apavorada com a ideia de presenciar uma hemoptise [...] recomendavam uns aos outros remédios infalíveis."

Sua biógrafa, Ana Arruda Callado, conta que o doente a obrigava a beber no mesmo copo, gesto que, a crer na virulência do bacilo, a condenaria à morte. E que Adalgisa teria finalmente presenciado a hemoptise que matou o marido, o pintor Ismael Nery.

A ausência de participação efetiva do poder público para o controle da doença ensejou o surgimento, entre médicos e sociedade civil, das primeiras instituições criadas especialmente para abordar o problema seguindo modelos europeus. Nesse contexto, já em 1899, foram fundadas a Liga Brasileira Contra a Tuberculose no Rio de Janeiro, atual Fundação

Ataulpho de Paiva, e a Liga Paulista Contra a Tuberculose. Campanhas de educação sanitária, atendimento aos pobres e estímulo à criação de sanatórios e dispensários ajudavam a combater a peste branca. Oswaldo Cruz, então diretor-geral de Saúde Pública, ao reconhecer a necessidade da atenção das autoridades sanitárias em relação à doença, instituiu o Plano de Ação Contra a Tuberculose, visando à implantação de condutas profiláticas e terapêuticas, infelizmente, de pouca repercussão.

Claudio Bertolli sublinha que, almejando a modernidade do país, Getúlio Vargas buscou emprestar novo rumo ao papel do Estado nas campanhas contra a doença pulmonar, mostrando-se sensível aos pedidos de apoio da até então apagada Federação Brasileira de Tuberculose – entidade fundada em 1931 – e também oferecendo suporte econômico aos sucessivos Congressos Nacionais de Tuberculose, realizados a partir do final daquele decênio. Mais ainda: o presidente encomendou ao diretor do Departamento Nacional de Saúde, o higienista João de Barros Barreto, a elaboração de um plano nacional e centralizador de combate à peste branca. Dois anos depois, em 1940, Barros Barreto finalizou o projeto requerido pelo presidente, ressaltando que a "ameaça sanitária número um do país" deveria ser combatida por meio da criação de uma rede de sanatórios federais, localizados nas periferias das maiores cidades brasileiras. Aprovado por Vargas, o documento preparado por Barros Barreto nunca chegou a ser colocado integralmente em prática, principalmente devido à perene alegação de escassez de verbas, fato que ditava o ritmo lento das edificações dos prédios que deveriam abrigar as casas de saúde especializadas. Por isso, muitos dos sanatórios idealizados só foram entregues à comunidade uma década depois, momento em que a proposta médica de isolamento nosocomial dos tuberculosos entrava em franca decadência.

À novidade da espanhola e da peste branca, juntava-se uma velha conhecida, de pelo menos 500 anos: "Grassava no Rio a febre amarela, sobretudo no verão, mas nós permanecíamos na cidade. Mamãe nos fazia invocar São Roque, o santo tradicionalmente ligado às epidemias. Nessa época do perigo, acrescentávamos na oração da noite as palavras: 'São Roque, valei-nos' [...]. O sintoma da prova eram os vômitos negros. Não havia mosquiteiros nas nossas caminhas, sinal de que se ignorava ainda o meio de transmissão do mal... As vítimas eram crianças em geral ou estrangeiros chegados de pouco. O modesto orçamento sob o qual viviam meus pais, nesses primeiros anos da República, não lhes permitia pensar em tomar casa em Petrópolis", lamentou Carolina Nabuco.

PÁGINA SEGUINTE

A febre amarela lotava os hospitais.

MERRILL, Dana B. *Interior of native ward, Candelaria Hospital.* Porto Velho, [1910].

BIBLIOTECA NACIONAL [ICONOGRAFIA].

De 1903 a 1907, Oswaldo Cruz concentrou-se em medidas estratégicas para acabar com o *aedes aegypti*, conseguindo, em quatro anos, debelar a doença que assolava a capital brasileira havia mais de cinquenta anos, com o sacrifício de 60 mil vidas. A caça ao mosquito foi implacável. Afugentavam-se os insetos adultos das casas, com queima de pó-da-pérsia, folhas de eucalipto, enxofre ou fumo; para eliminação de possíveis criadouros de larvas as equipes sanitárias limpavam o lixo das ruas e terrenos, eliminando todos os recipientes onde se acumulava água, lavavam caixas d'água etc. Campanhas semelhantes foram eficazes para o saneamento de outras regiões do Brasil, como Vitória, Manaus e o estado do Pará, alcançando os mesmos resultados, permitindo afirmar que a doença estava regredindo. Engano.

Na década seguinte, a febre amarela mostrava resistência no Norte do país, segundo as historiadoras Aleydis Tasco e Cristina Campos. Em 1923, a Fundação Rockefeller, instituição filantrópica estadunidense, fez um acordo com o governo para orientar a solução do problema da luta contra a doença no Brasil em todas as principais cidades do litoral entre o Rio de Janeiro e o Ceará, excetuando o Distrito Federal. Problema sem fim, em meados de 1928, a febre amarela abalou os estados de Sergipe e Pernambuco. Vários casos também foram registrados em Salvador. Apesar dos combates mantidos pela Fundação Rockfeller, em maio daquele ano, descobriu-se casos na capital do Brasil, onde a doença não fora detectada desde a memorável campanha de Oswaldo Cruz. Os médicos culparam o poder público pela volta da enfermidade, alegando que as autoridades não tinham mantido a campanha de combate clássica, permitindo a ingerência de um país estrangeiro. Apesar das críticas nacionalistas, o mosquito continuou se multiplicando e segue presente e ativo, até hoje, assim como o lixo exposto das ruas e das casas.

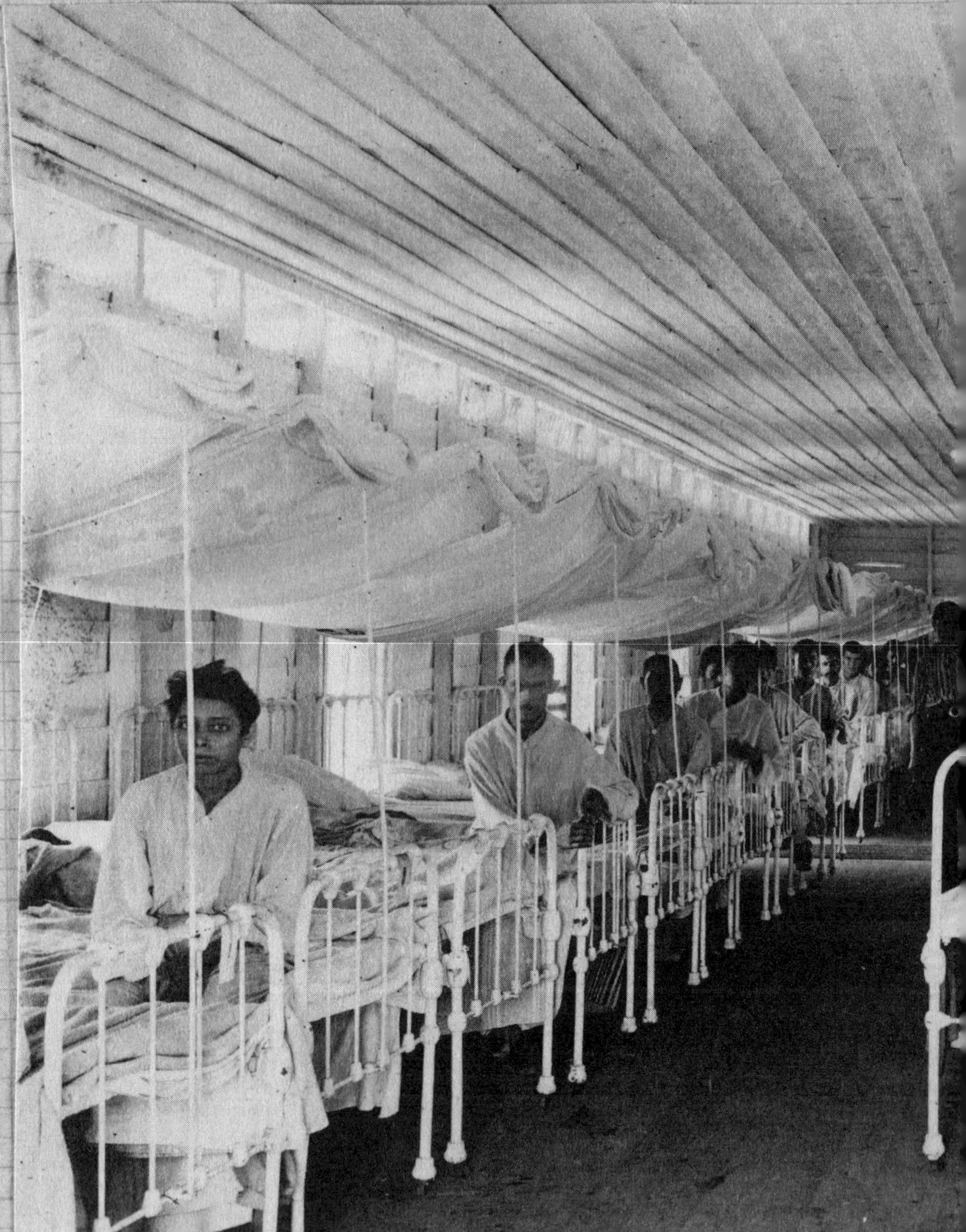

Interior of Nativ

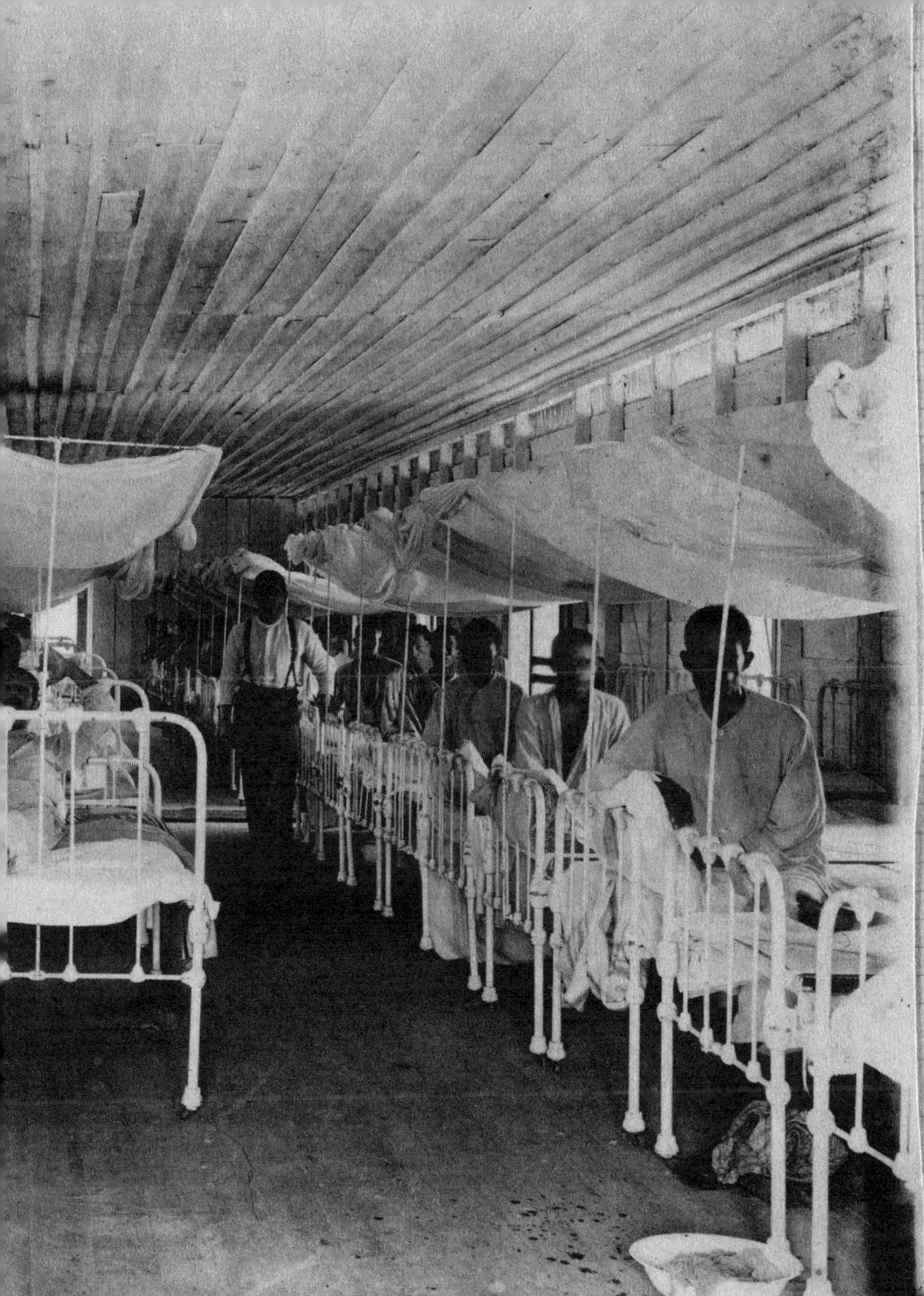

...ard, Candelaria Hospital

Mais pestes? Sim; a bubônica em Recife, por exemplo. Gilberto Amado a viu de perto:

> Subindo as escadas da república, na rua da Imperatriz, poucos dias depois da minha mudança, recuei: três ou quatro ratos jaziam mortos nos degraus. Corriam rumores de que a peste bubônica grassava no Recife. Numerosas mortes, até de gente conhecida, eram relatadas. Pulei por cima dos bichos e, botando a alma pela boca, mencionei o encontro da escada aos companheiros da república. Já vieram desinfetar, disse um deles, e deu de ombros. Os outros não quiseram conversa sobre o assunto. Sem hesitação, soquei a roupa, sapatos, escova de dente, tudo que possuía, na mala, e eu mesmo a arrastei escada abaixo. O barulho fez aparecer gente à porta do primeiro andar. "Ratos mortos!" – gritei. "Ora!"– disseram, rindo, enquanto me ajudavam a puxar a mala. Três dias depois morria Odilon Martins, o rapazinho sergipano, gorduchote e simpático [...]. Morreu o outro calouro, também de Sergipe, da Cotinguiba [...]. Em várias outras repúblicas verificaram-se mortes de estudantes. Os comentários eram nulos; a resignação do nortista, sua aceitação primitiva da sorte, aí se manifestava [...]. A peste bubônica deu na casa. Em fase de intensificação da luta contra a epidemia, já então declarada e confessada pelas autoridades, o prédio foi evacuado.

Transmitida pela pulga dos ratos, a epidemia abateu-se sobre a cidade, já varrida pela espanhola. Além das doenças que atacavam grupos ou cidades, havia as individuais. Embora pertencessem a um mesmo gênero, atingiam diferentemente cada doente, trazendo-lhe sofrimentos específicos. A sífilis ou "grande mal venéreo" era uma delas. Segundo a historiadora Vera Regina Beltrão Marques, nos anos 1920, ela grassou no país. Os ventos modernistas associados à "sexualidade exacerbada" levavam ao "descontrole sexual". O médico Renato Kehl afirmava ser crime contra a civilização o descuido da geração do amanhã. Cabia ao governo era zelar pela saúde da população.

Registrada desde o século XVII no Brasil, então chamada de *morbo gallico*, a sífilis preocupava doutores em academias e faculdades de medicina. Entre eles, Oscar Fontenelle. Além de médico, advogado, político e ex-chefe de polícia, asseverava ser a sífilis "um mal que alcança segura-

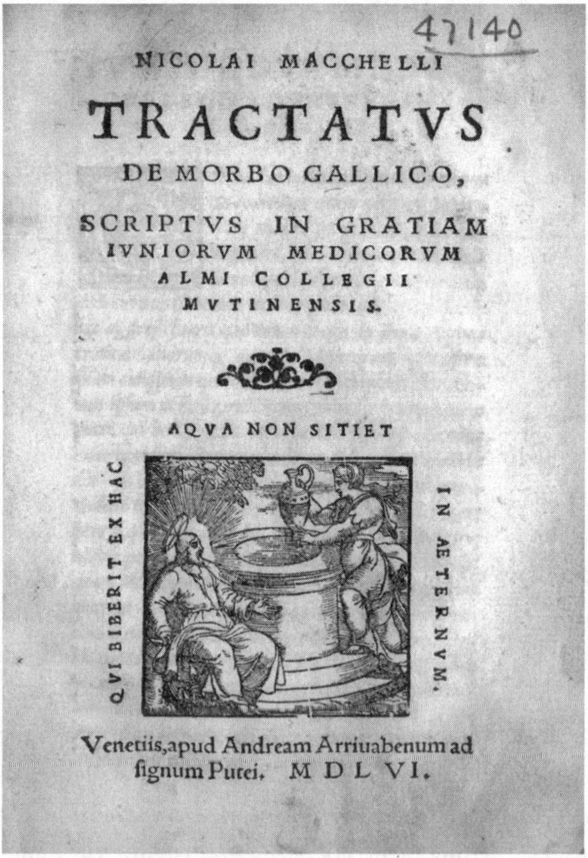
47140
NICOLAI MACCHELLI
TRACTATVS
DE MORBO GALLICO,
SCRIPTVS IN GRATIAM
IVNIORVM MEDICORVM
ALMI COLLEGII
MVTINENSIS.
AQVA NON SITIET
QVI BIBERIT EX HAC IN AETERNVM.
Venetiis, apud Andream Arriuabenum ad
signum Putei. M D L VI.

Sífilis, o antigo Morbo Gallico.

Folha de rosto do livro *Tractatus de Morbo Gallico,* de Nicolau Maquiavel.
COLEÇÃO PARTICULAR.

mente um terço da população adulta; um mal cujos acidentes terciários são mortais; um mal que frequentemente acarreta a esterilidade e que pode transmitir-se aos descendentes, seja sob forma infecciosa, rapidamente letal, seja sob forma de taras tão numerosas como variadas". E até a quarta geração! Como salvar a "raça" brasileira desse flagelo através de uma "redenção sanitária"?

A resposta era: combatendo e saneando a prostituição. No Paraná, estudado por Marques, as "sensuais pecadoras" eram convidadas a passar por um Dispensário Anti-Sifilítico para exames. As contaminadas eram tratadas. Um Serviço Higiênico Policial das Meretrizes recenseava-as, garantindo um "contato higiênico e puro". Outros preferiam a educação e a propaganda como meio mais eficiente de combate à doença. Em tempos de construção de um mercado de trabalho, era mandatório preservar a saúde dos operários. E dos jovens que eram o futuro da nação. Sobre esses tempos, registrou Gilberto Amado:

> Minha nova morada, na rua do Imperador, para além da igreja de São Francisco [...] também república de estudantes, era ainda no segundo andar de casa tão velha quanto a da rua da Imperatriz. No primeiro moravam mulheres da vida baratas, mulatas, cafuzas, pretas. O tráfego e o tráfico eram contínuos até alta noite – risadas, palavradas, gritarias. Na escada cruzávamos com visitantes subindo e descendo, pares enlaçados, aos cochichos. Ouvíamos e presenciávamos cenas, altercações, polícia chegando e saindo. Os rapazes da república frequentavam o andar; uns dormiam "embaixo", outros traziam mulheres para cima, o que, tendo motivado protesto, deixou de acontecer. Entre as mulatas, uma havia mais atrevida do que as outras, pois batia à nossa porta alta noite. Falava cicioso, mas não sem certa graça. Era visível, porém, à mais ligeira inspeção, que estava carregada de moléstias do mundo. Contaminou quase todos os "republicanos". Dominado, desde cedo, por um senso naturalístico da vida, acreditando em micróbios, contágio, infecção, e disposto a não sacrificar definitiva e desnecessariamente a saúde, não me deixei arrastar e imolar na facilidade em que via tantos colegas se desgraçarem. Troçavam-me, na sua inconsciência [...]. A mulata provocava-me, usava de todos os meios de atração [...]. Tinha medo até do hálito distante. Dois anos depois, encontrava-me eu já escrevendo no *Diário de Pernambuco*, ganhando bem, morando [...] num quarto de frente, limpo, cujas janelas no terceiro andar abriam-se sobre a copa de altas árvores [...]. Recebi em mau papel uma carta em péssima caligrafia e pior ortografia. A mulata, do hospital, pedia-me um "auxílio". Lembrara-se do meu nome. Lia o *Diário de Pernambuco*, ou lho haviam insinuado? Enterneci-me [...]. Não só mandei o que pude, boa soma, como me interessei com os serviços do hospital em benefício dela. Informaram-me depois que, curada, voltara para a cidade do interior de onde viera, a fim de readquirir carnes para continuar a vida. Nunca mais a revi.

Apesar da mortalidade da sífilis ser baixa e a da tuberculose, alta, a primeira converteu-se em doença simbólica no imaginário das pessoas: ela nascia de um "comportamento degenerativo" e de práticas sexuais não convencionais. O sexo durante a menstruação era proibido pela possibilidade de transmissão da doença pelo sangue. E, no caso da sífilis bucal, proibia-se o beijo na boca. Para preveni-la, só uma "pastoral pedagógica" atacando moralmente seus portadores! A descoberta do agente causador da sífilis, em 1905, ajudou a compreender o mal. Mas, para combatê-lo, faltavam remédios, farmácias e médicos, observou a historiadora Leonor Schwartsmann.

No outro extremo do país, uma cena não escapou a Erico Verissimo, cujo pai era dono de uma farmácia e atendia emergências: "Aconteceu-me passar pela porta aberta do consultório e o que vi lá dentro me deixou horrorizado. Em cima da mesa de operações, uma menina de cor parda, que não teria mais de 15 anos, estava deitada de costas, na posição ginecológica, esperando que meu sócio começasse a fazer-lhe curativos. Sua vagina pareceu-me uma escura caverna cheia de estalactites e estalagmites purulentas. Senhores casados também tratavam no maior segredo em nossa farmácia suas blenorragias e seus cancros... Estávamos na era A.P., isto é, Antes da Penicilina, de sorte que se usava ainda o permanganato, o mercurocromo e não raro, a tortura do nitrato de prata."

Mazelas da infância e da juventude, muitos sofreram. Verissimo foi vítima de uma meningite complicada por broncopneumonia. "Sobrevivi" – registrou – e ganhou o apelido de "gafanhoto" por suas pernas e braços tão finos. Para ficar mais forte, bebia Emulsão de Scott que estampava no vidro a imagem de um homem com um bacalhau às costas. Longe de maldizer o gosto do óleo de fígado de bacalhau, Verissimo sonhava com "sensacionais pescarias nos mares nórdicos. Inventei em torno dessa figura as mais variadas ficções".

Outro sobrevivente foi Wilson Lins: "Sobrevivi a várias crises de sezão, numa das quais sobreveio um sarampo brabo que chegou a ser confundido com meningite, do qual não escapei de todo ileso, porquanto acometido de deformante estrabismo convergente, no olho esquerdo, que, por pouco, não desparecia atrás do nariz... Nascido às margens de um dos mais insalubres cursos d'água do país, aos 2 anos eu já era um paludado crônico, sob os cuidados diuturnos de minha mãe e da irmã de criação de meu pai [...]. A infância enfermiça, o estrabismo crônico, acabaram por me fazer afundar numa timidez que me levaria a adquirir o hábito de ler para me esconder do mundo, impedindo-me de adotar o hábito de estudar."

Outro salvo por milagre foi Pedro Calmon: "Aos 12 anos, adoeci. Parecia inflamação da garganta, que se cura a pinceladas. Piorava. Fui chamar na casa vizinha o primo, doutorando em medicina, Eduardo Bittencourt. Apavorou-se: era difteria. Correu ao laboratório do estado. Só havia uma ampola de soro. Disse-me, depois, que me salvou o único soro existente na Bahia!"

Criança para ficar forte tomava xaropes. Eram obrigatórios também os "mata-bichos", ou vermífugos, encarregados de "purificar o sangue". Quem os tomou foi Zélia Gattai:

> Uma vez por mês, nós tomávamos um purgante: Sciroppo Pagliano. Esse remédio italiano era a coisa mais desesperadoramente horrível que existia. Grosso, enjoado, raspava na garganta. Três pessoas eram convocadas para me imobilizar – papai inclusive – ao lado de um copo de laranjada e açúcar. Alguém apertava meu nariz, mamãe enfiava a colher com o purgante em minha boca, ao mesmo tempo que gritava em todas as línguas:
>
> – Súbito! Súbito, rápido! Açúcar! *Zucchero*! Laranja!
>
> Chegava a engasgar com a colherada de açúcar introduzida em minha boca; se não agissem a tempo, eu vomitava tudo. Purgante mais miserável! Mas, de efeito garantido, garantidíssimo, dos mais violentos. Passava-se o dia de molho, sem sair do quarto, tomando apenas caldo de galinha e laranjada... Verdadeira mania de papai [...]. Dizia ele que purificava o sangue, que com essa "cura" a pessoa nunca adoecia. Talvez por coincidência, jamais ficávamos doentes, nunca vi um médico entrar em minha casa [...] não tive sarampo, nem coqueluche, doenças normais da infância. Peguei apenas caxumba, de uma criança que veio nos visitar. Senti-me feliz, nessa ocasião, a cara inchada, toda besuntada de pomada Iquitiol, preta e fedorenta. Um cachecol comprido me abafava, enrolado do alto da cabeça ao queixo.

Eram tempos de hospitais precários, de extrema promiscuidade entre doentes e sãos, sobretudo no interior. Verissimo conta: "Através das portas entreabertas daqueles quartos sórdidos, vislumbravam-se nudezas pálidas e esqueléticas [...]. Enfermeiros em mangas de camisa faziam lavagens intestinais em doentes deitados em decúbito dorsal, com os joelhos erguidos

Os xaropes foram item indispensável para a saúde.

Anúncio do remédio italiano Sciroppo Pagliano, Itália, s.d.
COLEÇÃO PARTICULAR.

[...] a um canto do mesmo compartimento, membros da família do paciente comiam pão com queijo e alho e bebiam vinho."

Graças à imigração desde o século XIX, São Paulo e Rio Grande do Sul reuniam um grande número de médicos italianos. Retratou Verissimo: "Na sala de operações da farmácia, o dr. Cesare Merlo, cirurgião italiano, novo na cidade, trabalhava sem cessar [...] a reputação do médico de 'mãos mágicas' aumentava dia a dia [...] pacientes chegavam-lhe às dezenas. E o cirurgião operava hérnias, extraía tumores, fazia ablações, laparostomias [...] nos fundos da farmácia, dois pavilhões de madeira para abrigar os doentes recém-operados, que lá ficavam até o dia em que o cirurgião os declarava em estado de voltarem para suas casas ou serem removidos para o cemitério [...]. Enquanto um dos colonos estava estendido na mesa de operações e o dr. Merlo, possivelmente cantarolando o *Torna a Surriento*, remexia-lhe as tripas, os membros da família do paciente ficavam no pátio a rezar e soltar suspiros [...]. Quando o operado morria – o que era raro, pois o barbudo tinha boas mãos – seus familiares rompiam a chorar e a blasfemar. *Mamma mia! Fliglio mio! Sporca Madonna.*"

A família de José Lins do Rego também era adepta da medicina de outrora: "Quando adoecia gente na família, vinha médico da Paraíba. A princípio um doutor Sá Andrade que enlouquecera no dia do casamento. Depois, o doutor Hardman, homem bonito, de bigodes torcidos e cheio de vida [...] podia dar saúde de sobra aos outros. Mas só vinham os médicos no último recurso. Geralmente aplicavam-se as mezinhas da casa, os chás de ervas. Para cólicas, erva-cidreira ou chá de erva-doce; para pancadas e feridas, arnica. Para limpar o sangue e vencer reumatismo, cabeça-de-negro em tintura. Para minha asma os terríveis vomitórios de cebola-cecém. O meu avô tinha uma lanceta para sarjar tumores e as pequenas operações de emergência que só ele sabia fazer [...] os purgantes de óleo de carrapateira e o café-beirão para as febres. Curavam feridas com pedra-lipes. Não se falava em hospital: era o começo da morte."

Entre imigrantes, mantinha-se a tradição de curas e benzimentos trazidos da terra de origem, como registrou Zélia Gattai sobre certa benzedeira italiana: "Lá estava dona Vicenza, coque apertado ao alto do cocoruto, a barriga empinada coberta pelo eterno e descorado avental preto, verruga no nariz, olhos miúdos e espertos... Dona Vicenza era curandeira – eliminava maus-olhados ou 'maróquios', no seu falar, matava lombrigas em geral. Famosa pela eficiência nesse trabalho, seu método era infalível: depois de rezar o paciente durante três ou quatro dias, dava-lhe um bom vermífugo – comprado às escondidas na farmácia e baldeado para frasco sem rótulo – e o resultado era tiro e queda [...]. Seu forte, no entanto, residia em interpretar sonhos, especialista em jogo do bicho. Morava na rua Hadock Lobo [...] em pleno lamaçal. Ganhava uns cobrinhos diariamente, correndo coxia, batendo de porta em porta em busca de cliente para uma eventual cura ou para dar um bom palpite... Caso alguma de suas clientes acertasse no grupo, na dezena ou numa centena, ela ganhava comissão – o milhar era difícil!"

Zélia Gattai também se lembra de certa "alfacinha": "Com seu carregado acento português, dona Luiza foi direto ao assunto: '– Bom dia, dona

Angelina. Vim cá lhe procurar, pois preciso de sua ajuda; estou a fazer uma simpatia portuguesa, lá da minha aldeia, para curar meu sobrinho Sílvio. O menino não anda bem, está com mau-olhado e parece que está aguado também. Anda pálido e sem apetite... Então resolvi fazer a minha simpatia sem dizer nada à Idinha e à Ema. Elas não acreditam nessas coisas, iriam tentar impedir-me. A senhora é uma pessoa amiga, vai me compreender...'
'– Mas diga, dona Luiza! No que posso lhe servir?'"

A portuguesinha então explica que, para que o filho sare, ela precisa dar fatias de toucinho – que guarda embaixo do braço – a três cães, dizendo-lhes: "'Toma lá, toma lá, cão, tu ficarás aguado, meu filho não.' Quando o terceiro cão comer a terceira fatia, o menino estará curado. Essa simpatia [...] não falha nunca. Sim, senhora!"

Quando havia uma "sequência de doenças" na casa de Boris Fausto, certa tia Rebeca era chamada para "*ahumar*", ou seja, perfumar a casa. Com ramos de alecrim em brasa e uma pá de catar lixo, a dita senhora percorria a casa, defumando os cômodos murmurando uma canção melodiosa e monótona destinada a "afastar seres maléficos".

A homeopatia, introduzida no século XIX, pelo médico francês Benoît Mure, tinha se difundido. Ainda que atacados pelos alopatas como homens de hábitos e moral duvidosos ou charlatães, os homeopatas ganharam o corpo e a alma dos doentes que viviam longe dos centros médicos. Criaram ambulatórios, dispensários e enfermarias acudindo a população, além de combaterem ferozmente a peste bubônica que fizera sua reaparição. Reconhecida oficialmente no início do século XX, a homeopatia não era coisa de gente pobre: teve impacto de alto a baixo na pirâmide social, como lembra Laura Rodrigo Octávio:

> Como mamãe se tornou homeopata não sei; parece que houve uma cura que a deixou inclinada [...] Sei que eu, muito pequena, tive uma inflamação de olhos que nada fazia passar. Ia ao oculista que me fazia um tratamento tão doloroso que mamãe, que não era de manhas, me levava ao Castelões para comer éclair como compensação ao que sofrera no médico [...] nesse período, surgiu o dr. José Ferraz de Magalhães Castro em nossa casa [...]. Além dos medicamentos tão fáceis de tomar, resolveu me fazer aplicações por meio de uma máquina vaporizada. Seria talvez água boricada, tenho ain-

> da no nariz o cheirinho dessa vaporização [...] fiquei boa da tal conjuntivite, ou coisa que o valha, e o dr. Magalhães Castro ficou sendo o nosso médico e nós crescemos desconhecendo remédios ruins, purgantes, pílulas, cápsulas etc. [...]. Como não houvesse farmácia homeopata na cidade, na época, em casa do dr. Magalhães, um cômodo forrado de armários meticulosamente limpos e arranjados abrigava os medicamentos manipulados por d. Helena (mulher) postos depois em pequeninos vidros, tendo no rótulo o retrato do filho mais velho. Tudo numa ordem, numa perfeição que faziam minha admiração, quando, às vezes, me era dado entrar naquele recinto sagrado. Depois mandaram buscar a máquina para fabricar tabletes.

Ficar doente na primeira metade do século XX alarmava. Morrer ou não morrer, era a questão. Para curar-se, contava-se com a medicina liberal ou a filantrópica. A primeira, para quem podia pagar. A segunda, na forma de sociedades de ajuda mútua, entre trabalhadores. O Estado promovia assistência somente aos militares e servidores públicos. Em 1923, implementaram-se as caixas de aposentadorias e pensões para oferecer serviços de assistência aos trabalhadores urbanos, inclusive assistência médica. O Estado participava apenas como regulador.

Na década de 1930 – período de industrialização, urbanização e intensificação do populismo – o Estado respondeu à questão social da assistência médica aos trabalhadores através do seguro social, explica a historiadora Lilia Schraiber. Foram criados, assim, os institutos de aposentadorias e pensões (IAPs), que davam cobertura à população urbana. Por intermédio da Previdência Social, promoveu-se uma reestruturação global da organização da assistência médica, justificada pela necessidade de diminuição de custos. A medicina de Estado dividiu-se, então, em saúde pública e assistência médica. Esta última, subdividida em medicina privada e seguridade social, a qual cresceu durante e depois da era Vargas. Antes, os serviços de saúde eram poucos e o número de médicos, pequeno. Grande parte da população não conseguia qualquer assistência médica, como vimos pelos depoimentos dos memorialistas. A pressão dos setores médios e emergentes, sobretudo nas capitais, concorreu para o aumento de doutores, de faculdades e para o aperfeiçoamento do currículo das escolas médicas.

O crescente processo de urbanização e a lenta mudança nos padrões sanitários contribuíram para aumentar a atenção às questões referentes à saúde da população. A medicina passou a ser uma profissão que atendia, ao mesmo tempo, às necessidades do Estado e às expectativas dos setores urbanos. O desenvolvimento brasileiro após a Segunda Guerra acelerou o processo de fortalecimento de diversos grupos, da burguesia aos setores médios e ao proletariado, atraindo jovens para a carreira médica. Ficavam longe, ou melhor, ficavam na memória, as benzedeiras, os remédios caseiros e homeopáticos. A pressão social pela abertura de maior número de vagas nas faculdades – aliada à política de atenção médica à população, com a implantação de hospitais e postos de saúde públicos – resultou em próspero mercado urbano para a medicina privada de alta qualidade e nas condições propícias para as transformações das escolas médicas.

O resultado desse processo foi a muito lenta adequação da medicina às profundas transformações da sociedade brasileira urbana e a incorporação, pela escola médica, de disciplinas e conteúdos referentes a novas especializações. Surgiu, assim, um novo profissional médico, mais especializado, mais competente, mais prestigiado – e, portanto, mais caro tanto para o governo que o assalariava quanto para o paciente privado que contratava seus serviços, concluem os historiadores Lúcia Bulcão, Almir El Khareh e Jane Dutra. No interior, porém, tudo indica que tais especialistas não chegavam, e os tratamentos continuavam como dantes...

9. CORAÇÃO DE LUTO

Um dos maiores sucesso do rádio nos anos 1940 veio na voz lacrimosa do cantor Teixerinha. Bigodinho preto, lenço vermelho no pescoço, o rei da música regional enchia os ares cantando a morte:

Luto fashion.
O Cruzeiro, ano XX, n. 23, 27 mar. 1948.
ARQUIVO O CRUZEIRO/EM/D.A PRESS.

O maior golpe do mundo
Que eu tive na minha vida
Foi quando com nove anos
Perdi minha mãe querida
Morreu queimada no fogo
Morte triste, dolorida
Que fez a minha mãezinha
Dar o adeus da despedida
[...]
Seguiu num carro de boi
Aquele preto caixão
Ao lado eu ia chorando
A triste separação
Ao chegar no campo santo
Foi maior a exclamação
Cobriram com terra fria
Minha mãe do coração.

O que mudou em séculos? Da morte que exigia preparação e a presença do padre ao lado do moribundo, no Brasil colonial, à morte romântica e sensual do século XIX, que solicitava a presença do tabelião para garantir a partilha dos bens, a morte, nos grandes centros urbanos do século XX, mudou de lugar: começou a passear entre hospitais e médicos.

Abandonava-se lentamente o hábito de morrer em casa, considerado, por alguns doutores, pouco higiênico. Tinha início o afastamento do moribundo de seus entes queridos. O gosto em falar da morte, tal como existiu entre os escritores e poetas, foi substituído pelo silêncio. O horror diante da perda e da destruição da vida seguia, porém, causando feridas dolorosas. Segundo o Instituto Brasileiro de Geografia e Estatística (IBGE), a expectativa de vida da população, em 1940, era de cerca de 40 anos.

E a gente brasileira continuava chorando suas perdas, como o fez o cantor Teixerinha, o rei da música regional, que perdera sua mãe aos 9 anos. Compôs, como vimos, a trágica canção "Coração de luto", que a maldade do povo batizou de "Churrasquinho de mãe".

As primeiras décadas do século XX viram de perto a morte nas duas Grandes Guerras: desventura coletiva, com 10 milhões para o conjunto da Europa, na de 1914-1918, e 38 milhões, entre civis e militares, no segundo conflito.

Entre nós, as revoluções também fizeram seus mortos. Otávio G. Gomes, sobre os revoltosos de 1932, anotou: "Na fuga [...], os revoltosos carregaram os feridos. No caminho morreram alguns deles. Tiveram de ser enterrados ao longo da estrada. Sem ferramentas e com pressa, eles enterravam os companheiros à beira do caminho, a dois palmos de profundidade. Com as chuvas, ou simplesmente com a umidade, pouco tempo depois, os pés, as mãos ou parte do braço ficaram a mostra, fora da cova. Os caboclos que passavam por ali já tinham medo dos revoltosos vivos e, agora, temiam-nos mais ainda [...]. Depois vieram as aves de rapina e os animais selvagens para o banquete macabro. Os urubus e os tatus [...]. Os tatuspebas são animais que gostam de carne de defunto [...] junto àquelas covas, viam-se os buracos de tatus e os restos de roupas dos mortos trazidos para fora... E ainda há quem goste de carne de tatu!"

No Brasil, a expectativa de vida ao nascer – para os anos de 1900, 1910, 1920 e 1930 – foi aumentando gradualmente: 33,7 anos, 34,08 anos, 34,51 anos e 36,49 anos, respectivamente. Para o período 1930-1940, a esperança de vida média passou a ser de 42,7, o que corresponde a um ganho significativo em relação aos trinta anos anteriores. O que ajudou? Nos anos 1920, já eram correntes as vacinas antidiftéricas e a antituberculose, conhecida como BCG. Morria-se, cada vez mais de outros males ou por outras razões.

Afecções cardiovasculares, câncer, doenças degenerativas ou decorrentes do fumo e do álcool tomavam a frente das doenças infecciosas, então combatidas com vacinações.

O parati, bebida mais popular nas primeiras décadas do século, matou muita gente. A marchinha "Me dá um dinheiro aí" promete "eu vou beber, beber até cair". O dr Hermeto Lima sentenciava: "O bebedor de parati morre quase sempre de ruptura da aorta e o *delirium tremens* é muito comum entre eles." Que o diga Lima Barreto, que passava os dias alcoolizado, alquebrado e doente, enquanto se perguntava: "Bebemos porque já somos loucos ou ficamos loucos porque bebemos?" Faleceu aos 41 anos, fulminado por um ataque de coração.

Mário de Andrade foi outro que viu a morte de mãos dadas com a bebida e sofreu um infarto aos 52 anos: "Estou literalmente desesperado, não aguento mais esta vida no Rio, ou acabo comigo ou não sei... Pra disfarçar as mágoas, vivo bêbado. Tomo porres colossais, dois ou três por semana. Os outros dias me trato. O último médico que me examinou, poucos dias faz, disse que tenho as vísceras esculhambadas pelo álcool e estou condenado à morte. Morte, melhor que a vida, quem não te ama!", confessava em carta ao amigo e crítico literário Paulo Duarte, em 1939.

Muitos relatórios das Delegacias de Saúde dos estados associavam a sífilis ao alcoolismo e, como se não bastasse, integravam a dupla à tuberculose. Segundo Leonor Schwartsmann, as intoxicações crônicas por uso abusivo de álcool predispunham a infecções e doenças do aparelho respiratório. As infecções, juntamente com o alcoolismo, eram consideradas ameaças à comunidade. Quem bebia muito, morria... Mas, antes, praticava violências, se infectava e contaminava outros.

O câncer, outra temida enfermidade, apavorava. Data de 1911 a primeira revista científica – os *Arquivos Brasileiros de Medicina* – a ter uma seção permanente sobre o assunto, assinada pelo médico Álvaro Ramos. Em 1919, a doença era tratada no Departamento Nacional de Saúde Pública, junto com a lepra e as doenças venéreas. Em 1922, foi aberto o Instituto do Radium em Belo Horizonte e, em 1937, no Distrito Federal, o Centro de Cancerologia. A partir dos anos 1940, multiplicaram-se os centros terapêuticos. O mal não tinha cura. Tratados em casa, lá mesmo os doentes morriam: "Minha primeira morte foi a mãe de uma colega da escola, cuja casa eu visitara várias vezes. Uma mulher grande, maternal [...] um câncer a devorara. Ventre inchadíssimo, de onde os médicos tiravam litros d'água [...]. Foi a primeira pessoa morta que vi. Com outras crianças desfilei diante de seu caixão, no lugar onde costumávamos brincar [...]. Não comentei nada com ninguém, mas saí depressa, nauseada de medo e pelo cheiro de flores e velas, odor de morte" – contou Lya Luft.

Pouco se sabia sobre a doença, como vemos no aflito diálogo do advogado Waldemar Pequeno com seu pai, que encontrara em pijamas, acamado, com uma saliência no ventre:

> – Apalpe – disse.
> – Que é isso?
> – O fim.
> Explicou tratar-se de câncer ou aneurisma da aorta abdominal [...]. Chamados em conferência, divergiram os médicos quanto ao diagnóstico: seria mesmo tumor maligno para uns, aneurisma para outros, Mas o acabrunhamento era de não haver cura possível; evitar dores, só o que se impunha.

Era o fim para o doente e o início do calvário para a família. O fato consumado, quando não esperado, causava todo tipo de reação. Ao perder a mãe, de 37 anos, numa cirurgia de hérnia malsucedida na Santa Casa de Misericórdia de Santos, Boris Fausto viu o corpo da falecida subir a serra de Santos num cortejo de táxis. A determinada altura da viagem, o grupo decidiu parar e abrir o caixão, pois não acreditava que a jovem mulher, antes brincando na praia com os filhos, pudesse estar morta.

Rose Marie Muraro, por sua vez, estava ao lado do seu pai quando ele morreu: "em cinco minutos. Foi o segundo da família a morrer de ataque cardíaco. Foi totalmente inesperado. Eu estava lá, eu vi! No exato momento em que ele morreu, eu estava na minha cama, ao lado do quarto dele. E ouvi os gritos lancinantes de dor." Foi um trauma, um choque, do qual a escritora levou anos para se recuperar.

Morria-se mais em casa do que no hospital. Zé Lins acordou certo dia ao lado de um defunto: "O mundo da infância penetra em névoas espessas até que outra vez me sinto deitado na cama com o primo Gilberto. Ele estendido, de olhos quase cerrados [...] o primo Gilberto, que fora criado pelo meu avô, tinha morrido há instantes numa dor de lado. Podia eu ter meus 4 anos, mas estas recordações ficaram muito vivas, pegadas à minha lembrança. Lembro-me do chão do quarto com areia para cobrir o sujo dos vômitos. Ainda estava o defunto quente quando me deitara com ele." Zé Lins narra outra cena em que vida e morte se cruzavam na intimidade:

> Tempos depois, ainda vestia camisolão, e não quiseram que eu entrasse no quarto da prima Lili. "– Ali não entra menino!" Três dias se foram. Veio o médico da Paraíba. As negras corriam com bacias de água quente e a casa ficou triste, muito triste. A negra Maria Pia chegou na cozinha para dizer: "– Lili morreu." Já sabia o que era a morte. As negras falavam de minha mãe morta: dona Amélia morreu de menino nascido morto. Seu Gilberto morreu de dor de lado. [...] Quis chorar, uma dor me entrava pela alma [...]. A negra Pia foi logo dizendo: Lili foi pro céu. É anjo de Deus. A casa inteira ficou com medo. O médico mandara defumar tudo e falavam em febre que pegava nos outros. O caixãozinho azul chegou na cabeça do cargueiro Targino. Foram tirar as flores do jardim de tia Maria. E de uma coisa me recordo bem: eu vi lá na estrada a prima Lili carregada como se fosse um saco de açúcar em viagem para as bandas do Pilar. Fecharam o quarto dela e a fumaça dos cacos que queimavam bosta de boi subia pela telha-vã do quarto [...]. A prima Lili se mudara para o céu, como dissera a negra Pia.

Entre a gente humilde, que morava em cortiços, prevalecia o costume ancestral de ver o moribundo ou o morto. À época, Melo Morais Filho registrou: "Há gente cercando o leito, trepando em bancos, cadeira, até pelo parapeito das janelas." No Nordeste, logo corria a notícia de que "fulano estava desenganado"! Hildegardes Vianna conta: "Velhas e mais velhas, fichu preto enrolado na cabeça ou em volta do pescoço surgiam como num passe de mágica. Antigas serviçais vinham pessoalmente ou mandavam suas filhas para ajudar. Uma tomava conta da roupa do doente, lavando, fervendo e passando. Outra arrumava tudo para quando chegasse a hora de vestir o cadáver. Se se tratava de virgem, moça ou velha, preparava-se uma mortalha de fazenda branca. Uma terceira tomava conta do preparo da comida [...] na sala de jantar, uma turma desocupada desfiava um rosário de casos de doenças e morte, indiferente aos olhares fulminantes dos que se esbofavam servindo de enfermeiros."

A antropóloga conta ainda que os que "não tinham forças para morrer" recebiam entre dentes, colheradas de mingau de cachorro feito de água, farinha de guerra e alho. Ou massagens na boca do estômago feitas com os gordos cotovelos de algum visitante. Ambos tinham o intuito de emprestar forças ao moribundo. "Morrer não era simples [...]. Vez por outra, determinados moribundos urravam horas seguidas, reviravam os olhos, gastavam velas e mais velas, não se resolvendo a dar o último suspiro", escandalizando, conta ela, "[...] os que estavam impacientes à sua volta [...]. Morto alguém, depois de vestido, amarrado pulsos e tornozelos, e coberto, o corpo era levado para o sofá da sala de visitas onde ficava até chegar o caixão [...]. Duas ou três velhas, parentas ou amigas devotadas, de rosário em punho, cochilando ou lamentando, montavam guarda ao corpo. Era crença geral que, embora com a imagem do Santo Cristo, defunto sozinho era presa fácil do demônio. Citavam-se casos de defuntos desaparecidos, nunca encontrados. Obra do rabudo, sem dúvida."

Depois de morto, o corpo recebia cuidados ancestrais. No hospital, era encargo de enfermeiros. Em casa, só quem tocava o cadáver era pessoa considerada íntegra, acostumada a vestir corpos, depois das rezas habituais e necessárias à purificação. As peças eram vestidas uma a uma, enquanto se conversava com o morto, conta Miriam Sales. "Fulano, dobre o braço, estique a perna, erga o quadril."

Adalgisa Nery, que perdeu a mãe em casa, assinalou os cuidados com o corpo da defunta:

> Instantes depois, sozinha, entrei no quarto da morta. Olhei-a demoradamente, esticada na cama e coberta por um lençol. No chão, ao seu lado, a enorme cabeleira negra cortada. Seus fartos e longos cabelos, durante o tempo da enfermidade, não tinham podido receber o mesmo cuidado e assim alguém os cortou para facilitar e compor o seu cadáver [...]. Acerquei-me daquele corpo inanimado e timidamente passei a mão pela sua testa. Nunca sentira ou imaginara um frio tão penetrante quanto o que havia na cabeça de minha mãe. As suas pálpebras entreabertas deixavam entrever as pupilas veladas por uma película esbranquiçada [...]. Olhei mais de perto o seu rosto.

Dos poros saia uma serosidade e a penugem de sua face estava toda arrepiada. Os lábios muito brancos tinham perdido o desenho e eu tive a impressão de um rosto sem boca. As suas orelhas pareciam aqueles cogumelos enormes que eu encontrava sempre, nas minhas excursões na mata, agarrados a um oco de árvore. No quarto em desordem, vagava um odor esquisito de remédios, suor, mofo e álcool.

Velas e flores testemunhavam o adeus dos amigos e familiares ao falecido. Pobres eram transportados em esteiras, lençóis ou pelo rabecão da Santa Casa de Misericórdia até o cemitério. Lima Barreto descreveu o sacrifício de familiares, a pé, transportando seus mortos nos braços, sob chuva ou sol, seguidos por conhecidos.

A tradição da intervenção comunitária foi confirmada por Adalgisa Nery quando lhe morreu a mãe: "Nas cidades do interior era um hábito visitar o morto, mesmo que em vida não se tivesse trocado a menor intimidade [...]. Vi na minha casa muita gente que nunca havia visto. Davam providências com a maior naturalidade, cercavam a morta de solicitudes extremadas, encarregavam-se de cuidar dos órfãos, preparar o corpo de minha mãe, vesti-lo e participavam do velório. Todos procuravam em voz baixa cooperar com um conselho, com uma sugestão, com uma providência."

"Anjos" – crianças pequenas – eram transportados por outras crianças ou moças, vestidas de rosa, azul-celeste e branco. "No mês de junho morria muito menino. As chuvas continuadas evitavam o melhor médico da terra que era o sol. Com o rio cheio vi uma vez um dos Targinos atravessá-lo com um tabuleiro na cabeça. Era um filho morto que vinha para o cemitério do Pilar. Sei que Targino parou para mostrar às negras o corpo do filhinho coberto de flores. Tinha 3 anos e como já fora batizado não podia ser enterrado em terra que não fosse sagrada" – registrou Zé Lins.

Zélia Gattai participou de enterros infantis com sua irmã: "Vera possuía bom faro, descobria de vez em quando um enterro de anjinho para acompanhar. Ela e suas amigas eram peritas em carregar pequenos esquifes, sempre prevenidas com um lenço que lhes protegia as mãos do metal fino das alças. As longas e cansativas caminhadas até o cemitério eram recompensadas com punhados de confeitos e rebuçados deliciosos, distribuídos à volta do enterro pelos familiares da criança morta. Curioso hábito da época, a garantia de numeroso comparecimento de crianças ao funeral, chovesse ou fizesse sol."

Contou Pedro Nava que, quando se finou o filho de sua ama de leite, seu pai fez questão de "[...] enterro de branco e velório como de parente: sobre uma mesa coberta de forro de seda e colcha de renda, o caixão. No caixão de rosa e prata, o anjinho. Fizeram para ele uma túnica de Menino Jesus, sapatinhos de cetim pousados num bolo de algodão afeiçoado em nuvem e cheio de estrelas douradas. A testa cingida de uma profusão de flores e fios metálicos que faiscavam...".

Donzelas, mas também "donzelos", tinham que ser enterrados como virgens. Vestidos em mortalha branca, em caixão branco e seguido por um cortejo de virgens. A historiadora Rosa Maria conta que a crença na imortalidade da alma propagada pelo catolicismo era seguida pela maioria da população, mas não evitava a consternação diante da morte. Respeito rigoroso ao luto, sentimentos postos acima das obrigações profissionais e sociais, lazer suspenso, comemorações familiares canceladas.

Nas camadas médias e altas, participava-se a morte por meio de anúncios fúnebres nos jornais, que também faziam os convites para as cerimônias funerárias e religiosas. Tratando-se de figura de prestígio, o anúncio era posto em vários jornais do Rio e em outras cidades até enviado para o exterior. A vida profissional, na medida em que avança a urbanização, impinge nova faceta aos rituais da morte. Ocorre o convite para o funeral feito pela família, como também um segundo convite da parte de colegas ou de uma associação a que o falecido pertencesse. Nos setores populares, a morte era anunciada verbalmente, e a notícia corria de boca em boca. Em algumas cidades, como Salvador – conta Miriam Sales – a boca que anunciava a morte era a dos sinos: com a boca para cima, o finado era mulher; para baixo, era homem.

Os grandes jornais tinham espaços para "Anônimos Fúnebres", notadamente os paulistanos. No *Correio Paulistano*, um espaço original, a "Crônica Social", elencava também quem, de autoridades ou amigos, frequentara o velório ou fora até o cemitério. A morte se anunciava entre nascimentos, batismos e casamentos. Os "Avisos religiosos" noticiavam missas de sétimo ou trigésimo dia, em que a família, "agradecendo aos amigos que lhe confortaram, convida a assistirem a missa...". Os textos, diz o historiador Sebastião Witter, que estudou os dos anos 1930 e 1940, eram padronizados e impessoais, revelando a dificuldade dos vivos de falarem dos mortos.

Os enterros eram de muita importância em qualquer camada social, procurando-se fazer o melhor, de acordo com a disponibilidade da família. Se faltavam fundos, parentes, amigos e vizinhos colaboravam. Charles Dunlop, cronista da capital, contou que "o enterro de alguém era cerimônia à qual compareciam os moradores da cidade com certo prazer... Ali se encontravam os amigos e inimigos do morto, contavam-se anedotas, falava-se mal da vida alheia, ou desancava-se, de rijo, na sua pele ainda quente, e comentava-se a pobreza ou fortuna por ele deixada". Outro cronista, Luiz Edmundo, afirmava: "Essa gente morre; porém, se diverte. Diverte-se até fazendo quarto ao defunto." Ou Lima Barreto: "O enterro e demais cerimônias fúnebres não interessam ao defunto; elas são feitas por pessoas vivas para os vivos." De fato, a mistura de alegria e pesar surge nas memórias de José Lemos de Sant'ana sobre os bondes especiais, os "mortuários", que podiam ter cortinas, sanefas, laços e cortinas pretas para conduzir os mortos.

E que, a caminho do cemitério em Salvador, levavam muita animação: "Havia bonde pra tudo, até para enterro e com as variedades especial, 1a classe e 2a, classe, isso dependendo dos enfeites e cortinas, que a cor, para 'pecador', era preta [...] com uma mescla de dourado escuro. Para menino ou para virgem, havia os bondes de cor alva [...]. Conforme as posses do defunto, que, no final, enterro de rico sai sempre do 'monte da herança', iam mais um, dois ou mais bondes acompanhando o enterro. Por aquela época, havia um 'samba de roda' que dizia assim: 'Na ladeira do Campo Santo/ Um defunto se alevantou,/ Perguntou ao motorneiro:/ Se é direto eu não vou!' E o coro cantava: 'Se é direto, se o bonde é direto,/ Se é direto eu não vou!' A viola ponteando e a moçada se esbaldando, cantando e batendo palmas na roda [...] Havia cantiga pra tudo, até pra 'enterro' em bonde."

Hildegardes Vianna completa, explicando que, ao chegar ao cemitério, "debaixo de uma mal reprimida saraivada de ataques e gritos histéricos, era hora da despedida para se fechar o caixão. Em meio às exclamações dolorosas, vinha alguém, de olhos enxutos e atitudes resolutas, desamarrar o defunto. Retirado o lenço do queixo, as ataduras das mãos e dos tornozelos, aparecia quem soprasse, disfarçadamente ao ouvido do cadáver uma recomendação para que se fosse só e se esquecesse da terra".

Em São Paulo, Zélia Gattai descreve o funeral de jovens, imigrantes e gente importante, um evento social que exigia participação mesmo de curiosos:

> A alameda Santos, vizinha pobre da Paulista, herdava tudo aquilo que pudesse comprometer o conforto e o status dos habitantes da outra vizinha famosa. Os enterros, salvo raras exceções, jamais passavam pela avenida Paulista. Eram desviados para a alameda Santos, nela desfilavam todos os cortejos fúnebres que se dirigiam ao Cemitério do Araçá [...]. Rodas de carroças e patas de burros jamais tocaram no bem cuidado calçamento da avenida Paulista. Tudo pela alameda Santos! Nem as carrocinhas de entrega do pão, nem os burros da entrega do leite, com seus enormes latões pendurados em cangalhas, um de cada lado, passando pela manhã muito cedo, tinham permissão de transitar pela avenida. Nossa rua era, pois, uma das mais movimentadas e estrumadas do bairro [...]. Em dias de enterros importantes, o adubo aumentava. Imensos cavalos negros – quanto mais rico o defunto, maior o número

de cavalos – puxando o coche funerário, não faziam a menor cerimônia: no seu passo lento levantavam a cauda e iam fertilizando fartamente os paralelepípedos da rua. Cada morador tinha direito às porções largadas em frente à sua casa [...]. Munidos de latas e pás, havia sempre meninos dispostos a fazer o serviço de recolhimento e entrega do material por alguns vinténs. Nos dias de defuntos poderosos, dona Angelina [...] ficava de atalaia à espera que passasse o último acompanhante do enterro para providenciar a transferência do estrume do meio da rua para dentro de seu portão. Não era por acaso que seu jardim florescia chamando a atenção dos passantes que se detinham a admirar flores tão belas. Viçosas, espetaculares, orgulho da dedicada jardineira! [...] Ficava a par dos mortos e dos horários dos enterros. Fazia cálculos: a tal hora passará em frente a nossa casa [...] nem todos os enterros despertavam igual interesse. Os de morte violenta, atropelamento, desastre, assassinato eram os mais apreciados. As janelas tornavam-se estreitas para tantos curiosos. Enterros de gente jovem, de donzelas, sobretudo, nos levaram muitas vezes ao cemitério, para ver-lhes o rosto.

E Zélia continua a contar:

Sempre que havia enterro de árabe importante, mamãe mandava logo cedo aviso às patrícias do falecido. Quem sabe não eram conhecidos. O recado ia, e mamãe, no portão, ficava esperando o resultado. Não demorava, a janela em frente abria, uma das três moças aparecia; às vezes duas e não raro, as três: Marie, Salma e Leone. Batiam um cumprimento de cabeça, um sorriso de agradecimento pela informação. Bem-educadas, as três turcas. Em realidade, não eram turcas – e não gostavam de ser assim chamadas – e sim sírio-libanesas. Mas havia o hábito de chamar-se turco a qualquer pessoa de língua árabe, assim como de russo a todos os judeus. Os funerais árabes impressionavam pela pompa. Deles participavam padres maronitas, figuras imponentes. Inteiramente trajados de negro, barbas cerradas e compridas, vistosos medalhões de pedrarias [...] longos panos esvoaçantes partindo das altíssimas tubas. Essas tubas faziam com que eles parecessem homens imensos, amedrontadores... Alguns enterros de figuras de grande destaque social ou econômico rompiam o tabu, desfilando pela avenida Paulista, a caminho do cemitério dos ricos, o Cemitério da Consolação.

Chapéus, luvas, véus e até mesmo brincos para usar durante o luto.

O Malho, ano III, n. 113, p. 10, 12 nov. 1904.

BIBLIOTECA NACIONAL [HEMEROTECA].

E, como testemunhou Pedro Nava, o morto era velado na sala ou no quarto e era ainda disputado em diferentes endereços, quando de sua viagem ao campo santo. Em algumas regiões, amigos hospedavam-no em câmara ardente por uma, duas, até 24 horas. E o caixão errava, de porta em porta, no passeio derradeiro, seus seguidores abastecidos de comida e bebida a cada parada. Os caixões também podiam ser levados por coches funerários puxados por cavalos. Os ricos traziam penachos negros na testada. A família seguia em carros "de praça" – os táxis de antanho.

Depois, era obrigatório "botar luto". Viúvo e viúva tinham códigos. Para ela, luto fechado à base de vestido negríssimo, com gola alta, mangas compridas e saia longa. Contas, pulseiras e argolas pretas não faltavam Para ele, terno preto, gravata preta, botões de camisa e de manga pretos. "Fumo" preto na manga do paletó e recobrindo a fita do chapéu! Na Bahia, para a alma do falecido não penar, explica Hildegardes Vianna, à noite tirava-se o luto e vestiam-se roupas brancas. Obrigatório também o café da manhã no dia da missa do defunto, quando a casa era invadida por uma multidão para comer cuscuz e bolos.

No interior de Minas, ninguém se esquecia de socar o defunto, como lembrou José Kandratovich: "Os coveiros, em duplas, tomavam de dois soquetes de pau de quase 20 quilos e socavam a cova do defunto até que a terra ficasse ao nível do solo. Isso era para que os tatus e outros bichos não cavoucassem a sepultura [...]. A vida era muito difícil, e até na morte se era perturbado pelos tatus."

O cemitério também mudou nas grandes cidades. O aumento da população multiplicou, por vezes desordenadamente, os túmulos: "multidão de sepulturas que trepavam, tocavam-se, lutavam por espaço, na estreiteza dos vagos e dos encostos das colinas aos lados" – descreveu Lima Barreto. Longe se estava dos cemitérios jardins, lugar de contemplação e poesia tal como foram pintados pela literatura romântica do século passado.

O historiador Antonio Motta sublinha que, construídos há tempos, os primeiros cemitérios brasileiros secularizados passaram a concorrer entre si pela grandiosidade e luxo exibidos na construção de seus túmulos e jazigos. Cada qual tentou atrair para seus quadros de sepultamento

LUTOS

O maior sortimento de tecidos para luto e meio luto. Confecções e chapéos de crepe, leques, luvas, sauteiro, caudas, broches, brincos, véos e umbrellas para luto!

Grandes «ateliers» de costuras e chapéos, sob a direcção de duas eximias contra-mestras francezas.

Amostras e provas a domicilio, a todas as pessoas que por escripto as requisitarem. Telephone 27.

No interesse do publico está o comparar os nossos preços antes de fazer acquisição de artigos para lutos das senhoras.

FAZENDAS PRETAS

Rua Uruguayana 76

O sabonete RIFGER é o mais suave para a cutis

as camadas mais afortunadas ligadas ao patronímico de velhas famílias que gozavam de prerrogativas econômicas e políticas decorrentes do comércio, da produção escravista, do latifúndio e de cargos importantes no poder. Anos mais tarde, seria a vez das novas fortunas, procedentes do capital financeiro especulativo, da indústria, de profissões liberais, assim como outros setores das camadas urbanas que surgiam nas principais capitais do país.

Sobressaíam mausoléus e sepulturas monumentais de propriedade de grandes fortunas da indústria e do comércio, a maioria de origem imigrante. Os jazigos mais antigos, de cantaria portuguesa e italiana, de estruturas mais sóbrias e convencionais, característicos da primeira fase, foram ofuscados pelo luxo e a ostentação das construções tumulares posteriores, coincidindo com o apogeu do bronze como material de expressão artística. Como na cidade dos vivos, a desigualdade. Mais flagrante ainda no espaço póstumo.

Havia os bons e os maus lugares. Os mais caros e cobiçados, situados nas grandes alamedas ou avenidas centrais, tinham presença notada e admirada por todos os que chegavam ao local e eram destinados àqueles que podiam pagar mais pelo privilégio de um lugar especial e de uma concessão perpétua. Tratava-se, portanto, de um patrimônio material transmissível como qualquer outro: uma casa, um terreno. Os lugares mais recônditos, nas extremidades ou quadras laterais, destinavam-se aos que tinham um poder aquisitivo menor, e muitas vezes não havia concessão de transmissão. O culto aos túmulos era prática familiar e atestado de boa conduta moral.

No interior, todos se conheciam e as diferenças eram menores. A homenagem não vinha da imponência do túmulo, mas da lembrança do morto. "A cruz da Rita, mestiça sestrosa, assassinada por amante ciumento há mais de trinta anos, é ainda hoje piedosamente coberta de flores por criaturas anônimas", registrou Agripino Grieco.

O machismo já matava. E muito. A violência já fazia inúmeras vítimas. Os jornais regurgitavam de *faits-divers*. Um médico, para examinar uma jovem gorda e solteira, pedira-lhe que tirasse a roupa: foi morto pelo pai ultrajado, pois moça virgem "não se despe". E o caso que Verissimo presenciou: "O rapaz tinha as mãos em concha junto do baixo ventre, e vi no côncavo delas, escapando-se dum largo talho, os intestinos da pobre criatura, tripas nacaradas e gosmentas, tingidas dum sangue que lhe escorria por entre os dedos, manchando-lhe as calças de brim. 'Pegaram o bandido?' – perguntei ao delegado de polícia encarregado do caso. O homem me olhou com seus olhos mortiços e depois murmurou: 'Já sabemos de toda a estória. Não se trata de nenhum bandido, mas dum preto decente, um ferroviário, bom chefe de família.' O rapaz não durou mais de dois dias. Saiu da farmácia dentro de um esquife barato de pinho sem lustro."

Esta outra estória é contada por Oswald de Andrade: "O rapaz era integralista. Como também fosse oficial, viu-se de repente reformado. E abandonou duas filhinhas e a mulher grávida de outra. Sem recursos, sem ninguém, a mulher teve o parto mais desgraçado do mundo [...]. A criança recém-nascida nas condições mais trágicas tinha a esperá-la o leite amargo da mãe abandonada. Morreu aos 9 dias. Ninguém havia para ajudar a que se fizesse o enterro. A mãe clamou aos céus surdos. Nada. Ninguém. Apenas lhe chegou uma oferta – entregasse o cadaverzinho para ser retalhado nas pesquisas do necrotério público. Alucinada, tomou uma gilete. Retalhou as vísceras da mortinha, pensando que assim poderia escapar a outra necropsia e ser afinal aceita num cemitério. Denunciaram o caso. E em nome de Deus, da Pátria e da Família a mãe amantíssima vai ser processada por profanação de cadáver."

Havia dramas, como o que viveu José Lins: "Eu tinha uns 4 anos no dia em que minha mãe morreu [...] acordei com um enorme barulho na casa toda. Eram gritos e gente correndo por todos os cantos. O quarto de dormir de meu pai estava cheio de pessoas que eu não conhecia. Corri para lá, e vi minha mãe estendida no chão e meu pai caído em cima dela como louco [...]. Vi então que minha mãe estava toda banhada em sangue e corri para beijá-la quando me pegaram pelo braço com força. Chorei, fiz o possível para livrar-me. Mas não me deixaram fazer nada [...]. 'O doutor matou dona Clarisse!' 'Por quê?' 'Ninguém sabia compreender.'"

Suicídios não faltavam, e Getúlio Vargas deu o exemplo: um tiro no peito. As pessoas tiravam a própria vida por desespero, amor ou fracasso financeiro. Humberto de Campos os registrou no *Diário*: "São comuns os suicídios nas barcas de Niterói. Morando em Niterói há seis anos, já se deram dois (março 1928), de que fui testemunha. O primeiro foi há dois dias, por volta das 11 horas da noite. Um homem residente no Rio, despedido do emprego, tomou a barca e, em plena baía, galgando o balaústre de tolda atirou-se ao mar [...]. Anteontem assisti à segunda tragédia. Eram sete e meia da noite quando se ouviu na proa, o grito de alarma e dezenas de pessoas correndo, aflitas em direção à popa. '– Ele estava num banco ao meu lado' – informa um velhote de vermelho. '– De repente caminhou para a proa, atirou isso no chão e jogou-se mesmo entre duas hélices!'"

Pouco depois, Humberto de Campos escreve: "Foi encontrado há dois dias, em uma das praias do Rio [...] o corpo do ancião que se atirou ao mar da barca de Niterói em que eu viajava [...]. Abriam-lhe os dedos cerrados, enregelados pela água e pela morte. Era uma imagem de São Sebastião."

A primeira metade do século XX revestiu a morte e o morrer de novas características que se entrelaçaram aos velhos costumes. As pessoas deviam buscar dignidade na escolha do caixão, no ritual do enterro, no conjunto de amigos e familiares que as acompanharia. A religião continuava a ter função de dar identidade à pessoa que partia e de estreitar os laços de quem se reunia, para chorar sua partida. Porém, a veneração dos ausentes começava a ficar em segundo plano, numa sociedade cada vez mais urbana, consumista e laica, que reservava apenas o Dia de Finados para uma visita rápida aos seus entes queridos. O silêncio dos túmulos no restante do ano denunciava o rompimento dos laços que existiram antes, entre os homens e a morte. A paz dos campos-santos só era quebrada quando dos enterros multitudinários: políticos, atores e atrizes do rádio ou do cinema, grandes empresários, gente pública. Aí, havia ainda oratória à beira das covas, honras militares, confecção de máscaras mortuárias, montanhas de buquês e coroas de flores, enfim, símbolos do suposto pesar.

Cemitérios começavam a se tornar espaços duvidosos, e, em 1901, já havia quem combatesse as inumações, como Alfredo Brito: para os médicos higienistas, o campo-santo seria a morada de germes patogênicos e gases tóxicos capazes de contaminar quem por ali passasse. Viva a cremação, mais higiênica!

O historiador Jorge Almeida Uzeda destaca que a morte refletia e manifestava as distinções de classe, num momento em que a medicina tentava homogeneizar os enterros e a relação com o morto. Se a causa da morte fosse por doença contagiosa, nada de velório, missa de corpo presente, ou acompanhamento de amigos e familiares ao cemitério. Constrangida, a família procurava meios de escamotear a *causa mortis*. Era comum, no obituário, aparecer a expressão "moléstia interna".

Observa-se, também, que certos serviços se profissionalizaram: a fabricação de caixões deixa de ser ofício de marceneiros para ser executada em fábricas. Preparadores de cadáveres nas funerárias tomariam o lugar das amigas da família, que, antes, vestiam o morto. A logística do transporte e os procedimentos administrativos também indicam dispositivos antes desconhecidos, em funcionamento para pacificar a gestão da morte.

Iniciou-se, com o higienismo dos anos 1920 e 1930, uma ruptura com as formas de morrer vivenciadas na Colônia ou no Império, em troca da salubridade das cidades e das populações. A multiplicação de hospitais públicos e privados, ou de enfermarias, afastou o moribundo de sua casa e de sua família, mas a intimidade entre os médicos e a morte esbarrou em tradições e hábitos enraizados na memória que, apesar da vigilância e da obsessiva higiene, continuavam a prevalecer. Refeições festivas, recados para o outro lado música demonstravam que, para muitos grupos, o morto não era alguém ausente, que não se via mais. Bastava lembrá-lo, para fazê-lo reviver.

10. O PAÍS DO FUTURO OU UM PAÍS DE FUTURO?

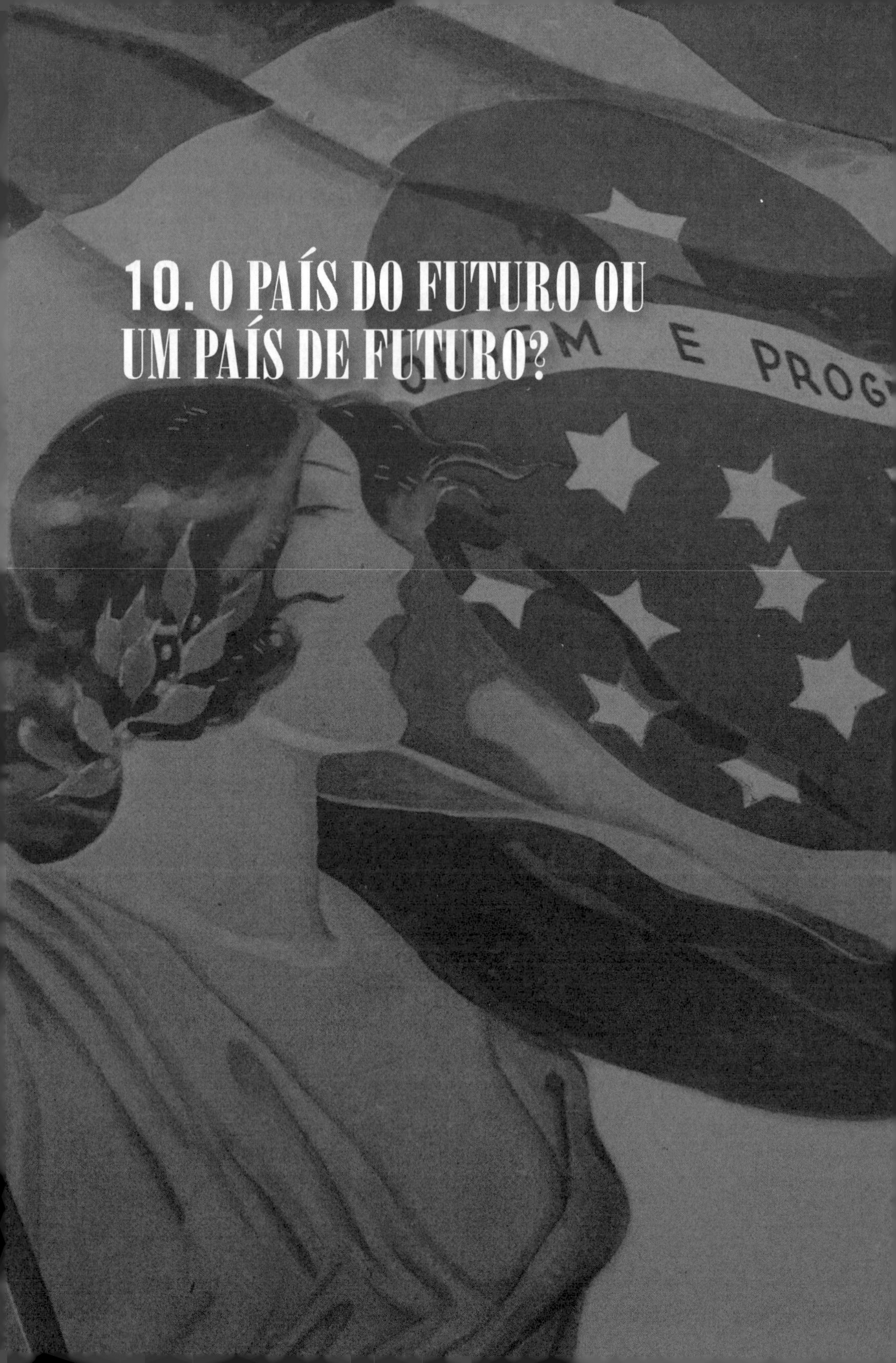

Era fevereiro de 1942 e, num chalé em Petrópolis, o renomado escritor austríaco Stefan Zweig, fugido da Segunda Guerra Mundial e sua mulher, Lotte, suicidaram-se, ingerindo uma dose letal de barbitúricos. Esse foi o triste epílogo de uma carreira brilhante e reconhecida internacionalmente, carbonizada pelo antissemitismo. Seu biógrafo, Alberto Dines, sublinha que, fascinado pela sociedade multicolorida, generosa, pacata e melancólica, Zweig enxergava no Brasil uma possibilidade de convivência, associada às extraordinárias riquezas do país. O oposto exatamente do que ele viveu sob o rancor racial e o desvario político imposto pelo nazifascismo. Amigo do empresário e economista Roberto Simonsen, patriarca das ciências econômicas entre nós, dele obteve os subsídios para, numa obra, louvar o *Brasil, país do futuro*.

A seus olhos, o surto de progresso dos últimos cinquenta anos devia muito à imigração de italianos e alemães, tornando "mais forte, mais variado e mais pessoal o elemento brasileiro". A crise do café e as duas Grandes Guerras permitiram que "uma quantidade grande de artigos industriais ou artesanais que antes eram importados da Europa passem a ser fabricados no próprio país, preparando uma certa autonomia. Quem voltou ao Brasil depois de alguns anos de ausência surpreendeu-se a ver quantos artigos antes estrangeiros foram substituídos por nacionais e como o país em tão pouco tempo conseguiu também se tornar independente de instrutores e diretores estranhos em termos de organização".

Sobre as riquezas naturais, comentou: "Depois de longos anos de incertezas e de modéstia, o país aprendeu a pensar nas dimensões de sua própria vastidão e contar com suas possibilidades ilimitadas como uma realidade palpável e atingível. Reconheceu que o espaço é energia e gera energias, que nem o ouro ou a poupança constituem a riqueza de um país, e sim o solo e o trabalho que nele é feito. Que país, porém, possui mais solo não utilizado, inabitado, não aproveitado, do que este império tão grande

Brasil, qual futuro queremos?

O Cruzeiro, ano VII, n. 44, 7 set. 1935.

ARQUIVO O CRUZEIRO/EM/D.A PRESS.

quanto o velho mundo? E espaço não é simples matéria, espaço é também energia psíquica [...]. Onde há espaço, não há só tempo, como também futuro. E quem vive neste país escuta o farfalhar vigoroso das asas do futuro."

Seria isso mesmo ou seria o Brasil um país de surdos? Zweig escreveu sob a ditadura de Vargas e para um ditador. Considerado um livro de encomenda que teria sido trocado pela acolhida de amigos refugiados, a obra foi massacrada pela crítica. Dines se pergunta: Zweig errou ou foi o Brasil que escolheu o modelo errado?

Alguns anos depois, Rose Marie Muraro resumiu o momento:

> Os anos 1950 foram os da difícil reconstrução da Europa, ajudada pelos americanos com o Plano Marshall. Nessa década, sobe ao poder, nos EUA, o general Eisenhower, herói da Segunda Guerra. Acelera-se a dominação americana sobre o resto do mundo. É nessa década que nasce e se solidifica a sociedade de consumo. Os americanos ganham muito dinheiro e saber tecnológico com a Guerra Fria, fabricando ogivas nucleares.
>
> Em 1957, os russos fazem a primeira viagem espacial. No Brasil, pressionado pela oposição chefiada por Carlos Lacerda, Getúlio Vargas se suicida em 24 de agosto de 1954. Ganha as eleições Juscelino Kubitschek, dando início ao período desenvolvimentista. O Brasil arranca com uma industrialização mais sofisticada. Cria-se a Petrobrás em 1954, e mais tarde a indústria automobilística, sob o controle de firmas transnacionais. Em 1959, Fidel Castro toma o poder em Cuba. O comunismo chegava aos pés do dragão! A América Latina inteira treme. Inclusive o Brasil. É então que, por graça e misericórdia de Deus, começo a participar do turbilhão.

O historiador Renato Venancio é quem melhor sintetiza o que houve entre o "país do futuro" e "o turbilhão". A começar por mudanças no eleitorado cada vez mais urbano, uma alteração no perfil dos candidatos e a consolidação do que muitos chamam de "populismo". Depois da morte de Getúlio, o impasse sobre os rumos que devia tomar a sociedade dividiu um velho conhecido: o Exército, agora sob a pressão da Guerra Fria e do desenvolvimento das armas atômicas. Para países periféricos,

O Cruzeiro
1$
Revista Semanal Illustrada
ORDEM E PROGRESSO
RATIS

um alinhamento com os Estados Unidos significava caminhar com o capitalismo. E com a URSS, dirigir-se para o comunismo. Um golpe militar foi posto em marcha, mas falhou, pois um segmento dito "legalista", dentro das Forças Armadas, exigiu respeito à Constituição. Os levantes populares após o suicídio do presidente ajudaram a calar a ação militar. No período que se estende até 1955, foram preparadas novas eleições. Elegeram-se Kubitschek e seu vice, João Goulart. O ambiente político lhes era hostil. Os quartéis voltam a dar sinais de descontentamento; são esvaziados, mais uma vez, pelos "legalistas".

Na economia, o novo presidente adotou o chamado "tripé": associação de empresas privadas brasileiras com multinacionais e estatais. Graças ao investimento de empresas estrangeiras, a nova economia se tornou mais independente das crises do setor agroexportador. Só que o modelo convidava também ao aumento das importações com endividamento externo. A remessa de lucros para o exterior desviava recursos da economia brasileira.

No curto prazo, porém, o modelo econômico foi um sucesso. O "Plano de Metas" ou "50 anos em 5" rasgou rodovias, ampliou a fronteira agrícola na direção de Goiás e Mato Grosso, e ainda, transferiu apoteoticamente a capital, do litoral para o Brasil Central. Nasceu Brasília. Enquanto os povos indígenas da região eram silenciosamente exterminados, respirava-se certa tranquilidade política, pois o crescimento econômico ensejou aumento de salários e consumo. Sob a capa do "crescimento", multiplicaram-se, também os partidos políticos. Muitos deram início a designações pitorescas como as que ainda existem: Partido Industrial Agrícola Democrático ou Partido Nacional Evolucionista! A fragmentação permitia a acepção de políticos não ligados a partidos tradicionais, caso de Jânio da Silva Quadros.

Eleito em 3 de outubro de 1960, com auxílio de retórica moralista e anticomunista, Jânio passou a governar sem consultar as coligações e partidos que o elegeram. Seu ministério incluía inimigos dos outrora aliados. Para ele, o Congresso não passava de um "clube de ociosos"! Para combater os altos índices de inflação herdados do governo anterior, o presidente que queria "varrer" problemas, impôs a austeridade e começou a valorizar acordos comerciais com o bloco comunista. Medidas como a proibição do uso do biquíni, de corridas de cavalo em dias de semana, de sessões de hipnotismo em locais públicos ou de brigas de galo conviveram com a condecoração do guerrilheiro Che Guevara e a aproximação com Cuba, enchendo as páginas dos jornais.

Descontente com seu vice, o líder trabalhista e adepto de uma "república sindicalista", o reeleito em sua chapa, Jango Goulart, Jânio tentou um golpe. Como explicou no livro *História do povo brasileiro*, seu objetivo era forçar uma intervenção militar: "Primeiro, operar-se-ia uma renúncia; segundo, abrir-se-ia o vazio sucessório – visto que a João Goulart [...] não permitiriam as forças militares a posse, e, destarte, ficaria o país acéfalo. Terceiro, ou bem se passaria a uma fórmula, em consequência da qual ele mesmo – Jânio – emergisse como primeiro mandatário, mas já dentro de novo regime institucional, ou bem, sem ele, as Forças Armadas se encarregariam de montar esse novo regime."

E assevera Venancio, "o aprendiz de ditador fracassa devido à vacilação dos chefes militares. Instala-se uma grave crise política, cujo desfecho teria data marcada: 31 de março de 1964". Teve início, então, o que muitos, como Rose Marie Muraro, consideraram "o turbilhão". Turbilhão que será assunto de nosso próximo volume, o 4, de *Histórias da gente brasileira*: *República – Testemunhos (1951-2000)*.

GLOSSÁRIO

Alanceado: Que sofre moralmente; aflito, agoniado, torturado.
Alpendre: Telhado de uma só vertente sustentado em colunas ou pilastras, formando uma saliência na entrada de casa ou prédio.
Aluá: Refrigerante feito de cascas de abacaxi, milho, pão ou farinha de arroz, açúcar e sumo de limão, preparado às vezes com fubá.
Alvaiade: Pigmento que consiste em carbonato de chumbo de composição e propriedades variáveis, vendido no comércio em forma de pó ou de pasta, preparado com óleo de linhaça. É usado, principalmente, para pinturas exteriores, muitas vezes misturado com outros pigmentos brancos.
Atrabiliário: Pessoa que se enfurece facilmente.
Avoengo: Herança dos antepassados.
Azinhavre: Hidrocarbonato de cobre, venenoso, de cor verde, que se forma na superfície do cobre ou do latão quando expostos ao ar úmido; azebre, cardenilho, verdete, zinabre.
Bacaba: Palmeira de até 9 metros, nativa da Colômbia e do Brasil, de folhas dísticas com folíolos lanceolados, flores em espádice pêndulo, drupas roxas comestíveis e palmito muito procurado por sua excelente qualidade; ibacaba, tarampabo.
Bácoro: Porco pequeno e novo.
Badofe: Prato da cozinha afro-baiana feito com miúdos de boi, linguiça e toucinho picados.
Bagual: Diz-se de potro recém-domado.
Baiuca: Habitação pequena, muito humilde; biboca.
Balouçar: O mesmo que balançar.
Bamburro: Área de solo alagadiço, com vegetação emaranhada, imprópria para a agricultura ou pecuária.
Bernarda: Revolta popular, insurreição; alvoroço, desordem, motim.
Betesga: Rua estreita.

Bivaque: Acampamento provisório de tropas, a céu aberto, protegidas ou não por barracas ou sob algum tipo de abrigo natural, como árvores.
Bodoque: Estilingue.
Borralho: Lareira.
Busílis: Parte mais importante, mais central ou mais difícil de algo.
Caçuá: Cesto, jacá.
Cáften: Cafetão.
Cafunje: Moleque arteiro e ladrão.
Canada: Antiga medida de capacidade, equivalente a quatro quartilhos ou a um litro e quatro decilitros.
Canhada: Terreno baixo entre duas colinas; baixada.
Carbureto: Combinação de carbono com outro elemento, formando um composto binário; carbeto, carboneto.
Carril: Bonde.
Castão: Ornamento de metal, osso ou marfim, no topo de bengala, bastão, bordões etc.
Catadupa: Grande queda-d'água; em sentido figurado, derramamento de algo em grande quantidade.
Catão: Diz-se de indivíduo que cultiva hábitos excessivamente austeros e é afeito a uma disciplina moral muito rígida e severa.
Cataplasma: Massa medicamentosa, feita com farinhas (fubá, farinha de trigo, de mandioca etc.), folhas, polpas de frutos e raízes em pó, que se aplica diretamente ou é distribuída entre dois panos, sobre a pele de regiões do corpo doloridas, feridas ou inflamadas.
Catraieiro: Tripulante ou barqueiro de uma catraia.
Catre: Cama pobre e tosca; grabato.
Chaperon: Senhora mais velha que acompanhava jovens a eventos sociais para lhes dar proteção ou proibir comportamento inadequado.
Charanga: Conjunto musical ruim, que toca desafinadamente.
Cocção: Ato ou efeito de cozinhar; cozedura, cozimento.
Cocho: Recipiente, geralmente de madeira, de vários formatos e tamanhos, utilizado para diversos fins; coche.
Coirana: Denominação comum a diversas plantas solanáceas, do gênero *Cestrum*, de folhas com odor forte e flores brancas ou amarelas tirantes a verde-claro.

Coqueteria: Característica ou comportamento de coquete, isto é, mulher sedutora.

Cornimboque: Tabaqueira feita com a ponta de um chifre; taroque.

Coxilha: Campina com elevações pequenas e contínuas, em geral coberta de pastagem, onde se desenvolve a pecuária.

Curica: Ave psitaciforme, da família dos psitacídeos; maitaca.

Derriçar: Praticar a derriça, operação que consiste em envolver o ramo do cafeeiro com a mão e deslizá-lo de dentro para fora, pela parte que contém frutos, a fim de derrubar estes.

Dístico: Frase geralmente curta que exprime uma ideia ou o pensamento de alguém, de um partido, uma regra de conduta etc.; divisa, lema.

Dorna: Grande vasilha formada de aduelas, sem tampa e destinada à pisa de uvas ou a seu transporte para o lagar; cuba.

Empastelamento: Ato ou efeito de invadir uma gráfica ou uma redação de jornal para destruir o trabalho do dia ou danificar os equipamentos.

Endogâmico (casamento): Casamento que se realiza entre pessoas da mesma casta, classe social ou tribo, com o intuito de manter a nobreza ou a raça.

Esquife: Espécie de caixão para transportar cadáveres; ataúde.

Estampilha: Selo do fisco.

Evolar: Exalar (aroma, odor).

Faina: Trabalho prolongado, desgastante; lida, quefazer.

Fifó: Pequeno lampião a querosene; bibiano, periquito.

Foxtrote: Dança de salão de origem norte-americana, dos anos 1920 e 1930, que se dança em pares, a quatro tempos, alternando passos lentos com passos rápidos; fox.

Gaforinha: Cabelo desgrenhado ou em desalinho; gaforina, grenha.

Galena: Aparelho rudimentar de rádio que utiliza o cristal de galena como detector e capta somente estações bem próximas.

Garatujar: Cobrir com ou fazer garatujas; garabulhar, rabiscar.

Gigolette: Prostituta.

Gonococo: Bactéria esférica do gênero *Neisseria*, produtora de pus e causadora específica da gonorreia.

Grafólogo: Especialista em grafologia; grafologista.

Greta: Abertura estreita; fenda, frincha.

Hemoptise: Hemorragia no aparelho respiratório caracterizada pela expulsão de sangue, com tosse e expectoração.
Hetaira: Prostituta de luxo.
Jacá: Tipo de cesto de taquara ou de cipó, usado para transporte de mercadorias em lombo de animais.
Lasquinê: Relativo ao jogo de dominó.
Lasso: Fatigado ou cansado, física ou mentalmente.
Linimento: Preparado oleoso, líquido ou semilíquido, que se aplica, em fricções, contra dores musculares etc.
Loide: Referência à Companhia de Navegação Lloyd Brasileiro, fundada em 1894 e extinta em 1997.
Lúmpen: Pessoa vadia, sem ocupação, sem qualquer atividade produtiva.
Lupanar: Casa de meretrizes ou prostitutas; bordel, prostíbulo.
Maçada: Conversa fastidiosa; lenga-lenga.
Magrém: Magreza.
Majdanek: Nome de um campo de concentração alemão construído na Polônia.
Manauê: Espécie de bolo feito com fubá de milho e mel.
Mancheia: Quantidade que se pode abranger com a mão; prodigamente.
Mansarda: Tipo de telhado com duas superfícies de inclinações diferentes, uma quase vertical e outra quase horizontal.
Melena: Cabelo solto e desgrenhado.
Miasma: Emanação que supostamente provocaria a contaminação de doenças infecciosas e epidêmicas.
Muirapinima: Árvore de grande porte (*Brosimum guianense*), da família das moráceas, de até 25 metros de altura, encontrada na região norte da América do Sul; muirapinima-preta, muirapinima-verdadeira, pau-santo, pau--tartaruga.
Mocambo: Habitação rústica e pobre, geralmente no meio do mato.
Morim: Pano branco e fino de algodão, usado, geralmente, como forro; madapolão, madrasto.
Mucuracaá: Erva nativa da África e da América tropical cujas raízes são consideradas antiespasmódicas e abortivas.
Mungunzá: Iguaria preparada com grãos de milho que se cozem inteiros em caldo açucarado, com leite de coco ou, às vezes, de vaca.

Neomalthusianismo: Nova doutrina dos que proclamam a necessidade de limitar a propagação da espécie humana a fim de prevenir a miséria e de melhorar a qualidade de vida.
Nosocomial: Que diz respeito a nosocômio; hospitalar, nosocômico.
Obuseiro: Diz-se de canhão que pode atirar projéteis ocos.
Olor: Cheiro suave e agradável; aroma, fragrância, perfume.
Onan: Personagem bíblico do Antigo Testamento, mencionado no livro de Gênesis como o segundo filho de Judá. Seu nome foi relacionado à prática da masturbação (onanismo) a partir de algumas interpretações sobre o pecado pelo qual teria sido punido por Deus.
Pachola: Pessoa brincalhona, gozadora; farsola, bonachão.
Pedral: Concentração de pedras que dificultam a navegação; pedraria.
Persigal: Curral de porcos; chiqueiro.
Picula: Brincadeira infantil em que uma criança deve correr atrás de outras para pegá-las antes que cheguem a um ponto onde terão imunidade; angapanga, pegador, pega-pega, pique.
Pipote: Pequena pipa, vasilha de madeira, aproximadamente cilíndrica, bojuda, para vinho e outros líquidos.
Piraquara: Alcunha dos moradores das margens do rio Paraíba do Sul.
Plenipotenciário: Agente diplomático investido de plenos poderes ao representar seu governo em missão especial.
Pogrom: No Império Russo, ataque violento contra pequenas comunidades ou minorias, em especial os judeus, com assassinatos em massa, destruição de casas, negócios, templos religiosos etc.
Politeama: Casa de espetáculos para vários gêneros de apresentações.
Porongo: Cuia de chimarrão.
Porrão: Pote ou vasilha de barro, geralmente bojuda e de boca e fundo estreitos.
Pussanga: Puçanga, medicamento caseiro.
Quicé: Faca velha e sem corte, às vezes sem cabo.
Quirera: Milho quebrado com que se alimentam pintos e pássaros.
Rebojo: Remoinho, perigoso à navegação, formado nos rios pelo embate das correntezas com a massa das águas paradas; sorvedouro, turbilhão, voragem.
Reiuna: Botina com elástico usada por soldados.

Rentista: Que ou aquele que vive de rendas.

Saloio: Camponês ou habitante dos arredores de Lisboa; aldeão.

Samburá: Cesto de cipó ou taquara, pequeno, de fundo largo e boca afunilada, com alça de cordel, que os pescadores usam a tiracolo para recolher os peixes; cofo.

Sarjar: Fazer sarjas ou abrir incisões.

Secundina: Elementos orgânicos, tais como placenta, membranas e cordão umbilical, que são expelidos com o bebê por ocasião do parto.

Sentina: Lugar onde se ajuntam as imundícies; latrina.

Shoá: Shoah, termo do idioma iídiche usado para definir o Holocausto judeu.

Silhão: Sela grande, com um só estribo, montada por mulheres vestidas de saia.

Sorna: Que ou quem se faz de preguiçoso por astúcia.

Suã: Carne de porco da parte inferior do lombo; assuã.

Talabarte: Pedaço de pano ou de couro que se traz a tiracolo, ao qual se prende a espada ou outra arma.

Tamina: Vasilha para medir a ração diária dos escravos; a própria ração.

Tergiversar: Usar de evasivas, rodeios ou subterfúgios; inventar desculpas ou pretextos.

Teriaga: Mistura complexa de muitos ingredientes que se supunha ser contra muitas doenças e mordedura de animais venenosos.

Tingui: Denominação comum a diversas plantas que são jogadas nas águas para envenenar peixes.

Traque: Artigo pirotécnico que consiste num pequeno tubo de papelão com pólvora que explode ao ter seu pavio aceso.

Trempe: Três pedras, dispostas em triângulo, em que se assenta a panela, ao fogo.

Tríbade: Mulher que pratica o tribadismo; lésbica.

Uranista: Que ou aquele que é homossexual.

Velário: Espécie de toldo com que, na Antiguidade, cobriam-se os circos e teatros, por causa da chuva; pano de boca.

Verruma: Ferramenta de furar madeira, com a extremidade inferior espiralada e terminada em ponta aguda de aço, acionada manualmente por meio de rotação; barruma, broca.

Vol-au-vents: Iguaria de origem francesa, feita com massa folhada em formato de caixinhas que, depois de assadas no forno, são recheadas com misturas cremosas.
Xarão: Charão, verniz de laca da China e do Japão.
Zuarte: Tecido de algodão, azul ou preto.

Nas próximas páginas, eu conto um pouquinho da vida de ilustres memorialistas, de autores da nossa literatura, que devem ser rememorados sempre. Sem o registro dessas lembranças, não nos é possível reconstruir o nosso passado. Gesto nobre é o de dividir as recordações, de compartilhar com o outro suas vivências mais íntimas. Cada experiência aqui recontada, todas elas juntas compõem um panorama que nos ajuda a compreender a complexidade do mundo e dos sujeitos.

Aqui, nessas vozes diretas, sentimos cheiros, vemos cenários de outrora. Tudo tem cor mais forte e sabor mais apurado, são os atores de um tempo que dividem conosco o que viveram. Fonte histórica riquíssima para recontar nossa História – isso é fundamental para nos entendermos hoje e para refletirmos, com responsabilidade, sobre o futuro.

Um agradecimento especial a todos os memorialistas que lançaram luz a esse nosso passado. Para narrar a história, um historiador depende das fontes que levanta, apura. E que fontes maravilhosas eu tive o prazer de conhecer e aqui as dividi com vocês, meus leitores.

— Mary del Priore

MINIBIOGRAFIAS DOS PRINCIPAIS MEMORIALISTAS/ AUTORES CITADOS

Adalgisa Nery *(Rio de Janeiro, RJ, 29 de outubro de 1905 / 7 de junho de 1980):* Poeta modernista e jornalista. Eleita deputada por três vezes, primeiro pelo Partido Socialista Brasileiro (PSB) e depois, no tempo do bipartidarismo, pelo Movimento Democrático Brasileiro (MDB). Em 1969 teve o mandato e seus direitos políticos cassados.

Adroaldo Ribeiro Costa *(Salvador, BA, 13 de abril de 1917 / 27 de fevereiro de 1984):* Teatrólogo, compositor, professor e jornalista. Autor do hino do Esporte Clube Bahia.

Agripino Grieco *(Paraíba do Sul, RJ, 15 de outubro de 1888 / Rio de Janeiro, RJ, 25 de agosto de 1973):* Crítico literário, poeta, contista, tradutor, jornalista.

Alberto da Costa e Silva *(São Paulo, SP, 12 de maio de 1931):* Diplomata, poeta, ensaísta, memorialista e historiador. Membro da Academia Brasileira de Letras e do Instituto Histórico e Geográfico Brasileiro. Vencedor do Prêmio Camões de 2014.

Antonio Olinto *(Ubá, MG, 10 de maio de 1919 / Rio de Janeiro, RJ, 12 de setembro de 2009):* Professor, poeta, romancista, ensaísta e crítico literário. Foi membro da Academia Brasileira de Letras.

Antonio Vianna *(Salvador, BA, 27 de julho de 1884 / 30 de dezembro de 1952):* Poeta, jornalista, cronista e folclorista. Foi membro da Academia de Letras da Bahia.

Augusto Frederico Schmidt *(Rio de Janeiro, RJ, 18 de abril de 1906 / 8 de fevereiro de 1965):* Poeta da segunda geração do modernismo, escritor, editor, empresário e diplomata. Fundou a Livraria Schmidt Editora, foi presidente do Botafogo e embaixador do Brasil na ONU. Foi ainda *ghost-writer* de Juscelino Kubitschek durante sua campanha para presidente.

Benedito Valadares *(Pará de Minas, MG, 4 de dezembro de 1892 / Rio de Janeiro, RJ, 2 de março de 1973):* Jornalista e político. Foi governador, senador e deputado federal por Minas Gerais.

Carlos de Brito Imbassahy *(Niterói, RJ, 9 de outubro de 1931):* Engenheiro e professor de física, articulista e escritor espírita.

Carlos Heitor Cony *(Rio de Janeiro, RJ, 14 de março de 1926):* Jornalista e escritor. É membro da Academia Brasileira de Letras, comentarista da rádio CBN e colunista da *Folha de S.Paulo*.

Carlos Machado *(Porto Alegre, RS, 16 de março de 1908 / Rio de Janeiro, RJ, 5 de janeiro de 1992):* Dançarino, produtor e empresário da noite carioca. Ficou conhecido como "O Rei da Noite".

Carolina Nabuco *(Rio de Janeiro, RJ, 9 de fevereiro de 1890 / 18 de agosto de 1981):* Escritora e tradutora. Recusou um convite para integrar a Academia Brasileira de Letras feito por ocasião do sucesso do seu primeiro livro, uma biografia do pai, Joaquim Nabuco, publicado em 1929.

Cassiano Ricardo *(São José dos Campos, SP, 26 de julho de 1894 / Rio de Janeiro, RJ, 14 de janeiro de 1974):* Jornalista, poeta e ensaísta. Representante do modernismo de tendências nacionalistas. Membro da Academia Brasileira de Letras.

Consuelo Pondé de Sena *(Salvador, BA, 19 de janeiro de 1934 / 14 de maio de 2015):* Escritora e historiadora. Foi diretora do Arquivo Público do Estado da Bahia, presidente do Instituto Geográfico e Histórico da Bahia e sócia do Instituto Histórico e Geográfico Brasileiro.

Dante de Laytano *(Porto Alegre, RS, 23 de março de 1908 / 18 de fevereiro de 2000):* Foi juiz, professor, jornalista, folclorista, historiador e escritor. Dirigiu o Museu Júlio de Castilhos, foi diretor-presidente do jornal *Zero Hora* e professor de história na Universidade Federal do Rio Grande do Sul (UFRGS), na Pontifícia Universidade Católica do Rio Grande do Sul (PUCRS) e na Universidade de Caxias do Sul.

Demósthenes Martins *(Goiana, PE, 26 de outubro de 1894 / Campo Grande, MS, 15 de março de 1995):* Advogado, político e escritor. Foi um dos fundadores da Academia de Letras e História de Campo Grande e membro da Academia Mato-Grossense de Letras.

Dyonélio Machado *(Quaraí, RS, 21 de agosto de 1895 / Porto Alegre, RS, 19 de junho de 1985):* Romancista, contista, ensaísta, poeta, jornalista e psiquiatra. Foi um dos principais expoentes da segunda geração do modernismo no Brasil. Militante comunista, deputado estadual pelo PCB.

Elpídio Reis *(Ponta Porã, MS, 14 de fevereiro de 1920 / 1997):* Advogado, assistente social, jornalista, professor e escritor. Foi presidente da Academia Sul-Mato-Grossense de Letras e professor da Escola de Serviço Social da PUC-Rio.

Erico Verissimo *(Cruz Alta, RS, 17 de dezembro de 1905 / Porto Alegre, RS, 28 de novembro de 1975):* Escritor, tradutor e editor. Escreveu mais de trinta livros, entre romances, memórias, infantojuvenis, relatos de viagens e ensaios.

Fanny Abramovich *(São Paulo, SP, 1940):* Escritora de literatura infantil e juvenil, pedagoga e atriz.

Fulgêncio Pinto *(São Luís do Maranhão, MA, 1º de janeiro de 1894 / 31 de maio de 1960):* Jornalista, músico, escritor e folclorista.

Geraldo Holanda Cavalcanti *(Recife, PE, 6 de fevereiro de 1929):* Diplomata, poeta, ensaísta e tradutor. Membro da Academia Brasileira de Letras.

Gilberto Amado *(Estância, SE, 7 de maio de 1887 / Rio de Janeiro, RJ, 27 de agosto de 1969):* Advogado, diplomata, jurisconsulto, escritor, jornalista e político. Foi membro da Academia Brasileira de Letras. Primo do também escritor Jorge Amado.

Gilberto Freyre *(Recife, PE, 15 de março de 1900 / 18 de julho de 1987):* Sociólogo, historiador e ensaísta. Autor de *Casa-Grande & Senzala*, recebeu inúmeros prêmios e condecorações nacionais e internacionais, entre eles o de Sir – Cavaleiro Comandante do Império Britânico, distinção conferida pela rainha da Inglaterra (1971).

Graciliano Ramos *(Quebrangulo, AL, 27 de outubro de 1892 / Rio de Janeiro, RJ, 20 de março de 1953):* Escritor, jornalista, político e memorialista. Preso político durante o governo Vargas, foi filiado ao PCB.

Gregório Bezerra *(Panelas, PE, 13 de março de 1900 / São Paulo, SP, 21 de outubro de 1983):* Político e militar pernambucano. Militante histórico do PCB, participou do movimento também conhecido como Intentona Comunista. Preso diversas vezes por questões políticas, foi deputado federal por Pernambuco.

Henrique Maximiano Coelho Neto *(Caxias, MA, 21 de fevereiro de 1864 / Rio de Janeiro, RJ, 28 de novembro de 1934):* Escritor, político e professor. Um dos membros fundadores da Academia Brasileira de Letras.

Herberto Sales *(Andaraí, BA, 21 de setembro de 1917 / Rio de Janeiro, RJ, 13 de agosto de 1999):* Jornalista, contista e romancista. Membro da Academia Brasileira de Letras e diretor do Instituto Nacional do Livro.

Hermengarda Leme Leite Takeshita *(1903 / 1986):* Professora, escritora, revisora e tradutora.

Hildegardes Vianna *(Salvador, BA, 31 de março de 1919 / 14 de junho de 2005):* Escritora e folclorista. Filha de Antonio Vianna. Foi membro da Academia de Letras da Bahia e do Instituto Geográfico e Histórico da Bahia.

Humberto de Campos *(Miritiba, hoje Humberto de Campos, MA, 25 de outubro de 1886 / Rio de Janeiro, RJ, 5 de dezembro de 1934):* Jornalista, crítico, contista e memorialista. Foi membro da Academia Brasileira de Letras, deputado federal pelo Maranhão e diretor da Fundação Casa de Rui Barbosa.

João Daudt Filho *(Santa Maria, RS, 1858 / Rio de Janeiro, RJ, 1948):* Farmacêutico, empresário e escritor. Fundou, em 1882, o primeiro laboratório farmacêutico do país, o Daudt Freitas & Cia. Teve em seu círculo de amizades grandes personalidades, intelectuais e políticos, como Carlos Drummond de Andrade, Graciliano Ramos e Getúlio Vargas.

João do Rio, *pseudônimo de João Paulo Emílio Cristóvão dos Santos Coelho Barreto (Rio de Janeiro, RJ, 5 de agosto de 1881 / 23 de junho de 1921):* Jornalista, cronista, tradutor e teatrólogo.

José Lemos de Sant'ana *(Pojuca, BA, 1921):* Médico, empresário e escritor. Fundador da rede de farmácias Sant'ana e autor de dez livros de memórias e contos.

José Lins do Rego *(Pilar, PB, 3 de junho de 1901 / Rio de Janeiro, RJ, 12 de setembro de 1957):* Escritor e jornalista. Grande nome do romance regionalista. Membro da Academia Brasileira de Letras.

Júlia Lopes de Almeida *(Rio de Janeiro, RJ, 24 de setembro de 1862 / 30 de maio de 1934):* Escritora e abolicionista. Integrou o grupo de escritores e intelectuais que planejou a criação da Academia Brasileira de Letras, constando na primeira lista dos quarenta imortais que fundariam a entidade. Porém, na primeira reunião da ABL, seu nome foi excluído, permanecendo a academia estritamente masculina.

Laura Oliveira Rodrigo Octávio *(São Paulo, SP, 1894 / 1996):* Memorialista e escritora.

Leandro Tocantins *(Belém, PA, 1919 / Rio de Janeiro, RJ, 2004):* Escritor, jornalista e historiador. Foi adido cultural em Lisboa, diretor da Embrafilme e da Embratur.

Lélia Abramo *(São Paulo, SP, 8 de fevereiro de 1911 / 9 de abril de 2004):* Atriz e escritora, filha de imigrantes italianos, foi também sindicalista e militante política, sendo uma das fundadoras do Partido dos Trabalhadores (PT).

Lima Barreto *(Rio de Janeiro, RJ, 13 de maio de 1881 / 1º de novembro de 1922):* Escritor e jornalista, um dos principais nomes da literatura brasileira. Filho de pais pobres e mestiços sofreu preconceito em toda a sua vida. Publicou romances, sátiras, contos e crônicas com críticas à sociedade da época.

Lya Luft *(Santa Cruz do Sul, RS, 15 de setembro de 1938):* Escritora e tradutora. É colunista da revista *Veja* e professora aposentada da UFRGS.

Manuel Bandeira *(Recife, PE, 19 de abril de 1886 / Rio de Janeiro, RJ, 13 de outubro de 1968):* Poeta, crítico literário e de arte, professor de literatura e tradutor. Um dos maiores nomes da poesia moderna brasileira. Foi membro da Academia Brasileira de Letras.

Maria da Glória Vargas Ramos *(Tombos, MG, 12 de junho de 1931):* Professora e escritora.

Maria José Dupré *(Botucatu, SP, 1º de maio de 1905 / Guarujá, SP, 15 de maio de 1984):* Escritora reconhecida, sobretudo, por sua obra-prima, *Éramos Seis*. Junto ao marido, Leandro Dupré, Monteiro Lobato, Caio Prado Jr. e Artur Neves, colaborou na fundação da editora Brasiliense.

Miriam Sales Oliveira *(Salvador, BA, 1943):* Professora, pesquisadora e escritora.

Moacyr Scliar *(Porto Alegre, RS, 23 de março de 1937 / 27 de fevereiro de 2011):* Escritor e médico, autor de mais de setenta obras, entre crônicas, romances e contos. Membro da Academia Brasileira de Letras.

Monteiro Lobato *(Taubaté, SP, 18 de abril de 1882 / São Paulo, SP, 4 de julho de 1948):* Escritor, editor, tradutor, crítico de arte e empresário. Famoso pela sua obra infantojuvenil e pela campanha em prol do petróleo nacional.

Murilo Melo Filho *(Natal, RN, 13 de outubro de 1928):* Advogado, jornalista e escritor. Membro da Academia Brasileira de Letras, do Conselho Administrativo da Associação Brasileira de Imprensa (ABI) e da União Brasileira de Escritores (UBE).

Nelson Rodrigues *(Recife, PE, 23 de agosto de 1912 / Rio de Janeiro, RJ, 21 de dezembro de 1980):* Escritor, jornalista e dramaturgo. Conhecido, sobretudo, por suas peças teatrais, adaptadas para TV e cinema, entre elas, *Vestido de noiva*, *Senhora dos afogados*, *O Beijo no asfalto*, *Bonitinha mas ordinária* e *Toda nudez será castigada*.

Olavo Bilac *(Rio de Janeiro, RJ, 16 de dezembro de 1865 / 28 de dezembro de 1918):* Poeta, contista e jornalista. Escreveu a letra do Hino à Bandeira do Brasil. Foi um dos membros fundadores da Academia Brasileira de Letras.

Osvaldo Orico *(Belém, PA, 29 de dezembro de 1900 / Rio de Janeiro, RJ, 19 de fevereiro de 1981):* Professor, diplomata, poeta, contista, romancista, biógrafo e ensaísta. Foi membro do Instituto Histórico do Pará, da Academia Portuguesa da História, da Academia das Ciências de Lisboa, da Real Academia Espanhola, da Academia da Latinidade, de Roma, e da Academia Brasileira de Letras.

Oswald de Andrade *(São Paulo, SP, 11 de janeiro de 1890 / 22 de outubro de 1954):* Escritor, ensaísta e dramaturgo. Foi um dos idealizadores da Semana de Arte Moderna de 1922, em São Paulo, e um dos principais nomes do modernismo no Brasil.

Otávio Gonçalves Gomes *(Coxim, MS, 1916 / Campo Grande, MS, 1992):* Poeta memorialista, biógrafo, historiador, jornalista, engenheiro agrônomo e empresário. Foi um dos fundadores e presidente da Academia Sul-Mato-Grossense de Letras.

Patrícia Galvão *(São João da Boa Vista, SP, 9 de julho de 1910 / Santos, SP, 12 de dezembro de 1962):* Conhecida pelo pseudônimo Pagu, foi escritora, poeta, diretora de teatro, tradutora, desenhista, cartunista, jornalista e militante política.

Paulo Francis *(Rio de Janeiro, RJ, 2 de setembro de 1930 / Nova York, EUA, 4 de fevereiro de 1997):* Jornalista, crítico de teatro, diretor, comentarista de TV e escritor. Trabalhou em vários jornais, entre eles, *Última Hora*, *O Pasquim*, *O Estado de S. Paulo* e *Folha de S.Paulo*.

Pedro Calmon *(Amargosa, BA, 23 de dezembro de 1902 / 16 de junho de 1985):* Professor, político, historiador, jurista, biógrafo, ensaísta e orador. Foi membro da Academia Brasileira de Letras, do Instituto Histórico e Geográfico Brasileiro e reitor da Universidade Federal do Rio de Janeiro.

Pedro Nava *(Juiz de Fora, MG, 5 de junho de 1903 / Rio de Janeiro, RJ, 13 de maio de 1984):* Médico, historiador e escritor. Considerado um dos maiores memorialistas da literatura brasileira.

Rose Marie Muraro *(Rio de Janeiro, RJ, 11 de novembro de 1930 / 21 de junho de 2014):* Escritora, intelectual e feminista. Foi diretora da editora Vozes e editora do selo Rosa dos Tempos, da editora Record. Foi nomeada "Matrona do Feminismo Brasileiro" pela Lei nº 11.261, de 30 de dezembro de 2005, aprovada pelo Congresso Nacional.

Rubem Alves *(Boa Esperança, MG, 15 de setembro de 1933 / Campinas, SP, 19 de julho de 2014):* Psicanalista, educador, teólogo, escritor, professor da

Unicamp e ex-pastor presbiteriano. Deixou um grande número de publicações, entre crônicas, ensaios e contos.

Rui Barbosa Moreira Lima *(Colinas, MA, 12 de junho de 1919 / Rio de Janeiro, RJ, 13 de agosto de 2013):* Piloto militar de caça e tenente-brigadeiro do ar. Escreveu dois livros de memórias sobre sua participação na Segunda Guerra Mundial.

Rui Ribeiro Couto *(Santos, SP, 12 de março de 1898 / Paris, França, 30 de maio de 1963):* Diplomata, poeta, contista, romancista, magistrado e jornalista. Foi membro da Academia Brasileira de Letras.

Stefan Zweig *(Viena, Áustria, 28 de novembro de 1881 / Petrópolis, RJ, 23 de fevereiro de 1942):* Escritor, romancista, dramaturgo, jornalista e biógrafo. De origem judaica, deixou a Europa devido ao avanço nazista, estabelecendo-se primeiro nos Estados Unidos e depois no Brasil, onde se suicidou.

Thales de Azevedo *(Salvador, BA, 26 agosto de 1904 / 5 de agosto de 1995):* Médico, professor, jornalista e pesquisador.

Thiago de Mello *(Barreirinha, AM, 30 de março de 1926):* Poeta, escritor e tradutor.

Tônia Carrero *(Rio de Janeiro, RJ, 23 de agosto de 1922):* Atriz brasileira com vários trabalhos no cinema, no teatro e na televisão.

Waldemar Pequeno *(Piraí, RJ, 23 de outubro de 1892 / 1988):* Poeta e escritor, foi também delegado de polícia em vários estados, fazendeiro e político atuante. Participou das revoluções de 1930 e 1932.

Wilson Lins *(Pilão Arcado, BA, 25 de abril de 1920 / Salvador, BA, 4 de agosto de 2004):* Romancista, ensaísta, jornalista e político. Foi deputado estadual e membro da Academia de Letras da Bahia.

Zélia Gattai *(São Paulo, SP, 2 de julho de 1916 / Salvador, BA, 17 de maio de 2008):* Escritora, fotógrafa e memorialista. Casada com o também escritor Jorge Amado. Foi membro da Academia Brasileira de Letras.

Zuenir Ventura *(Além Paraíba, MG, 1º de junho de 1931):* Jornalista, editor e escritor. Ex-professor da Universidade Federal do Rio de Janeiro e da Escola Superior de Desenho Industrial da Universidade do Estado do Rio de Janeiro. Membro da Academia Brasileira de Letras.

REFERÊNCIAS BIBLIOGRÁFICAS

ABRAMO, Lélia. *Vida e arte, memórias.* São Paulo: Perseu Abramo/Unicamp, s/d.

ABRAMOVICH, Fanny et al. *Infância e velhice.* São Paulo: Atual, 1993.

ABREU, Alzira Alves de (Org.). *Dicionário histórico-biográfico da Primeira República (1889-1930).* Rio de Janeiro: FGV-CPDOC, 2013.

ALMEIDA, Júlia Lopes de. *Livro das donas e donzelas.* Rio de Janeiro: Francisco Alves, 1926.

ALMEIDA FILHO, José Carlos de Araújo. "O ensino jurídico, a elite dos bacharéis e a maçonaria do séc. XIX". Dissertação de Mestrado (Direito). Rio de Janeiro: Universidade Gama Filho, 2005.

ALMEIDA JR., Jair de. *A Religião Contestada.* São Paulo: Fonte Editorial, 2011.

ALVES, Rubem. *O velho que acordou menino.* São Paulo: Planeta, 2015.

AMADO, Gilberto. *Minha formação no Recife.* Rio de Janeiro: José Olympio, 1958.

______. *Mocidade no Rio e primeira viagem à Europa.* Rio de Janeiro: José Olympio, 1956.

______. *História da minha infância.* Rio de Janeiro: José Olympio, 1954.

AMARAL, Amadeu. *Memorial de um passageiro de bonde.* São Paulo: Hucitec/Secretaria da Cultura, 1976.

ANDRADE, Oswald de. *Telefonema.* Organização de Vera Chalmers. Rio de Janeiro: Civilização Brasileira, 1976.

ARAÚJO, Rosa Maria Barboza de. *A vocação do prazer:* a cidade e a família no Rio de Janeiro republicano. Rio de Janeiro: Rocco, 1993.

ARAUJO, Alceu Maynard. *Folclore nacional I:* festas, bailados, mitos e lendas. São Paulo: Melhoramentos, 1964.

ÁRIES, Philippe; BÉJIN, André (Orgs.). *Sexualités occidentales.* Paris: Seuil, 1982.

ARRUDA, Maria Arminda do Nascimento. "Empreendedores culturais imigrantes em São Paulo de 1950". *Tempo Social,* São Paulo, v. 17, nº 1, p. 135-158, jun. 2005. ASSUNÇÃO, Paulo de. *A Revolução de 1932:* o princípio de um fim... São Paulo: Clube dos Autores, 2013.

ATLAS histórico IstoÉ/Brasil 500 anos. São Paulo: Editora Três, 2000.

AUDRIN, Frei José M. *Entre sertanejos e índios do Norte.* Rio de Janeiro: Agir, 1947.

______. *Os sertanejos que eu conheci.* Rio de Janeiro: José Olympio, 1947.

AZEVEDO, Thales de. *O cotidiano e seus ritos.* Recife: Fundação Joaquim Nabuco, Massangana, 2004.

BANDEIRA, Manuel. *Itinerário de Pasárgada.* Rio de Janeiro: Livraria São José, 1957.

BARBOSA, Fidélis Dalcin. *História do Rio Grande do Sul [recurso eletrônico].* Passo Fundo: Projeto Passo Fundo, 2013. Disponível em: <http://www.projetopassofundo.com.br>. Acesso em: 7 dez. 2014.

BARBOSA, Márcio (Org.). *Frente Negra Brasileira:* depoimentos. São Paulo: Quilombhoje, 1998.

BARBOSA, Rui. *Ditadura e República.* Rio de Janeiro: Guanabara, 1932.

______. *Campanhas presidenciais.* São Paulo: Livraria Editora Iracema Ltda., s/d.

BARICKMAN, B. J. "Medindo maiôs e correndo atrás de homens sem camisa: a polícia e as praias cariocas, 1920-1950". *Recorde: Revista de História do Esporte,* [S.l.], v. 9, nº 1, jun. 2016. Disponível em: <https://revistas.ufrj.br/index.php/Recorde/article/view/3295/2565>. Acesso em: 22 dez. 2016.

BARRETO, Lima. *Diário do hospício e o cemitério de vivos.* São Paulo: Cosac Naify, 2010.

BARROSO, Gustavo. *Diário íntimo:* memórias. São Paulo: Brasiliense, 1956.

______. *O sertão e o mundo.* Rio de Janeiro: Livraria Leite Ribeiro, 1923.

BARROSO, Sebastião Mascarenhas. *Educação sexual, guia para os pais e professores, o que precisam saber, como devem ensinar.* São Paulo: Melhoramentos, 1935.

BELLO, José Maria. *História da República.* São Paulo: Companhia Editora Nacional, 1976.

BENCHIMOL, Jaime Larry. *Dos micróbios aos mosquitos*: a revolução pasteuriana no Brasil. Rio de Janeiro: UFRJ/Fiocruz, 1999.

______. *Pereira Passos*: um Hausmann Tropical – A renovação urbana na cidade do Rio de Janeiro no início do século XX. Rio de Janeiro: Secretaria Municipal de Cultura, Turismo e Esportes, 1992.

BERTOLLI FILHO, Claudio. *História social da tuberculose e do tuberculoso*: 1900-1950. Rio de Janeiro: Fiocruz, 2001.

______. "A gripe espanhola em São Paulo". *Ciência Hoje*, São Paulo, v. 10, nº 58, p. 30-41, out 1989.

BEZERRA, Gregório. *Memórias primeira parte 1900-1945*. Rio de Janeiro: Civilização Brasileira, 1979.

BILAC, Olavo. "Chronica". *Gazeta de Notícias*, Rio de Janeiro, domingo, ano XXXI, nº 323, p. 3, 19 nov. 1905.

BOJUNGA, Claudia. "A ilha-prisão: documentos inéditos do presídio de Fernando de Noronha são conservados". *Revista de História da Biblioteca Nacional*, Rio de Janeiro, ano 5, nº 56, p. 72-75, 2010.

BONDUKI, Nabil. *Origens da habitação social no Brasil*: arquitetura moderna, lei do inquilinato e difusão da casa própria. São Paulo: Estação Liberdade, 2004.

BORGES, Vavy Pacheco. *Getúlio Vargas e a oligarquia paulista*: história de uma esperança e muitos desenganos. São Paulo: Brasiliense, 1979.

BRAGA, Cláudia. *Em busca da brasilidade*: teatro brasileiro na Primeira República. São Paulo: Perspectiva; Belo Horizonte: Fapemig; Brasília: CNPq, 2003.

BRAGA, Cláudio da Costa. *1910*: o fim da chibata – Vítimas ou algozes. Rio de Janeiro: Cláudio Braga, 2010.

BRAGA, João; PRADO, Luis André do. *História da moda no Brasil, das influências às autorreferências*. São Paulo: Pyxis Editorial, 2011.

BRANDI, Paulo. *Vargas*: da vida para a história. Rio de Janeiro: Zahar, 1983.

BRITO, José Gabriel de Lemos. *Do pudor e da educação sexual*. Tese apresentada ao Quarto Congresso Americano da Criança, reunido em Santiago do Chile. Rio de Janeiro: Imprensa Nacional, 1924.

BUENO, Eduardo. *Passado a limpo*: história da higiene pessoal no Brasil. São Paulo: Gabarito, 2007.

BULCÃO, Lúcia Grando; EL KAREH, Almir Chaiban; SAYD, Jane Dutra. "Ciência e ensino médico no Brasil (1930-1950)". *História, Ciências, Saúde – Manguinhos*, Rio de Janeiro, v. 14, nº 2, p. 469-487, abr.-jun. 2007

BUNGART NETO, Paulo. *De Taunay a Nava:* grandes memorialistas da literatura brasileira. In: I Encontro "Diálogos entre letras" – Pesquisas e perspectivas: trocas na pós-graduação, Dourados, v. 1, p. 44-55, 2011.

CALABRE, Lia. *A Era do Rádio:* memória e história. ANPUH – XXII Simpósio Nacional de História, João Pessoa, 2003. Disponível em: <http://anais.anpuh.org/wp-content/uploads/mp/pdf/ANPUH.S22.379.pdf>. Acesso: 22 dez. 2016.

CALMON, Pedro. *Memórias*. Rio de Janeiro: Nova Fronteira, 1995.

CAMPOS, Humberto de. *Diário Secreto, vol. I e II*. Rio de Janeiro: O Cruzeiro, 1954.

______. *Reminiscências*. Rio de Janeiro: Brasileira Ltda., 1962.

______. *Sepultando meus mortos*. São Paulo: Opus Editora Ltda., 1982.

CAMPOS, Pedro Dias de. *A Revolta de Seis de Setembro (A ação de São Paulo)*. Lisboa: Aillaud, Alves & Cia, 1913.

CANDIDO, Antonio. *Os parceiros do Rio Bonito*. São Paulo: Editora 34, 2001.

CÂNDIDO, João. "Depoimento para o Museu da Imagem e do Som [29 de março de 1968]". In: TRINDADE, Marília. *João Cândido, o Almirante Negro*. Rio de Janeiro: MIS, 1999.

______. *Memórias de um marinheiro*. Rio de Janeiro: Gazeta de Notícias, 1913.

CAPELATO, Maria Helena. "O Estado Novo: o que trouxe de novo?". In: FERREIRA, Jorge; DELGADO, Lucilia de Almeida das Neves. *O tempo do nacional-estatismo*: do início da década de 1930 ao apogeu do Estado Novo. 3ª ed. Rio de Janeiro: Civilização Brasileira, 2010.

CARNEIRO, Maria Luiza Tucci. *O anti-semitismo na Era Vargas*. São Paulo: Braziliense, 1988.

CARRERO, Tônia. *O monstro de olhos azuis*. Porto Alegre: L&PM Editores, 1986.

CARVALHO, José Murilo de. *Pontos e bordados:* escritos de história e política. Belo Horizonte: UFMG, 1998.

______. "O povo contra a vacina". In: FIGUEIREDO, Luciano (Org.). *História do Brasil para ocupados*. Rio de Janeiro: Casa da Palavra, 2013.

CARVALHO, Vânia Carneiro de. *Gênero e artefato, o sistema doméstico na perspectiva da Cultura Material, São Paulo 1870-1920*. São Paulo: Edusp/Fapesp, 2008.

CASCUDO, Câmara. *História da alimentação no Brasil, vol. I e II*. São Paulo: Edusp; Belo Horizonte: Itatiaia, 1983.

CASTELLANI, José. *A maçonaria na década da Abolição e da República*. Editora Maçônica A Trolha, 2001.

CASTRO, Adler Homero Fonseca de. *Muralhas de pedra, canhões de bronze e homens de ferro*: fortificações do Brasil de 1504 a 2006. Rio de Janeiro: Fundação Cultural Exército Brasileiro, 2009.

CASTRO, José Almeida. *História do rádio no Brasil*. Disponível em: <http://www.abert.org.br/web/index.php/quemsomos/historia-do-radio-no-brasil> Acesso em 26 dez. 2016

CASTRO, Moacir Werneck de. *Mário de Andrade:* exílio no Rio. Belo Horizonte: Autêntica, 2016.

CASTRO, Sertório de. *A república que a revolução destruiu*. Rio de Janeiro: Freitas Bastos & Cia, 1932.

CAVALARI, Rossano. *O ninho dos pica-paus*. Porto Alegre: Martins Livreiro Editora, 2001.

CAVALCANTI, Geraldo Holanda. *As desventuras da graça*. Rio de Janeiro: Record, 2010.

CAVIGNAC, Julie A.; OLIVEIRA, Luiz Antônio de. "História e etnografia nativas da alimentação no Brasil: notas biográficas a respeito de um antropólogo provinciano". *Imburana: Revista do Núcleo Câmara Cascudo de Estudos Norte-Rio-Grandenses*, v. 1, nº 2, p. 63-75, 2010.

CHEUICHE, Alcy. *João Cândido, o almirante negro*. Porto Alegre: L&PM, 2010.

CHIANCA, Luciana. *A festa do interior*. Natal: EDUFRN, 2006.

CLUBE do carro antigo de Londrina (CCAL) / Automobilismo Memória e Patrimônio Cultural (AMPC). Disponível em: <www.carroantigo.com>. Acesso em: 22 dez. 2016.

COELHO NETO, Henrique Maximiano. *O Morto (Memórias de um fuzilado)*. Rio de Janeiro: Edições do Departamento Nacional do Livro, Fundação Biblioteca Nacional, 1994.

COHEN, Ilka Stern. *Bombas sobre São Paulo:* a Revolução de 1924. São Paulo. Unesp, 2006.

CONY, Carlos Heitor. *Quase memória*. Rio de Janeiro: Nova Fronteira, 2014.

CORBIN, Alain et al. *Histoire de la Virilité*. Paris: Seuil, 2011.

COSTA, Adroaldo Ribeiro. *Igarapé:* história de uma teimosia. Salvador: Empresa Gráfica da Bahia, 1982.

COSTA, Carlos Eduardo Coutinho da. "Migrações negras no pós-Abolição do sudeste cafeeiro (1888-1940)". *Topoi: Revista de História*, Rio de Janeiro, v. 16, nº 30, p. 101-126, jan.-jun. 2015. Disponível em: <www.revistatopoi.org>.

COSTA, Emilia Viotti da. *Da Monarquia à República*. São Paulo: Unesp, 2010.

COSTA E SILVA, Alberto da. *Invenção do desenho, ficções da memória*. Rio de Janeiro: Nova Fronteira, 2007.

COUTO, Rui Ribeiro. *A cidade do vício e da graça*. Rio de Janeiro: Benjamim Costallat & Miccolis, 1924.

CPDOC. Centro de Pesquisa e Documentação de História Contemporânea do Brasil. *A Era Vargas – 1º tempo – dos anos 20 a 1945*. Rio de Janeiro: FGV, 1997. CD-ROM.

CRUZ, Ernesto. *Belém:* aspectos geo-sociais do município. Rio de Janeiro, José Olympio, 1945. v. 1.

CUNHA, Euclides da. *À margem da História*. Porto: Lelo & Irmão, 1922.

CUNHA, Maria Clementina Pereira (Org.). *Carnavais e outras f(r)estas*. Campinas: Unicamp/Cecult, 2002.

______. *Ecos da Folia:* uma história social do Carnaval carioca entre 1880 e 1920. São Paulo: Companhia das Letras, 2001.

CYTRYNOWICZ, Roney. *Guerra sem guerra*: a mobilização e o cotidiano de São Paulo durante a Segunda Guerra Mundial. São Paulo: Edusp, 2000.

DARÓZ, Carlos Roberto Carvalho. *O Brasil na Primeira Guerra Mundial:* a longa travessia. São Paulo: Contexto, 2016.

______. *A história da aviação na Revolução de 1932*. Recife: Editora Universitária UFPE, 2013.

DAUDT FILHO, João. *Memórias*. Rio de Janeiro: [s.n], 1949.

DEBES, Célio. "A 'justiça' revolucionária criada em 1930". *Revista da Academia Paulista de Letras*, São Paulo, v. 115, dez. 2001.

______. *Washington Luís*. São Paulo: Editora Imesp, 2001. 2 v.

______. *Júlio Prestes e a Primeira República*. São Paulo: Imprensa Oficial, 1983.

DECCA, Maria Auxiliadora Guzzo de. *Indústria, trabalho e cotidiano*: Brasil 1889 a 1930. São Paulo: Ática, 1991.

DEL PRIORE, Mary (Org.). *Histórias íntimas*. São Paulo: Planeta, 2012.

______. *História do amor no Brasil*. São Paulo: Contexto, 2005.

______. *História da criança no Brasil*. São Paulo: Contexto, 1999.

______. *História das mulheres no Brasil*. São Paulo: Contexto, 1997.

DEL PRIORE, Mary; AMANTINO, Márcia (Orgs.). *História dos homens no Brasil*. São Paulo: Unesp, 2012.

DEL PRIORE, Mary; VENÂNCIO, Renato. *Uma breve história do Brasil*. São Paulo: Crítica, 2016.

DEMETERCO, Solange Menezes da Silva. "Sabor e saber: livros de cozinha, arte culinária e hábitos alimentares. Curitiba: 1902 – 1950". *Revista de História Helikon*, Curitiba, v. 2, nº 4, p. 62-77, 2º sem. 2015.

DIETRICH, Ana Maria. *Caça às suásticas*: o Partido Nazista em São Paulo sob a mira da Polícia Política. São Paulo: Associação Editorial Humanitas/Imprensa Oficial do Estado de São Paulo/Fapesp, 2007.

DO CARMO, Paulo Sérgio. *Entre a luxúria e o pudor*: a história do sexo no Brasil. São Paulo: Octavo, 2011.

DONADIO, Paulo. "Tem Rei no mar". *Revista de História da Biblioteca Nacional*, Rio de Janeiro, ano 3, nº 3, 2008. Disponível em: <http://www.revistadehistoria.com.br/secao/artigos/tem-rei-no-mar>. Acesso em: 22 dez. 2016.

DORIA, Pedro. *Tenentes*: a guerra civil brasileira. Rio de Janeiro: Record, 2016.

DRUMMOND, Maurício. "O esporte como política de Estado: Vargas". In: DEL PRIORE, Mary; MELLO, Victor Andrade de. *História dos Esportes no Brasil*. São Paulo: Unesp, 2009.

DUBY, Georges; ARIÈS, Philipe (Orgs.). *História da vida privada*: da Revolução Francesa à Primeira Guerra. São Paulo: Companhia das Letras, 1991.

DUPRAT, Maria José. *Os caminhos*. São Paulo: Ática, 1987.

ESCOBAR, Wenceslau. *Apontamentos para a história da Revolução Rio-Grandense de 1893*. Brasília: UnB, 1983.

FARIAS, José Almir. "Por uma história do urbanismo em Fortaleza. E algumas considerações sobre incompletudes epistemológicas". In: PEIXOTO, Elane Ribeiro; DERNTL, Maria Fernanda; PALAZZO, Pedro Paulo; TREVISAN, Ricardo (Orgs.). *Tempos e escalas da cidade e do urbanismo*: Anais do XIII Seminário de História da Cidade e do Urbanismo. Brasília: Universidade Brasília, Faculdade de Arquitetura e Urbanismo, 2014. Disponível em: <http://www.shcu2014.com.br/content/historia-do-urbanismo-em-fortaleza-e-algumas-consideracoes-incompletudes-epistemologicas>. Acesso em: 22 dez. 2016.

FAUSTO, Boris. *História do Brasil*. São Paulo: Edusp, 2012.

______. *Histórias da imigração*. São Paulo: Companhia das Letras, 1997.

______. *Negócios e ócios, histórias da imigração*. São Paulo: Companhia das Letras, 1997.

FAUSTO, Boris (Dir.). *História geral da civilização brasileira*: (o Brasil republicano: sociedade e política, 1930-1964). São Paulo: Difel, 1984. v. 3, t. 3.

______. *História geral da civilização brasileira*: (o Brasil republicano: economia e cultura, 1930-1964). São Paulo: Difel, 1984. v. 4, t. 3

FERREIRA, Ângela Lúcia et al. *Uma cidade sã e bela*: a trajetória do saneamento de Natal, 1850 a 1969. Natal: IAB/Crea/RN, 2008.

FIGUEIREDO, Luciano (Org.). *História do Brasil para ocupados*. Rio de Janeiro: Casa da Palavra, 2013.

FLEURY, Jorge Nassar; FERREIRA, Aline Alves. "Ver-o-Peso da cidade: o mercado, a carne e a cidade no final do século XIX". *Estudos Amazônicos*, Belém, v. VI, nº 1, p. 100-116, jun. 2011.

FLEXOR, Maria Helena Ochi. *J.J. Seabra e a reforma urbana de Salvador (Bahia-Brasil)*. In: *49 Congresso Internacional de Americanistas*. Quito: Pontificia Universidad Católica del Ecuador, 2002. v. 1, p. 1-10.

FONTENELLE, Oscar. *Flagelos da raça*. Rio de Janeiro: Papelaria Mello, 1931.

FRAGA, Nilson Cesar (Org.). *Contestado em Guerra:* 100 anos do massacre insepulto do Brasil – 1912-2012. Florianópolis: Insular, 2012.

______. "Território e silêncio. Contributos reflexivos entre o empírico e o teórico". In: FRAGA, N.C. (Org.). *Territórios e fronteiras*: (re)arranjos e perspectivas. Florianópolis: Insular, 2011.

______. *Vale da Morte*: o Contestado visto e sentido. Entre a cruz de Santa Catarina e a espada do Paraná. Blumenau: Hemisfério Sul, 2010.

______. *Contestado:* o território silenciado. Florianópolis: Insular, 2009.

______. "Mudanças e permanências na rede viária do Contestado: uma abordagem acerca da formação territorial no sul do Brasil." Tese de Doutorado (Meio Ambiente e Desenvolvimento). Curitiba: Universidade Federal do Paraná, 2006.

______. "Contestado: a Grande Guerra Civil Brasileira". In: REZENDE, C.J.; TRICHES, R.I. (Orgs.). *Paraná, espaço e memória:* diversos olhares histórico-geográficos. Curitiba: Bagozzi, 2005. p. 228-255.

FRAGA, Nilson Cesar; LUDKA, V. M. "100 anos da guerra do contestado, a maior guerra camponesa na América do Sul (1912/2012): uma análise dos efeitos sobre o território sul-brasileiro." In: *XII Coloquio Internacional de Geocrítica – Independencias y construcción de estados nacionales: poder, territorialización y socialización, siglos XIX-XX,* Bogotá, Colômbia. *Anais do XII GeoCrítica.* Barcelona, Espanha: Ed. da UB, 2012. v. 1. p. 1-22.

FRANCIS, Paulo. *O afeto que se encerra.* Rio de Janeiro: Civilização Brasileira, 1981.

FRANCO, Maria da Conceição Vilela. "De campo santo a necrópole secularizada: o processo de transformação do cemitério público nos Campos dos Goytacazes (1855-1934)." In: *XXVIII Simpósio Nacional de História, promovido pela Associação Nacional de História (ANPUH-Brasil)/Lugares dos Historiadores: Velhos e Novos Desafios,* Florianópolis/SC. XXVIII Simpósio Nacional de História, 2015. p. 223-223.

FRANZINI, Fabio. *Corações na ponta da chuteira*: capítulos iniciais da história do futebol brasileiro (1919-1938). Rio de Janeiro: DP&A, 2003.

FREYRE, Gilberto. *Tempo morto e outros tempos:* trechos de um diário de adolescência e primeira mocidade 1915-1930. Rio de Janeiro, José Olympio, 1975.

FROTA, Guilherme de Andrea. *500 anos de história do Brasil.* Rio de Janeiro: Biblioteca do Exército, 2000.

GALVÃO, Patrícia (como Mara Lobo). *Parque Industrial.* Rio de Janeiro. José Olympio, 2006.

GAMA, Arthur Oscar Saldanha da. *A Marinha do Brasil na Primeira Guerra Mundial.* Rio de Janeiro: Capemi, 1982.

GARCIA, Fábio. "Intelectuais negros no pós-Abolição: associativismo negro em Florianópolis (1915-1925)." In: *XXVI Simpósio Nacional de História – ANPUH. Anais do XXVI Simpósio Nacional de História – ANPUH.* São Paulo, jul. 2011.

GARFIELD, Seth. "As raízes de uma planta que hoje é o Brasil: os índios e o Estado-nação na era Vargas". *Revista Brasileira de História,* São Paulo, v. 20 nº 39, 2000.

GATTAI, Zélia. *Anarquistas graças a Deus.* Rio de Janeiro: Record, 1980.

GERTZ, René E. *O fascismo no Sul do Brasil.* Porto Alegre: Mercado Aberto, 1987.

GIUCCI, Guillermo. *A vida cultural do automóvel, percursos da modernidade cinética.* Rio de Janeiro: Civilização Brasileira, 2004.

GOMES, Angela de Castro; PANDOLFI, Dulce; ALBERTI, Verena (Coords.). *A República no Brasil.* Rio de Janeiro: Nova Fronteira/CPDOC, 2002.

GOMES, Laurentino. *1889.* São Paulo: Globo, 2013.

GOMES, Otávio Gonçalves. *Onde cantam as seriemas.* São Paulo: Vaner Bícego Editora, 1975.

GONÇALVES, Luiz Alberto Oliveira. "Negros e Educação no Brasil". In: LOPES, Eliane Marta Teixeira; FARIA FILHO, Luciano Mendes; VEIGA, Cynthia Greive. (Orgs.). *500 anos de educação no Brasil.* 2ª ed. Belo Horizonte: Autêntica, 2000, v. 1, p. 325-346.

GOULART, Adriana da Costa. "Revisitando a espanhola: a gripe pandêmica de 1918 no Rio de Janeiro". *História, Ciências, Saúde – Manguinhos,* Rio de Janeiro, v. 12, nº 1, p. 101-142, abr. 2005. Disponível em: <http://www.scielo.br/scielo.php?script=sci_arttext&pid=S0104597020050001000068&lng=pt&nrm=iso&tlng=pt>. Acesso em: 23 dez. 2016.

GOUVEIA, Bruno Márcio. "O Recife insalubre: entre a medicina e as epidemias". In: *XXVIII Simpósio Nacional de História.* Anais eletrônicos. Florianópolis, 2015.

GRANDES Acontecimentos da História (Revista). Rio de Janeiro, Editora 3, nº 4, set. 1973.

GREEN, James Naylor. *Além do Carnaval*: a homossexualidade masculina no Brasil no século XX. São Paulo: Unesp, 2000.

GREEN, James Naylor; POLITO, Ronald. *Frescos trópicos*: fontes sobre a homossexualidade masculina no Brasil (1870-1980). Rio de Janeiro: José Olympio, 2006.

GRIECO, Agripino. *Memórias, vol. I e II.* Rio de Janeiro: Conquista, 1972.

______. *Recordações de um mundo perdido.* Rio de Janeiro: José Olympio, 1955.

GUIMARÃES, Antonio Sérgio Alfredo. "Intelectuais negros e formas de integração nacional". *Estudos Avançados*, São Paulo, v. 18, nº 50, p. 271-284, 2004.

HAHNER, June. *Emancipação do sexo feminino:* a luta pelos direitos da mulher no Brasil. Florianópolis: Mulheres/Santa Cruz do Sul: Edunisc, 2003.

______. *Relações entre civis e militares no Brasil (1889-1898).* São Paulo: Pioneira, 1975.

HAMBLOCH, Ernest. *Sua Majestade o presidente do Brasil.* Brasília: Senado Federal, 2000.

HIGUCHI, Hélio. *M4 Sherman no Brasil.* São Paulo: C&R Editorial, 2008.

HIJJAR, Miguel Aiub et al. "Retrospecto do controle da tuberculose no Brasil". *Rev. Saúde Pública*, São Paulo, v. 41, supl. 1, p. 50-57, set. 2007. Disponível em: <http://www.scielo.br/scielo.php?script=sci_arttext&pid=S0034891020070008000008&lng=en&nrm=iso&tlng=pt>. Acesso em: 23 dez. 2016.

HISTÓRICO do Automóvel clube do Brasil. Disponível em: http://www.automovelclubedobrasil.org.br/historico Acesso: 22 dez 2016.

HOLLANDA, Bernardo Borges Buarque de; MELO, Victor Andrade de. *O esporte na imprensa e a imprensa esportiva no Brasil.* Rio de Janeiro: Faperj/7Letras, 2012.

HORTA, José Silvério Baia. *O hino, o sermão e a ordem do dia:* regime autoritário e a educação no Brasil. Rio de Janeiro: UFRJ, 1994.

HOUAISS, Antonio. *Dicionário da Língua Portuguesa.* Rio de Janeiro: Objetiva, 2001.

IMBASSAHY, Carlos de Brito. *Memórias pitorescas de meu pai.* Matão: Casa Editora O Clarim, 1974.

JANOTTI, Maria de Lourdes Mônaco. *Os subversivos da República.* São Paulo: Brasiliense, 1986.

KANDRATOVICH, José Itabyr Carvalho. *Uma família mineira:* retratos, sem retoque. Belo Horizonte: Fino Traço, 2014.

KOIFMAN, Fábio. *O Quixote nas trevas*: o embaixador Souza Dantas e os refugiados do nazismo. Rio de Janeiro: Record, 2002.

KOIFMAN, George (Org.). *Presidentes do Brasil.* Rio de Janeiro: Rio, 2001.

KOLATA, Gina. *Gripe*: a história da pandemia de 1918. Rio de Janeiro: Record, 2002.

KREUTZ, Lúcio. "A educação de imigrantes no Brasil". In: LOPES, Eliane Marta Teixeira; FARIA FILHO, Luciano Mendes; VEIGA, Cynthia Greive (Org.). *500 anos de educação no Brasil.* 2ª ed. Belo Horizonte: Autêntica, 2000.

LACERDA, Lilian de. *Álbum de leitura, memórias de vida, histórias de leitoras.* São Paulo: Unesp, 2003.

LAVANÉRE-WANDERLEY, Nelson Freire. *História da Força Aérea Brasileira.* Rio de Janeiro: Editora Gráfica Brasileira, 1975.

LAYTANO, Dante de. *Mar absoluto de memórias.* Porto Alegre: Martins Livreiro Editora/EST, 1986.

LEAL, Victor Nunes. *Coronelismo Enxada e Voto.* São Paulo: Alfa Omega, 1976.

LEMIEUX, Denis. "Souvenirs d'enfance, mémoires familiales et identité". In: LANGLOIS, S.; MARTIN, Y. *L'Horizon de la culture.* Sainte-Foy, Québec: Presses de l'Université Laval/Institut québécois de recherche sur la culture, 1995.

LEMOS, Carlos A.C. *Cozinhas e etc.* São Paulo: Perspectiva, 1976.

LENHARO, Alcir. *Nazismo*: o triunfo da vontade. São Paulo: Ática, 1990.

LESSA, Renato. *A invenção republicana.* Rio de Janeiro: Topbooks, 1999.

LESSER, Jeffrey H. *O Brasil e a questão judaica*: imigração, diplomacia e preconceito. Rio de Janeiro: Imago, 1995.

LIMA, Carlito. *O velho e o mar e outras mentiras.* Maceió: Grapfel, 2015.

______. *Confissões de um capitão.* Maceió: Viva, 2013.

LIMA, Claudia. *Tachos e panelas*: historiografia da alimentação brasileira – Etno-história da gastronomia. 3ª ed. Recife: Raízes Brasileiras, 2009.

LIMA, Rui Moreira. *Senta a Pua!.* Rio de Janeiro: Biblioteca do Exército Editora, 1980.

LINS, Wilson. *Aprendizagem do absurdo:* uma casa após a outra. Salvador: Secretaria da Cultura e Turismo, Conselho Estadual de Cultura/EGBA, 1997.

LIRA NETO. *Getúlio (1930-1945):* do governo provisório à ditadura do Estado Novo. São Paulo: Companhia das Letras, 2013.

______. *Getúlio (1882-1930)*: dos anos de formação à conquista do poder. São Paulo: Companhia das Letras, 2012.

LOBATO, Monteiro. *Cidades mortas.* São Paulo, Brasiliense, 1995.

LOPES, Luiz Simões. *Fragmentos de memória.* Organização de Suely Braga da Silva. Rio de Janeiro: FGV--CPDOC, 2006.

LOURO, Guacira Lopes. "Mulheres em sala de aula". In: DEL PRIORE, Mary (Org.). *História da criança no Brasil.* São Paulo: Contexto, 1999.

LUCCAS, Luís Henrique Haas. "Arquitetura moderna e brasileira: o constructo de Lucio Costa como sustentação". *Arquitextos,* São Paulo, ano 6, nº 063.07, Vitruvius, set. 2005. Disponível em: <http://www.vitruvius.com.br/revistas/read/arquitextos/06.063/437>. Acesso em: 22 dez. 2016.

LUFT, Lya. *Mar de dentro.* Rio de Janeiro: Record, 2004.

LUZ, Franciane Mochenski Bueno da. "Cotidiano alimentar no Brasil durante a Segunda Guerra Mundial". *Revista de História Helikon,* Curitiba, v. 2, nº 4, p. 47-61, 2º sem./2015.

MACHADO, Carlos. *Memórias sem maquiagem.* São Paulo: Livraria Cultura Editora, 1978.

MACHADO, Dyonélio. *Memórias de um pobre homem.* Porto Alegre: IEL,1990.

MACHADO, Paulo Pinheiro. *Lideranças do Contestado*: a formação e a atuação das chefias caboclas. Campinas: Unicamp, 2004.

MACIEL, Marina de Souza; MENDES, Plínio Duarte; GOMES, Andréia Patrícia; BATISTA, Rodrigo Siqueira. "The history of tuberculosis in Brazil: the many shades (gray) of the misery". *Revista Brasileira de Clínica Médica,* São Paulo, 10(3), p. 226-30, mai.-jun. 2012.

MAESTRI, Mário. *Cisnes negros*: 1910 – A Revolta dos Marinheiros contra a chibata. São Paulo: Moderna, 1998.

______. *1910*: a Revolta dos Marinheiros – Uma saga negra. 3ª ed. São Paulo: Global, 1982.

MAGALHÃES, Sônia Maria. *Males do Sertão*: alimentação, saúde e doenças em Goiás no século XIX. Goiânia: Cânone Editorial, 2014.

MARCONDES, Ayrton. *Campos Sales:* uma investigação na República Velha. Bauru: Editora Universidade Sagrado Coração, 2001.

MARINGONI, Gilberto. "História: o destino dos negros após a Abolição". *Desafios do Desenvolvimento,* Brasília, ano 8, nº 70, p. 34-42, 29 dez. 2011.

MARINS, Paulo César Garcez. "Habitação e vizinhança: limites da privacidade no surgimento das metrópoles brasileiras". In: NOVAIS, Fernando A. (Org.). *História da vida privada no Brasil 3.* São Paulo: Companhia das Letras, 1998. p. 166-168.

MARIZ, Vasco (Org.). *Ribeiro Couto:* 50 anos de saudades. Rio de Janeiro: Academia Brasileira de Letras, 2015.

MARQUES, Leonardo. *Por aí e por muito longe*: dívidas, migrações e os libertos de 1888. 1ª ed. Rio de Janeiro: Apicuri, 2009.

MARQUES, Vera Regina Beltrão. "A espécie em risco: sífilis em Curitiba nos anos 1920". In: NASCIMENTO, Dilene Raimundo do; CARVALHO, Diana Maul de. *Uma história brasileira das doenças.* Brasília: Paralelo 15, 2004. p. 277-294.

MARTINS, Demósthenes. *A poeira da jornada:* memórias. São Paulo. Editora Resenha Tributária Ltda., s/d.

MARTINS, Hélio Leôncio. *A Revolta dos Marinheiros – 1910.* Rio de Janeiro: Imprensa Naval, 1985.

MARTINS, José de Souza (Org.). *A morte e os mortos na sociedade brasileira.* São Paulo: Hucitec, 1983.

MELLO, Frederico Pernambucano de. *Guerreiros do Sol.* Recife: Massangana, 1985.

MELLO, Thiago de. *Manaus, amor e memória.* Rio de Janeiro: Philobilion, 1984.

MELO, Victor Andrade de. *Cidade Sportiva:* primórdios do esporte no Rio de Janeiro. Rio de Janeiro: Faperj/ Relume Dumará, 2001.

MELO FILHO, Murilo. *Testemunho político.* Rio de Janeiro: Bloch, 1997.

MELO FRANCO, Afonso Arinos de. *História do povo brasileiro, volume 5.* São Paulo: J. Quadros Editora, 1968.

MOMBEIG, Pierre. *Pioneiros e fazendeiros de São Paulo.* São Paulo: Editora Hucitec, 1983.

MONTEIRO, Duglas Teixeira. *Os errantes do novo século.* São Paulo: Duas Cidades, 1974.

MOREIRA, Regina da Luz. *1944*: o Brasil vai à guerra com a FEB. Disponível em: < http://cpdoc.fgv.br/producao/dossies/FatosImagens/FEB>. Acesso: 22 dez. 2016.

MOREL, Edmar. *A Revolta da Chibata.* 1ª ed. Rio de Janeiro: Pongetti, 1959.

MOTT, Luís. *O lesbianismo no Brasil.* Porto Alegre: Mercado Aberto, 1987.

MOTTA, Antonio. "Formas tumulares e processos sociais nos cemitérios brasileiros". *Revista Brasileira de Ciências Sociais,* São Paulo, v. 24, nº 71, out. 2009.

MOURA, Roberto. "A alma baiana do samba". *Revista de História da Biblioteca Nacional,* Rio de Janeiro, ano 2, nº 16, p. 26-28, 2005.

MURARO, Rose Marie. *Memórias de uma mulher impossível.* Rio de Janeiro: Rosa dos Tempos, 1999.

NABUCO, Carolina. *Oito décadas – Memórias.* Rio de Janeiro: José Olympio, 1973.

NABUCO, Joaquim. *A intervenção estrangeira durante a revolta de 1893.* Brasília: Senado Federal, Conselho Editorial, 2010.

NAPOLITANO, Marcos. *História e música.* Belo Horizonte: Autêntica, 2001.

NASCIMENTO, Álvaro Pereira do. *Cidadania, cor e disciplina na Revolta dos Marinheiros de 1910.* Rio de Janeiro: Mauad, 2008.

NASCIMENTO, Welci. *Terra, gente e tradições gaúchas.* Passo Fundo: Berthier, 1992.

NAVA, Pedro. *Chão de ferro.* São Paulo: Ateliê Editorial, 2001

______. *Balão cativo.* São Paulo: Ateliê Editorial, 2000.

______. *Baú de ossos.* São Paulo: Ateliê Editorial, 1999.

______. *O Círio perfeito.* Rio de Janeiro: Nova Fronteira, 1983

NERY, Adalgisa. *A imaginária.* Rio de Janeiro: José Olympio 1970.

NOVIS, Marta de Faro. *Estórias coladas.* Edição do autor, s.d.

NUNES, Clarice. "(Des)encantos da modernidade pedagógica". In: LOPES, Eliane Marta Teixeira; FARIA FILHO, Luciano Mendes; VEIGA, Cynthia Greive (Org.). *500 anos de educação no Brasil.* 2ª ed. Belo Horizonte: Autêntica, 2000.

OCTÁVIO, Laura Oliveira Rodrigo. *Elos de uma corrente – Seguidos de novos elos.* Rio de Janeiro: Civilização Brasileira, 1994.

OLINTO, Antonio. *O Cinema de Ubá.* Rio de Janeiro: José Olympio, 1972.

OLIVEIRA, Cláudia de; VELLOSO, Monica Pimenta; LINS, Vera. *O moderno em revistas, representações do Rio de Janeiro de 1890 a 1930.* Rio de Janeiro: Faperj/Garamond, 2010.

OLIVEIRA, Dennison. *Os soldados alemães de Vargas.* Curitiba: Juruá, 2011.

OLIVEIRA, Lúcia Lippi. *Elite intelectual e debate político nos anos 30:* uma bibliografia comentada. Brasília: Inl; Rio de Janeiro: FGV, 1980.

OLIVEIRA, Miriam Sales. *A Bahia de outrora.* Salvador: Pimenta Malagueta, 2010.

ORICO, Osvaldo. *Da forja à Academia.* Rio de Janeiro: José Olympio, 1960.

OURO PRETO, Affonso Celso de Assis Figueiredo (Visconde de). *A Década Republicana.* 8 v. Rio de Janeiro: Typographia do Brazil, 1899-1902.

______. *Advento da Dictadura Militar no Brazil*. Paris: Imprimerie F. Pichon, 1891.

PALMEIRA, José Amaral. *Caderno 1932 – Um relato inédito*. Organização de Paulo de Assunção. São Paulo: Associação Comercial de São Paulo/Federação das Associações Comerciais do Estado de São Paulo, 2014.

PEIXOTO, Demerval. *A campanha do Contestado*: episódios e impressões. Rio de Janeiro: [s.n.], 1920.

PENNA-FRANCA, Luciana. "Todos ao palco!". *Revista de História da Biblioteca Nacional*, Rio de Janeiro, ano 10, nº 117, p. 52-55, 2015.

PEQUENO, Waldemar. *Um advogado aí pelos sertões (memórias)*. Belo Horizonte: [s.n.], 1997.

PEREIRA, Leonardo Affonso de Miranda. "O prazer das morenas: bailes, ritmos e identidades nos clubes dançantes da Primeira República". In: MARZANO, Andrea; MELO, Victor Andrade de. *Vida divertida*: histórias do lazer no Rio de Janeiro (1830-1930). Rio de Janeiro: Apicuri, 2010. p. 275-299.

______. "E o Rio dançou: identidades e tensões nos clubes recreativos cariocas 1912-1922". In: CUNHA, Maria Clementina Pereira (Org.). *Carnavais e outras f(r)estas*. Campinas: Unicamp/Cecult, 2002.

______. *Footballmania, uma história social do futebol no Rio de Janeiro*. Rio de Janeiro: Nova Fronteira, 2000.

PEROZZO, Priscila. *O perigo alemão e a repressão policial no Estado Novo*. São Paulo: Arquivo do Estado/Imprensa Oficial do Estado, 1999.

PESAVENTO, Sandra Jatahy. *O imaginário da cidade:* visões literárias do urbano. Porto Alegre: Editora da Universidade Federal do Rio Grande do Sul, 1999.

PINSKY, Carla Bassanezi. *Virando as páginas, revendo as mulheres*: revistas femininas e relações homem-mulher (1945-1964). Rio de Janeiro: Civilização Brasileira, 1996.

PINSKY, Carla Bassanezi; PEDRO, Joana Maria (Org.). *Nova história das mulheres no Brasil*. São Paulo: Contexto, 2012.

PINTO, Fulgêncio. *Dr. Bruxellas e cia*. Introdução e notas de Sebastião Moreira Duarte. São Luís: Instituto Geia, 2013.

PISCITELLI, Adriana; GREGORI, Maria Filomena; CARRARA, Sérgio. *Sexualidade e saberes*: convenções e fronteiras. Rio de Janeiro: Garamond, 2013.

PONTE, Juliano Pamplona Ximenes. "Belém do Pará: cidade e água". *Cadernos Metrópoles*, São Paulo, nº 33, v. 17, p. 41-60, mai. 2015.

PONTUAL, Virginia. *Uma cidade e dois prefeitos*: narrativas do Recife das décadas de 1930 a 1950. Recife: Editora Recife, 2001.

PORTO, Ângela. "Tuberculose: a peregrinação em busca da cura e de uma nova sensibilidade". In: NASCIMENTO, Dilene Raimundo do; CARVALHO, Diana Maul de. *Uma história brasileira das doenças*. Brasília: Paralelo 15, 2004.

PORTO, Walter Costa. *O voto no Brasil*. Rio de Janeiro: Editora Topbooks, 1989.

QUEIROZ, Maurício Vinhas de. *Messianismo e conflito social*: a guerra sertaneja do Contestado (1912-1916). Rio de Janeiro: Civilização Brasileira, 1966.

RAGO, Margareth. *Do cabaré ao lar:* a utopia da cidade disciplinar, Brasil 1890-1930. Rio de Janeiro: Paz e Terra, 1985.

RAMOS, Graciliano. *Memórias do Cárcere*. Rio de Janeiro: Record, 2011.

______. *Vivente das Alagoas, quadros e costumes do Nordeste*. Rio de Janeiro: Record, 1986.

RAMOS, Maria da Glória Vargas. *Pequenas histórias para meus netos quando forem grandes*. Belo Horizonte: 3I editora, 2012.

RASPANTI, Márcia Pinna. "O que 'eles' vestem: moda, vaidade e masculinidade no Brasil". In: DEL PRIORE, Mary; AMANTINO, Márcia (Orgs.). *História dos homens no Brasil*. São Paulo: Unesp, 2012.

REGO, Ariovisto Marcos de Almeida. *Um olhar para o passado*. Edição do autor, 1955.

REGO, José Lins do. *Dias idos e vividos*. Organização de Ivan Junqueira. Rio de Janeiro: Nova Fronteira, 1981.

______. *Meus verdes anos – Memórias*. Rio de Janeiro: José Olympio, 1957.

REIS, Daniel Aarão. *Luís Carlos Prestes*: um revolucionário entre dois mundos. São Paulo: Companhia das Letras, 2014.

REIS, Elpídio. *Só as doces... Uns causos por aí.* Campo Grande, MS: [s.n.], 1993.

RESENDE, Beatriz. *Lima Barreto e o Rio de Janeiro em fragmentos.* Belo Horizonte: Autêntica, 2016.

REVERBEL, Carlos (introdução, seleção e notas). *Diário de Cecília de Assis Brasil – Período 1916-1928.* Porto Alegre: L&PM, 1983

REZENDE, Cássio de. *Memórias de um médico.* Rio de Janeiro: Livraria São José, 1968.

RIBEIRO, Atanagildo Barata. *Sonho no cárcere*: dramas da revolução de 1893 no Brazil. Rio de Janeiro: Casa Mont'Alverne, 1895.

RICARDO, Cassiano. *Viagem no tempo e no espaço, memórias.* Rio de Janeiro: José Olympio, 1970.

RICOEUR, Paul. *A história, a memória e o esquecimento.* Campinas: Editora da Unicamp, 2007.

RIO, João do. *Cinematógrafo.* Rio de Janeiro: Academia Brasileira de Letras, 2009.

______. *Vida vertiginosa.* Edição preparada por João Carlos Rodrigues. Rio de Janeiro: Martins Fontes, 2006.

RIOS, Ana Maria Lugão. "My mother was a slave, not me! Black peasantry and regional politics in Southeast Brazil". Tese de Doutorado (História). Minnesota: University of Minnesota, 2001.

______. *Família e transição*: famílias negras em Paraíba do Sul, 1870-1920. Dissertação de Mestrado (História). Niterói: Universidade Federal Fluminense, 1990.

RIOS, Ana Maria Lugão; MATTOS, Hebe. *Memórias do cativeiro*: família, trabalho e cidadania no pós-Abolição. Rio de Janeiro: Civilização Brasileira, 2005.

ROCHA, Fernando Corrêa. *Cartas de um piloto de caça*: o treinamento e o combate – 1943-1945. Organização de Heloisa Rocha Pires. Rio de Janeiro: Ouro Sobre Azul, 2012.

RODRIGUES, Coelho. *A República na América do Sul.* 2ª ed. Suíça: Benziger & Co., 1906.

RODRIGUES, Ivan Dorneles. "O Galena e os primeiros sons do rádio". *Revista da AN-EP*, nº 3, v. 99. Disponível em: <http://www.carosouvintes.org.br/o-galena-e-os-primeiros-sons-doradio>. Acesso em: 22 dez. 2016.

RODRIGUES, Nelson. *Memórias*: a menina sem estrela. Rio de Janeiro: Nova Fronteira, 2015.

ROLAND, Maria Inês. *A Revolta da Chibata.* São Paulo: Saraiva, 2000.

SABINO, Marcos. *História da moda.* Rio de Janeiro: Campus/Elsevier, 2011.

SALES, Campos. *Da propaganda à Presidência.* Brasília: Senado Federal, 1998.

SALES, Herberto. *Subsidiário 1, confissões, memórias e histórias.* São Paulo: Realizações, 2009.

SANT'ANA, José Lemos de. *Mais bambangas (3º livro de memórias).* Salvador: [s.n.], 1979.

______. *Outros bambangas (2º livro de memórias).* Salvador: [s.n.], 1979.

______. *Bambangas (memórias).* Salvador: [s.n.], 1978.

SANTOS, Paulo F. *Quatro séculos de arquitetura no Brasil.* Rio de Janeiro: IAB, 1981.

SANTOS, Ricardo Augusto dos. "Representações sociais da peste e da gripe espanhola". In: NASCIMENTO, Dilene Raimundo do; CARVALHO, Diana Maul de. *Uma história brasileira das doenças.* Brasília: Paralelo 15, 2004.

SANTOS, Robson dos. "Cultura e tradição em Gilberto Freyre: esboço de interpretação do Manifesto regionalista". *Sociedade e Cultura*, Goiânia, v. 14, nº 2, p. 399-408, jul.-dez. 2011.

SANTOS, Walmor. *Contestado*: a guerra dos equívocos. São Paulo: Record, 2009. v. 1.

SARGES, Maria de Nazaré. *Belém*: riquezas produzindo a Belle Époque (1870-1912). 3ª ed. Belém: Paka-Tatu, 2010.

SARMENTO, Carlos Eduardo B.; FERREIRA, Marieta de Moraes. "A república brasileira entre pactos e rupturas". In: Gomes, Angela de Castro; FREIRE, Américo. *A República no Brasil.* Rio de Janeiro: Nova Fronteira, 2002. p. 450-495.

SCHIRMER, Lauro. *Flores da Cunha de corpo inteiro.* Porto Alegre: RBS Publicações, 2007.

SCHMIDT, Augusto Frederico. *As Florestas:* páginas de memórias. Rio de Janeiro: Topbooks, 1997.

SCHPUN, Monica Raisa. *Beleza em jogo:* cultura física e comportamento em São Paulo nos anos 20. São Paulo: Senac/Boitempo editorial, 1999.

SCHRAIBER, Lilia Blima. *O médico e seu trabalho.* São Paulo: Hucitec, 1993

SCHÜLER, Donaldo. *Império Caboclo.* Porto Alegre: Movimento, 1994.

SCHWARTSMANN, Leonor B. *Olhares do médico-viajante Giovanni Palombini no Rio Grande do Sul (1901-1914).* Porto Alegre: EdiPUCRS, 2008.

SCLIAR, Moacyr. *O texto, ou: a vida:* uma trajetória literária. Rio de Janeiro: Bertrand Brasil, 2006.

SENA, Consuelo Pondé de. *Cortes no tempo.* Salvador: Memorial das Letras, 1997.

SERBIN, Kenneth P. *Padres, celibato e conflito social*: uma história da igreja católica no Brasil. São Paulo: Companhia das Letras, 2008.

SEVCENKO, Nicolau (Org.). *História da vida privada no Brasil*: da Belle Époque à era do rádio. 3ª ed. São Paulo: Companhia das Letras, 1998. v. 1.

______. *Literatura como missão:* tensões sociais e criação cultural na Primeira República. São Paulo: Companhia das Letras, 1983.

______. *Orfeu extático na metrópole*: São Paulo, sociedade e cultura nos frementes anos 20. São Paulo, Companhia das Letras, 1992.

SILVA, Giselda Brito (Org.). *Estudos do Integralismo no Brasil.* Recife: Editora da UFRPE, 2007.

SILVA, Marcos A. da. *Contra a Chibata*: marinheiros brasileiros em 1910. São Paulo: Brasiliense, 1982. (Coleção Tudo é História)

SILVA, Marinete dos Santos. *A educação brasileira no Estado Novo.* São Paulo: Editorial Livramento, 1980.

SILVA, Suely Braga da. *Luiz Simões Lopes, fragmentos de memória.* Rio de Janeiro: FGV Editora, 2006.

SILVEIRA, Anny J. Torres da. "A crônica da espanhola em Belo Horizonte". In: NASCIMENTO, Dilene Raimundo do; CARVALHO, Diana Maul de. *Uma história brasileira das doenças.* Brasília: Paralelo 15, 2004.

SILVEIRA, Maria Isabel. *Isabel quis Valdomiro.* Rio de Janeiro: Francisco Alves, s/d.

SOARES, Ana Carolina Eiras Coelho. "Um olhar sobre o Sertão Goiano na ótica da alimentação, saúde e doença". *Fronteiras: Journal of Social, Technological and Environmental Science,* Anápolis, v. 3, nº 2, p. 272-274, jul.-dez. 2014. (Resenha)

SOIHET, Rachel. *Condição feminina e formas de violência*: mulheres pobres e ordem urbana (1890-1920). Rio de Janeiro: Forense Universitária, 1989.

SOUZA, Antonio Clarindo Barbosa de (Org.). *Populares na cidade, vivências de trabalho e de lazer.* João Pessoa: Ideia, 2011.

SOUZA, Ludmila Érica Cambusano de. *A seção de brinquedos da metalúrgica Matarazzo S.A. – Metalma –, anos de 1930-1950 em São Paulo (estudo sobre industrialização e cultura material).* Dissertação de Mestrado (História Social). São Paulo: Universidade de São Paulo, 2012.

STANICH NETO, Paulo. "Bucha, a sociedade secreta do Direito". *Revista Jus Navegandi,* Teresina, ano 12, nº 1313, 4 fev. 2007. Disponível em: <https://jus.com.br/artigos/9461>. Acesso em: 22 dez. 2016

STIEL, Waldemar Corrêa. *História do transporte urbano no Brasil:* 'Summa Tranviariae Brasiliensis': História dos Bondes e Trólebus e das cidades onde eles trafegaram. São Paulo: Empresa Brasileira dos Transportes Urbanos – EBTU. Brasília: Pini, 1984.

TAKESHITA, Hermengarda Leme Leite. *Um grito de liberdade:* uma família paulista no fim da Belle Époque. São Paulo: Alvorada Editora e Livraria Ltda., 1984.

TASCO, Aleidys Hernández; CAMPOS, Cristina de. Edição Especial História Viva, São Paulo, v. 134, p. 19-23, 2014.

TEIXEIRA, Luiz Antonio. "Medo e morte: sobre a epidemia de gripe espanhola de 1918". *Série Estudos de Saúde Coletiva,* Rio de Janeiro, n. 59, Uerj/IMS, 1993.

THOMÉ, Nilson. *A política no Contestado*: do curral da fazenda ao pátio da fábrica. Caçador: Universidade do Contestado, 2002.

TINHORÃO, José Ramos. *A imprensa carnavalesca no Brasil:* um panorama da linguagem cômica. São Paulo: Hedra, 2000.

TOCANTINS, Leandro. *Santa Maria do Belém do Grão Pará.* Rio de Janeiro: Civilização Brasileira, 1963.

TODOROV, Tzvetan. *Les abus de la memoire.* Paris: Arléa, 2004.

UZEDA, Jorge Alemida. "A morte vigiada: a cidade de Salvador e a prática da medicina urbana 1890-1930". Dissertação de Mestrado (Ciências Sociais). Salvador: Universidade Federal da Bahia, 1992.

VALENTE, Luiz Ricardo Schiavinato; EDUARDO, J.P.A. "O processo de verticalização de Copacabana, Rio de Janeiro". In: *VII Congresso Brasileiro de Geógrafos*, Vitória, ES. *Anais do VII CBG*, 2014.

VALENTIM, Oséias Faustino. *O Brasil e o positivismo*. Rio de Janeiro: Publit, 2010.

VALENTINI, Delmir José. *Da cidade à corte celeste*: memórias de sertanejos e a guerra do Contestado. Caçador: Universidade do Contestado, 1998.

VALLADARES, Benedito. *Tempos idos e vividos*: memórias. Rio de Janeiro: Civilização Brasileira, 1966.

VEIGA, Débora de Fátima Lima. "Os mercados de Belém: um estudo sobre a preservação da arquitetura de ferro". Dissertação de Mestrado (História e Fundamento da Arquitetura e do Urbanismo). São Paulo: Universidade de São Paulo, 2007.

VENTURA, Zuenir. *Cidade Partida*. São Paulo: Companhia das Letras, 1994.

VERISSIMO, Erico. *Solo de clarineta*: memórias. Porto Alegre: Globo, 1976.

VIANNA, Antonio. *Casos e coisas da Bahia*. Salvador: Fundação Cultural do Estado da Bahia, 1984.

VIANNA, Hildegardes. *A Bahia já foi assim*. Salvador: FG editora, 2000.

VIANNA, Marly de Almeida Gomes. *Revolucionários de 1935:* sonho e realidade. 1ª ed. São Paulo: Companhia das Letras, 1992.

VIANNA, Sílvia Mascarenhas; VAZ, Isabel. *Rachel Mascarenhas Vianna:* por ela e por nós. Belo Horizonte: Edição do autor, 2012.

VILAÇA, Marcos Vinícius; ALBUQUERQUE, Roberto Cavalcanti de. *Coronel Coronéis:* apogeu e declínio do coronelismo no Nordeste. 4ª ed. Rio de Janeiro: Bertrand Brasil, 2003.

VILLA, Marco Antonio. *1932*: imagens de uma revolução. São Paulo: Imprensa Oficial do Estado de São Paulo, 2008.

VOVELLE, Michel. *La mort et l'Occident de 1300 à nos jours*. Paris: Gallimard, 1983.

WAACK, William. *Camaradas*. São Paulo: Cia. das Letras, 1993.

WAIZBORT, Leopoldo. "Fonógrafo". *Novos Estudos CEBRAP* (Impresso), v. 1, p. 27-46, 2014.

WISSENBACH, Maria Cristina C. "Da escravidão à liberdade: dimensões de uma privacidade possível". In: SEVCENKO, Nicolau (Org.). *História da vida privada no Brasil*: da Belle Époque à era do rádio. 3ª ed. São Paulo: Companhia das Letras, 1998. v. 1, p. 49-130.

WITTER, José Sebastião. "Os anúncios fúnebres, 1920-1940". In: MARTINS, José de Souza (Org.). *A morte e os mortos na sociedade brasileira*. São Paulo: Hucitec, 1983.

ZORAD, Carlos. *Um céu cinzento*: a história da aviação na Revolução de 1932. Recife: EDUFPE, 2013.

ZWEIG, Stefan. *Brasil:* um país do futuro. Porto Alegre, L&PM, 2006.

Este livro foi editado na cidade de São Sebastião do Rio de Janeiro na inverno de 2017. Foram usadas fontes Didot e Trade Gothic.